Herbjørg Wassmo wu... *... Nordita...* ... Für die
Tora-Trilogie erhielt si... n Rates,
die höchste Auszeichn... as Buch
Dina«, 1989 erschiene... dlerver-
band 1991 zum beste... Ierbjørg
Wassmos Werke sind i... .esehen-
ste und meistgelesene Autorin Norwegens.

Von Herbjørg Wassmo sind außerdem erschienen:

Gefühlloser Himmel (Band 60157)
Das Haus mit der blinden Glasveranda (Band 60158)
Der stumme Raum (Band 60159)

Dieses Buch wurde auf chlor- und säurefreiem Papier gedruckt.

Vollständige Taschenbuchausgabe Juni 1994
Droemersche Verlagsanstalt Th. Knaur Nachf., München
© 1992 für die deutschsprachige Ausgabe
Paul List Verlag in der Südwest Verlag GmbH & Co. KG, München
© 1989 Gyldendal Norsk Forlag
Originalverlag: Gyldendal Norsk Forlag, Oslo
Titel der Originalausgabe: »Dinas bok«
Aus dem Norwegischen von Ingrid Sack
Umschlaggestaltung: Manfred Waller, Reinbek
Umschlagillustration: Monika Gil'sing, Leezen
Druck und Bindung: Ebner Ulm
Printed in Germany
ISBN 3-426-65051-7

6   8   10   9   7

Herbjørg Wassmo

Das Buch Dina

Roman

Für Bjørn

PROLOG

VIELE MENSCHEN RÜHMEN IHRE GÜTE; ABER WER FINDET EINEN, DER ZUVERLÄSSIG IST?

EIN GERECHTER, DER UNSTRÄFLICH WANDELT, DESSEN KINDERN WIRD'S WOHLGEHEN.

WER KANN SAGEN: »ICH HABE MEIN HERZ GELÄUTERT UND BIN REIN VON MEINER SÜNDE?«
(Die Sprüche Salomos, Kapitel 20, Vers 6, 7 und 9)

Ich bin Dina, die sieht, wie der Schlitten mit dem Menschen in wilden Sätzen den steilen Hang hinunterstürzt.

Zuerst glaube ich, daß ich dort festgebunden liege. Weil ich einen Schmerz spüre, jenseits von allem, was ich bisher empfunden habe.

In einer glasklaren Wirklichkeit, aber außerhalb von Raum und Zeit, habe ich Verbindung mit dem Gesicht auf dem Schlitten. Sekunden später wird es an einem eisbedeckten Stein zerschmettert.

Das Tier hat sich wahrhaftig aus dem Geschirr befreit und ist dem Schicksal entgangen, mit in die Tiefe gerissen zu werden! Daß es so einfach war!

Es muß spät im Herbst sein. Spät wofür?

Mir fehlt ein Pferd.

Eine Frau stand im kalten Morgenlicht oben an einem Abhang. Es schien keine Sonne. Die Berge waren wachsam und dunkel. Der Abhang war so steil, daß die Landschaft weiter unten ihrem Blick verborgen blieb.

Auf der anderen Seite eines breiten Sundes erhob sich eine noch schroffere Bergkette und war stumme Zeugin.

Die Frau verfolgte jede Bewegung des Schlittens. Bis er am äußersten Rand an einer Birke liegenblieb.

Er wippte leicht über dem Abgrund. Die Wand fiel beinahe senkrecht ab. Tief unten toste ein Wasserfall.

Die Frau blickte auf die Spur, die der Schlitten hinterlassen hatte. Kleine Steine, verwehter Schnee, Heidekrautbüschel, geknickte Bäumchen. Als ob ein Riesenhobel darübergefahren wäre und alles, was hochragte, mitgenommen hätte.

Sie hatte Lederhosen an und eine lange taillierte Jacke. Wären die Haare nicht gewesen, man hätte sie von weitem für einen Mann halten können. Sie war sehr groß für eine Frau.

Der rechte Jackenärmel war zerrissen. Die Fetzen waren blutig. Von einer Wunde.

In der linken Hand hielt sie noch ein kurzes Messer, ein solches, wie die Lappenfrauen es im Gürtel tragen.

Die Frau wandte das Gesicht zu dem Geräusch. Pferdewiehern. Sie schien davon wach zu werden. Steckte das Messer in die Jackentasche.

Nach kurzem Zögern stieg sie zielstrebig über den durch Steine abgestützten Straßenrand. Zum Schlitten hin. Er wippte jetzt weniger. Als ob er sich entschlossen hätte, den Menschen mit dem zerschundenen Gesicht zu schonen.

Rasch kletterte sie den Hang hinunter. Trat Steine los. Sie bildeten eine kleine Lawine und sausten an dem Schlitten vorbei in den Abgrund. Die Frau starrte in die Luft. Als ob sie Kontakt zu den Steinen hätte, auch nachdem sie ihren Blicken entschwunden waren. Als ob sie sie sehen könnte, bis der Kolk unter dem tosenden Wasserfall sie aufnahm.

Einen Augenblick blieb sie stehen, während neue Steine an dem Schlitten mit dem leblosen Körper vorbeisausten. Aber nur einen Augenblick. Dann kletterte sie weiter, bis sie die Hand auf das Schaffell legen konnte, in dem der Mann lag, und es zur Seite schlagen.

Etwas, das einmal ein schönes Männergesicht gewesen sein mußte, kam zum Vorschein. Das eine Auge war eingedrückt. Frisches Blut floß dick und gleichmäßig aus mehreren Wunden. Binnen weniger Sekunden war der ganze Kopf rot. Das weiße Schaffell neben dem Hals des Mannes saugte es getrost auf.

Sie hob eine lange, schmale Hand mit schön geformten rosa Nägeln. Hob die Augenlider des Mannes. Erst das eine, dann das andere. Schob die Hand auf seine Brust. Schlug das Herz des Mannes noch? Sie suchte und konnte es nicht feststellen.

Das Gesicht der Frau war schneebedeckte Erde. Kein Zeichen von Rührung. Nur die Augen bewegten sich unter halb gesenkten Lidern. Sie hatte Blut an den Händen, das sie an der Brust des Mannes abwischte. Bedeckte sein Gesicht mit einem Zipfel des Schaffells.

Sie kroch zur Vorderseite des Schlittens, bis sie zu der Deichsel-befestigung kam. Dort zog sie schnell die Überreste der Seilenden aus den Löchern. Einzelne Fasern suchte sie sorgfältig zusammen und steckte alles in die Jackentasche zu dem Messer. Holte zwei ab-gerissene Lederriemen heraus und befestigte sie dort, wo die Seile gesessen hatten.

Einmal richtete sie sich auf. Lauschte. Das Pferd wieherte auf der Straße. Dann kroch sie an dem Schlitten entlang zurück. Immer den zerschundenen Menschen zwischen sich und dem Abgrund.

Das solide Birkenholz knackte vor Kälte und unter dem zusätzli-chen Gewicht, als sie sich auf den Schlitten legte. Sie suchte mit den Füßen einen Halt zwischen den vereisten Steinen und legte sich dann voll auf den Schlitten. Berechnete den Stoß, als ob sie es schon viele Male gemacht hätte.

Als der Schlitten sich vom Boden löste, glitt das Fell von dem Ge-sicht des Mannes. Da öffnete er das Auge, das nicht eingeklemmt war, und sah die Frau an. Stumm. Ein hilfloser, ungläubiger Blick.

Sie zuckte zusammen. Und so etwas wie eine unbeholfene Zärt-lichkeit huschte über ihr Gesicht.

Dann war alles Bewegung und Luft. Es ging schnell. Die Geräu-sche hallten in den Bergen wider, lange nachdem alles vorüber war.

Das Gesicht der Frau war leer. Die Landschaft gehörte wieder sich selbst. Es war alles sehr gut.

Ich bin Dina, die den Sog fühlt, wenn der Mann auf dem Schlitten den schäumenden Kolk erreicht. Dann geht er über die Grenzen, die notwen-dig sind. Ich bekomme den letzten Augenblick nicht mit. Der mir einen Zipfel von dem Unbekannten zeigen könnte, das alle fürchten. Da die Zeit nicht mehr existiert.

Wer bin ich? Wo ist Zeit, Ort und Raum? Bin ich dazu verurteilt für immer?

Sie richtete sich auf und kletterte zielstrebig den Hang hinauf. Es schien schwieriger zu sein als hinunter. Zweihundert Meter ver-eistes Gelände.

Dort wo sie einen Blick auf den reißenden Herbstfluß bekam, drehte sie sich um und starrte. Er machte einen Bogen, ehe er in die Tiefe stürzte. Schäumende Wassermassen. Nichts anderes.

Sie kletterte weiter. Schnell. Sie atmete schwer. Es war deutlich, daß sie Schmerzen in dem verletzten Arm hatte. Ein paarmal war sie nahe dran, das Gleichgewicht zu verlieren und den gleichen Weg wie der Schlitten zu nehmen.

Die Hände griffen gierig nach Gestrüpp, Zweigen und Steinen. Sie achtete darauf, daß sie sich immer mit der einen Hand irgendwo festhalten konnte, ehe sie die andere losließ. Kräftige, schnelle Bewegungen.

Sie sah hoch, während sie sich an einem Prellstein am Straßenrand festhielt. Begegnete dem großen, glänzenden Pferdeblick. Das Pferd wieherte nicht mehr, stand nur da und sah sie an.

Sie standen sich gegenüber und schnauften. Das Pferd fletschte plötzlich die Zähne und biß ungehalten in ein paar Grasbüschel am Straßenrand. Sie schnitt eine Grimasse, als sie beide Arme brauchte, um mit einem letzten Schritt auf die Straße zu kommen.

Das Tier beugte seinen mächtigen Kopf über sie. Die Deichsel spreizte sich zu beiden Seiten. Ein leeres Ornament.

Sie griff schließlich in die Pferdemähne und zog sich zu dem widerstrebenden Pferdekopf hoch.

Diese Frau war achtzehn Jahre. Mit Augen so alt wie Steine. Das Scharren der Deichsel auf dem Boden war ein Geräusch außerhalb des Bildes. Das Pferd stampfte gefrorene Grashalme in den Boden.

Sie zog die Jacke aus und krempelte Strickjacken- und Blusenärmel hoch. Die Wunde sah nach einem Messerstich aus. War sie beim Kampf mit dem Mann auf dem Schlitten verletzt worden?

Dann beugte sie sich plötzlich hinunter und grub mit bloßen Händen in dem gefrorenen Grusweg. Bekam Sand und Eis, Grashalme und altes Laub zu fassen. Rieb das Ganze mit aller Gewalt in die Schnittwunde. Das Gesicht war schmerzverzerrt. Der Mund öffnete sich und stieß Kehllaute aus.

Sie wiederholte den Vorgang mehrmals. Wiederholte die Laute in gleichmäßigen Abständen. Wie ein Ritual. Die Hände gruben. Fanden Grus und Sand. Hoben auf. Rieben in die Wunde. Immer wieder. Dann zog sie die Wolljacke und die Bluse aus und bearbeitete sie unten auf der Straße. Riß und zerrte an den Ärmeln. Und rieb.

Die Hände bluteten. Sie wischte das Blut nicht ab. Sie hob sich in ihrem dünnen Spitzenleibchen als Silhouette gegen den herbstlichen Himmel ab. Aber es sah nicht so aus, als ob sie frieren würde. Ruhig zog sie sich an. Inspizierte die Wunde durch das Loch im Ärmel. Holte ein paar Fetzen heraus. Schnitt vor Schmerz eine Grimasse, als sie den Arm ausstreckte, um festzustellen, ob sie ihn gebrauchen konnte.

Ihr Hut lag im Straßengraben. Braun, mit schmaler Krempe und grüner Feder. Sie warf ihm einen schnellen Blick zu, ehe sie auf dem schlechten Schlittenweg in nördlicher Richtung davonging. In einem schwachen silbrigen Licht.

Das Pferd trottete hinterher, die Deichsel im Schlepptau. Es erreichte sie schnell. Beugte das Maul über ihre Schulter und knabberte an ihren Haaren.

Da blieb sie stehen und ging dicht an das Tier heran. Zwang es mit einem Handgriff auf die Knie, als ob es ein Kamel wäre. Und setzte sich rittlings auf den breiten schwarzen Rücken.

Geräusch der Pferdehufe. Weinen der Deichsel auf dem Grus. Ruhiger Atem des Pferdes. Wind. Der nichts wußte. Nichts sah.

Es war mitten am Tag. Das Pferd und die Frau waren den steilen Weg vom Gebirge zu dem großen Hof heruntergekommen. Von dem weißen Haupthaus führte eine breite Allee mit prächtigen, sich wiegenden Ebereschen hinunter zu den roten Lagerhäusern. Zwei an jeder Seite einer durch Steine geschützten Anlegestelle.

Die Bäume waren ganz kahl. Felder und Wiesen gelb, mit etwas Eis und verwehtem Schnee. Der Himmel riß immer wieder auf. Aber es schien trotzdem noch keine Sonne.

Tomas trat aus dem Stall, indes das Pferd und die Frau auf den Hof kamen. Er blieb wie angewurzelt stehen, als er die leere Deichsel und die Frau mit den zerzausten Haaren und den blutigen Kleidern erblickte.

Langsam ließ sie sich vom Pferd gleiten, ohne ihn anzusehen. Dann schwankte sie Schritt für Schritt die breite Treppe zum Hauptgebäude hinauf. Öffnete die Eingangstür. Blieb mit dem Rücken zur offenen Tür stehen, während das Licht sie umfing. Plötzlich drehte sie sich um, als ob sie Angst vor dem eigenen Schatten hätte.

Tomas lief ihr nach. Sie stand im Licht. Aus dem Inneren des Hauses warm und golden. Von draußen kalt, mit den bläulichen Schatten der Berge.

Sie hatte kein Gesicht mehr.

Es gab einen großen Aufstand. Frauen und Männer kamen angelaufen. Das Gesinde.

Mutter Karen kam, an einem Stock hinkend, aus einem der Wohnräume. Das Monokel baumelte an einem gestickten Band, das sie um den Hals trug. Ein blitzendes Brillenglas. Das verzweifelt versuchte, alles fröhlich zu stimmen.

Die alte Frau humpelte mühsam durch den herrschaftlichen Gang. Milder, allwissender Blick. Wußte sie etwas?

Alle scharten sich um die Frau in der Eingangstür. Ein Dienstmädchen berührte den verletzten Arm und wollte helfen, die zerfetzte Jacke auszuziehen. Aber sie wurde weggescheucht.

Dann brach der Lärm los. Alle redeten durcheinander. Die Fragen hagelten auf die Frau ohne Gesicht.

Aber sie antwortete nicht. Sah nicht. Hatte keine Augen. Packte nur den Stalljungen Tomas so fest am Arm, daß er aufstöhnte. Dann taumelte sie zu Anders hin. Einem blonden Mann mit einem stark ausgeprägten Kinn. Er war einer der Pflegesöhne auf dem Hof. Sie packte auch ihn am Arm und veranlaßte die beiden, ihr zu folgen. Ohne daß sie ein Wort gesagt hatte.

Die zwei Pferde, die im Stall standen, wurden aufgezäumt. Das dritte hatte keinen Sattel. Es war verschwitzt und erschöpft nach dem Ritt vom Gebirge herunter. Es wurde von den Deichseln befreit, abgetrocknet und getränkt.

Der große Pferdekopf nahm sich Zeit in dem Wassereimer. Die Menschen mußten warten. Er trank in feierlichen Schlucken. Dazwischen warf er die Mähne in die Luft und ließ seinen Blick über die Gesichter gleiten.

Die Frau wollte die Kleider nicht wechseln oder sich die Wunde verbinden lassen. Sie schwang sich einfach auf das Pferd.

Tomas reichte ihr einen Lodenmantel. Mit zusammengebissenen Zähnen zog sie ihn an. Noch hatte sie kein Wort gesprochen.

Sie führte sie zu der Stelle, wo der Schlitten in den Abgrund geglitten war. Die Spuren ließen keinen Zweifel aufkommen. Der rasierte Hang, die geknickten kleinen Birken, das aufgewühlte Heidekraut. Sie wußten alle, was unterhalb des Hanges war. Die steile Wand. Der Wasserfall. Die Schlucht. Der Kolk. Der Schlitten.

Sie holten noch mehr Leute und suchten in den schäumenden Wassermassen. Man fand nichts anderes als Reste des zertrümmerten Schlittens mit den abgerissenen Deichselriemen.

Die Frau war stumm.

DIE AUGEN DES HERRN BEHÜTEN DIE ERKENNTNIS; ABER DIE
WORTE DES VERÄCHTERS BRINGT ER ZU FALL.
(Die Sprüche Salomos, Kapitel 22, Vers 12)

Dina sollte ihren Mann Jacob, der einen brandigen Fuß hatte, über
das Gebirge zum Doktor fahren. November. Sie war die einzige,
die mit dem wilden jungen Hengst fertig wurde. Er war am schnell-
sten. Und es mußte schnell gefahren werden. Auf einer miserablen,
vereisten Straße.

Jacobs Fuß stank bereits. Der Geruch war schon lange bis in
die Zimmer gedrungen. Die Köchin nahm ihn sogar in der
Speisekammer wahr. Das Unheil lag zwischen allen Wänden. Die
Angst.

Keiner auf Reinsnes sagte etwas über den Geruch von Jacobs
Fuß, *ehe* der Kranke fort war, und es wurde nicht mehr davon ge-
sprochen, nachdem der Schwarze mit der leeren Deichsel auf den
Hof gekommen war.

Aber im übrigen redeten die Leute. Abergläubisch und entsetzt.
Überall auf den Höfen. In den Wohnzimmern in Strandstedet und
am Sund. Beim Pfarrer. Leise und vertraulich.

Über Dina, die junge Frau auf Reinsnes. Lehnsmann Holms einzige Tochter. Sie war vernarrt in Pferde wie ein Junge. Auch nachdem sie geheiratet hatte. Jetzt war ihr ein so trauriges Schicksal widerfahren.

Sie erzählten es immer wieder. Sie war gefahren, daß die Funken
unter den Kufen sprühten. Wie eine Hexe. Trotzdem war Jacob
Grønelv nicht zum Doktor gekommen. Nun war er nicht mehr.
Der beliebte und großzügige Jacob, der nie nein sagte, wenn man
ihn um Hilfe bat. Mutter Karens Sohn, der ganz jung nach Reinsnes gekommen war.

Tot! Niemand vermochte es zu fassen, daß etwas so Grausames
geschehen konnte. Daß Schiffe kenterten und Menschen draußen
blieben, dagegen konnte man nichts machen. Aber das hier war
Teufelswerk. Erst Brand in einen gebrochenen Fuß bekommen und
dann mit einem Schlitten verunglücken, der in einen Wasserfall
stürzt!

Dina hatte die Sprache verloren, und Mutter Karen weinte. Jacobs Sohn aus der ersten Ehe wanderte vaterlos durch Christiania, und der Schwarze mochte keinen Schlitten mehr sehen.

Die Obrigkeit kam auf den Hof, um nachzuforschen, wie sich alles, einschließlich des Todes, zugetragen hatte. Alles sollte beim Namen genannt werden, und nichts sollte verschwiegen werden, so hieß es.

Dinas Vater, der Lehnsmann, hatte zwei Zeugen und einen Protokollführer mitgebracht. Er betonte ausdrücklich, daß er als Obrigkeit erschienen war und nicht als Vater.

Mutter Karen schmerzte es sehr, daß da ein Unterschied bestand. Aber sie sagte nichts.

Keiner bekam Dina vom oberen Stockwerk herunter. Da sie groß und kräftig war, wollte man das Risiko nicht eingehen, daß sie sich wehrte und für einen peinlichen Auftritt sorgte. Deshalb versuchte man nicht, sie zu zwingen. Es wurde beschlossen, daß die Obrigkeit hinauf in den Saal ging.

Es wurden eigens Stühle hingestellt. Und die Vorhänge am Himmelbett wurden gründlich abgestaubt. Schwerer goldfarbener Stoff mit großen roten Blumenranken. In Hamburg gekauft. Zu Dinas und Jacobs Hochzeit genäht.

Oline und Mutter Karen hatten sich bemüht, die junge Frau ein bißchen zurechtzumachen, damit sie nicht so ungepflegt aussah. Oline brachte außerdem Kräutertee mit dicker Sahne und viel Zucker. Ihr Mittel gegen alles, von Skorbut bis Kinderlosigkeit. Mutter Karen stand Dina mit guten Worten bei, mit behutsamer Fürsorge, und bürstete ihr die Haare.

Die Dienstmädchen taten, was ihnen aufgetragen wurde, und warfen ängstliche Blicke nach allen Seiten.

Die Worte saßen absolut fest. Dina öffnete den Mund und formte sie. Aber der Laut war in einer anderen Wirklichkeit. Die Obrigkeit versuchte es mit allen möglichen Methoden.

Der Lehnsmann begann mit einer tiefen, neutralen Stimme, während er Dina in die hellgrauen Augen sah. Er hätte genausogut durch ein Glas Wasser schauen können.

Die Zeugen versuchten es auch. Sitzend und stehend. Mit mitleidiger und mit energischer Stimme.

Schließlich legte Dina den Kopf mit den widerspenstigen Haaren auf die Arme. Es kamen Laute wie von einem halberstickten Hund.

Die Obrigkeit schämte sich und zog sich in die unteren Zimmer zurück. Um sich zu besprechen und sich einig zu werden. Wie es am Ort des Geschehens ausgesehen hatte. Wie die junge Frau sich benahm.

Sie kamen zu dem Schluß, daß es eine Tragödie für die Gemeinde und für den ganzen Pfarrbezirk war. Daß Dina Grønelv vor Trauer wie von Sinnen war. Daß sie nicht zurechnungsfähig war und durch den Schock die Sprache verloren hatte.

Sie stellten fest, daß sie gefahren war, was das Zeug hielt, um ihren kranken Mann zum Doktor zu bringen. Daß sie in der Kurve bei der Brücke zuviel Fahrt gehabt hatte oder daß das wilde, verrückte Pferd den steilen Hang hinunter durchgegangen war und daß die Deichselbefestigungen gerissen waren. Alle beide.

Das wurde korrekt zu Protokoll gegeben.

Die Leiche fand man zunächst nicht. Die Leute meinten, daß sie wohl ins Meer geschwemmt worden sei. Aber man begriff das nicht. Denn es waren fast zehn Kilometer bis zum Meer, und das Flußbett war uneben und flach. Jeder Stein konnte einen toten Körper aufhalten, der selbst nichts dazu tat, ins Meer zu gelangen.

Zu Mutter Karens Verzweiflung gab man die Suche allmählich auf.

Nach einem Monat kam ein Armenhäusler auf den Hof und behauptete, daß die Leiche in dem Veslekulpen liege, einem kleinen Wasserloch ein Stück unterhalb des großen Kolks. Gekrümmt um einen Stein liege Jacob. Steif wie ein Stock. Aufgeschwemmt und übel zugerichtet, sagte er.

Es zeigte sich, daß der Mann recht hatte.

Nach dem Herbstregen war das Wasser gefallen. Und an einem klaren Tag Anfang Dezember war der unglückselige Körper von Jacob Grønelv aufgetaucht. Im Blickfeld des alten Armenhäuslers, der übers Gebirge ging, um den Hof zu wechseln.

Später sagten die Leute, daß der Mann hellsichtig sei. Ja, daß er das schon immer gewesen sei. Deswegen hatte er auch ein sanftes Alter. Denn niemand wollte sich mit einem Hellseher anlegen. Auch wenn er nur ein Armenhäusler war.

Dina saß im Saal, dem größten Raum in der oberen Etage. Mit vorgezogenen Gardinen. Anfangs ging sie nicht einmal in den Stall zu ihrem Pferd.

Man ließ sie in Ruhe.

Mutter Karen hörte auf zu weinen, weil sie keine Zeit mehr hatte. Sie mußte alle Pflichten übernehmen, die die Herrschaft versäumte. Beide waren tot, wenn auch auf verschiedene Weise.

Dina saß am Nußbaumtisch und starrte in die Luft. Niemand wußte, was sie sonst trieb. Denn sie hatte keine Vertrauten.

Die Notenblätter, die sie früher um das Bett aufgestapelt hatte, waren jetzt in der Kleiderkammer verstaut. Die langen Kleider streiften darüber, wenn sie die Tür öffnete.

Die Schatten waren tief in dem Saal. Hinten in der Ecke verstaubte ein Cello. Keiner hatte es angerührt seit dem Tag, als Jacob aus dem Haus getragen und auf den Schlitten gelegt worden war.

Ein gediegenes Himmelbett mit einem prächtigen Vorhang nahm einen großen Teil des Raumes ein. Es war so hoch, daß man zurückgelehnt in den Kissen liegen und durch das Fenster auf den Sund sehen konnte. Oder man konnte sich selbst in dem großen Spiegel mit dem schwarzlackierten Rahmen betrachten, wenn man ihn in den gewünschten Winkel kippte.

Der große, runde Ofen bullerte rund um die Uhr. Hinter einem dreiteiligen gestickten Wandschirm mit dem Motiv der schönen Leda und des Schwans, in erotischer Umarmung. Flügel und Arme. Und Ledas lange blonde Haare sittsam über den Schoß gebreitet.

Das Mädchen Tea legte viermal am Tag auf. Trotzdem reichte es kaum für die Nacht.

Niemand wußte, wann Dina schlief, ob sie überhaupt schlief. Sie ging in ihren Reiseschuhen, die Eisen an den Absätzen hatten, Tag und Nacht. Von Wand zu Wand. Und hielt das ganze Haus wach.

Tea erzählte, daß die große schwarze Familienbibel, die Dina von ihrer Mutter geerbt hatte, immer aufgeschlagen daliege.

Mitunter lache die junge Frau leise. Es klinge nicht schön. Tea war sich nicht sicher, ob sie über den heiligen Text lachte oder ob sie an etwas dachte...

Manchmal klatsche sie die hauchdünnen Blätter in großem Zorn zusammen und schleudere das Buch weg, als ob es Schlachtabfall wäre.

Jacob kam erst fünf Tage, nachdem sie ihn gefunden hatten, in die Erde. Mitte Dezember. Es mußte noch so viel erledigt werden. Man mußte so vielen Bescheid sagen. Verwandte, Freunde und prominente Persönlichkeiten mußten zur Beerdigung eingeladen werden. Außerdem war es einigermaßen kalt, da konnte die schlimm zugerichtete und vom Wasser aufgedunsene Leiche gut solange auf dem Heuboden bleiben. Das Grab mußte mit Hilfe von Hammer und Hacke ausgehoben werden.

Der Mond schickte Signale durch die kleinen Fenster und beobachtete Jacobs Schicksal mit seinem goldenen Auge. Machte keinen Unterschied zwischen Lebenden und Toten. Verschönerte den Heuboden mit Weiß und Silber. Und unten, zu beiden Seiten der Brücke, lag das Heu und war Wärme und Nahrung und duftete nach Sommer und Herrlichkeit.

Eines Morgens sehr zeitig zogen sie sich für die Beerdigung an. Die Boote waren für die Abfahrt bereit. Stille lag über dem Haus wie eine fremde Frömmigkeit. Niemand wartete um diese Jahreszeit auf das Tageslicht. Aber der Mond war da.

Dina lehnte sich gegen den Fensterrahmen, wie um sich zu wappnen, als sie hereinkamen und ihr in die schwarzen Kleider helfen wollten, die man für die Beerdigung genäht hatte. Sie hatte sich geweigert, sie anzuprobieren.

Sie schien zu überlegen, wo jeder Muskel war, jeder einzelne Gedanke. Völlig unbeweglich stand sie vor den ernsten, verweinten Frauen.

Trotzdem gaben sie nach dem ersten Versuch nicht auf. Sie solle sich umziehen. Etwas anderes sei nicht denkbar. Aber sie mußten sich mit dem Gedanken befreunden, daß Dina nicht mitkam. Denn mit ihren tierischen, heiseren Kehllauten gab sie ihnen zu verstehen, daß sie nicht imstande war, Witwe bei einer Beerdigung zu sein. Jedenfalls nicht an diesem Tag.

Entsetzt gingen die Frauen aus dem Zimmer. Eine nach der anderen. Mutter Karen zuletzt. Sie entschuldigte und beschwichtigte. Die Tanten, die Ehefrauen und – nicht zuletzt – Dinas Vater, den Lehnsmann.

Er war am schwersten zu überzeugen. Polternd stürmte er, ohne anzuklopfen, zu Dina in den Saal. Er schüttelte sie und befahl ihr, gab ihr väterlich bestimmt mit der flachen Hand einen Klaps auf die Wange und ließ die Worte surren wie wütende Bienen.

Mutter Karen mußte vermitteln. Und die wenigen, die dabeistanden, senkten den Blick.

Da stieß Dina wieder einen tierischen Laut aus und fuchtelte mit den Armen und raufte sich die Haare. Der Raum war mit etwas geladen, das sie nicht verstanden. Ein Hauch von Wahnsinn und Stärke umgab die halbangezogene junge Frau mit den wirren Haaren und den wilden Augen.

Der Schrei erinnerte den Lehnsmann an ein Ereignis, das er nicht vergessen konnte. Das ihn Tag und Nacht verfolgte. In seinen Träumen und bis in die täglichen Pflichten hinein. Ein Ereignis, das ihn jetzt noch, dreizehn Jahre später, dazu bringen konnte, ruhelos auf dem Hof umherzugehen. Auf der Suche nach jemandem, bei dem er alle Gefühle und Gedanken loswerden könnte.

Die Leute, die dabeistanden, meinten, daß Dina einen harten Vater hatte, aber andererseits war es ungehörig, daß eine so junge Frau sich nicht dem beugte, was von ihr verlangt wurde.

Sie machte sie mürbe. Man kam überein, daß sie zu krank war, um an der Beerdigung ihres eigenen Mannes teilzunehmen. Mutter Karen erklärte es laut und deutlich allen, denen sie begegnete. »Dina Grønelv ist so krank und niedergeschlagen, daß sie sich nicht auf den Beinen halten kann. Sie weint nur. Und was besonders schlimm ist, sie hat die Sprache verloren.«

Zuerst hörte sie die gedämpften Rufe der Leute, die in die Boote stiegen. Das Stoßen von Holz gegen Eisen, als der Sarg in den Fembøring* zwischen Wacholderzweige und weinende Frauen gebracht wurde. Dann gefroren die Geräusche und Stimmen auf dem Wasser wie dünner Schneematsch auf den Stränden. Und verschwanden zwischen Bergen und Meer. Nachher kroch die Stille über den Hof, als ob sie das eigentliche Trauergefolge darstellte. Das Haus hielt die Luft an. Stieß hie und da zwischen den Balken einen kleinen Seufzer aus. Ein jämmerlich trauriges Knurren, um Jacob die letzte Ehre zu erweisen.

Die rosa Wachsnelken zitterten zwischen Tannen- und Wacholderzweigen. Auf dem Sund in einer schwachen Brise. Es nützte nichts, mit einer solchen Last schnell zu fahren. Der Tod und seine lebensferne Staffage brauchten ihre Zeit. An diesem Tag zog nicht der Schwarze. Und nicht Dina war für die Fahrt verantwortlich. Der Sarg war schwer. Die ihn trugen, hatten das Gewicht gespürt. Bei einer solchen Last war dies der einzige Weg zur Kirche.

Jetzt knirschten sechs Paar Ruder in den Dollen. Das Segel blähte sich kaum und wollte sich nicht entfalten. Die Sonne war nicht da. Grauweiße Wolken trieben über den Himmel. Die naßkalte Luft stand allmählich still.

Die Boote folgten einander. Ein Triumphzug für Jacob Grønelv. Mast und Ruder zeigten zum Himmel und zum Meer. Die Schleifen an den Kränzen flatterten unruhig. Sie hatten nicht viel Zeit, sich zu zeigen.

Mutter Karen sah aus wie ein vergilbtes Laken. Mit Spitze besetzt allerdings.

Die Dienstmädchen sahen aus wie nasse Wollballen im Wind.

Die Männer ruderten, und es wurde ihnen so warm, daß es hinter den Bärten und Schnurrbärten kochte. Sie hielten den Takt und ruderten.

---

* Fembøring ist ein zwölfrudriges Boot mit einem Mast und mit fünf großen Zwischenräumen zwischen den (sechs) Ruderbänken für eventuelle Lasten. (Anm. d. Übs.)

Auf Reinsnes war alles vorbereitet. Die Brote lagen fertig belegt auf großen Platten. Die Kuchen waren in tragbaren runden und ovalen Holzkästen mit Deckel in den Keller gebracht worden, oder sie standen, gut zugedeckt, in dem großen Windfang.

Gläser und Tassen standen fein säuberlich auf den Tischen und in der Anrichte, unter weißen Handtüchern mit Ingeborg Grønelvs und Dina Grønelvs Monogramm. Man hatte an diesem Tag die Aussteuer von beiden Frauen Jacobs in Gebrauch nehmen müssen. Die Gläser waren unter Olines Aufsicht blitzblank gerieben worden.

Man erwartete viele Menschen nach der Beerdigung.

Dina heizte wie eine Verrückte, obwohl die Fenster keine Eisblumen hatten. Das Gesicht, das am Morgen grau gewesen war, bekam langsam wieder Farbe.

Jetzt ging sie mit einem leisen Lächeln um den Mund ruhelos im Zimmer auf und ab. Jedesmal, wenn die Uhr halbe oder ganze Stunden schlug, hob sie den Kopf wie ein Tier, das wachsam lauscht.

Tomas ließ mit möglichst wenig Krach einen Armvoll Holz in den schmiedeeisernen Korb fallen. Dann nahm er seine Mütze ab und drückte sie verwirrt zwischen seinen kräftigen Händen. Über die Maßen geniert, weil er im Saal war, dem Raum mit dem Cello und dem Himmelbett, in dem Dina schlief.

»Mutter Karen hat mich geschickt, damit ich auf dem Hof sein soll, wenn die Dienstleute und alle andern Jacob das letzte Stück begleiten«, stammelte er. »Ich soll Dina zur Hand gehen. Wenn Sie etwas braucht?« fügte er hinzu.

Daß der Lehnsmann und Mutter Karen sich abgesprochen hatten und es für das beste hielten, einen handfesten Mann auf dem Hof zu lassen, der Dina daran hindern konnte, sich womöglich etwas anzutun, wenn alle weg waren, sagte er nicht; falls er es gehört hatte.

Sie drehte sich nicht einmal um, sie stand am Fenster mit dem Rücken zu ihm.

Der Mond war ein bleiches kleines Gespenst. Eine Mißgeburt von einem Tag versuchte vergebens, sich einen Weg zu bahnen. Aber die Fenster blieben dunkel.

Der Junge nahm seine Mütze und ging. Begriff, daß er nicht erwünscht war.

Aber als die Trauergesellschaft weit draußen auf dem Sund war, kam Tomas wieder herauf in den Saal. Mit einer Karaffe frischem Wasser. Ob sie Lust darauf habe? Da sie sich nicht äußerte oder auch nur eine einzige Bewegung machte, um zu zeigen, daß sie ihn wahrnahm, stellte er die Karaffe auf den Tisch neben der Tür und wandte sich zu ihr um.

»Sie will meine Hilfe am Beerdigungstag nicht haben?« sagte er leise.

Da war es, als ob sie erwachte. Schnell kam sie zu ihm. Blieb dicht neben ihm stehen. Um einen halben Kopf größer.

Dann hob sie die Hand und ließ die langen Finger über sein Gesicht gleiten. Wie ein Blinder, der mit den Fingern zu sehen versucht.

Er hatte das Gefühl zu ersticken. Weil er vergaß zu atmen. So nah! Er verstand zunächst nicht, was sie wollte. Sie stand dicht neben ihm und verströmte ihren betörenden Duft. Und folgte mit dem Zeigefinger den Linien seines Gesichtes.

Langsam lief er rot an. Und es war ihm unmöglich, sie anzusehen. Er wußte, daß ihr Blick wartete. Plötzlich nahm er allen Mut zusammen und sah ihr in die Augen.

Sie nickte und sah ihn fragend an.

Er nickte zurück. Nur um es getan zu haben. Und wollte gehen.

Da lächelte sie und kam noch näher an ihn heran. Nahm den linken Zeige- und Mittelfinger und nestelte seine schäbige Weste auf.

Er machte zwei Schritte zum Ofen und wußte nicht, wie er da durchkommen sollte, falls er nicht vorher erstickte oder verbrannte oder von der Bildfläche verschwand.

Sie atmete seinen Stallgeruch ein. Ihre Nasenlöcher waren überall. Sie vibrierten!

Da nickte er noch einmal. In tiefer Verzweiflung.

Es war nicht auszuhalten. Die Zeit stand still! Unversehens mußte er sich bücken, die Ofentür öffnen und einen Holzklotz in die Flammen werfen. Dann legte er drei halbnasse, zischende Birkenstämme nach. Sich aufzurichten und ihrem Blick zu begegnen war eine Mutprobe.

Auf einmal hatte er ihren Mund über sich. Ihre Arme waren zähe Weidenzweige, voll im Saft. Es duftete so stark, daß er die Augen schließen mußte.

Das hatte er sich nicht vorstellen können. Nicht in seinen wildesten Phantasien unter der zerschlissenen Steppdecke in seiner Kammer. Und jetzt war er hier und konnte nichts anderes tun, als es geschehen lassen.

Die Farben auf ihrem gestickten Morgenrock, die goldfarbenen Wände mit dem Rankenmuster, die Decke mit den breiten Balken, die blutroten Gardinen, alles flimmerte ineinander. Stoff ging in Stoff über. Glieder in Glieder. Bewegungen, Möbel, Luft, Haut.

Er war außerhalb seiner selbst. Und trotzdem mitten in dem Geschehen. Der Geruch und das Geräusch von Körpern, die sich schwerfällig bewegten. Und ein zweistimmiger heftiger Atem.

Sie hatte sein Hemd aufgeknöpft und die Hände auf seine Brust gelegt. Dann zog sie ihm die Kleidungsstücke aus. Eins nach dem anderen. Als ob sie es schon tausendmal gemacht hätte.

Er beugte den Rücken, und die Arme hingen untätig herunter. Er schien sich zu schämen, daß die Wäsche nicht ganz sauber war und an dem Hemd drei Knöpfe fehlten. In Wirklichkeit wußte er nicht, wo er war, wo er stand oder wie er sich benahm.

Sie küßte den nackten Jungen, öffnete ihren Morgenrock und drückte ihn an ihren großen, festen Körper.

Er wurde warm und mutig. Spürte die zündenden Funken ihrer Haut wie einen physischen Schmerz. Er schauderte bei der Berührung und nahm ihr Bild in sich auf. Stand mit geschlossenen Augen und sah jede Kurve, jede Pore ihres weißen Körpers, bis er gänzlich den Verstand verlor.

Als sie beide nackt waren und auf dem Schaffell vor dem runden schwarzen Ofen saßen, glaubte er, daß sie anfangen würde zu sprechen. Ihm schwindelte vor lauter Verlegenheit und Lust. Die brennenden Kerzen in dem siebenarmigen Leuchter auf dem Spiegeltisch quälten ihn wie eine Warnung vor der Hölle. Das Flackern in der Spiegelfläche enthüllte alles.

Sie begann seinen Körper zu erforschen. Erst ganz behutsam. Dann immer wilder. Als ob ein großer Hunger sie triebe.

Er erschrak zunächst. Er hatte noch nie einen so großen Hunger gesehen. Schließlich schluchzte er auf und ließ sich auf das Fell zurückfallen. Ließ sie Öl in ein Feuer gießen, das größer war, als er sich jemals hatte träumen lassen.

In lichten Augenblicken fand er sich wieder und merkte zu seinem Entsetzen, daß er sie an sich drückte und Dinge tat, die ihm niemand beigebracht hatte.

Die Luft strotzte von Frauenkörper.

Sein Grauen war groß wie ein Meer. Aber die Lust gewaltig wie der ganze Himmel.

Auf dem Friedhof wurde der Sarg mit den Wachsblumen ins Grab gesenkt. Mit den sterblichen Überresten des Gastwirts und Schiffseigners Jacob Grønelv.

Der Pfarrer versuchte sich so auszudrücken, daß der Mann in die Herrlichkeit eingehen würde und nicht im Höllenpfuhl landen. Und das, obwohl er wußte, daß Jacob durchaus nicht immer wie eine Wachsblume gelebt hatte, auch wenn er ein ordentlicher Mann gewesen war.

Einige in der Trauergesellschaft ließen ihre grauen Köpfe hängen. In echter Trauer. Andere dachten an das Wetter, das sie auf der Heimfahrt haben würden. Wieder andere standen bloß da. Nahmen nur mit halbem Herzen an der Trauerfeier teil. Die meisten spürten, daß sie bitterlich froren.

Der Pfarrer sprach die vorgeschriebenen Worte und warf ein paar armselige Schaufeln Erde im Namen Gottes in das Grab. Dann war es vorüber.

Die Männer dachten hinter ernsten, zerfurchten Gesichtern an den Punsch. Die Frauen mit tränennassen Augen an die Schnitten. Die Dienstmädchen weinten ganz offen. Denn der Mann in dem Sarg war ein liebevoller Hausvater für sie alle gewesen.

Die alte Frau war noch blasser und durchsichtiger als im Boot. Ihre Augen hinter dem Fransenschal waren trocken, sie wurde von Anders und dem Lehnsmann gestützt. Beide hatten den Hut unter dem Arm.

Das Lied hatte unendlich viele Strophen, und der Gesang war keineswegs schön. Bis der Glöckner mit seinem ungeschulten Baß einstimmte. Er hatte ein Bedürfnis, jede Situation zu retten, der Glöckner.

Im Saal, hinter vorgezogenen Gardinen, brannte und loderte der Häuslerjunge Tomas. In Glanz und Herrlichkeit. Aber er war trotzdem mitten im Leben.

Fenster und Spiegel beschlugen von dem Dunst der Menschen. Der Geruch setzte sich in dem Schaffell auf dem Fußboden, in den Stuhlsitzen, in den Gardinen fest.

Der Raum nahm den Stalljungen Tomas an. Wie er einst Jacob Grønelv angenommen hatte, als er zum ersten Mal von der Witwe auf Reinsnes gastfreundlich empfangen wurde.

Die Witwe hieß Ingeborg. Sie starb eines Tages, als sie sich herunterbeugte, um ihre Katze zu streicheln. Jetzt bekam sie Gesellschaft dort, wo sie war.

Im Saal keuchender Atem, Haut und Wärme. Das Blut pochte in den Adern. Pochte gegen die Schläfen. Körper waren Pferde auf weiten Ebenen. Sie ritten und ritten. Die Frau war bereits eine routinierte Reiterin. Aber er sprengte hinterher. Es sang in den Fußbodenbrettern, weinte in den Balken.

Die Familienbilder und Gemälde schwankten leicht in ihren ovalen schwarzen Rahmen. Die Bettwäsche fühlte sich pulvertrocken und verlassen. Der Ofen hörte auf zu knistern. Thronte in seiner Ecke und lauschte offensichtlich, ohne rot zu werden.

Unten standen Brote und Gläser in endlosem Warten. Auf was? Daß Dina, die Hausfrau auf Reinsnes, das Treppengeländer heruntergerutscht käme? Nackt, die schwarzen Haare wie einen halb aufgespannten Regenschirm auf ihrem großen, duftenden Körper? Ja!

Und hinter ihr, teils in Panik, teils wie im Traum, aber mit ungeheurer Kraft, ein junger Bursche in einem Laken mit französischer Spitze? Ja!

Er lief mit nackten, behaarten Beinen und kräftigen Zehen, deren Nägel deutlich schwarze Ränder hatten, die Treppe hinunter. Er roch nach einem frisch gepflügten Acker, so daß die tugendhafte häusliche Luft zurückwich.

Sie holten sich belegte Brote und Wein. Ein großes Glas und eine große Karaffe. Hie und da stiebitzten sie eine Schnitte von den Platten, damit es nicht auffiel. Sie spielten, daß sie nicht essen durften.

Dina schob geschickt und vorsichtig die Brote dort, wo eine Lücke entstanden war, zusammen. Mit langen, flinken Fingern, die nach salziger Erde und frisch ausgenommenem Fisch rochen. Zuletzt breitete sie wieder die Tücher mit dem Monogramm darüber.

Sie schlichen wie Diebe hinauf in den Saal. Machten es sich auf dem Fell vor dem Ofen bequem. Tomas ließ die Ofentür einen Spaltbreit auf.

Leda und der Schwan auf dem Wandschirm waren eine blasse Kopie von den beiden daneben. Der Wein perlte.

Dina aß gierig von dem Räucherlachs und dem Pökelfleisch. Das Brot krümelte auf ihre festen Brüste und den runden Bauch. Tomas besann sich, daß er sich im Zimmer seiner Herrin befand, und aß sehr anständig. Aber er trank Dinas Körper mit den Augen, mit vielen Seufzern und reichlich Wasser im Mund.

Ihrer beider Augen glänzten über dem Glas. Es hatte einen grünen Fuß und war ein Hochzeitsgeschenk für Ingeborg und ihren Mann gewesen. Von allerbester Qualität war es nicht, denn es hatte viele Blasen. Es stammte aus einer Zeit, da sich im Haus der Reichtum noch nicht eingestellt hatte mit den großen Frachtschiffen, dem Trockenfisch und den einflußreichen Verbindungen nach Trondhjem und Bergen.

Rechtzeitig, ehe sie die Trauergäste zurückerwarteten, räumten sie Weinglas und Weinreste fort, in die hinterste Ecke der Kleiderkammer.

Zwei Kinder, ein ängstliches und ein leichtsinniges, hatten die Erwachsenen überlistet. Jacobs chinesisches Würfelspiel wurde wieder in das seidenbezogene Kästchen gelegt. Alle Spuren wurden getilgt.

Endlich stand Tomas fertig angezogen mit der Mütze in der Hand bei der Tür. Sie kritzelte etwas auf die schwarze Tafel, die sie immer zur Hand hatte, und ließ es ihn lesen, ehe sie es mit fester Hand sorgfältig wieder auswischte.

Plötzlich begriff er, was er getan hatte. Nahm die Schuld auf sich. Fühlte bereits die Peitsche des Herrn auf der Schulter. Mehrere tiefe Schläge. Es zitterte um seinen Mund. Aber er konnte nicht bereuen.

Als er draußen in dem dunklen Gang stand, wußte er, daß ihn niemand mehr beschützte. Gleich einem Gladiator, der freudig auf eine große Übermacht zugegangen war. Für ein einziges Erlebnis! Zu groß, um einen Namen zu haben.

Er war dazu verurteilt, monatelang jede Nacht auf dem Strohsack zu liegen und den Frauenatem an seinem Gesicht zu spüren. Mit offenen Augen dazuliegen und es immer wieder zu erleben. Den Saal. Die Gerüche.

Und die dünne Bettdecke hob sich in jugendlichem, traumhaftem Eifer.

Er war auch zu dem Bild von Jacobs Sarg verurteilt. Denn dieser mußte mitschwingen. Und die große Welle in ihm würde alle Eindrücke schmelzen und ihn geradewegs zum Nordlicht schicken. Die Welle ergoß sich über sein armseliges Bett, ohne daß er etwas dagegen machen konnte.

Als die Boote zum Ufer glitten, hatte Dina sich beruhigt; und war blaß gepudert. Sie lag im Bett, und man quälte sie nicht länger, sich unten bei den Gästen zu zeigen.

Mutter Karen informierte eingehend über Dinas Zustand, als sie vom Saal herunterkam. Ihre Stimme war Honig auf des Lehnsmanns Gemüt. Sie floß so sanft und leicht, zusammen mit dem Punsch.

Der Ernst und die Trauer waren jetzt leichter zu tragen, da Jacob dorthin gekommen war, wohin ihn zu bringen sie verpflichtet waren. Die Ruhe und die Gedanken an zeitliche Dinge und den elenden morgigen Tag schlichen sich im Laufe des Abends unmerklich in die leisen Gespräche ein.

Alle gingen zeitig schlafen, wie es sich an einem solchen Tag gehörte. Dina stand auf und legte auf dem Nußbaumtisch eine Patience. Nach dem dritten Versuch ging sie auf. Da seufzte sie und gähnte.

ERSTES BUCH

1. Kapitel

*Ich bin Dina, die von den Schreien aufwacht. Sie sitzen fest in meinem
Kopf. Manchmal fressen sie von meinem Körper.*
    *Hjertruds Bild ist gespalten. Wie ein aufgeschlitzter Schafsbauch. Ihr
Gesicht besteht nur aus Schreien, mit denen sie alles aus sich herausschreit.*

Es begann damit, daß der Lehnsmann ihn vom Herbstthing mit-
brachte. Ein Prachtstück von einem Schmied! Aus Trondhjem. Ein
Zauberkünstler in seinem Fach.

Bendik konnte die seltsamsten Dinge schmieden. Für so mancherlei Arbeit zu gebrauchen.

Er schmiedete eine Vorrichtung über dem Schleifstein, die bei jeder zehnten Umdrehung der Kurbel sieben Eßlöffel Wasser auf das
Sensenblatt goß. Er schmiedete Schlösser, die sich verklemmten, falls
jemand, der den Mechanismus nicht kannte, von außen zu öffnen
versuchte. Außerdem machte er die schönsten Pflüge und Beschläge.

Dieser Schmied hieß im Volksmund Langbacke.

Als er zum Lehnsmannshof kam, verstanden alle, warum. Er hatte ein langes, schmales Gesicht mit zwei unwahrscheinlich dunklen
Augen.

Dina war gerade fünf Jahre alt geworden und hob ihre hellgrauen Augen zu ihm auf, wenn er ins Zimmer kam, wie um ihm
zuvorzukommen. Sie war nicht ängstlich. Es war nur nicht nötig,
daß sie miteinander vertraut wurden.

Dieser dunkelhaarige Mann, von dem man sagte, daß er ein Zigeuner sei, sah die Lehnsmannsfrau mit einem Blick an, als ob sie
ein kostbarer Gegenstand wäre, den er gekauft hatte. Und sie hatte
sicher nichts dagegen.

Der Lehnsmann versuchte nach kurzer Zeit, den Schmied ar-
beitslos zu machen, denn er fand, daß sich sein Aufenthalt zu sehr
in die Länge zog.

Aber Bendik durfte bei Hjertruds mildem Lächeln bleiben. Er schmiedete sinnreiche Schlösser für Außentüren und Schränke und das Bewässerungssystem des Schleifsteins. Zuletzt schmiedete er neue Henkel für den riesigen Waschkessel, in dem die Frauen Lauge und Wäsche kochten.

An den Henkeln befestigte er einen Mechanismus, der es ermöglichte, den großen Kessel stufenweise zu kippen, so daß die Lauge nicht auf einmal herausfloß. Das Ganze ließ sich mit Hilfe eines Griffs an der Aufhängung einfach und kräfteschonend handhaben.

Jetzt war Schluß damit, daß man mit einem ungutem Gefühl den furchteinflößenden schwarzen Kessel bugsieren mußte. Er ließ sich dank der einzigartigen Klugheit des Schmieds so leicht senken, drehen und kippen, daß es an ein Wunder grenzte.

Man konnte ruhig danebenstehen und den Vorgang steuern, ohne Angst haben zu müssen, daß man dem Dampf und dem kochenden Inhalt zu nahe kam.

Dina ging eines Tages, kurz vor Weihnachten, mit ihrer Mutter in das Waschhaus. Es war Großwaschtag. Vier Frauen wuschen, und ein Knecht trug das Wasser herbei.

In den Eimern waren Eismatsch und Eisstücke. Sie fielen mit einem munteren Plumps in die großen Tonnen neben der Tür. Dann schmolz das Eis in dem Kessel, und der Dampf hing wie nächtlicher Nebel im Raum. Die Frauen hatten nur einen Unterrock mit einem angeknöpften Leibchen an. Bloße Füße in Holzschuhen und aufgekrempelte Ärmel. Die Hände waren so rot wie neugeborene Ferkel. Sie schwenkten und schlugen und gestikulierten.

Die Gesichter unter den strammen Kopftüchern waren in Auflösung begriffen. Der Schweiß rann in Strömen über Wangen und Hals. Er sammelte sich zu einem kleinen Bach zwischen den Brüsten und verschwand in den feuchten Kleidern hinunter zu dem Unterirdischen.

Als Frau Hjertrud dem einen Mädchen gerade Anweisungen erteilte, bekam Dina große Lust, sich den Mechanismus näher anzusehen, den alle so lobten.

Es blubberte bereits in dem Kessel. Der Laugengeruch war so betäubend und beruhigend wie der Geruch der Toiletteneimer im Gang des Obergeschosses an einem warmen Sommermorgen.

Dina umschloß mit ihrer kleinen Hand den Hebel, nur um zu wissen, wie es war, ihn in der Hand zu halten.

Augenblicklich sah Hjertrud die Gefahr und eilte herbei.

Dina hatte noch nicht soviel Einsicht gehabt, einen Lappen um die Hand zu wickeln, wie die Mädchen es machten. Sie verbrannte sich kräftig und zog blitzschnell die Hand zurück.

Aber der Hebel hatte sich bereits in Bewegung gesetzt. Zwei Kerben nach unten.

Der Winkel und die Richtung für den tiefsten Punkt des Kesselrandes wurden Hjertruds Schicksal.

Der Kessel leerte die Menge aus, auf die er eingestellt war. Nicht mehr und nicht weniger. Dann hörte er auf. Und blubberte weiter in seinem Gestell.

Der Strahl traf mit zielsicherer Genauigkeit zuerst Gesicht und Brust. Aber sogleich liefen glühend heiße Bäche an dem armen Körper herunter.

Sie kamen von allen Seiten gerannt. Rissen Hjertrud die Kleider vom Leib.

Dina war in den flimmernden, dampfenden Bildern. Die erzählten, daß Haut und reichlich verbranntes Fleisch mit den nach Lauge stinkenden Kleiderfetzen mitgingen.

Aber das halbe Gesicht war verschont. Als ob es wichtig wäre, daß sie wenigstens mit einem Teil ihres Gesichtes zu Gottvater käme, damit er sie erkennen konnte.

Dina rief: Mama! Aber niemand antwortete.

Hjertrud hatte genug mit ihrem eigenen Schrei zu tun.

Der rosa Schlund weitete sich aus und war fast identisch mit ihr. Sie war glühend rot. Es wurde immer schlimmer, je mehr Kleidungsstücke sie ihr auszogen, da die Haut mitgehen mußte.

Man schüttete Eimer um Eimer mit eiskaltem Wasser über sie.

Zuletzt sank sie nieder auf den groben Bretterfußboden, ohne daß jemand wagte, ihr aufzuhelfen. Man konnte sie nicht mehr an-

fassen. Niemand konnte sie erreichen. Denn sie hatte keine Oberfläche.

Hjertruds Kopf zerriß immer mehr. Der Schrei war wie ein frisch
geschliffenes Messer. Das sie alle traf.

Irgend jemand zog Dina hinaus auf den Hof. Aber die Schreie standen auch in den Außenwänden. Klirrten in allen Fensterscheiben.
Zitterten in den Eiskristallen auf dem Schnee. Stiegen auf in dem
fetten Rauch aus den Schornsteinen. Der ganze Fjord lauschte. Im
Osten war ein schwachrosa Streifen. Der Winterhimmel hatte auch
etwas von der Lauge abbekommen.

Dina wurde auf einen Nachbarhof gebracht, wo die Leute sie an-
glotzten. Forschend. Als ob ein Riß in ihr wäre, den man nur zu er-
weitern brauchte, um etwas zu finden.

Eine Magd redete in der Kleinkindersprache mit ihr und gab ihr
Honig direkt aus dem Topf. Sie aß so viel, daß sie sich auf den
Küchenboden erbrach. Und das Mädchen wischte es auf, wobei ihr
der Ekel im Gesicht geschrieben stand. Ihr Schimpfen glich dem
Piepsen eines ängstlichen Elsternjungen unter dem Dachfirst.

Drei Tage war die Lehnsmannstochter mit Menschen zusammen,
die sie vorher noch nie gesehen hatte. Die Leute glotzten sie die
ganze Zeit an, als ob sie ein Geschöpf aus einer anderen Welt wäre.

Manchmal schlief sie ein, weil sie die vielen Augen nicht ertragen
konnte.

Endlich kam der Lehnsmannsknecht und holte sie mit einem
Pferdeschlitten ab. Packte sie gut in ein Schaffell ein und verfrach-
tete sie nach Hause.

Auf dem Lehnsmannshof war alles still.

Später, als man sie einmal unter dem Tisch in der Gesindestube vergessen hatte, erfuhr sie, daß Hjertrud einen ganzen Tag
und eine Nacht geschrien hatte, bis sie den Verstand verlor und
starb. Das halbe Gesicht ohne Haut. Den rechten Arm, Hals und
Körper.

Dina wußte nicht, was das bedeutete, den Verstand verlieren,
aber sie wußte, was Verstand war.

Und daß Hjertrud für den Verstand zuständig gewesen war, das wußte sie auch. Besonders wenn der Vater brüllte.

»Man bekommt seine Klugheit von Gott.« – »Man bekommt alle seine Gaben von Gott.« – »Die Heilige Schrift ist Gottes Wort.« – »Die Bibel ist eine Gabe Gottes.« So etwas sagte Hjertrud jeden Tag.

Daß sie starb, war nicht so schlimm. Der Schrei, und daß sie keine Haut hatte, war schlimmer.

Denn die Tiere starben auch. Auf dem Lehnsmannshof bekamen sie ständig neue Tiere. Die einander zum Verwechseln ähnelten und die eigentlich Jahr für Jahr die gleichen waren.

Aber Hjertrud kam nicht wieder.

Dina schleppte Hjertruds Bild als das eines aufgeschlitzten Schafbauchs mit sich herum. Lange.

Dina war sehr groß für ihr Alter. Und stark. Stark genug, um den Tod ihrer Mutter auszulösen. Aber vielleicht nicht stark genug, um ihn mit anzusehen.

Die anderen Menschen beherrschten die Worte. Leicht. Wie Öl auf Wasser. Die Wirklichkeit war in den Worten. Die Worte waren nicht für Dina. Sie war niemand.

Es war verboten, Gespräche über »das Grauenhafte« zu führen. Trotzdem wurde es gemacht. Es gehörte zu den Rechten aller Dienstboten, gerade über das Verbotene zu tuscheln. Entsprechend leise. Wenn die Kinder schlafende Engel sein sollten und man keine Verantwortung für sie hatte.

Man erzählte sich, daß Langbacke nie mehr sinnreiche Mechanismen für Waschkessel schmiedete. Er nahm das erstbeste Schiff nach Trondhjem. Mit seinem unseligen Werkzeug in einer Kiste. Das Gerücht eilte ihm voraus. Über einen Schmied, der Dinge schmiedete, mit denen sich die Leute zu Tode verbrühten. Man erzählte sich, daß er seitdem seltsam geworden war, ja sogar gefährlich.

Der Lehnsmann ließ die Schmiede und das Waschhaus samt Ofen und Schornstein dem Erdboden gleichmachen.

Vier Mann mit großen Vorschlaghämmern mußten herbei. Weitere vier Mann fuhren den Schutt auf Schubkarren zu dem alten Pier, der die Anlegestelle schützte. Er wurde ein paar Ellen länger.

Sobald der Frost aus der Erde wich, ließ er den leeren Platz einsäen. Später wuchsen hier Himbeersträucher, wild und ungehemmt.

Im Sommer fuhr er mit Jacob Grønelvs Frachtschiff nach Bergen und blieb so lange fort, bis er zum Herbstthing mußte.

Von dem Tag, an dem Dina ihre Mutter zu Tode verbrüht hatte, bis zu dem Zeitpunkt, als der Lehnsmann mehr als neun Monate später vom Thing zurückkehrte, hatte sie kein einziges Wort mit ihrem Vater gewechselt.

Da erzählten die Dienstmädchen, daß Dina aufgehört hatte zu sprechen.

Der Lehnsmann fand einen Wildvogel vor. Mit Augen, die niemand einfangen konnte, mit Haaren, die nicht geflochten waren, und barfuß, auch wenn es schon längst Nachtfröste gab.

Sie holte sich selbst zu essen, wenn es ihr gerade einfiel. Sie setzte sich nie zu Tisch. An manchen Tagen bewarf sie sogar die Leute, die auf den Hof kamen, mit Steinen.

Das trug ihr natürlich viele Ohrfeigen ein.

Aber in gewisser Weise beherrschte sie die Menschen. Sie brauchte nur einen Stein zu werfen, dann kamen sie angerannt.

Dina schlief viele Stunden mitten am Tag. In der Krippe im Stall. Die Pferde, die an sie gewöhnt waren, fraßen vorsichtig um den schlafenden Körper herum. Oder berührten sie nur kurz mit ihren großen Mäulern, um das Heu unter ihr wegzuzupfen.

Sie verzog keine Miene, als der Lehnsmann an Land kam. Saß auf einem Stein und baumelte mit den langen, mageren Beinen.

Die Zehennägel waren unglaublich lang und hatten eingewachsene Schmutzränder.

Die Dienstmädchen wurden mit ihr nicht fertig, hieß es. Das Kind wollte absolut nicht ins Wasser. Sie schrie und floh zur Tür hinaus, auch wenn sie sie zu zweit festzuhalten versuchten. Sie ging nicht in die Küche, wenn dort etwas auf dem großen schwarzen Herd gekocht wurde.

Sie rechtfertigten sich gegenseitig, die beiden Mädchen. Sie seien überarbeitet. Es seien schlecht Arbeitskräfte zu bekommen. Es sei schwierig, mit einem so wilden und mutterlosen Kind fertig zu werden.

Sie war so schmutzig, daß der Lehnsmann nicht wußte, was er tun sollte. Er überwand seinen Widerwillen nach ein paar Tagen. Und versuchte, den stinkenden, fauchenden Körper anzufassen, um vielleicht Kontakt zu ihr zu bekommen und sie wieder zu einem Christenmenschen zu machen. Aber er mußte es aufgeben.

Außerdem sah er seine unglückliche Hjertrud vor sich. Sah ihren armen verbrannten Körper. Hörte ihre wahnsinnigen Schreie.

Die schöne deutsche Puppe mit dem Porzellankopf blieb liegen, wo sie ausgepackt worden war. Mitten auf dem Eßtisch. Bis das Mädchen den Mittagstisch decken mußte und fragte, was sie mit der Puppe machen solle.

»Das weiß Gott«, sagte die andere, die die Überlegene sein wollte. »Leg sie oben in Dinas Kammer!«

Viel später fand der Hofjunge sie im Mistkeller. Bis zur Unkenntlichkeit verstümmelt. Aber es war eine Erleichterung, daß man sie gefunden hatte. Wegen der Puppe hatte es mehrere Wochen Unruhe gegeben. Der Lehnsmann hatte Dina danach gefragt. Da sie keine Miene machte, sie zu holen, wurde sie als vermißt angesehen. Jeder konnte verdächtigt werden.

Nachdem sie wieder aufgetaucht war, nahm sich der Lehnsmann Dina vor. Fragte streng, wie es käme, daß die Puppe im Keller gelandet war.

Dina zuckte mit den Achseln und wollte aus dem Zimmer.

Da bekam sie Prügel. Zum ersten Mal bekam sie zu spüren, wie das war. Er legte sie übers Knie und gab's ihr auf den blanken Hintern. Das verstockte, verdammte Kind biß ihn in die Hand wie ein Hund.

Aber ein Gutes hatte die Sache doch. Seitdem sah sie den Leuten immer in die Augen. Als ob sie sofort herausfinden wollte, ob sie schlugen.

Es dauerte lange, bis Dina wieder Geschenke vom Lehnsmann erhielt. Genaugenommen war das Cello, auf Herrn Lorchs Fürsprache hin, das nächste.

Aber Dina besaß eine kleine perlmuttschimmernde Muschel, so groß wie ihr kleiner Fingernagel. Sie bewahrte sie in einer Tabaksdose in einem alten Rasierkasten auf.

Jeden Abend holte sie sie heraus und zeigte sie Hjertrud. Die mit abgewandtem Gesicht dasaß, um zu verbergen, daß sie so entstellt war.

Die Muschel hatte ihr plötzlich entgegengeglitzert, als sie eines Tages am Strand entlangging.

Sie hatte winzig kleine, rosa schimmernde Rillen, die in einer Spitze endeten und ganz unten bunt schillerten. Und mit den Jahreszeiten die Farbe wechselten.

Im Lampenlicht hatte die Muschel einen mattglänzenden Schimmer. Während sie im Tageslicht, am Fenster, wie ein kleiner Stern in ihrer Hand lag. Durchsichtig, weiß.

Sie war der Knopf von Hjertruds Himmelshemd! Den sie zu ihr heruntergeworfen hatte.

Es ging nicht an, Hjertrud zu vermissen. Man durfte nicht jemanden vermissen, den man selbst weggeschickt hatte.

Niemand erwähnte, daß sie es gewesen war, die das Kippsystem an dem Waschkessel ausgelöst hatte. Aber alle wußten es. Auch der Vater. Er saß in seinem Rauchzimmer. War wie die Männer auf den alten Bildern in den Wohnstuben. Groß, gewichtig, ernst. Ganz flaches Gesicht. Er sprach nicht mit ihr. Sah sie nicht.

Dina wurde in eine Häuslerkate gebracht, die Helle hieß. Es gab viele Kinder dort und wenig anderes. Daher paßte es ihnen gut, daß sie ein Kind ins Haus bekamen, das etwas abwarf.

Der Lehnsmann bezahlte reichlich. Sowohl in barer Münze als auch mit Mehl und Freistellung von der Pflichtarbeit.

Es hieß, daß das Mädchen wieder lernen sollte zu sprechen. Daß es gut für sie wäre, mit anderen Kindern zusammenzusein. Und der Lehnsmann würde nicht mehr jeden Tag an das Ende der armen Hjertrud erinnert.

In Helle versuchten sie alle der Reihe nach, sich Dina zu nähern. Aber Dinas Welt war nicht ihre Welt.

Dina schien zu ihnen das gleiche Verhältnis zu haben wie zu den Birken vor dem Haus oder zu den Schafen, die jetzt im Herbst das Grummet weideten. Sie war ein Teil der zuverlässigen Landschaft, in der sie sich bewegten. Nicht mehr.

Schließlich gaben die Häuslerleute es auf und beschäftigten sich mit ihren Angelegenheiten. Dina gehörte zu ihrem Alltag genauso wie die Tiere, die ein Minimum an Pflege brauchten, im übrigen aber allein zurechtkamen.

Sie kaufte ihnen ihre Annäherungsversuche nicht ab und wies jeden Kontaktversuch zurück. Sie antwortete mit keinem Wort, wenn sie mit ihr sprachen.

Als sie neun Jahre alt wurde, knöpfte sich der Pfarrer den Lehnsmann vor. Er ermahnte ihn, seine Tochter nach Hause zu holen und ihr eine anständige und standesgemäße Erziehung angedeihen zu lassen. Sie brauche beides, Erziehung und Wissen, meinte der Pfarrer.

Der Lehnsmann senkte den Kopf und murmelte, daß er dergleichen auch schon gedacht habe.

Wieder wurde Dina im Schlitten nach Hause geholt. Bei ihrer Rückkehr war sie noch genauso stumm wie vorher, aber sie hatte mehr Fleisch auf den Knochen. War sauber und ordentlich.

Dina bekam einen Hauslehrer, der den vornehmen Namen Herr Lorch trug und der Hjertruds Geschichte nicht kannte.

Er hatte seine Musikstudien in Christiania unterbrochen, um seinen todkranken Vater zu besuchen. Aber als der Vater starb, war nicht mehr genug Geld für die Rückreise da.

Lorch lehrte Dina Buchstaben und Zahlen.

Hjertruds Bibel mit ihren Millionen verschnörkelter Zeichen wurde eifrig benutzt. Und Dinas Zeigefinger folgte den Zeilen wie ein Rattenfänger, der die kleinen Buchstabenwürmer hinter sich herzieht.

Lorch brachte ein altes Cello mit. In eine Filzdecke eingepackt. Wie ein zu groß geratener Säugling in sicheren Armen an Land gebracht.

Sogleich stimmte er das Instrument und spielte ohne Noten ein einfaches Kirchenlied.

Es waren nur die Dienstleute im Haus. Aber sie erzählten später allen, die es hören wollten, alle Details.

Während Lorch spielte, verdrehte Dina die hellgrauen Augen, als ob sie ohnmächtig würde. Die Tränen liefen ihr in Strömen die Wangen herunter, und sie zog an ihren Fingern, daß die Gelenke im Takt mit den Cellotönen knackten.

Als Herr Lorch sah, wie die Musik auf das Mädchen wirkte, hörte er erschrocken auf.

Da geschah es. Das Wunder!

»Mehr! Spiel mehr! Spiel mehr!« Sie rief es laut. Die Worte waren Wirklichkeit. Sie konnte sie sagen. Sie waren für sie. Sie war.

Er lehrte sie die Griffe. Die Finger waren zunächst hoffnungslos zu klein. Aber sie wuchs schnell. Nach kurzer Zeit meisterte sie das Cello so gut, daß Lorch sich erdreistete, dem Lehnsmann zu sagen, daß Dina eigentlich ein Cello haben müßte.

»Und was soll ein junges Mädchen mit einem Cello? Es wäre besser, wenn sie sticken lernte!«

Der Hauslehrer, schmächtig und nach außen hin ängstlich, aber innerlich hartnäckig wie eine Nuß, deutete bescheiden an, daß er ihr das Sticken leider nicht beibringen könne. Wohl aber das Cellospielen.

So kam also für eine erkleckliche Summe Speziestaler ein Cello ins Haus.

Der Lehnsmann wollte es gerne im Salon stehen haben, so daß alle, die zu Besuch kamen, die Hände zusammenschlügen und das Instrument bewunderten.

Aber Dina war anderer Meinung. Es sollte in ihrer Kammer im oberen Stock stehen. Jedesmal, wenn der Vater befohlen hatte, es herunter in den Salon zu bringen, trug sie es wieder hinauf.

Nach ein paar Tagen war der Lehnsmann die Sache leid. Vater und Tochter schlossen eine Art stummen Kompromiß. Immer wenn irgendwelche Honoratioren oder anderweitig bedeutende Gäste kamen, wurde das Instrument heruntergeholt. Dina wurde aus dem Stall hereingerufen, sauber gewaschen, man zog ihr einen

Stufenrock und ein Mieder an, und dann mußte sie Kirchenlieder spielen.

Herr Lorch saß wie auf heißen Kohlen und zwirbelte seinen Schnurrbart. Es kam ihm nicht in den Sinn, daß er wahrscheinlich als einziger im Raum, egal wie viele Menschen anwesend waren, Dinas wenige Fehler zu hören vermochte.

Dina begriff bald, daß Herr Lorch und sie etwas gemeinsam hatten. Daß nämlich jeder für die Unzulänglichkeiten des anderen verantwortlich war. Allmählich wurde es zu einem gewissen Trost.

Wenn der Lehnsmann über Lorchs gesenkten Kopf hinweg wetterte, daß Dina nach drei Jahren unermüdlichen Unterrichts noch nichts anderes ordentlich lesen konnte als Hjertruds Bibel, dann machte sie die Tür zu ihrer Kammer auf, nahm das Cello zwischen die Beine und ließ Vaters Lieblingslieder ins Kontor hinunterströmen. Das verfehlte seine Wirkung nie.

Sie lernte die Zahlen so rasch, daß sie den jungen Kerl im Kramladen in Verlegenheit brachte, wenn sie mehrstellige Zahlen im Kopf ausrechnete, bevor er sie aufgeschrieben hatte. Aber darüber verlor niemand ein Wort. Außer Herrn Lorch.

Jedesmal, wenn Dina dem Lehnsmann laut aus dem Katechismus vorgelesen hatte, rechtfertigte sich Herr Lorch, scheinbar demütig, gegenüber dem Vorwurf, er habe als Lehrer versagt.

Denn Dina dichtete die Worte, die sie beim Lesen nicht verstand, um, so daß der Text oft nicht wiederzuerkennen war, aber er war viel farbiger als der ursprüngliche Text.

Die Dienstleute verzogen den Mund und wagten sich nicht anzusehen, aus Angst, in ein hemmungsloses Gelächter auszubrechen.

Nein, rechnen! Das war unnatürlich für ein Mädchen. Ihr jüngerer Bruder hätte rechnen lernen sollen, murmelte der Lehnsmann mit brüchiger Stimme. Dann taumelte er aus dem Zimmer. Alle wußten, daß die Lehnsfrau schon mehrere Monate schwanger war, als sie zu Tode verbrüht wurde.

Aber das war, um der Wahrheit die Ehre zu geben, der einzige indirekte Vorwurf, den Dina vom Lehnsmann zu hören bekam.

Es gab auf Fagernesset eine alte Hausorgel. Im Wohnzimmer. Zugedeckt und herausgeputzt mit Vasen und Schalen.

Aber es war bedauerlich, daß Herr Lorch sich weigerte, Dina Orgelunterricht zu erteilen. Er deutete dem Lehnsmann vorsichtig an, daß es für ein Haus mit so vielen Gästen aus In- und Ausland nur von Vorteil sein konnte, ein ordentliches Tafelklavier zu besitzen. Was im übrigen auch ein schönes Möbelstück war.

Außerdem *mußte* ein Tafelklavier ja im Salon stehen. Auf diese Weise konnte der Lehnsmann wieder zu seinem Recht kommen, wenn man an das Theater dachte, das Dina mit dem Cello gemacht hatte.

Ein schwarzes englisches Pianoforte kam ins Haus. Es war eine feierliche Prozedur und kostete viel Schweiß, bis das Instrument endlich von Holzwolle und Lumpen befreit und aus der stabilen Kiste herausgehoben war.

Herr Lorch stimmte es, zog seine Hosenbeine hoch, die an den Knien blankgescheuert waren, und rutschte sachte auf den soliden Drehstuhl.

Wenn Herr Lorch etwas besonders gut beherrschte, dann war es das Klavierspiel.

Mit Augen wie losgelassene Tauben fing er an, Beethoven zu spielen. »Sonata Appassionata«.

Dina saß auf der Chaiselongue, zurückgelehnt gegen das Samtpolster. Die Füße baumelten in der Luft. Der Mund öffnete sich mit einem tiefen Seufzer, als die ersten Töne den Raum erfüllten.

Dinas Gesicht löste sich in Bäche und Flüsse auf. Heftige Laute entströmten ihr und schlugen sie zu Boden.

Der Lehnsmann machte dem Spiel sofort ein Ende. Das Mädchen wurde in seine Kammer geschickt. Sie war zwölf Jahre alt und hätte wissen müssen, was sich gehörte.

Zunächst wagte Herr Lorch sich nicht mehr dem Klavier zu nähern. Wie sehr Dina auch bettelte, schimpfte und schmeichelte.

Aber eines Tages fuhr der Lehnsmann zum Thing und wollte etwa eine Woche fortbleiben. Da schloß Herr Lorch alle Türen und Fenster im Wohnzimmer, obwohl die Maisonne warm hereinschien.

Dann zog er wieder seine abgewetzten Hosenbeine hoch und setzte sich behutsam vor das Instrument.

Er ließ die Hände eine Weile auf den Tasten ruhen, ehe er mit aller Liebe, deren er fähig war, zu spielen anfing.

Er hatte gehofft, daß Dinas Reaktion auf die »Appassionata« situationsbedingt gewesen war. Heute wählte er Chopins »Tarantelle« und »Valse«.

Aber er hätte das ganze Repertoire durchgehen können. Denn Dina weinte und heulte.

Das hielt die ganze Woche an. Als der Lehnsmann zurückerwartet wurde, hatte das Kind so rote Augen, daß man es nicht vorzuzeigen wagte.

Dina klagte, daß sie sich schlecht fühle, und ging ins Bett. Wußte, daß der Vater nicht in ihre Kammer kommen würde. Er hatte eine krankhafte Angst vor Ansteckung. Das habe er von seiner Mutter selig, sagte er. Er machte keinen Hehl daraus.

Aber Herr Lorch heckte einen Plan aus. Und eines Nachmittags brachte er ihn zur Sprache, als die beiden Männer im Salon saßen und der Lehnsmann allerlei vom Thing erzählte.

Es sei doch schlimm mit dem teuren Instrument. Daß es nicht benutzt werde. Ob der Lehnsmann nicht glaube, daß Dinas Weinen sich geben würde, wenn sie ein wenig Übung bekäme, der Musik zu lauschen. Ja, ein Bekannter von ihm habe einen Hund gehabt, der auch langsam, aber sicher habe an die Musik gewöhnt werden müssen. Im ersten Monat habe er nur gejault. Es sei schrecklich gewesen. Aber allmählich habe er sich daran gewöhnt. Zuletzt habe er sich ruhig hingelegt und geschlafen. Nun ja, es habe sich um Violinspiel gehandelt. Aber trotzdem ...

Der Lehnsmann vertraute Lorch endlich an, daß er Weinen nicht ertragen könne. Es habe genug Weinen gegeben, als seine Frau auf so tragische Weise ums Leben gekommen sei. Sie habe einen ganzen Tag und eine Nacht geschrien, ehe sie erlöst worden sei. Seitdem gingen ihm solche Geräusche immer so nahe.

Endlich erfuhr Herr Lorch Hjertruds Geschichte. Über Dina, die das Geschehen ausgelöst hatte, indem sie glühend heiße Lauge aus dem Waschkessel auf ihre arme Mutter kippte.

Herr Lorch, der es nicht gewohnt war, daß man ihm etwas anvertraute, hatte keinen Trost zur Hand. Er war nun drei Jahre im Haus, ohne zu wissen, warum er ein Wolfsjunges unterrichtete.

Allmählich wurde er krank von den Details, die der Lehnsmann ihm erzählte. Aber er hörte zu mit dem unbestechlichen Ohr des Musikers, darin geübt, Kunst und Gefühlsduselei voneinander zu trennen.

Und etwas rührte sich in dem empfindsamen Lorch-Kopf. Was darauf hinauslief, daß der Lehnsmann wohl über die Tragödie hinweggekommen war. Trotz der äußeren Trauer.

Herr Lorch erlaubte sich, in sanften Worten zu sagen, daß es dennoch schade sei, daß niemand auf dem teuren Instrument spiele. Er könne es Dina beibringen, wenn der Lehnsmann nicht da sei.

Jetzt, nachdem der Lehnsmann seine Geschichte erzählt hatte, kam es zu einer Absprache.

Danach machte Herr Lorch einen langen Spaziergang. An frühlingsbleichen Stränden entlang. Dürre Grashalme ragten aus den Schneerändern, und Seevögel flogen heimatlos umher.

Die ganze Zeit sah er Dinas verhärtetes Gesicht vor sich. Hörte ihr trotziges, schlagfertiges Kopfrechnen und ihr wahnsinniges Weinen, wenn er Klavier spielte.

Er hatte eigentlich vorgehabt, in diesem Sommer nach Kopenhagen zu fahren. Um Musik zu studieren. Denn er hatte sich genügend Geld auf dem Lehnsmannshof zusammengespart. Aber er blieb. Ein vertrockneter junger Mann. Bereits mit lichtem Haar und zerfurchtem Gesicht, auch wenn er noch keine Dreißig war.

Er war gleichsam zu etwas berufen worden hier auf Erden.

Dina fuhr fort zu sprechen. Erst nur mit Lorch. Aber allmählich auch mit den anderen, die ihr über den Weg liefen.

Sie lernte Klavierspielen. Anfangs Fingerübungen und kleine Volkslieder. Dann Kirchenlieder und leichte klassische Stücke.

Lorch nahm es sehr genau mit den Noten. Er schrieb wegen passender Noten für Anfänger nach Trondhjem, Christiania und Kopenhagen. Auf diese Weise bekam er auch wieder Verbindung mit seinen alten Musikfreunden.

Dina lernte sowohl spielen als auch zuhören, ohne zu heulen wie ein Wolf. Und der Lehnsmannshof kam in den Ruf, ein musikalisches Haus zu sein. Reisende saßen im Salon und lauschten dem Cello- und Klavierspiel. Und tranken Punsch. Das Spiel war schicklich und sehr gekonnt. Der Lehnsmann war äußerst zufrieden.

Herr Lorch mit seinem etwas schäbigen und wenig anziehenden Äußeren, seiner knappen und unbeholfenen Ausdrucksweise und seinem verschlossenen und langweiligen Wesen bekam den Status eines Künstlers.

Lorch erzählte Dina manche seltsamen Dinge aus der großen Welt. Aber auch kleine Geschichten, die von Magie und Kunst handelten.

Eines Tages, als sie zu ihrem Vergnügen auf dem völlig ruhigen Meer ruderten, erzählte er von dem Mann, der bei dem Seegespenst das Geigenspiel erlernen wollte. Aber es müßte so schön klingen, daß die Prinzessin weinte und ihn heiraten wollte.

Ja, das würde das Seegespenst ihm beibringen. Als Lohn wollte es gutes, frisches Fleisch haben.

Und das Seegespenst tat, wie es versprochen hatte. Der Geigenspieler lernte die Kunst bald so gut, daß er sogar mit übergezogenen Fausthandschuhen spielen konnte. Da fiel ihm ein, daß er kein Fleisch hatte. In seiner Not warf er einen abgenagten Knochen in das Meer.

»Wie geht es weiter?« fragte Dina gespannt.

»Er hätte das Seegespenst nicht täuschen dürfen. Es sang ihm jetzt Tag und Nacht: ›Einen Knochen ohne Fleisch mag ich nicht nagen, / du mußt lernen zu stimmen, aber nicht zu schlagen.‹«

»Was heißt das?«

»Sein Spiel war unheimlich gut, aber die Prinzessin wurde nicht gerührt, deshalb bekam er sie nicht.«

»Warum nicht? Wenn er doch so gut spielte?«

»Gut spielen heißt noch nicht, daß man die Kunst beherrscht, Menschen zu rühren. Musik hat eine Seele, genau wie die Menschen. Die muß man auch hören ...«

»Du beherrschst die Kunst«, sagte Dina bestimmt.

»Danke!« sagte der Mann und verneigte sich vor ihr. Als ob er in einem Konzertsaal wäre mit einer Prinzessin in der ersten Reihe.

Für Dina war Lorch ein Mensch, auf den man sich verlassen konnte. An ihn wandte sie sich, wenn etwas los war. Niemand wagte, ihn lächerlich zu machen, wenn sie in der Nähe war.

Er lernte es, mit ihren gewaltsamen Liebesbezeugungen und Umarmungen fertig zu werden. Indem er einfach kerzengerade dastand und die Arme hängen ließ. Seine Augen waren wie Spinnweben im Gebüsch – mit Regentropfen daran.

Das genügte ihr.

Herr Lorch nahm Dina mit zu Hjertruds Grab. Da gab es so schöne Blumen. Ein Beet, eingefaßt mit runden moosgrünen Steinen.

Lorch sprach leise mit Dina und erklärte ihr vieles, ohne daß sie gefragt hatte.

Daß Hjertrud keinen Groll hegte. Daß sie in ihrem Himmel saß und froh war, die ewige Mühsal und den Kummer dieser Welt verlassen zu haben.

Daß alles gewissermaßen vorherbestimmt war. Daß alle Menschen einander Werkzeug waren in ihrem Leben. Daß viele von ihnen Dinge taten, die in den eigenen Augen und denen der anderen schrecklich aussahen, aber dennoch zu einem Segen werden konnten.

Dina richtete zwei Augen wie aus Glas auf ihn, als ob sie plötzlich glaubte, sie hätte Hjertrud erhöht. Ja, sie befreit! Daß sie eigentlich etwas gemacht hatte, was kein anderer wagte oder wollte. Sie hatte Hjertrud geradewegs zu Gottvater ins himmlische Reich geschickt. Wo es keinen Kummer, keine Dienstboten und keine Kinder gab. Und Hjertrud sandte einen Wohlgeruch von Heckenrosen und Vergißmeinnicht – aus Dankbarkeit.

Dinas Gesichtsausdruck ließ Lorch das Thema wechseln. Er erzählte etwas überstürzt von den verschiedenen Bestandteilen der Blumen.

In dem Sommer, als Dina dreizehn Jahre alt wurde, kam der Lehnsmann mit einem ungewöhnlich gut getrimmten Bart und einer neuen Frau aus Bergen zurück.

Er zeigte sie mit einem Stolz vor, als ob er sie selbst geschmiedet hätte.

»Diese Neue« zog nach einer Woche in Hjertruds Zimmer. Alle auf dem Hof und auch die Nachbarn fanden das reichlich früh.

Zwei Mädchen wurde befohlen, die Sachen der seligen Hjertrud auszuräumen und das Dachzimmer gründlich sauber zu machen. Es war in all den Jahren verschlossen gewesen. Wie eine Truhe, zu der man keinen Schlüssel hatte und die man deshalb vergaß.

Die arme Hjertrud brauchte diesen Raum ja nicht mehr, somit war eigentlich kein Schaden entstanden. Das sah man ein. Aber dennoch. Es war die Art und Weise.

Einige tuschelten. Sagten, daß der Lehnsmann die Frauenzimmer allmählich so nötig gehabt hätte, daß die Dienstmädchen nicht lange auf dem Hof blieben. Falls sie der Gefahr entgehen wollten. Letztlich war es doch gut, daß diese Dagny ins Haus kam.

Sie war eine echte Dame aus Bergen. Eine Taille wie eine Stricknadel, kunstvoll aufgesteckte Haare und drei Unterröcke auf einmal. Sie sollte eigentlich ein Segen für alle sein, aber so einfach war das nicht.

Eines der ersten Gesichter, das die neue Lehnsmannsfrau zu sehen bekam, war eine Maske aus Gips.

Dina hatte sich viel Mühe gegeben. Hatte sich ein Gesicht aus Gips aufgesetzt und weiße Gewänder angezogen, um den Vater zu überraschen.

Die Maske hatte sie selbst gemacht. Nach Herrn Lorchs Anweisung. Es war ein nicht ganz geglückter Abdruck von Herrn Lorchs Gesicht. Der mehr einer Totenmaske ähnelte als sonst etwas, das Frau Dagny früher gesehen hatte. Mehr grotesk als spaßig.

Der Lehnsmann lachte schallend, als die Erscheinung in der Wohnzimmertür auftauchte, aber Dagny griff sich an die Stirn.

Vom ersten Tage an lagen Dina und Dagny in einem kalten, unverständlichen Krieg miteinander. In diesem Krieg mußte der Lehnsmann sich mit der Rolle des Vermittlers abfinden, wenn es überhaupt einen Kontakt zwischen ihnen geben sollte.

Ich bin Dina. Hjertrud hat einen kleinen Knopf von ihrem Hemd für mich heruntergeworfen. Früher mochte sie es nicht, daß ich schwarze Ränder unter den Nägeln habe. Jetzt sagt sie nichts mehr dazu.

Lorch sagt, daß es eine Gabe ist, daß ich so schnell rechnen kann. Er diktiert, und ich zähle zusammen. Manchmal ziehe ich auch mehrere Zahlen ab. Oder dividiere. Herr Lorch rechnet es auf dem Papier aus. Dann zutscht er durch die Zähne und sagt: »Prima! Prima!« Dann musizieren wir zusammen. Und lesen nicht mehr in der Hauspostille oder im Katechismus.

Hjertruds Schreie sprengen die Winternächte in winzig kleine Fetzen, die am Fenster vorbeiflattern. Besonders vor Weihnachten. Oder sie geht in Filzpantoffeln, so daß ich nicht weiß, wo sie ist. Aus ihrem Zimmer hat man sie hinausgeworfen.

Alle Bilder sind weggepackt. Die Kommode ist leer. Die Bücher wurden zu mir hereingestellt. Sie gehen im Mondschein in den Regalen aus und ein. Hjertruds schwarzes Buch hat weiche Kanten. Und viele Märchen. Ich leihe mir ihr Vergrößerungsglas und ziehe die Worte zu mir herauf. Sie rinnen durch meinen Kopf wie Wasser. Ich werde durstig. Aber ich weiß nicht, was die Worte von mir wollen.

Hjertrud ist ganz fortgezogen. Wir haben einen Adler, der über uns kreist. Sie haben Angst vor ihm. Aber es ist nur Hjertrud. Das verstehen sie nicht.

2. Kapitel

»Tomas! Weißt du, warum die Pferde im Stehen schlafen müssen?«
fragte Dina eines Tages.

Sie betrachtete den stämmigen, nicht sehr großen Jungen von
der Seite. Sie waren allein im Stall.

Er kam aus der Häuslerkate, in der Dina ein paar Jahre verbracht
hatte. Inzwischen war er so groß geworden, daß er sich zusätzlich
ein paar Schillinge auf dem Lehnsmannshof, außerhalb der festgelegten Pflichtarbeit, verdienen konnte.

Jetzt warf er das Futter in die Krippe und ließ die Arme sinken.
»Pferde stehen immer, wenn sie schlafen«, stellte er fest.

»Ja, aber wenn sie wach sind, stehen sie doch auch«, meinte Dina
mit ihrer bemerkenswerten Logik und hüpfte mit ihrem Springseil
in dem warmen Pferdemist, so daß er zwischen den Zehen wie fet-
te Würmer herausquoll.

»Ja, ja.« Tomas gab es auf.

»Weißt du gar nichts?« fragte Dina.

»Pah!« Er spuckte und runzelte die Stirn.

»Weißt du, daß ich meine Mutter verbrannt habe, so daß sie gestorben ist?« fragte sie treuherzig und sah ihn an.

Tomas blieb stehen. Er vermochte nicht einmal die Hände in die
Tasche zu stecken. Endlich nickte er. Fast andächtig.

»Jetzt mußt du auch im Stehen schlafen«, erklärte sie mit ihrem
seltsamen Lächeln, dem nichts gleichkam.

»Warum?« fragte er verdutzt.

»Ich habe es den Pferden erzählt. Sie schlafen im Stehen! Jetzt
weißt du es auch. Du mußt auch im Stehen schlafen. Ihr seid die
einzigen, denen ich es gesagt habe.«

Sie drehte sich auf einer schmutzigen Ferse um und lief aus dem
Stall.

Es war Sommer.

In der gleichen Nacht wachte Tomas davon auf, daß jemand in seine Kammer kam. Er glaubte, daß es der Schweizer wäre, der es sich anders überlegt hätte und nicht zum Fischen gefahren wäre.

Da stand Dina plötzlich über ihm und atmete schwer. Er sah direkt in zwei weit offene, anklagende Augen. Grau wie poliertes Blei im Nachtlicht. Tief drinnen in ihrem Kopf. Drohten, herunter in das Bett zu fallen.

»Du mogelst«, fauchte Dina und zog ihm die Decke weg. »Du sollst doch im Stehen schlafen!«

Da fielen ihre Blicke auf den nackten Jungenkörper, den er instinktiv mit den Händen zu bedecken versuchte.

»Du siehst komisch aus!« stellte sie fest. Zog ihm die Decke weg und fing an, die Innenseite seiner Oberschenkel zu untersuchen.

Er wehrte sich mit einem verlegenen Grinsen und langte nach seinen Hosen, die an der Bettkante hingen. Ehe er wußte, wie, stand er mitten im Raum. Da war sie weg. Hatte sich das alles nur in seinem Kopf abgespielt? Nein. Ihr Geruch war noch da. Wie nasse Lämmer.

Er vergaß dieses Erlebnis nie. Manchmal wachte er mitten in der Nacht auf und glaubte, daß Dina in der Kammer wäre. Aber er bekam nie einen Beweis.

Er hätte die Tür von innen verschließen können, aber er entschuldigte sich damit, daß die anderen Männer das sicher seltsam finden würden. Glauben, daß er etwas aussperren wollte.

Er ertappte sich bei der Vorstellung, daß die Pferde ihn merkwürdig ansahen, wenn er sie fütterte. Gelegentlich, wenn er ihnen einen Brotkanten gab und sie das große Maul aufmachten und die gelben Zähne zeigten, glaubte er, daß sie ihn auslachten.

Sie war die erste, die ihn gesehen hatte. So. Seitdem war alles wie verhext.

Er ging jetzt oft zu dem kleinen See hinter dem Wäldchen. Er vermutete, daß sie dort badete. Weil ihm plötzlich eingefallen war, daß er sie an warmen Nachmittagen mit triefend nassen Haaren gesehen hatte.

Er hatte das Gefühl, daß es an hellen Sommerabenden auf dem Heuboden raschelte, wenn er im Stall zu tun hatte.

Er hätte schwören können, daß sich etwas in den Büschen bewegte, wenn er nach Feierabend in dem kleinen See badete.

Eines Abends machte er es! Kam zitternd vor Spannung und Kälte aus dem Wasser und ging zu dem Stein, wo seine Kleider lagen. Er rannte nicht und hielt nicht die Hände vor sich wie sonst. Und er hatte seine Kleider auf einen Stein viel weiter oben gelegt. Als ob er wollte, daß ihn jemand sah.

Dieser Wunsch explodierte in ihm, als er merkte, daß wirklich jemand im Gebüsch war. Ein kurzes Aufleuchten! Ein Schatten! Heller Stoff? Einen Augenblick wagte er kaum, sich umzusehen. Dann zog er sich zitternd an.

Den ganzen Sommer hatte er sie im Blut. Sie durchströmte alle seine Gedanken. Wie ein reißender Fluß.

Ich bin Dina. Ich mag keine Himbeeren. Sie werden in dem dichten Gestrüpp hinter dem Vorratshaus gepflückt, dort, wo das Waschhaus gestanden hat. Solches Gestrüpp tut mehr weh als Brennesseln.

Hjertrud steht mitten in dem kleinen See, auf dem die Seerosen schwimmen. Ich gehe zu ihr hin. Da ist sie verschwunden. Zuerst schlucke ich viel Wasser, dann merke ich, daß sie mich hält, so daß ich schwimme. Jetzt kann ich einfach in den See und ins Meer gehen und schwimmen, weil sie mich hält. Tomas kann das nicht. Weil ihn niemand hält.

Schon bald, nachdem Dagny auf den Lehnsmannshof gekommen war, fing sie an, rundlicher zu werden.

Die Köchin meinte, daß der Lehnsmann wohl nicht mit dem Schießpulver gespart habe, als er feuerte. Gegenüber Vertrauten äußerte sie die Hoffnung, daß er so gründlich feuern werde, daß er die Dienstmädchen von jetzt an in Ruhe lasse. Dann brauche sie sich auch nicht zur Zeit oder Unzeit neue zu suchen.

Der Lehnsmann war recht munter geworden. Er machte mit Dagny kleine Spaziergänge im Wald hinter dem Hof und hielt ihr den Sonnenschirm über den Kopf. So hoch, daß sie sich beklagte, die Sonne belästige sie und die aufdringlichen Birkenzweige durchlöcherten die Schirmseide.

Dina stellte Fallen. Nach reiflicher Überlegung.

Es konnte passieren, daß die Tür zu Dagnys Zimmer verschlossen und der Schlüssel absolut verschwunden war. Um später in dem Zimmer gefunden zu werden!

Sie konnte ungesehen in das Zimmer schleichen, wenn Dagny unten war, die Tür zuschließen, den Schlüssel innen stecken lassen und durch das offene Fenster hinausklettern.

Sie machte den Körper zu einem Pendel. Wie bei der uralten Wohnzimmeruhr. Und nach sechs, sieben kräftigen Pendelschwüngen bekam sie mit den Füßen Halt in der großen Hängebirke vor dem Fenster.

Immer mußte Tomas eine Leiter holen und zwischen den Rüschengardinen in das Zimmer klettern und die Tür aufschließen.

Der Verdacht richtete sich auf Dina.

Dagnys helle, beleidigte Stimme fegte wie Winterschnee über den Hof.

Aber Dina leugnete. Sie sah dem Vater in die wütenden Augen und leugnete.

Er zog sie an den Haaren und knuffte sie in die Schultern.

Sie leugnete, daß ihr der Schaum vor dem Mund stand. Und der Lehnsmann gab es auf. Bis zum nächsten Mal.

Es kam vor, daß Dagnys Buch oder Nähzeug verschwunden war. Und das ganze Haus war auf den Beinen, um zu suchen. Ohne Resultat.

Aber nach ein oder zwei Tagen lag das Buch oder das Nähzeug genau dort, wo es liegen sollte.

Falls Dina gesagt hatte, daß sie mit Tomas oder dem jungen Küchenmädchen zusammengewesen war, dann bestätigten sie es. Aber es war gelogen aus Gründen, die ihnen selbst kaum bewußt waren. Der Junge, weil Dina einmal die Decke weggerissen und ihn nackt gesehen hatte. Und weil er seitdem einen Brand verspürte, den er nicht zu löschen vermochte. Er begriff intuitiv, daß er eine Möglichkeit, diesen Brand zu löschen, verspielte, wenn er nicht sagte, daß er Dina zur fraglichen Zeit im Stall gesehen hatte.

Die langbeinige, hochgewachsene Dina hatte kräftige Fäuste und konnte sehr böse werden. Sie hatte ihre Waffen noch nie gegen das Küchenmädchen eingesetzt. Trotzdem hatte es Angst.

Dagny gebar einen Sohn. Und war die Hochzeit in Bergen in aller Stille gefeiert worden, so wurde die Taufe ein königliches Ereignis.

Das ganze Haus stand im Zeichen der hellblauen Schleifen. Silberne Becher, silberne Leuchter, gehäkelte Decken und allerlei Tinnef beanspruchten tagelang das Büffet und die Anrichte.

Die Dienstmädchen überlegten, ob sie das Essen und die Getränke auf den Boden stellen sollten.

Der Junge, der Oscar mit c hieß, schrie viel. Und das hatte der Lehnsmann nicht vorausgesehen. Das Weinen ging ihm auf die Nerven.

Aber Dagny machte sich gut heraus, sie hatte schöne Brüste und war sanft, sobald sie eine Kinderschwester ins Haus bekommen hatte. Sie bestellte die neuesten Modeschöpfungen und Kindersachen in Trondhjem und Bergen.

Der Lehnsmann wollte zunächst nicht kleinlich sein und ihr etwas versagen. Aber als die Pakete und Sendungen kein Ende nahmen, wurde er ungeduldig. Er erinnerte sie daran, daß es zur Zeit mit den Finanzen nicht so gut stand. Noch hatte er nicht alles Geld für den Fisch erhalten, den er nach Bergen geschickt hatte.

Dagny fing an zu weinen. Oscar weinte auch. Und als die nächste Sendung von Trondhjem kam, seufzte der Lehnsmann und zog sich für ein paar Stunden zurück.

Am Abend kam er gleichsam verklärt aus seinem Kontor und war Dagny nicht mehr böse. Das konnten alle, die im Haupthaus wohnten, bezeugen. Denn die Holzdecke zwischen der Stube der seligen Frau Hjertrud und dem Erdgeschoß knackte in einem festen Rhythmus.

»Sie hätten wohl warten können, bis wir im Bett sind«, schimpfte das ältere Dienstmädchen verächtlich.

Aber der Lehnsmann hielt sich nur an die eine. Alle anderen Röcke ließ er in Ruhe. So fanden sie sich damit ab. Jemand meinte sogar, daß es ein schöner Zeitvertreib sei, den eindeutigen Geräuschen da oben zu lauschen.

Solche Geräusche hatten sie zur Zeit der seligen Hjertrud nie vernommen. Sie war ein Engel gewesen. Eine Heilige. Niemand konnte je glauben, daß sie es mit dem liederlichen Lehnsmann gemacht hatte. Aber sie hatten ja dieses Mädchen gezeugt... Diese unselige Dina mit ihrer großen Sünde. Was für ein schreckliches Schicksal sie hatte, die Arme!

Die Frauen hielten sich nicht für zu gut, über die selige Hjertrud zu reden. Flüsternd. Doch laut genug, daß Dagny es hörte. Aber nicht der Lehnsmann.

Sie sahen sie großartiger, als sie gewesen war. Ihre stolze, hohe Gestalt. Ihr heiteres Lächeln und die wunderbar schmale Taille. Ihre klugen Worte wurden zitiert.

Wenn Dagny in der Tür erschien, wurde es still. Als ob jemand eine Kerze ausgeblasen hätte. Aber da war das meiste schon gesagt und gehört worden.

Dagny fand sich mit den Portraits der seligen Hjertrud ab. Mehrere Monate.

Eines blickte sie leicht lächelnd von der Samttapete über dem brusthohen Paneel in der guten Stube an. Ein anderes blickte sie ernst im Treppenhaus an. Und eines stand auf dem Schreibtisch des Lehnsmanns.

Aber eines Tages hatte sie es satt. Sie nahm die Bilder eigenhändig von der Wand, steckte sie in einen alten Kopfkissenbezug und legte sie in eine Truhe, in der ein Teil der Dinge, die sich in Hjertruds Zimmer befunden hatten, aufbewahrt wurde.

Dina war dazugekommen, als sie das letzte Bild von der Wand nahm. Der Augenblick war ein offener Säurekrug.

Das Mädchen folgte ihr Schritt für Schritt, als sie den Kissenbezug holte. Bis zu dem Wäscheschrank im Gang des Obergeschosses. Bis in die dunkle Ecke, wo Hjertruds Truhe stand. Dagny tat, als ob das Mädchen Luft wäre.

Es wurde kein Wort gesprochen.

Man hatte gut zu Mittag gegessen.

Der Lehnsmann saß zurückgelehnt in seinem mit grünem Plüsch bezogenen Ohrensessel und hatte noch nicht bemerkt, daß die Portraits fehlten.

Da schlug Dina zu.

Sie war ein Heerführer, der über die Bergwiese stürmte. Die

Fahne, die sie vor sich hertrug, war der alte Kopfkissenbezug mit seinem klappernden Inhalt.

»Ja, was ist denn das?« fragte der Lehnsmann mit schlecht verborgener Gereiztheit.

»Ich will nur die Bilder aufhängen«, antwortete Dina laut und sah Dagny vielsagend an.

Dann stellte sie sich vor den Lehnsmann und zog ein Bild nach dem anderen aus dem Versteck.

»Aber warum hast du sie denn abgenommen?« fragte der Lehnsmann barsch.

»Ich habe sie nicht abgenommen. Ich will sie aufhängen!«

Es wurde so still, so still. Alle Fußtritte im Haus waren wie Mäusescharren im Vorratsschrank.

Schließlich ergriff Dagny das Wort. Weil der Lehnsmann entdeckt hatte, daß Dinas Augen glühend an ihr hingen.

»Ich habe sie abgenommen«, sagte sie forsch.

»Und warum?«

Er hatte nicht so schroff sein wollen, aber es war etwas im Wesen der Frauen, das ihn maßlos aufregte.

Der Lehnsmann glaubte an eine ungeschriebene Regel. Sie lief darauf hinaus, daß man mit Dienstleuten und Frauen reden sollte wie mit klugen Hunden. Wenn das nichts nützte, sollte man den Hund »anbinden«. Dann sollte man zu dem Wesen wie zu einem klugen Pferd »sprechen«. Das bedeutete, daß man die Stimme nicht hob, sondern eine Oktave herunterging. So daß die Stimme aus dem Brustkasten kam und den ganzen Raum ausfüllte.

Aber er schaffte es selten, nach der eigenen Regel zu verfahren. Er schaffte es auch diesmal nicht.

»Ich gebe keine Erklärung ab«, stieß Dagny hervor.

Der Lehnsmann verstand das Gebell eines gequälten Hundes und befahl Dina, das Zimmer zu verlassen.

Sie nahm sich Zeit, arrangierte geschickt die vier Portraits um Vaters Füße, packte das Kissen und verschwand.

Am nächsten Morgen hingen die Bilder an ihrem Platz.

Dagny lag mit Kopfschmerzen im Bett, so daß der kleine Oscar den ganzen Tag unten sein mußte.

Der Lehnsmann war müde von all dem Streit zwischen der Tochter und der Frau des Hauses. Er begann sich wegzusehnen. Unternahm einsame Fahrten mit dem Hausboot, ein paar tüchtigen Kerlen als Mannschaft, Pfeife und Schnaps. Er ertappte sich dabei, das Mädchen weit weg zu wünschen. Verheiratet. Aber sie war ja noch keine fünfzehn.

Er sah nicht gerade heiter in die Zukunft. Nicht daß Dina häßlich gewesen wäre. Das war sie nicht. Groß und gut gebaut. Für ihr Alter gut entwickelt.

Aber ihre Wildheit wirkte wenig anziehend auf Männer, die Ausschau nach einer Frau hielten.

Trotzdem gab er nicht auf. Es wurde eine Art Missionsgedanke. Wenn er einen unverheirateten Mann aus einer angesehenen Familie traf, dachte er sofort: Könnte das etwas für Dina sein?

Dagny hatte allmählich genug davon, Lehnsmannsfrau, Mutter und Stiefmutter zu sein. Sie wollte nach Bergen, um »ihre eigenen Leute« zu besuchen, wie sie sich ausdrückte. Da begriff der Lehnsmann, daß etwas geschehen mußte, und zwar sofort.

Er wollte Dina in eine Schule schicken. Nach Tromsø. Aber er fand niemanden, der eine Familie kannte, die sie ins Haus nehmen wollte. Es wurden Unmassen von Entschuldigungen produziert. Von der Auszehrung bis zur Auswanderung. Und sie war noch zu jung, als daß man sie allein irgendwo hätte einlogieren können.

Wütend dachte er an alle, denen er schon einmal einen Dienst erwiesen hatte. Aber sie hatten es offensichtlich vergessen. Brummelnd erzählte er es jedem, der es hören wollte.

Dagny meinte gereizt, daß eben niemand »die da« im Haus haben wollte.

So! Des Lehnsmanns Tochter war »die da«?! Er schäumte vor Wut und gekränktem Stolz. War sie nicht das einzige Frauenzimmer, das Cello spielen konnte? Trug sie nicht Schuhe? Ritt sie nicht besser als jeder andere im Pfarrbezirk? Rechnete sie nicht besser als der beste Ladengehilfe? Stand etwas im Weg?

Nein, es stand nichts anderes im Weg, als daß Dina durch und durch verwildert war, boshaft und schwierig.

Dagny schmetterte dem Lehnsmann das Urteil ins Gesicht,

während sie den kleinen Sohn gut festhielt, der bei diesem Krach ängstlich wimmerte.

»Und wer müßte Mutterstelle bei ihr vertreten?« fragte der Lehnsmann. Er hatte einen hochroten Kopf.

»Ich jedenfalls nicht«, erwiderte die Lehnsmannsfrau bestimmt, schubste das Kind vor die Füße des Vaters und stemmte die Hände in die Seiten.

Da ging der Lehnsmann. Aus dem Zimmer hinaus, die breite, herrschaftliche Treppe hinunter, durch den Garten und zu seinen geliebten Lagerhäusern.

Er sehnte sich nach Hjertruds sanftem Wesen und ihrer kühlen Hand auf der Stirn. Möglicherweise war ihre verhaltene, himmlische Ruhe in den Jahren seit ihrem Tod noch größer geworden.

Der Lehnsmann stand in der Abenddämmerung und bat die selige Hjertrud, das Kind zu sich zu nehmen, bevor es zu hart für ihn wurde. Sie sah das doch. Er entschuldigte sich blitzschnell damit, daß er dem Mädchen nicht den Tod wünsche, nur ein bißchen Anstand.

»Sprich du mit ihr«, bat er inständig.

Er putzte sich die Nase in ein Taschentuch mit Monogramm, stopfte eine Pfeife und setzte sich betrübt auf eine Tonne.

Als die Hofglocke zum Essen rief, merkte er, daß er Hunger hatte. Trotzdem wartete er so lange wie möglich.

Keiner konnte anfangen zu essen, ehe nicht der Lehnsmann am Tischende saß ... Das war Gesetz, wenn er zu Hause war.

Dina kam überhaupt nicht zum Essen. Sie saß in der alten Birke hinter dem Vorratshaus. Hier hatte sie eine Aussicht wie ein Falke. Und die Geräusche aus dem Garten drangen direkt an ihr Ohr.

Sie selbst war verborgen.

In der Baumspitze hing Dagnys hellblaues Strickzeug. Nach allen Richtungen verzerrt, mit Löchern, wo die Maschen heruntergefallen waren. Die Stricknadeln steckten in einem Elsternnest unter dem Dachfirst. Sie blitzten und leuchteten, wenn die Sonne sie zufällig entdeckte.

3. Kapitel

Sie sprach: Ich will mit dir ziehen; aber der Ruhm wird nicht dein sein auf diesem Kriegszug, den du unternimmst, sondern der Herr wird Sisera in eines Weibes Hand geben.
(Das Buch der Richter, Kapitel 4, Vers 9)

Jacob Grønelv von Reinsnes war ein guter Freund des Lehnsmanns. Sie gingen im Winter zusammen auf die Schneehuhnjagd und fuhren im Sommer nach Bergen.

Vor fast zwanzig Jahren war Jacob von Trondhjem gekommen, um Ingeborg, der Witwe auf Reinsnes, bei der Frachtschiffahrt zu helfen.

Reinsnes war bereits damals einer der besten Handelsplätze im Regierungsbezirk und hatte zwei ausgezeichnete Frachtschiffe.

Es dauerte nicht lange, bis Jacob in den Saal im oberen Stockwerk einzog. Ingeborg heiratete den jungen Steuermann nur zu gern.

Es erwies sich als eine gute Wahl. Jacob war ein tüchtiger Bursche. Nicht viel später suchte er um die Bewilligung zur Führung eines Gasthofes nach. Er bekam sie, was ihm manch einer mißgönnte.

Man erzählte sich nur Gutes von Ingeborg Grønelv. Und von Jacobs Mutter Karen. Die Frauen auf Reinsnes waren immer von einer besonderen Art gewesen. Auch wenn viele Geschlechter dort einander abgewechselt hatten, so hatten die Frauen eines gemeinsam: Man behielt sie in bester Erinnerung.

Es hieß, daß jeder, der zur Tür hereinkam, bewirtet wurde. Ob er nun von hohem oder niedrigem Stand war. Mit einem Makel waren die Frauen von Reinsnes allerdings behaftet. Sie bekamen nicht jedes Jahr ein Kind. Dafür blieben sie jung und behielten eine zarte Haut.

Der Südwestwind und das große Westmeer schienen die Runzeln und das Alter abzuwaschen. Es mußte etwas auf sich haben mit diesem Ort. Denn es wurde nichts vererbt. Die Familien wechselten ständig auf Reinsnes.

Jacob Grønelv war ein Arbeitstier und ein Lebemann. Er war mit Seewind in den Haaren aus der großen Welt gekommen. Hatte die fünfzehn Jahre ältere Ingeborg geheiratet und ihren ganzen Besitz. Aber er verschleuderte nichts.

Da Ingeborg über vierzig war, als Jacob ins Haus kam, glaubte niemand, daß sich noch Erben einstellen würden.

Aber sie verrechneten sich schwer.

Ingeborg, die in ihrer vorigen Ehe unfruchtbar gewesen war, blühte auf.

Genau wie Sara im Alten Testament wurde sie in vorgerücktem Alter schwanger. Mit dreiundvierzig Jahren gebar Ingeborg auf Reinsnes einen Sohn! Er erhielt den Namen Johan nach Jacobs Vater.

Jacobs Mutter Karen kam aus Trondhjem, um ihr Enkelkind zu sehen. Und es dauerte nicht lange, bis sie ihre Bücherschränke und den Schaukelstuhl nachkommen ließ und blieb.

Sie war die beste Schwiegermutter, die man im Haus haben konnte. So begann eine neue und gute Phase der Frauenherrschaft in Reinsnes. Einer milden, uneingeschränkten Herrschaft. Sie bewirkte Verträglichkeit und Arbeitseifer im ganzen Haus. In der strengen Ordnung von Reinsnes zu leben war ein Geschenk.

Ingeborg hatte zwei Pflegesöhne aus der Zeit vor ihrer Ehe mit Jacob, und das hätte ein Problem werden können. Aber sie wuchsen heran und machten sich gut. Niels, der ältere, war dunkel, er hatte den Laden unter sich. Anders war der Rastlose, Blonde. Er fuhr auf einem der Frachtschiffe.

Ingeborg vermittelte und teilte in aller Freundlichkeit die Arbeit ein. Jacob hatte als Hausherr und Gebieter, juristisch gesehen, alle Rechte, aber im Grunde war es Ingeborg, die lenkte und bestimmte. Sie fragte Jacob um Rat. Und es konnte vorkommen, daß sie sich danach richtete.

Daß Jacob eigentlich ein Fremder war, störte niemanden. Daß er am liebsten jedes Jahr mit dem Frachtschiff nach Bergen fuhr und es auch sonst liebte, früh und spät unterwegs zu sein, war in Ordnung.

Niemand hörte, daß zwischen Ingeborg und Jacob ein böses Wort gewechselt wurde. Jeder hatte seinen Bereich.

Jacobs Leben waren die Frachtschiffe. Anders wurde sein Lehrjunge in allem.

So hatten Jacob und Ingeborg je einen Pflegesohn. Aufgaben und Verantwortung waren ungeschriebene Gesetze. Genau definiert nach dem, was für den Hof am besten war. Etwas anderes war undenkbar.

Der Klimbim an dem Kristallkronleuchter wurde durch Krach und Spektakel nicht erschreckt, er konnte ganz ruhig hängen. Die Stimmen waren leise und kultiviert.

Es ging von Ingeborg aus und reichte bis in den Stall und hinunter zu den Kais. Flüche gab es nicht.

Jacob streifte das alles ab, wenn er auf dem Meer war. Aber wenn er wieder festen Boden unter den Füßen hatte, nahm er das freie Leben nicht mit.

Er säuberte sich immer, bevor er zu Ingeborg ins Bett kam. Innerlich und äußerlich. Und er wurde nie abgewiesen.

Auch wenn es nicht ausblieb, daß er seinen Hunger in anderen Gasthöfen an der langen Küstenstrecke stillte, suchte er doch die reife Frau auf. War immer froh, wieder zu Hause in dem hohen Bett mit Bettvorhängen und weißem Himmel zu sein.

Die Leute konnten deutlich sehen, daß sich ein wenig Röte auf Ingeborgs sommersprossigen Wangen ausbreitete, wenn das Frachtschiff in den Sund einfuhr. Die Röte konnte sich wochenlang halten. Bis Jacob wieder davonsegelte.

Sie gingen zeitig zu Bett und standen spät am Morgen auf. Aber der neue Rhythmus störte keinen. Viele bekamen dadurch längere Nächte.

Dieser Jacob verschmähte ein Glas Punsch nicht. Und das tat der Lehnsmann auch nicht.

Als der Lehnsmann Witwer wurde, war es Jacob, der ihn tröstete. Ihn mit in die gute Gesellschaft nach Trondhjem und Bergen nahm. Und eine Begegnung mit Dagny zustande brachte.

Sie bürgten füreinander. In geschäftlichen Dingen und bei Frauenangelegenheiten. Eine Zeitlang besuchten sie abwechselnd die gleiche Bettkammer in Helgeland, ohne daß sie sich deshalb zerstritten.

Dann starb Ingeborg eines Tages, als sie sich unter der Lärche im Garten bückte, um die schwarze Katze zu streicheln. Fiel zur Erde wie ein Apfel. Und war nicht mehr.

Keiner hatte sich jemals vorgestellt, daß Ingeborg nicht mehr dasein könnte, obwohl der Tod alle Familien regelmäßig aufsucht. Jedenfalls hätte niemand geglaubt, daß der Herrgott ihr verweigern würde, die Ordination ihres Sohnes zu erleben!

Sie, die immer jeden kleinen, noch so nichtigen Gedanken an Gott verteidigt hatte und die sich immer für andere eingesetzt hatte.

Von Ingeborgs Todestag an wurden die Lärche und die schwarze Katze als Reliquien angesehen.

Jacob war untröstlich. Es ging ihm so wie vielen anderen, nachdem der Tod ihm unerwartet einen Menschen genommen hatte. Er begriff, daß die Liebe nicht gewogen werden konnte, weder auf der Waage noch mit Bismer. Der Tod kam, wenn man ihn am wenigsten erwartete.

Jacob wurde sich dieses Todes erst bewußt, als er bei der Leiche wachte. Er hatte geglaubt, daß die Ehe eine geschäftliche Angelegenheit und eine Bettsache wäre. Und jetzt war sie so unbegreiflich viel mehr.

Ein Jahr lang grämte er sich, schlaflos und mager, daß er seiner Ingeborg nie die wahre Liebe gezeigt hatte.

Er vernachlässigte den Gasthof und trank mehr Alkohol, als er verkaufte. Das schmälerte nicht nur seinen Gewinn, sondern es machte ihn auch gleichgültig und stumpf.

Die schlauen Pflegesöhne bekamen viel zu tun und obendrein alle Macht und Ehre.

Hätte Jacob nicht so gut ausgesehen, dann hätte er wohl zu Hause und bei Fremden Abscheu erregt.

Er hatte einen Ring von Sinnlichkeit um sich. Das beeinflußte alle Lebewesen, so wie es auch Frau Ingeborg beeinflußt hatte.

Aber Jacob war ein Vagabund und Seemann. Und daß Ingeborg eine kluge Geschäftsfrau gewesen war, kam schnell an den Tag, als sie nicht mehr da war.

Die Pflegesöhne versuchten, das Geschäft über Wasser zu halten. Aber sie sahen bald ein, daß sie die Leitung vollständig in die

Hand nehmen mußten und Jacob aufs Meer schicken und dort Geschäfte machen lassen, wo er sich auskannte. Sonst müßten sie bald Konkurs anmelden.

Jacob wurde ertragen und ihm wurde vergeben. Und er wurde beschützt. Sogar als er eines Nachts das Himmelbett hinaus in den Garten trug.

Er hatte mehrere Gläser geleert und vermißte Ingeborg über alle Maßen und in allen Stadien. Er glaubte sicher, daß er ihr auf diese Weise näher käme. Jedenfalls sah er ihren Himmel.

Aber der Himmel beachtete ihn offenbar nicht. Der Regen prasselte wie Kanonenkugeln. Und Blitz und Donner straften den armen Mann im Himmelbett.

Es hatte soviel Arbeit gemacht, das Bett auseinanderzunehmen, herauszuschleppen und ordentlich wieder zusammenzusetzen.

Er hatte den Seidenhimmel nicht aufgehängt. Das war gut. Der Regen war schon schlimm genug für das Holz. Für die Seide wäre er eine Katastrophe gewesen.

Aber Jacob wurde nüchtern. Wie durch ein Wunder.

4. Kapitel

Zwei Engel kamen zu Lot, der saß zu Sodom unter dem Tor. Er empfing sie freundlich und nahm sie mit in sein Haus. Aber die Männer in Sodom wollten ihnen Böses tun und umringten das Haus. Sie riefen Lot und sprachen zu ihm: Führe die Fremden heraus zu uns, dass wir uns über sie hermachen.

Lot ging heraus zu ihnen vor die Tür und schloss die Tür hinter sich zu und sprach: Ach, liebe Brüder, tut nicht so übel!

Siehe, ich habe zwei Töchter, die wissen noch von keinem Manne; die will ich herausgeben unter euch, und tut mit ihnen, was euch gefällt; aber diesen Männern tut nichts, denn darum sind sie unter den Schatten meines Daches gekommen.

(Das erste Buch Mose, Kapitel 19)

Als der Lehnsmann von dem Vorfall mit dem Himmelbett hörte, beschloß er, seinen guten Freund zur Schneehuhnjagd und zu Kartenspiel und Punsch nach Fagernesset einzuladen.

Der Witwer kam in einem weißen Hausboot mit blauer Reling zu dem Hof.

Es lag ein rauher Herbst in der Luft, aber um die Mittagszeit war es schön warm. Die Schneehühner waren gesichtet worden. Bunt schillernd, was angemessen war bei einem so frühen Herbst. Und da kein Schnee lag, machten sich die Herren auf eine schlechte Jagd gefaßt.

Aber da half kein Jammern und kein Klagen... wie man sagt.

Man begrüßte sich herzlich, mit brummelnder Stimme.

Jacob lobte Dagnys Kleid, Haar, Figur und Stickerei. Er lobte das Essen, den Likör, die Ofenwärme und die Gastlichkeit. Er rauchte Zigarren und belästigte niemanden mit langen Reden über sich selbst und seinen traurigen Zustand.

Dagny mischte sich nach dem Essen in das Gespräch der Herren ein und erzählte von einem Schweden, der eine Woche bei ihnen gewohnt hatte. Er fuhr in der Gegend herum und studierte Vögel, wofür immer das nun gut sein mochte.

»Hattet ihr voriges Jahr nicht einen Wildvogel hier im Haus?« fragte Jacob unbekümmert lustig.

Der Lehnsmann wurde unruhig.

»Sie ist noch im Stall«, erwiderte er endlich.

»Ja, das war sie das letzte Mal auch«, amüsierte sich Jacob.

»Es ist ein Problem, einen erwachsenen Menschen aus ihr zu machen«, sagte Dagny.

»Sie hatte ziemlich lange Beine, als ich sie zuletzt sah«, meinte Jacob.

»Ach ja, das ist es nicht«, seufzte der Lehnsmann. »Aber sie ist wilder und unberechenbarer denn je. Sie ist fünfzehn Jahre alt und müßte eigentlich eine Schule besuchen oder als Pflegetochter in einem guten Haus sein. Aber das ist schwierig...«

Jacob wollte sagen, daß es sicher nicht einfach war, ohne Mutter aufzuwachsen, doch er behielt es für sich. Es wäre nicht passend gewesen, das begriff er.

»Ja, ißt sie denn nichts?« wunderte er sich und schielte in das Eßzimmer, wo die Mädchen den Tisch abdeckten.

»Sie ißt in der Küche«, sagte der Lehnsmann beschämt.

»In der Küche!«

»Sie stiftet soviel Unfrieden«, meinte Dagny und räusperte sich.

»Ja, es gefällt ihr in der Küche auch besser«, sagte der Lehnsmann schnell.

Jacob blickte verstohlen von einem zum anderen. Der Lehnsmann fühlte sich nicht wohl in seiner Haut. Sie gingen zu einem anderen Thema über. Aber die Stimmung war nicht mehr die gleiche.

Herr Lorch saß die ganze Zeit wie auf Nadeln. Aber er sagte nichts. Hatte eine unglaubliche Fähigkeit, sich unsichtbar zu machen oder gar nicht dazusein. Damit rief er gleichzeitig Gereiztheit und Behagen hervor.

Gerade an diesem Abend brach dem Lehnsmann der kalte Schweiß aus.

Jacob und der Lehnsmann gingen in der Morgendämmerung auf die Jagd.

Dagny befahl Dina, unter der Androhung harter Strafen, sich anständig anzuziehen und nach dem Essen Cello zu spielen. Aus irgendeinem Grund, der auf Lorchs meisterhafter Strategie beruhen konnte, ging sie darauf ein. Obwohl es Dagny war, die es befohlen hatte.

Dina fand sich auch bereit, mit den Erwachsenen bei Tisch zu sitzen.

Die Männer waren gut gelaunt und langten bei dem Hammelbraten kräftig zu. Es wurde Wein eingeschenkt. Es wurde gelacht, und man unterhielt sich.

Herr Lorch mischte sich in das männliche Gesprächsthema nicht ein. Jagd war nicht seine starke Seite. Er war ein gebildeter Mann und ein guter Zuhörer.

Die Herren erzählten weitschweifig von der unerträglichen Spannung für den Jäger.

Dann unterhielten sie sich darüber, daß die schlechten Zeiten jetzt hier oben im Norden vielleicht vorbei waren. Daß der Klippfisch einen besseren Preis erzielte. Ja, daß der frische Fisch auf zwei Speziestaler pro 120 Stück gestiegen war.

Das Klippfischgeschäft sei im Aufblühen begriffen, meinte der Lehnsmann. Er hatte Pläne, die Klippen von allem Bewuchs zu befreien. Die Schicht war so dünn, daß er Kinder dazu anstellen konnte.

Jacob kannte sich mit Klippfisch nicht aus.

»Aber die Klippen auf Reinsnes sind doch ausgezeichnet. Sie liegen ja rundum.«

»Das stimmt schon. Aber da müßte ich mir Arbeitskräfte beschaffen«, sagte Jacob leichthin.

Es war deutlich, daß er sich damit nicht befassen wollte.

»Handel mit Schiffsausrüstung und Frachtschiffahrt sind besser«, stellte er fest.

»Aber du verdienst doch mehr, wenn du deine Waren selbst produzierst, anstatt sie aufzukaufen.«

Dina folgte dem Gespräch, indem sie die Gesichter beobachtete und sich die Stimmen einprägte. Was gesagt wurde, interessierte sie weniger.

Sie saß Jacob gegenüber und starrte den »alten Witwer« ganz offen an. Im übrigen aß sie für ihre Verhältnisse bemerkenswert lautlos und manierlich.

Der gut gebaute junge Körper war sittsam bekleidet mit einem Mieder und einem langen Rock.

»Du hast graue Haare bekommen, Herr Grønelv«, sagte sie plötzlich mit lauter Stimme.

Jacob war sichtlich betreten, aber er lachte.

»Dina!« sagte Dagny leise, aber streng.

»Ist es schlimm, graue Haare zu haben?« fragte Dina trotzig.

Der Lehnsmann, der wußte, daß dies das Stichwort zu einem Streit sein konnte, sagte schnell und schroff, auch wenn sie das Dessert noch nicht bekommen hatten: »Geh das Cello holen!«

Seltsamerweise gehorchte Dina ohne Protest.

Herr Lorch sprang auf und setzte sich ans Klavier. Er beugte den Oberkörper vor und hielt die Hände über die Tasten, bis Dina die richtige Stellung gefunden hatte.

Der grüne Samtrock mit der Borte am Saum teilte sich, als sie das Cello zwischen die Knie nahm. Es war keine weibliche Geste. Weder schön noch elegant. Eine schwere Körperlichkeit erfüllte den Raum.

Das verschleierte Jacob den Blick.

Zwei strotzende junge Brüste gelangten in sein Blickfeld, als sie sich über das Instrument beugte und den Bogen anlegte.

Ihr Gesicht kam zur Ruhe, unter der struppigen schwarzen Mähne. Aus gegebenem Anlaß einigermaßen gebürstet und frei von Heustaub. Der große, etwas gierige Mädchenmund war halb geöffnet. Die Augen sahen an allem vorbei. Schwer.

Jacob hatte einen heftigen Stoß in den Unterleib bekommen, als sie sich vornüberneigte und die ersten Griffe ausführte. Er wußte, was es war. Hatte es schon früher erlebt. Aber diesmal war es heftiger als alles, woran er sich erinnern konnte. Vielleicht weil es so unerwartet kam.

Jacobs Kopf wurde zu einem Schwalbennest. In dem die Musik alle Eier zerschlug. Dotter und Eiweiß rannen an Wangen und Hals herunter. Er beugte sich unwillkürlich vor und ließ die Zigarre ausgehen.

Dinas Kleider waren plötzlich dichtes Laub über einem jungen Frauenkörper. Daß die gleiche Frau gewisse Probleme hatte, Schubert zu Herrn Lorchs Zufriedenheit zu interpretieren, war weit außerhalb seiner Wirklichkeit. Er sah, wie der Stoff auf ihren Schenkeln vibrierte, wenn der Ton vibrierte.

Jacob war gleichsam eine Saite unter ihren Fingern. Der Bogen in der weichen, starken Hand. Er war ihr Atem unter dem Mieder. Er hob und senkte sich mit ihr.

Nachts fand Jacob Grønelv überhaupt keinen Schlaf. Er war nahe dran, in die Frostnacht hinauszulaufen, um die Fackel zu löschen.

Hinter der Tür gegenüber lag Dina. Er zog sie aus mit seiner ganzen Begierde. Wurde von dem Bild der großen jungen Brüste fast gesprengt. Von ihren Knien, die einladend nach beiden Seiten gespreizt waren mit dem lackierten Instrument dazwischen.

Jacob Grønelv wußte nicht, wo in aller Welt er bleiben sollte in dieser langen Nacht.

Am nächsten Morgen wollte er abreisen.

Das Boot lag schon zur Abfahrt bereit, da nahm er den Lehnsmann beiseite und sagte mit steifem Blick: »Ich muß sie haben! Ich – ich muß Dina haben – zur Frau!«

Das letzte kam heraus, als ob er gerade in diesem Augenblick entdeckt hätte, daß dies die einzige Lösung war.

Er war so mit dem Gedanken beschäftigt, wie er sein Anliegen vorbringen sollte, daß er vergaß, standesgemäß zu sprechen. Die Worte sprudelten heraus, als ob er sie vorher nie gehört hätte. Alles, was er eigentlich hatte sagen wollen, war weg.

Aber der Lehnsmann verstand.

Als das Boot ablegte, fing es an zu schneien. Ganz leicht zunächst. Dann schneite es stark und anhaltend.

Bereits am nächsten Tag wurde Dina ins Kontor geholt, und es wurde ihr verkündet, daß Jacob Grønelv sie heiraten wollte, sobald sie sechzehn war.

Dina stand in ihren alten Lederhosen mit gespreizten Beinen mitten im Kontor. Es hatte sich zu ihren Füßen bereits ein kleiner See, vermischt mit Mist und Heu, gebildet.

Als sie ins Kontor befohlen wurde, hatte sie geglaubt, sie würde wegen ihres letzten Streichs, den sie Dagny gespielt hatte, zur Rechenschaft gezogen, oder weil sie den kleinen Halbbruder am Morgen in den Schweinekoben gelassen hatte.

Sie brauchte nicht mehr zu dem Vater aufzusehen, wenn er mit ihr sprach. Sie war genauso groß.

Sie sah ihn an, als ob sie sachlich feststellte, daß sein Haar dünn geworden war und daß er sich eigentlich eine neue Weste leisten sollte. Des Lehnsmanns Körperfülle war beschwerlich geworden im letzten Jahr. Es ging ihm zu gut.

»Du hast zugenommen! Du bist dick geworden, Vater!« sagte sie nur und wollte gehen.

»Hast du nicht gehört, was ich gesagt habe?«

»Nein!«

»Jacob besitzt den besten Handelshof hier in der Gegend, er hat zwei Frachtschiffe.«

»Er kann sich hinten und vorne abwischen mit seinen Frachtschiffen!«

»Dina!«

Der Lehnsmann brüllte. Es löste ein mächtiges Echo aus, das sich von Balken zu Balken fortpflanzte, von Raum zu Raum durch das ganze Haus.

Dann versuchte es der Lehnsmann mit sanften Worten. Einer Art Vermittlung. Aber Dinas ordinäre Sprache wurde so glasklar, daß er sich damit nicht abfinden konnte.

Die Ohrfeigen knallten.

Was aber niemand sah, sie kamen von beiden Seiten. Dina ging bereits nach dem ersten Schlag auf ihren Vater los. Mit der Wut eines Menschen, der nichts zu verlieren hat. Der sich um Grenzen nicht kümmert. Weder in bezug auf Angst noch auf Respekt.

Der Lehnsmann kam mit einer zerrissenen Weste und einer Schramme auf der Backe aus dem Kontor. Er taumelte zu dem kleinen Haus mit dem Herzen in der Tür und glaubte, er würde seine Tage mit einem Herzschlag beenden. Sein Atem ging heftig.

Ein lautes Wiehern und donnernde Pferdehufe machten die Sache nicht besser.

Es war schwer, Vater eines Satans zu sein.

Er gestand es nie einer lebenden Seele ein. Aber er hatte reichlich Prügel von seiner großen Tochter bezogen.

Sie waren ziemlich ebenbürtig, wie sich gezeigt hatte. Was Dina an Kraft fehlte, glich sie um so mehr mit Geistesgegenwart und Gelenkigkeit, Nägeln und Zähnen aus.

Der Lehnsmann begriff nicht, was er falsch gemacht haben konnte, daß er ein solches Schicksal verdiente. Als ob es nicht schon vorher schlimm genug gewesen wäre. Ein Kind züchtigte seinen Vater! Großer Gott!

Es war wahrhaftig das erste Mal, daß jemand Hand an den Lehnsmann gelegt hatte. Er hatte einen sehr bestimmten, aber liebevollen und zerstreuten Vater gehabt, und er war der einzige Sohn seiner Mutter gewesen.

Er war kein harter Mann. Jetzt saß er in dem kleinen Häuschen und weinte.

Indessen sprengte Dina an den Uferklippen entlang und die bewachsenen Hänge hinauf in die Berge.

Sie hatte die Richtung einigermaßen im Gefühl, sie besaß einen Ortssinn, den sie selbst nicht verstand.

Im Laufe des Nachmittags ritt sie den steilen Hang nach Reinsnes hinunter.

Die Straße verlief im Zickzack zwischen großen Steinen, Gebüsch und Wacholder. Eine Brücke führte über den reißenden Herbstfluß. Hie und da war die Straße durch Steinmauern befestigt, damit sie bei der Schneeschmelze nicht abrutschte.

Es war keine Frage, daß man nach Reinsnes besser mit dem Boot kam. Oben am Rand des Steilabfalls sah es so aus, als ob da unten in der Tiefe nichts anderes als Meer wäre.

Auf der gegenüberliegenden Seite des Sundes zeichnete sich eine graue Bergkette gegen den Himmel ab.

Aber im Westen gaben Meer und Himmel alle Freiheit, die ein Auge brauchen konnte.

Als sie weiter herunterkam, breiteten sich nach rechts und links Felder und Wiesen aus. Zwischen üppigem Birkenwald und grauem, dröhnendem Meer.

Weit draußen gingen Meer und Himmel in einer Weise ineinander über, wie sie es noch nie gesehen hatte.

Sie hielt das Pferd an, als sie aus der letzten Felsspalte herausgekommen war.

Die weißen Häuser. Es waren mindestens fünfzehn! Zwei Kais und zwei Bootshäuser. Dieser Hof war viel größer als der Lehnsmannshof!

Dina band das Pferd an den weißen Gartenzaun, blieb stehen und betrachtete ein kleines Haus mit acht Ecken und farbigen Glasfenstern. Wilder Wein rankte sich um die Eingangstür, und an allen Ecken befanden sich stilvolle Schnitzereien.

Das Haupthaus hatte ein solides Portal mit geschnitztem, verschnörkeltem Blattwerk. Eine breite Schiefertreppe mit gußeisernem Geländer und je einer Gartenbank zu beiden Seiten der Tür führte hinauf.

Es wirkte so prächtig, daß Dina den Kücheneingang benutzte.

Sie fragte ein unansehnliches und verdutztes Dienstmädchen, ob Jacob zu Hause sei.

Jacob Grønelv saß im Rauchzimmer in dem großen Rokokostuhl neben dem Kamin und machte ein Nickerchen. Die Weste stand auf, und eine Hemdbrust hatte er nicht an. Das graumelierte lockige Haar war nicht gekämmt und hing ihm halbwegs ins Gesicht. Und der Schnurrbart hing auch.

Aber daran dachte er nicht in dem Augenblick, als er Dina in der Tür stehen sah.

Sie kam direkt aus seinen wirren Träumen. Allerdings ohne Cello und Mieder. Sie flimmerte bereits in seinen Adern. Dann dauerte es eine Weile, bis er begriff, daß sie es tatsächlich war, die da stand.

Jacob Grønelvs Hals und Ohren liefen rot an. Die Belastung, sie zu sehen, war zu groß.

Einem ersten Instinkt folgend, noch ehe er völlig wach war, hätte er sie am liebsten auf den Boden gezerrt. Sofort.

Aber Jacob hatte einen Sinn für die Formen, soweit es ihn selber betraf. Außerdem konnte Mutter Karen jederzeit auftauchen.

»Vater sagt, daß wir heiraten sollen!« schleuderte sie ihm entgegen, ohne zu grüßen. Dann nahm sie die graue Schaffellmütze ab, mit einer Bewegung, als ob sie ein Knecht wäre. »Da wird nichts draus!« fügte sie hinzu.

»Willst du dich nicht erst mal setzen?« sagte er und stand auf.

Er verfluchte die Art des Lehnsmanns. Er hatte das Mädchen wahrscheinlich mit Befehlen und harten Worten zu Tode erschreckt.

Jacob machte sich Vorwürfe. Er hätte sagen sollen, daß er sie erst selber fragen wollte.

Aber es war so plötzlich gekommen. Und seitdem hatte er an nichts anderes mehr gedacht.

»Dein Vater hat doch wohl nicht gesagt, daß wir heiraten sollen, er hat sicher gesagt, daß ich dich zur Frau haben möchte.«

Eine plötzliche Unsicherheit huschte über ihr Gesicht. Eine Art altkluge Neugierde.

Jacob hatte so etwas noch nie gesehen. Er wurde unbeholfen und jung. Er machte erneut eine Bewegung zu dem Sessel hin, in dem er gerade gesessen hatte. Half ihr, die Jacke auszuziehen. Dina roch nach frischem Schweiß und Heidekraut. Hatte winzig kleine Tropfen am Haaransatz und auf der Oberlippe.

Jacob entfuhr ein Seufzer.

Dann sagte er Bescheid, daß man ihnen Kaffee und Kuchen bringen und sie im übrigen nicht weiter stören solle.

Mit einer verbissenen Ruhe, als ob er es mit einem Geschäftspartner zu tun hätte, nahm er einen Stuhl und setzte sich ihr genau gegenüber. Abwartend. Die ganze Zeit darauf bedacht, ihr in die Augen zu sehen.

Das hatte Jacob auch früher praktiziert. Aber seit seiner Heirat mit Ingeborg hatte nicht mehr soviel auf dem Spiel gestanden.

Während sie Kaffee tranken, hatte Dina, die übrigens den Kaffee aus der Untertasse schlürfte, immer noch zornige Falten zwischen den Augenbrauen.

Sie hatte die Strickjacke am Hals aufgemacht, und das zu klein gewordene Bruststück konnte weder die Brüste noch Jacobs Blick im Zaum halten.

Jacob schickte pflichtschuldigst nach Mutter Karen und stellte Dina vor. Die Tochter des Lehnsmanns, die ohne Furcht allein über das Gebirge geritten war, um eine Nachricht ihres Vaters zu überbringen.

Mutter Karen betrachtete Dina durch ihr Monokel und einen Schleier von Wohlwollen. Sie schlug die Hände zusammen und ließ das Südzimmer im Obergeschoß richten. Warmes Wasser und saubere Bettwäsche.

Jacob wollte ihr auf jeden Fall den Hof zeigen! Mußte sie für sich allein haben!

Er beobachtete sie. Sprach leise und eindringlich. Über alles, was er ihr geben wollte.

»Ein schwarzes Pferd?«

»Ja, ein schwarzes Pferd!«

Jacob zeigte ihr den Stall. Die Lagerhäuser. Den Laden. Dina zählte die Bäume in der Allee.

Plötzlich lachte sie.

Zeitig am nächsten Morgen wurde der Knecht mit dem Pferd über das Gebirge geschickt.

Bevor Jacob das Boot losmachte, um sie nach Hause zu bringen, waren sie sich einig. Sie würden heiraten.

Auf dem Lehnsmannshof hatte helle Aufregung geherrscht. Keiner wußte, wo Dina hingeritten war.

Sie suchten mit den Pferden das Gelände ab. Als der Knecht von Reinsnes mit Nachricht und Pferd kam, tobte der Lehnsmann vor Erleichterung und Wut.

Aber als Jacob Grønelvs Hausboot anlegte und Dina bei Flut mit der Hanftrosse an Land sprang, beruhigte er sich.

Ich bin Dina. Reinsnes ist ein Ort, wo Himmel und Erde ineinander übergehen. Zwölf große Vogelbeerbäume in Reih und Glied vom Laden bis

hinauf zum Hof. Im Garten steht ein großer Traubenkirschbaum, auf
den man klettern kann. Eine schwarze Katze gibt es. Und vier Pferde.
Hjertrud ist in Reinsnes. Unter dem ewig hohen Dach des Lagerhauses.
Wind. Es weht bestimmt immer Wind.

Die Hochzeit sollte im Mai sein, bevor die Frachtschiffe nach Süden fuhren.

Auf dem Lehnsmannshof wurde die Aussteuer in Koffern und Kisten verstaut.

Dagny lief mit hektischen roten Flecken auf den Wangen herum. Packte und dirigierte. Es wurde genäht und gestrickt und geklöppelt.

Dina hielt sich meistens im Stall auf, als ob das Ganze sie nichts anginge.

Ihre Haare nahmen den starken Geruch der Tiere an. Man roch sie schon von weitem. Sie trug den Stallgeruch wie einen Schild vor sich her.

Dagnys Ermahnungen, daß sie mit einem solchen Geruch nicht herumlaufen könne, wenn sie Gastwirtsfrau auf Reinsnes sei, verdampften wie Regen auf sonnenwarmen Steinen.

Dagny nahm sie mütterlich beiseite, um sie in das Leben einer verheirateten Frau einzuweihen. Fing vorsichtig damit an, daß sie jeden Monat blutete. Und daß es eine Pflicht und eine Freude war, Ehefrau zu sein und Mutter zu werden.

Aber Dina war wenig neugierig, beinahe nachsichtig. Dagny hatte das unangenehme Gefühl, daß das Mädchen sie heimlich beobachtete, während sie ihr einen Vortrag hielt, und daß sie von den Abenteuern des Lebens mehr wußte als sie selbst.

Jedesmal, wenn sie sah, wie Dina ihre Röcke aushakte und in die hohe Birke beim Vorratshaus kletterte, konnte sie es nicht fassen, daß ein fünfzehn Jahre altes Mädchen so unglaublich kindlich sein konnte und trotzdem einen so scharfen Verstand besaß.

Dieses Mädchen war frei von Koketterie, von der Einsicht, wie sie auf die Leute wirkte. Sie bewegte sich noch so, als ob sie sechs wäre. Sie hatte keine Scheu vor den Leuten, egal wer sie waren und was sie sagten.

Und so viel verstand Dagny, daß es nicht ganz in Ordnung war, ein solches Wesen zu verheiraten. Aber sie wußte wahrhaftig nicht, für wen es schlimmer werden würde: für das Mädchen oder für Jacob.

Eine gewisse Schadenfreude erlaubte sie sich bei der ganzen Geschichte. Und sie fieberte dem Tag entgegen, an dem der Hof endlich ihr gehören würde. Ohne den Unfrieden und die Belastung, denen man ausgesetzt war, wenn man dieses verrückte Mädchen immer im Haus hatte.

Aber die Erleichterung, Dina bald loszuwerden, verbarg sie hinter einer hektischen Umsicht und Betriebsamkeit. Es kostete sie nach Frauenart Selbstmitleid und ein schlechtes Gewissen.

Der Lehnsmann war seit dem Tage, als Jacob mit Dina in dem Hausboot gekommen war, strahlender Laune. Es hatte alles eine glückliche Wendung genommen, wie er sagte.

Immer wieder sprach er von der glücklichen Wendung. Daß ihm seine eigenen Interessen wichtiger waren als die Fürsorge für seine einzige Tochter, bemerkte er nicht. Sie würde in die besten Hände kommen.

Daß er seinem besten Freund vielleicht einen Bärendienst erwies, indem er ihm Dina gab, dieser Gedanke plagte ihn trotzdem zuweilen. Es war eigenartig. Jacob war im Grunde gut... Aber wenn er es selbst so wollte, dann mußte er es ja auch schaffen.

Der Lehnsmann war, ohne sich dessen bewußt zu sein, froh darüber, daß viele Berge, viel Luft und lange Strände zwischen Reinsnes und Fagernesset lagen.

Herr Lorch wurde südwärts geschickt. Nach Kopenhagen. Auf Kosten des Lehnsmanns. Er hatte deutliche Signale vom Lehnsmann erhalten, daß man ihn nicht mehr brauchte. Signale, die gleichbedeutend mit einem Entlassungsschreiben waren.

Dina bekam einen Wutanfall und stach mit dem Messer in den vornehmen Louis-Seize-Kartentisch, es nützte wenig. Der Lehnsmann schimpfte mächtig. Aber er schlug nicht.

In den Jahren, in denen Lorch für Dinas Ausbildung verantwortlich gewesen war, hatte sie gründliche Kenntnisse in Musik erworben,

Klavier- und Cellospielen gelernt. »Ihr Klavierspiel entspricht noch nicht ganz ihren Fähigkeiten. Aber ihr Cellospiel ist für einen Amateur sehr zufriedenstellend«, stand in seinem Schlußbericht für den Lehnsmann.

Er könne als Zeugnis benutzt werden, falls es sich einmal als notwendig erweisen sollte. Außerdem habe sie eine gute Unterweisung in Geschichte, sowohl in der alten wie auch in der neuen, bekommen. Sie habe ein wenig Deutsch, Englisch und Latein gelernt. Aber für diese Disziplinen habe sie wenig Interesse gezeigt. Statt dessen habe sie eine beachtliche Begabung für Zahlen. Sie könne ohne Schwierigkeiten fünf- bis sechsstellige Zahlen fortlaufend zusammenzählen und abziehen, mehrstellige Zahlen malnehmen und teilen. Über Dinas Lesekünste stand nicht soviel da. Nur, daß sie wenig Durchhaltevermögen für diesen Zeitvertreib habe. Insgesamt liebe sie vor allem das, was man direkt im Kopf machen könne.

»Sie kann das Alte Testament fast auswendig«, fügte Herr Lorch hinzu, als einen mildernden Umstand.

Er erwähnte gegenüber dem Lehnsmann mehrmals, daß Dina vielleicht eine Brille brauchte. Es war nicht natürlich, daß sie jedesmal, wenn sie ein Buch aufschlug oder etwas aus der Nähe sehen wollte, die Augen zusammenkniff.

Aber aus irgendeinem Grund vergaß der Lehnsmann die Sache. Für ein junges Mädchen war ein Monokel ganz unpassend.

Als Herr Lorch mit seinem gut verpackten Cello und einem Koffer mit seinem bescheidenen Besitz abgereist war, da schienen die Gewürze im Lehnsmannsgarten verschwunden zu sein.

Dieser stille, trockene Mann hatte eine Menge kleine Details, die man nicht beachtet hatte, solange er da war. Aber sobald er fort war, wurden sie sichtbar.

Dina war drei Tage nicht im Haus. Sie schlief und lebte die ganze Zeit im Stall. Sie schoß noch mehr in die Höhe. Und in einem Monat wurde ihr Gesicht schmal und bekam scharfe Züge. Als ob ihr mit Lorchs Weggang der letzte Mensch genommen worden wäre.

Sie wollte nicht einmal mit Tomas reden. Betrachtete ihn wie Dreck und Luft in einem alten Fell.

Aber da es friedlicher für Dagny war, wenn sie sich nicht im Hause aufhielt, machte ihr niemand Vorwürfe.

Die Köchin stand manchmal in der Tür des Windfangs und lockte sie. Als ob sie einen streunenden Hund lockte. Nur, daß Dina sich nicht so leicht locken ließ.

Sie streifte wie ein Wolf umher. Um Lorch heraufzubeschwören. Er war da. In der Luft, die sie einatmete. In den zarten Tönen. Überall.

Ich bin Dina. Wenn ich Cello spiele, hört Lorch es in Kopenhagen. Er hat zwei Ohren, die jede Musik hören. Er kennt alle Zeichen, die die Musik gibt, in der ganzen Welt. Besser als Gott. Lorchs Daumen ist bereits platt und krumm vom Greifen um die Saiten. Seine Musik sitzt in der Wand. Man braucht sie nur herauszulassen.

»Was soll man mit einem Menschen machen, der sich vor Strafe nicht fürchtet?« hatte der Lehnsmann den Pfarrer gefragt, der Dina konfirmierte.

»Der Herr hat seine Methoden«, meinte der Pfarrer vielsagend. »Aber diese Methoden liegen wohl nicht im Bereich eines irdischen Vaters.«

»Aber der Herr Pfarrer versteht, daß es schwer ist?«

»Dina ist ein trotziges Kind und ein trotziges junges Mädchen. Vielleicht muß sie zu guter Letzt den Nacken tief beugen.«

»Aber sie ist doch nicht schlecht?« flehte der Lehnsmann.

»Es ist der Herrgott, der richtet«, erwiderte der Pfarrer kurz. Er hatte Dina im Vorbereitungsunterricht gehabt und wollte die Sache nicht weiter vertiefen.

Im Jahre 1841 wurde sie konfirmiert, obwohl man sie nicht nach mathematischen Formeln gefragt oder sie gebeten hatte, den Handelsüberschuß des Lehnsmanns auszurechnen.

Und das war gut so. Denn im nächsten Frühjahr wurde sie getraut.

5. Kapitel

DER KLUGE SIEHT DAS UNGLÜCK KOMMEN UND VERBIRGT SICH;
DIE UNVERSTÄNDIGEN LAUFEN WEITER UND LEIDEN SCHADEN.
(Die Sprüche Salomos, Kapitel 22, Vers 3)

Jacobs und Dinas Hochzeit fand Ende Mai statt, in dem Jahr, als sie im Juli sechzehn wurde.

Sie wurde in einem mit Laub geschmückten Kajütboot zur Kirche gefahren. Im Sonnenschein auf einem ruhigen Meer. Trotzdem hatte sie einen Wolfspelzmantel an, den der Lehnsmann durch Tauschhandel bei den Russen erworben hatte, und fror. In der Kirchstube zog man ihr Hjertruds Brautkleid aus weißem Musselin an, das mit schmalen Spitzen eingefaßt war. Der Rock war mit eingenähten Bändern gerafft. Vier breite Borten bildeten den Abschluß. Das Bruststück hatte Drapierungen und Spitzen und war über der Brust herzförmig. Die dünnen Ärmel waren gepufft und durchsichtig wie Spinnweben.

Das Kleid roch muffig und nach Mottenpulver, obwohl man es gewaschen und mit größter Sorgfalt gelüftet hatte. Aber es paßte genau.

Man hatte Dina gut ausstaffiert und alle ihre Sachen in Kisten und Koffern nach Reinsnes geschickt, dennoch benahm sie sich, als ob das Ganze nur ein Spiel wäre.

Sie schüttelte und reckte sich, sie lachte über die, welche sie schmückten. Es war wie damals, als Lorch und sie ihre Rollen mit Gipsmasken und festgelegten Reden und Antworten gespielt hatten.

Ihr Körper war der eines gut entwickelten Tieres. Und am Tag vor ihrer Hochzeit kletterte sie in die große Birke und blieb dort lange sitzen. Und sie hatte Schürfwunden an beiden Knien, weil sie kurz vorher gefallen war, als sie zwischen den Steinen am Strand herumlief, um Möweneier zu suchen.

Der Bräutigam kam im Fembøring mit einem großen Gefolge und viel Lärm.

Mit seinen achtundvierzig Jahren und seinem angegrauten Bart sah er jünger aus als Dinas Vater, obwohl er älter war.

Der Lehnsmann war frühzeitig dick geworden – vom guten Leben und vom Punsch –, während Jacob schlank geblieben war.

Man hatte beschlossen, die Hochzeit auf Reinsnes zu feiern. Weil es von der Kirche bis dorthin kürzer war und weil man dort mehr Platz für die Gäste hatte. Außerdem hatte Reinsnes die beste Köchin im ganzen Pfarrbezirk.

Es wurde eine muntere Hochzeit.

Nach dem Essen wollte der Bräutigam der Braut alles zeigen. Oben. Ihr den Saal mit dem wunderbaren Himmelbett zeigen. Er hatte einen neuen Bettvorhang und einen neuen Himmel nähen lassen. Die Samttapete mit der Rankenborte über der Holztäfelung war neu. Sie sollte endlich die Kammern und die Bücherschränke mit den Glastüren sehen. Mit dem Schlüssel, den man umdrehen und in einem chinesischen Krug auf dem Schreibschrank verstecken konnte. Den Wäscheschrank in dem großen, dunklen Gang. Den ausgestopften Schneehahn. Von Jacob selbst geschossen. Präpariert in Kopenhagen und in einer Hutschachtel von Mutter Karen hierher befördert. Aber vor allem anderen: den Saal und das Himmelbett. Mit zitternden Händen schloß er die Tür ab. Dann ging er lächelnd auf sie zu und drückte sie gegen das Bett.

Er war lange wie besessen gewesen. Ihre Öffnung zu finden. In sie einzudringen.

Er hakte das Brautkleid auf.

Mit keuchendem Atem, lispelnd und unzusammenhängend erzählte er ihr, daß sie das wunderbarste Geschöpf sei, das ihm je begegnet sei.

Zunächst sah es so aus, als ob sie von einer gewissen Neugier befallen würde. Oder sie wollte Hjertruds Kleid vor seinen gierigen Händen schützen. Jedenfalls kam das Kleid herunter.

Aber plötzlich schien die Braut Jacobs Worte und sein Tun nicht in Einklang bringen zu können.

Sie bearbeitete ihn mit Nägeln und Krallen. Sie hatte Messingspitzen an ihren seidenen Schuhen. Es war ein Wunder, daß sie ihn nicht fürs ganze Leben zum Krüppel trat.

»Du bist ja schlimmer als ein Hengst«, zischte sie. Während Rotz und Tränen liefen. Sie war sich offensichtlich nicht im unklaren darüber, was ein Hengst treiben konnte.

Sie war bereits auf der Flucht zur Tür hinaus, als Jacob begriff, was sie im Sinn hatte. Die Brunst war wie weggeblasen, er stellte sich im Geiste vor, welchen Verlauf die Sache nehmen konnte.

Eine Weile standen sie sich schwer atmend gegenüber und maßen ihre Kräfte.

Sie weigerte sich, die Kleider anzuziehen, die Jacob ihr heruntergerissen hatte.

Er mußte ihr die Hosen mit der gleichen Kraftanstrengung wieder aufzwingen, mit der er sie ausgezogen hatte. Und die Bindebänder an dem einen Schlitz rissen ab. Er fummelte schrecklich herum.

Trotzdem mußte er das Furchtbare hinnehmen. Daß sie sich schließlich losriß und in die Wohnräume hinunterstürzte. Zum Lehnsmann und zu allen Gästen. Ohne etwas anderes anzuhaben als Unterwäsche, Seidenschuhe und Strümpfe.

Zum ersten Mal bekam Jacob zu spüren, daß Dina keine Grenzen kannte. Daß sie das Urteil der Menschen nicht fürchtete. Daß sie blitzschnell Bilanz zog – und handelte! Daß sie ein angeborenes Gespür dafür hatte, alles, was ihr widerfuhr, auch anderen widerfahren zu lassen.

Bei diesem ersten Mal wurde er sofort nüchtern. Sie machte ihn gewissermaßen zu einem Verbrecher an seinem eigenen Hochzeitstag.

Dina kam die Treppe mit außerordentlichem Krach herunter. In Unterhosen lief sie durch die Wohnräume, vor dreißig Paar entsetzter Augen.

Sie stieß dem Lehnsmann das Punschglas aus der Hand, der Inhalt machte böse Flecken im Umkreis. Dann kletterte sie auf seinen Schoß und erklärte laut und deutlich, so daß es alle hören konnten: »Jetzt fahren wir nach Hause nach Fagernesset!«

Das Herz des Lehnsmanns übersprang mehrere Schläge. Er bat das Stubenmädchen, dafür zu sorgen, daß die Braut wieder »in einen geziemenden Zustand« gebracht würde.

Er war wütend, weil er begriff, daß Jacob sich nicht beherrscht und mit der Hochzeitsnacht gewartet hatte, bis die Gäste in aller Ehrbarkeit zu Bett gegangen waren. Er war wütend auf Dagny, die das Mädchen nicht darauf vorbereitet hatte, was von ihr erwartet wurde. Sie hatte es versprochen. Er war wütend auf sich selbst, weil er nicht vorausgesehen hatte, daß Dina genau so handeln würde, wie es nun geschehen war. Er hätte Jacob warnen sollen. Jetzt war es zu spät.

Der Lehnsmann fegte Dina ziemlich unwirsch von seinem Schoß und ordnete wieder seine Hemdbrust und die Halsbinde. Bedauerlicherweise war alles mit Punschflecken gesprenkelt.

Dina stand da, wie ein gefangenes Tier, mit wilden Augen. Dann rannte sie in den Garten. Flink wie ein Wiesel kletterte sie auf den großen Traubenkirschbaum neben dem Gartenhaus.

Dort blieb sie sitzen.

Dagny weinte ganz offenkundig. Die Gäste saßen und standen zusammengeschart noch in der gleichen Ecke wie in dem Augenblick, als Dina hereingestürzt war. Und es hatte ihnen die Sprache verschlagen. Zum Glück war der Pfarrer bereits draußen im Sund und konnte nichts hören und sehen.

Der Lehnsmann war der einzige, der praktischen Sinn bewies. Er ging hinaus und brüllte Schimpfworte hinauf in den Baum, wo die leichtbekleidete Gestalt saß.

Was eine Feier und ein Triumph hatte sein sollen, da der Lehnsmann seine einzige Tochter seinem besten Freund zur Frau gab, wurde zu einem Alptraum.

Als die Dienstleute und die Gäste sich nach einer Weile unter dem Baum versammelt hatten, kam der Bräutigam und Herr von Reinsnes vom Obergeschoß herunter.

Er hatte sich Zeit genommen, seine Kleider und den Bart und die Haare in Ordnung zu bringen. Er fürchtete das Schlimmste. Von der Raserei eines wütenden Vaters bis zur eiskalten Nachsicht aller prominenten Gäste.

Er hatte vom Saalfenster aus das bedrohliche Bild zum Teil beobachtet. Hinter der Gardine.

Er hatte ein wenig Angst, daß die Schamröte ihm ins Gesicht steigen würde. Sein Glied hing untätig in den Kleidern, als er auf der Treppe dem bekümmerten Blick von Frau Karen begegnete.

Sie hielt würdigen Abstand von dem Zirkus da draußen und war auf dem Weg hinauf zu ihrem Sohn.

Jacob erblickte die ganze Ansammlung um den Baum. Dina war ein großer weißer Vogel mit schwarzen hängenden Kopffedern.

Er stand oben auf der breiten Steintreppe mit dem schmiedeeisernen Geländer und sah ein Bild, wie er es noch nie gesehen hatte. Es war so drollig! Eine schwirrende Menschenmenge um den Baum. Des Lehnsmanns Rufe und Gesten. Die Abendsonne durch das dichte grüne Laub. Die Margeriten in dem herzförmigen Beet. Das Mädchen in dem Baum. Als ob sie dort schon tausend Jahre säße und vorhätte, noch ein paar Jahre sitzen zu bleiben. Sie sah auf die Menschen herunter wie auf eine lästige Karawane von Ameisen, die da herumkrochen. Jacob fing an zu lachen.

Er lachte immer noch, als er eine Leiter an der Stallwand holte und alle ins Haus beorderte, damit er die Sache in Ruhe erledigen konnte. Er hatte vergessen, daß er sich eigentlich schämen müßte, während er vor Lachen gluckste und wartete, bis die letzten im Haus verschwunden waren.

Dann stellte er die Leiter an den Baum und kletterte hinauf.

»Dina!« rief er. Leise und äußerst belustigt. »Willst du nicht zu dem fürchterlichen Bock von einem Mann herunterkommen? Ich werde dich ins Haus tragen, so behutsam, als ob du die Bibel wärst.«

»Du dreckiger Hund!« zischte die Braut von oben.

»Ja, ja!«

»Warum bist du so wie ein Hengst?«

»Ich konnte nichts dafür... Aber ich werde mich bessern...«

»Wie kann ich das wissen?«

»Ich schwöre!«

»Was?«

»Daß ich dich nie mehr bedrängen werde wie ein Hengst!«

Sie schnaubte. Es wurde einen Augenblick still.

»Hast du Zeugen?«

»Ja, Gott im Himmel!« sagte er schnell, er hatte eine Mordsangst, daß des Lehnsmanns Tochter handfeste Zeugen von ihm verlangen würde.

»Schwörst du?«

»Ja! Und wenn ich es nicht halte, dann falle ich auf der Stelle tot um!«

»Das sagst du nur, damit ich herunterkomme.«

»Ja! Aber es ist etwas Wahres dran…«

Sie beugte sich vor, so daß beide Brüste aus dem Leibchen herauszufallen drohten. Ihre schwarzen Haare waren wie ein Wald aus Tang und verdunkelten in ihrer Herrlichkeit den Himmel für ihn.

Es dämmerte Jacob, daß er womöglich zu alt für eine Braut war, die auf die Bäume flüchtete. Es konnte mehr physische Kräfte von ihm fordern, als er besaß. Aber er verdrängte den Gedanken. Einstweilen.

»Mach dich weg, damit ich runterkommen kann«, befahl sie.

Er stieg herunter und hielt ihr die Leiter. Schloß die Augen und schnupperte sie, als sie an ihm vorbeistrich. Dicht, dicht.

Jacob war ein fröhlicher Clown. Vor Gott und den Hochzeitsgästen. Er begnügte sich für den Rest des Abends mit Dinas Duft. Trotzdem fühlte er sich wie einer der letzten Auserwählten Gottes. Er würde ihr schon noch näher kommen, ohne daß sie auf einen Baum ausriß.

Der Lehnsmann verstand nicht viel von dem Ganzen. Er war erstaunt, daß der Freund in Frauensachen unvernünftiger war als in geschäftlichen Dingen. Er empfand die Episode als eine peinliche und persönliche Beleidigung des Lehnsmanns auf Fagernesset.

Die Witwe Karen Grønelv war indessen sehr nachdenklich. Und sie sah mit Unruhe der Tatsache entgegen, daß dieses junge Mädchen die Schlüssel für den Hof Reinsnes bekommen und Jacobs Hausstand verwalten würde.

Gleichzeitig rührte sie auch etwas. Diese Dina, von der sie immer so viele seltsame Geschichten gehört hatte, interessierte sie. Es stimmte etwas nicht, wenn ein junges Mädchen aus guter Familie so ohne Hemmungen war. Und zudem so wenig Ahnung davon hatte, was sich gehörte!

Mutter Karen glaubte, daß Jacob sich mit dieser übereilten Heirat zuviel zugemutet hatte. Aber sie sagte nichts.

Johan Grønelv war zwanzig Jahre alt. Gerade von der Schule nach Hause gekommen, um die Hochzeit seines Vaters zu feiern.

Er saß stundenlang in einer Ecke und starrte auf eine Ritze im Fußboden.

Jacob hielt Wort. Er näherte sich ihr sehr vorsichtig. Sie sollten in dem prächtigen Himmelbett im Saal schlafen. Alles war bereit. Schön hergerichtet. Spitzeneinsätze und Laken waren im April auf dem Schnee gebleicht worden. Waren im Mai in Lauge gekocht, gespült und auf die Leine gehängt worden. Gemangelt und ordentlich zusammengefaltet, mit Rosenblattbeuteln dazwischen in den großen Wäscheschrank im Flur den Obergeschosses gelegt worden, in Erwartung einer Braut.

Nächtliche Sonne und leichte Spitzengardinen. Grünschimmernde Gläser auf hohem Fuß. Kristallkaraffen mit Wein und Wasser, Blumen in kleinen und großen Vasen. Auf den Wiesen und im Garten gepflückt. Duft des frischen Grüns durch das Fenster. Fernes Rauschen des Wasserfalls und Wind von den Bergen.

Jacob bediente sich seiner ganzen Klugheit. Er hatte samtweiche Hände, als er sich ihr näherte. Seine erste Tat war, ihr die Schuhe auszuziehen, die er vorher schmerzlich zu spüren bekommen hatte.

Noch war er empfindlich an unaussprechlichen Körperteilen. Noch spürte er das dumpfe Schwindelgefühl, als Dinas Schuh sein Ziel traf.

Sie saß auf dem hohen, breiten Bett und sah ihn an. Stützte sich mit den Armen nach hinten ab. Musterte ihn, bis er merkte, daß er verlegen wurde. Er konnte sich nicht erinnern, wann ihn zum ersten Mal eine Frau eingeschüchtert hatte.

So wie er hier vor ihr kniete und an ihrem Schuh zog, war er wieder ein Clown und ein Diener. Demütig nahm er wahr, daß sein Herz stolperte, als sie den Rist streckte, damit er den Schuh leichter abbekam.

Schwieriger war es, daß er sie zum Stehen bringen mußte, um ihr die Kleider auszuziehen. Das Rollo war nicht ganz heruntergelassen. Es war zu hell.

Und er sah diese hellen, beobachtenden Augen. Leicht schräg stehend. Weit offen, abwartend. Zu aufmerksam für seinen nächsten Schachzug.

Er räusperte sich. Weil er glaubte, sie erwarte, daß er redete. Er war es nicht gewohnt, in solchen Situationen mit Frauen zu reden.

Wäre doch noch die Winterdunkelheit in allen Ecken und nicht dieses verdammte Licht! Er fühlte sich ausgezogen und bloßgestellt unter dem kristallklaren Blick.

Mit seinem achtundvierzig Jahre alten Körper, dem unbedeuten-den, aber doch deutlich sichtbaren Bauch genierte er sich wie ein Sechzehnjähriger.

Die tiefen Falten. Die letzten Jahre als Witwer mit Kummer und Saufen. Die grauen Haare. Das alles gab ihm keine Erfahrung für solche Augenblicke.

Plötzlich erinnerte er sich, daß sie eine Bemerkung über die Haare gemacht hatte. Damals auf dem Lehnsmannshof, als er sie zum ersten Mal mit dem Cello zwischen den Schenkeln gesehen hatte.

Jacob befand sich in einem Zustand der Auflösung. Er verbarg seinen Kopf in Dinas Schoß. Aus Lüsternheit und einer gewissen Scham.

»Warum machst du das?« fragte sie und wand sich.

Jacob lag ganz ruhig.

»Weil ich nicht weiß, was ich machen soll«, antwortete er ehr-lich.

»Du bist doch dabei, mich auszuziehen. Mit den Schuhen bist du fertig...«

Sie gähnte und ließ den ganzen Körper schwer aufs Bett fallen. Er lag immer noch da wie ein vergessener Hund.

»Ja«, sagte er nur und tauchte aus ihrem Schoß auf. Erst mit dem einen Auge, dann mit dem ganzen grauen, zerzausten Kopf.

Er sah über alle Herrlichkeiten. Hügelspitzen. So wie sie dalag, fiel der Rock in Abgründe. Das machte ihn wild. Aber er be-herrschte sich.

»Du bist langweilig«, sagte sie trocken und fing an, die Knöpfe aufzumachen.

Er kroch zu ihr herauf und füllte vorsichtig seine Hände mit ihren Brüsten. Genoß die Wirkung, die Stoff und warme Haut auf ihn hatten. Ein atemloser Augenblick. Bevor er ihr das Kleid, die Unterröcke, das Schnürleibchen und die Unterhosen auszog.

Je näher er ihr kam, desto mehr roch sie nach Stall, Heu und Kräutern.

Ihre Augen folgten neugierig allen seinen Bewegungen. Ein paarmal schloß sie mit einem tiefen Seufzer die Augen. Während er alle Weichheit, die er besaß, hervorholte und behutsam ihre Schultern und Hüften streichelte.

Ganz nackt machte sie sich los und ging zum Fenster. Stand dort. Als ob sie aus einer anderen Welt wäre.

Er hätte so etwas nicht für möglich gehalten. Eine Frau, eine Jungfrau! Die in der hellen Sommernacht nackt aus dem Bett aufstand. Und ruhig durchs Zimmer und zum Fenster hin spazierte!

Dort blieb sie stehen mit Gold über Schultern und Hüften. Hexe und Engel. Keiner hatte sie gehabt! Sie gehörte nur ihm! Stolzierte in seinem Zimmer umher, in seinem Haus.

Die nächtliche Sonne badete ihren halben Körper in Honig, als sie sich zu ihm umdrehte.

»Willst du dich nicht auch ausziehen?« fragte sie.

»Ja«, kam es heiser.

Und ein Kleidungsstück nach dem anderen fiel in wütender Eile. Als ob er Angst hätte, daß irgend etwas passieren könnte, bevor er ans Ziel kam.

Tatsächlich brauchte es seine Zeit, bis er ans Ziel kam. Er hatte sich nicht vorgestellt, daß es auf diese Weise geschehen würde.

Sobald sie im Bett waren und er das weiße Laken über sie beide ausbreiten wollte, um sie dann an sich zu ziehen, setzte sie sich auf und riß ihm das Laken weg.

Dann begann sie mit einer Art Untersuchung. Begierig und mit einer Miene, als ob sie ein Tier gefunden hätte, von dem sie nicht genau wußte, was es war.

Er wurde so verlegen, daß er sich mit den Händen verbarg.

»Der ist anders als beim Stier und beim Pferd«, sagte sie interessiert und sah ihm in die Augen. »Aber beim Stier ist er auch wieder anders als beim Pferd. Er ist lang und dünn und hellrot. Dem Pferd seiner ist ein Mordskerl!« fügte sie mit ernsthafter Sachkenntnis hinzu.

Er spürte, wie ihn die Lust verließ und sein Mannestum erschlaffte.

Noch nie war er einem Menschen begegnet, der so völlig frei von jeder Scham war. Bilder stiegen ihn ihm auf. Von den wenigen Malen, da er zu solchen gegangen war, die Geld nahmen. Aber ihr Spiel war angelernt und von der Zeit bestimmt. An der Bezahlung gemessen. Er erinnerte sich, wie traurig er gewesen war, als er die angelernte Liederlichkeit und die nichtssagenden, mechanischen Bewegungen durchschaut hatte.

Am schlimmsten waren ihre Augen gewesen…

Plötzlich sah er, daß Dina – die Hausfrau auf Reinsnes – ein Kind war. Das rührte ihn und beschämte ihn. Und es quälte ihn über alle Maßen.

Es wurde ein langes, langes Spiel. In dem sie auf ihre Kosten kommen sollte. Alle ihre Rollen spielen. Wütend werden und ihn damit strafen, daß sie sich von ihm abwandte, falls er sich nicht allen ihren Einfällen fügte.

Ein paarmal dachte er, daß es tierisch und unnatürlich wäre. Er tröstete sich schwer atmend damit, daß niemand sie sah.

Und wenn sie offen zeigte, wie sehr sie es genoß, nahm er sich noch mehr Zeit. Spielte ihre Spiele. Hatte das Gefühl, daß sie das erste Paar auf Erden waren. Daß alles in Ordnung war.

Der ergraute Mann kämpfte mehrmals mit den Tränen. Es war zu groß für Jacob. Wieder ein Kind zu sein, das zwischen den Bäumen liebte.

Als es soweit war, daß er in sie eindringen mußte, hielt er die Luft an. Die Brunst war plötzlich eine schwarze Katze, die im Schatten schlief.

Mitten in einem blutroten Nebel wußte er es: Daß sie imstande war, ihn völlig fertig zu machen, falls sie seine Art haßte. Das half ihm hindurch.

Sie wimmerte kaum, auch wenn das Bettuch ruiniert war.

Die vielen schlüpfrigen Geschichten, die er von Hochzeitsnächten und weinenden Bräuten gehört hatte, fielen in sich zusammen.

Alles, was Jacob erfahren und gelernt hatte, mußte er umlernen. Nichts, was er gesehen und gehört hatte, paßte.

Seine Braut war eine junge Stute. Auf einer tiefgrünen Sommerweide. Sie drückte ihn gegen den Zaun. Brach plötzlich alle Spiele ab und trank aus dem Wasserloch im Fluß, wenn sie Durst bekam. Biß ihn in die Flanken, wenn er sich unbeholfen im Sprung übte. Bis sie sich fangen ließ. Und mit der gleichen ergebenen Ruhe wie eine Stute, die sich unterwarf, auf Armen und Knien verharrte. Der zitternde Körper ließ sich öffnen und nahm seine behutsamen Stöße entgegen.

Jacob wurde von einem fast religiösen Gefühl ergriffen, das ihm selbst nicht bewußt war. Der Samenerguß war nicht seiner.

Es war Jacob unmöglich, sich zu verstecken. Er weinte.

Am nächsten Tag kamen sie erst im Laufe des Nachmittags herunter. Die Hochzeitsgäste waren schon weggefahren. Auch der Lehnsmann mit seiner Familie. Frau Karen hatte eigenhändig ein Tablett mit Essen im Saal neben die Tür gestellt. Und einen guten Tag gewünscht. Mit freundlichem Gesicht und gesenktem Blick.

Die Dienstleute lächelten ein bißchen. Sie hatten noch nie von einer Hochzeitsnacht gehört, die von zwei Uhr nachts bis nachmittags um fünf dauerte.

Der Rentierbraten war zäh und trocken, und die Kartoffeln waren zerkocht, bis die Neuvermählten sich endlich zeigten.

Dina tadellos angezogen in einem neuen Kleid aus der Aussteuerkiste. Aber die Haare wie gewöhnlich nicht hochgesteckt. Ein lächelnder, frisch rasierter Jacob hatte deutliche Schwierigkeiten mit den Beinen und dem Rücken.

Während des Essens übersahen sie Frau Karen, Anders, Niels und Johan vollständig.

Eros lag über dem ganzen Raum. Kroch schwerfällig und satt die Tapete hinauf, spielte in dem Paneel und machte das Silber matt.

Das Brautpaar war schon vor dem Hauptgericht sichtlich betrunken. Dina hatte ihren ersten Portwein probiert, ehe sie aus dem Saal herunterkamen. Es war ein neues Spiel. Das süß schmeckte.

Frau Karen hatte einen flackernden Blick, und Johans Augen waren voller Abscheu.

Niels schielte neugierig zu Dina hin und aß mit Appetit.

Anders sah aus, als ob er unfreiwillig in einen Raum gekommen wäre, in dem er gezwungen war, mit fremden Leuten bei Tisch zu sitzen. Er bewältigte die Situation am besten.

Dina hatte ein neues Spiel gelernt. Sie kannte es von der Pferde-koppel. Vom Hühnerhof und von der Paarung der Möwen im Frühling. Jacob war ihr Spielzeug. Sie beobachtete ihn mit Augen aus geschliffenem Glas.

6. Kapitel

DU MUSST DICH MIT STARKEM TRANK UND JAMMER VOLLTRINKEN;
DENN DER KELCH DEINER SCHWESTER SAMARIA IST EIN KELCH DES
GRAUENS UND ENTSETZENS.
(Der Prophet Hesekiel, Kapitel 23, Vers 33)

Am 5. März 1838 war der Raddampfer »Prinds Gustav« auf seine
erste Fahrt von Trondhjem in Richtung Norden gegangen. Viele
hielten eine solche Seefahrt für ein tollkühnes Unternehmen. Aber
es wurde wunderbarerweise eine feste Schiffslinie daraus.

Der Herrgott hatte ein Wort mitzureden, was die Wasserober-
fläche betraf. Aber es gab auch Schären im Meer. Allerlei ungemütliche Fjordstücke, Strömungen und Strudel. Der Wind blies
aus allen Richtungen, und die Passagiere kamen nicht zur festge-
setzten Zeit an Bord. Daß im Foldmeer und im Vestfjord sich
nichts, außer Erdumdrehung und Zentrifugalkraft, so verhielt, wie
man es erwartete, gehörte ebenfalls zu den traurigen Begleiter-
scheinungen.

Noch jetzt, nach vielen Jahren, waren nicht alle entlang der
Schiffsroute davon überzeugt, daß die feuer- und rauchspuckende
»Prinds Gustav« ein Segen war.

Es hatte doch keinen Sinn, daß Schiffe direkt gegen Wind und
Strömung fuhren. Außerdem erschreckte das Dampfschiff die Fische in den Fjorden, meinten die, die mitgefahren waren. Das Gegenteil war schwer zu beweisen.

Aber die Leute kamen voran.

Wer viel reiste, lobte das Dampfschiff. Das reine Paradies, ver-
glichen mit einem offenen Nordlandboot oder einem engen Kajütboot.

Die Privilegierten reisten erster Klasse, entweder in der Herren-
kajüte mit zehn Kojen oder in der Damenkajüte mit fünf Kojen.
Für die zweite Klasse gab es eine gemeinsame Kajüte mit zehn
Kojen. Der dritten Klasse stand das offene Vorderdeck zur Verfügung, und die Passagiere mußten sich zwischen Kisten und Fäs-
sern einrichten, so gut es ging.

Aber bei schönem Wetter reisten auch die einfachen Leute in der dritten Klasse wie die Grafen. Die Fahrpreise waren ziemlich hoch: zwanzig, zehn und fünf Schilling pro Meile. Dafür fuhr man aber auch in einer Woche von Trondhjem nach Tromsø, im Sommer.

Die Handelsplätze, die das Glück hatten, daß der Dampfer bei ihnen anlegte, waren in den letzten Jahren aufgeblüht. Obwohl man entsprechend der nordnorwegischen Gastfreiheit kein Geld für Übernachtung und Essen nahm, wenn die Privilegierten an Land kamen.

Es war erstaunlich, daß solche Gasthöfe es fertigbrachten, so großen Gewinn einzuheimsen. Aber Geschäfte in den Nordländern* waren ein Schachspiel.

Man stellte die Figuren jederzeit offen auf. Und man konnte in Ruhe nachdenken, während man aß und trank. Aber man lernte allmählich, daß die Gegenpartei auch Figuren hatte. Die schlugen. Die nordnorwegische Gastfreiheit konnte einen schachmatt setzen, wenn man nicht aufpaßte.

Als erstes lernte Jacob, als er nach Reinsnes kam, Handel auf lange Sicht zu treiben. Wenn die »Prinds Gustav« mit Geschäftsverbindungen kam, hatte Jacob die Geduld eines Engels. Und Lammsteaks, die am Knochen noch rosa waren. Große Weingläser und Pfeifentabak. Ebenso reichlich Multebeeren, die aus dem Keller heraufkamen und in Kristallschalen mit Füßchen serviert wurden.

Jacob wußte, was er dem Dampfschiff zu verdanken hatte.

Dina hatte noch nie ein solches Schiff gesehen, bevor sie nach Reinsnes kam. Sie sprang aus dem Bett, als sie das Signalhorn zum ersten Mal hörte. Die Maisonne floß trotz der Rollos in das Zimmer.

Der sonderbare, heisere Ton kam von Meer und Berg gleichzeitig. Sie stürzte zum Fenster.

Die schwarze Erscheinung glitt in den Sund. Das rote Rad rauschte und dröhnte. Das Schiff sah aus wie ein wahnwitzig großer Küchenofen. Bei dem Nickel, Messing, Ofenrohr und Koch-

---

* Als Nordländer bezeichnete man früher die heutigen Provinzen Nordland und Troms. (Anm. d. Übs.)

topf mächtig aufgeblasen waren, damit er sich auf dem Fjord herumtreiben konnte.

Sie schienen den schwimmenden schwarzen Ofen auf Teufel komm raus zu feuern. Er kochte und siedete und konnte jeden Augenblick explodieren.

Dina machte das Fenster weit auf, ohne die Fensterhaken einzurasten. Beugte sich mit dem halbnackten Oberkörper hinaus. Als ob sie allein auf der Welt wäre.

Einige erblickten die leichtbekleidete junge Frau oben im Fenster. Für sie hatte die nackte Haut einen verblüffenden Effekt, auch wenn es ein Anblick auf mehrere Meter Entfernung war.

Die Phantasie wirkte wie ein Vergrößerungsglas. Sie vergrößerte jede Pore und jede kleine Farbnuance der fernen Gestalt. Sie kam immer näher. Zuletzt stürzte sie geradewegs in das Gehirn dessen, der schaute. Diese Leute hatten kein Interesse mehr an dem Dampfer.

Jacob stand im Garten. Er sah sie auch. Spürte ihren Geruch. Durch Sonne und Wind und das leise Rascheln des jungen Laubes. Ein aufreizendes Kribbeln, gepaart mit einem hilflosen Erstaunen, benahm ihm den Atem.

Niels und der Ladenjunge waren mit dem Ruderboot hinausgefahren, um das Dampfschiff abzufertigen. Niels hatte den Booten von den anderen Höfen im Umkreis untersagt, die »Fahrrinne zu stören«, wie er das nannte. Er wollte keinen anderen Wirrwarr haben als den, den er selbst verursachte.

Jacob mischte sich in Niels' Maßnahmen nicht ein. Er wußte nur zu gut, daß die Leute, wenn sie nicht im Sund sein durften, in Reinsnes an den Kais und im Laden auftauchten, um zu sehen und zu hören, wer gekommen und was ausgeladen worden war. Auf diese Weise konnte man sowohl Hilfe bei der Arbeit als auch Gewinn einheimsen.

Heute gab es wenig zu löschen. Nur ein paar Zuckersäcke für den Laden und zwei Bücherkisten für Mutter Karen. Zuletzt kam eine verdutzte Mannsperson die Treppe herunter und stellte sich anschließend in das Boot, als ob es ein Zimmer wäre. Eine Zeitlang wackelte das Boot gefährlich.

Man konnte deutlich sehen, wie Niels dem Mann begreiflich

machte, daß er sich setzen sollte, damit sie mit dem Zucker wohlbehalten an Land kämen.

Der Mann erwies sich als ein Vogelkundiger aus London, dem empfohlen worden war, in Reinsnes einzukehren.

»Der Dampfer spuckt sozusagen die Leute in Reinsnes an Land?« fragte Dina erstaunt. Mutter Karen war in den Saal gekommen, damit Dina sich fertig anzog und hinuntergehen konnte, um den Gast zu begrüßen.

»Das hier ist ein Gasthof, das hat dir Jacob sicher erzählt«, antwortete Mutter Karen geduldig.

»Jacob und ich reden über so was nicht.«

Mutter Karen seufzte und begriff, daß hier noch vieles zu tun war.

»Du kannst nach dem Essen für den englischen Vogelprofessor musizieren«, sagte sie.

»Wenn es sich einrichten läßt«, sagte Dina und trödelte mit dem Zuknöpfen ihres Mieders.

Mutter Karen wollte ihr helfen, aber Dina wich aus, als ob jemand eine brennende Peitsche nach ihr geworfen hätte.

»Wir müssen darüber sprechen, wie wir uns die Pflichten im Haus teilen«, sagte Mutter Karen, ohne sich die Abweisung anmerken zu lassen.

»Was für Pflichten?«

»Das kommt darauf an, was du von zu Hause gewohnt bist.«

»Ich war im Stall zusammen mit Tomas.«

»Und drinnen?«

»Da war Dagny.«

Es entstand eine kleine Pause.

»Willst du damit sagen, daß du nicht gelernt hast, ein Haus zu führen?« fragte Mutter Karen und versuchte ihr Entsetzen zu verbergen.

»Nein, es waren ja so viele andere da.«

Mutter Karen zog sich zur Tür zurück und strich sich mit einer schnellen Bewegung über die Stirn.

»Da können wir ja mit kleinen Dingen beginnen, liebe Dina«, sagte sie freundlich.

»Mit was?«

»Damit, daß du vor den Gästen musizierst. Es ist eine große Gabe, wenn man ein Instrument spielen kann.«

Dina ging rasch wieder zum Fenster. »Kommt das Dampfschiff oft?« fragte sie und sah dem fernen schwarzen Rauch nach.

»Nein, alle drei Wochen oder so. Im Sommerhalbjahr kommt es regelmäßig.«

»Ich möchte reisen«, sagte Dina.

»Du mußt erst etwas Ahnung vom Haushalt und den Pflichten einer Hausfrau haben, ehe du anfängst zu reisen!« sagte Mutter Karen und hatte keine ganz so sanfte Stimme mehr.

»Das mache ich, wie ich will!« sagte Dina und schloß das Fenster. Mutter Karen stand in der Türöffnung.

Ihre Pupillen schrumpften zusammen wie Läuse im Feuer.

Keiner sprach so mit Mutter Karen. Aber sie hatte ein feines Gespür. Deshalb schwieg sie. Und als ob die Ältere und die Jüngere eine Art Kompromiß geschlossen hätten, spielte Dina für den Gast und die Hausgemeinschaft Cello.

Mutter Karen erklärte, daß man ein englisches Tafelklavier kaufen müßte. Damit Dina ihre Talente auf Reinsnes ebensogut entwickeln könnte wie auf dem Lehnsmannshof.

Niels hob den Kopf und meinte, daß solche Instrumente ein Vermögen kosteten.

»Das tun Frachtschiffe und Fembøringer auch«, sagte sie ruhig und wandte sich an den Engländer, um ihm den letzten Satz zu übersetzen.

Es war deutlich, daß der Mann sich gerne beeindrucken ließ, sowohl von Schiffspreisen als vom Musizieren.

Johan drückte sich mit seinen Büchern, die er mit einem Riemen zusammengebunden hatte, im Garten herum, oder er saß an warmen Tagen im Gartenhaus, las und träumte. Dina mied er wie die Pest.

Er hatte Ingeborgs schmales Gesicht geerbt. Das eckige Kinn und die Augenfarbe, die sich mit dem Himmel und dem Meer veränderte, hatte er auch von ihr. Das glatte, dunkle Haar hatte Jacobs Farbe und Ingeborgs Beschaffenheit. Er war hochaufgeschossen und dünn, und er zeichnete gut.

Der Kopf sei das Wichtigste an ihm, pflegte Jacob nicht ohne Stolz zu sagen.

Außer daß er Pfarrer werden wollte, hatte der junge Mann keine sichtbaren Ambitionen. Er teilte das Interesse seines Vaters für Frauen und Schiffe nicht. Er konnte es nicht leiden, daß das Haus ständig voller Gäste war, die kamen und gingen, ohne etwas anderes zu tun, als zu essen und zu trinken und zu rauchen.

Sie besaßen seiner Meinung nach nicht sonderlich mehr Bildung, als sie in einem kleinen Koffer oder einer Ledertasche unterbringen konnten. Seine Verachtung für Menschen, für die Art, wie sie sich benahmen, sich kleideten, sich bewegten, war gnadenlos und ohne jeden Kompromiß.

Für ihn war Dina das Symbol einer Hure. Er hatte etwas über Huren gelesen, aber niemals Umgang mit ihnen gehabt. Dina war ein schamloses weibliches Wesen, das dem Renommee seines Vaters schadete und das Andenken an die Mutter verhöhnte.

Er hatte sie zum ersten Mal bei der skandalösen Hochzeit gesehen. Und er konnte keinem Menschen in die Augen blicken, ohne sich zu fragen, ob er etwas wußte oder sich erinnerte...

Daß er eine so klare Meinung darüber hatte, was für eine Art Person die Frau seines Vaters war, verhinderte nicht, daß er nachts manchmal in einem seltsamen, schweren Rausch aufwachte. Und nach und nach konnte er die Träume rekonstruieren. Er war draußen und ritt auf einem dunklen Pferd. Die Träume konnten etwas variieren, aber sie endeten stets damit, daß das Pferd den großen Kopf zurückwarf, der sich in Dinas dunkles, trotziges Gesicht verwandelte. Die Mähne floß herunter und war ihr schwarzes Haar.

Er schämte sich immer und wurde hellwach. Stand auf und wusch sich mit kaltem Wasser, das er langsam aus dem Porzellankrug in eine keusche weiße Schüssel mit blauem Rand goß.

Nachher trocknete er sich sorgfältig mit dem glattgemangelten, kühlen Leinenhandtuch ab und war erlöst. Bis ihn der Traum das nächste Mal weckte.

Jungverheiratet zu sein bedeutete für Jacob, daß seine Zeit völlig davon in Anspruch genommen wurde. Er ließ sich nicht blicken, weder an den Kais noch im Laden oder in der Schankstube. Er trank Wein mit seiner Frau und spielte Schach und Domino.

Zuerst lächelten alle. Grüßten und nickten. Dann begannen sich eine gewisse Unruhe und Verlegenheit in dem ganzen Betrieb und auf dem Hof bemerkbar zu machen.

Es fing bei Mutter Karen an und breitete sich wie ein Grasbrand aus.

Ob die Geister den Mann in ihrem Bann hielten? Ob er keine ehrliche Arbeit mehr anfassen wollte? Ob er alle Energie und Zeit für eheliche Pflichten im Himmelbett verspielen würde?

Frau Karen ermahnte Jacob. Mit gesenktem Blick, aber um so festerer Stimme. Er habe doch wohl nicht die Absicht, den ganzen Betrieb verfallen zu lassen. Er führe sich ja schlimmer auf als beim Heimgang der seligen Ingeborg. Da habe er zwar meistens in der Schankstube gesessen oder sich an der Küste herumgetrieben. Aber das hier sei noch schlimmer. Man mache sich ja im ganzen Kirchspiel lächerlich. Sie lachten schon über ihn.

»Da haben sie recht«, parierte Jacob und lachte auch.

Aber Mutter Karen lachte nicht. Ihre Miene blieb streng.

»Du bist achtundvierzig!« ermahnte sie ihn.

»Gott ist viele tausend Jahre alt und lebt noch!« Jacob lachte wieder und machte sich pfeifend auf den Weg zum Obergeschoß. »Ich bin zur Zeit in einer so einzigartig guten Laune, liebe Mutter!« rief er ihr von der Treppe herunter zu.

Kurz darauf konnte sie dort oben Cellospiel hören. Aber sie sah nicht, daß Dina nur mit Schnürleibchen und nacktem Unterkörper dasaß, das Cello zwischen den gespannten, kräftigen Schenkeln. Sie spielte mit einem Ernst, als ob sie vor dem Pfarrer musizierte.

Jacob saß mit gefalteten Händen am Fenster und sah sie an. Er sah ein Heiligenbild.

Die Sonne, die allgegenwärtige, hatte schon vor vielen Lichtjahren beschlossen, die Luft zwischen ihnen zu zersplittern. Die Staubkörner standen wie eine schlummernde Wand mitten in dem Lichtkegel. Ohne zu wagen, sich zur Ruhe zu begeben.

Jacob verkündete, daß er noch in diesem Sommer Dina mit nach Bergen nehmen wolle. Das erste Frachtschiff war bereits unterwegs. Aber Jacobs Stolz, das neue Frachtschiff, das nach Mutter Karen genannt worden war, sollte sich Ende Juni auf die Fahrt begeben. Die Vorbereitungen liefen schon seit der Hochzeit.

Mutter Karen nahm sich Jacob unter vier Augen vor und erklärte, daß das keine Reise für eine junge Frau sei. Außerdem müsse Dina das Nötigste an Haushaltsführung und Umgangsformen lernen. Für eine Hausfrau auf Reinsnes genüge es nicht, nur Cello spielen zu können.

Jacob meinte, das habe Zeit, aber Mutter Karen blieb fest.

Jacob überbrachte Dina die traurige Botschaft und hob vielsagend die Arme. Als ob das, was Mutter Karen sagte, absolut bindend sei.

»Da gehe ich lieber wieder nach Fagernesset!« verkündete Dina.

In sehr kurzer Zeit hatte Jacob gelernt, daß Dina immer Wort hielt.

Er ging noch einmal zu Mutter Karen. Er erklärte und bat. Da gab sie nach.

Und es wurde sowohl Jacob als auch Mutter Karen und allen anderen auf dem Hof klar, daß Dina nicht vorhatte zu lernen, wie man ein großes Haus führt.

Sie ritt, spielte Cello, aß und schlief. Manchmal kam sie mit einem Seelachs an einem Birkenzweig, niemand hatte gesehen, daß sie mit dem Boot hinausgerudert war.

Mutter Karen seufzte. Es gab eine einzige Pflicht, die Dina gerne übernahm: Sie hißte die Fahne, wenn der Dampfer sich näherte.

Man mußte sich wohl damit abfinden, daß alles beim alten blieb, solange Mutter Karen gesund war.

Das Gerücht ging um, daß die junge Frau auf Reinsnes auf den höchsten Baum im Garten kletterte, um das Dampfschiff besser sehen zu können oder um die Berge mit dem Fernglas zu erkunden. Niemand hatte solches je vorher gehört.

Man begann nachzuforschen, aus was für einer Familie sie kam. Die Mutter war bereits an dem Tag, als sie den Schmerz und den verbrühten Körper aufgab und starb, zu einer Heiligen geworden. Von ihr stammte Dinas unseliges Erbe gewiß nicht.

Aber die Familie des Lehnsmanns wurde sehr genau überprüft, und das brachte die wildesten Geschichten zutage. Man erzählte sich, daß der Lehnsmann Lappen und Zigeuner unter seinen Vorfahren habe! Und daß sogar ein paar schiffbrüchige Italiener, die es mit einer seiner Ahnfrauen getrieben hätten, darunter seien. Jeder könne sich denken, was das für die Nachkommen zu bedeuten habe! Ja, es räche sich jetzt, viele Generationen später.

Niemand konnte genau die Namen der Orte oder Personen angeben, die einen so schicksalhaften Einfluß auf die Tochter des Lehnsmanns gehabt haben sollten.

Ein Frauenzimmer, das auf Bäume kletterte, nachdem es verheiratet war, das in Unterwäsche bei der eigenen Hochzeit erschien, das bis zum zwölften Lebensjahr nur Bibeltexte lesen konnte und das rittlings und ohne Sattel auf dem Pferd saß, mußte das Ergebnis früherer Missetaten der Familie sein.

Daß sie fast nie ein Wort mit jemandem wechselte und immer dort war, wo man sie nicht vermutete, war ein Beweis dafür, daß sie auf jeden Fall eine *Zigeunerin* war!

Johan hörte diese Geschichten. Er grämte sich und war froh, daß er dem Ganzen entgehen konnte, wenn er jetzt sein Studium begann.

Mutter Karen half ihm bei den Vorbereitungen. Es war nicht wenig, was er mitnehmen wollte. Sie packte selbst und erteilte Befehle nach allen Seiten.

Zwei Monate lang staffierte sie den Jungen mit großen und kleinen Dingen aus. Schließlich standen zwei große Kisten am Kai und warteten darauf, mit dem Flaschenzug in den Fembøring gehievt zu werden, der sie zum Dampfschiff bringen sollte.

Eines Abends, als Johan im Gartenhaus saß, kam eine Gestalt zwischen den Bäumen im Garten daher. Er merkte, daß ihm der kalte Schweiß am ganzen Körper ausbrach.

Zuerst glaubte er zu träumen, aber dann wurde ihm klar, daß sie eine Realität war.

Es hatte kurz vorher geregnet, und es tropfte noch von den Zweigen. Ihr Nachthemd war am Saum schwer vor Nässe und hing stramm um die Hüften.

Er war eingesperrt! Ohne eine Möglichkeit zur Flucht. Und sie kam direkt auf das Gartenhaus zu... Als ob sie wüßte, daß er dort saß. Verborgen hinter Hopfenranken und Flieder.

Sie setzte sich neben ihn auf die Bank und sagte kein Wort.

Ihr Duft vergewaltigte sein Hirn. Gleichzeitig zitterte er vor Abscheu.

Sie schwang die nackten Beine auf den Tisch und pfiff eine Melodie, die er nicht kannte. Die ganze Zeit sah sie ihn ernst und forschend an. Das Junilicht war im Gartenhaus gedämpft. Trotzdem spürte er, daß er sich nicht verstecken konnte.

Er stand auf, um zu gehen. Aber sie versperrte ihm mit ihren langen Beinen auf dem Tisch den Weg. Er schluckte.

»Gute Nacht«, brachte er endlich heraus, in der Hoffnung, daß sie die Füße an sich ziehen würde.

»Ich bin doch eben erst gekommen«, sagte sie spöttisch. Und machte keine Anstalten, ihn vorbeizulassen.

Er war ein Paket, das jemand vergessen hatte.

Plötzlich streckte sie die Hand aus und strich über sein Handgelenk.

»Schreib mir, wenn du nach Süden fährst! Schildere mir alles, was du siehst!«

Er nickte matt und sank wieder neben ihr auf die Bank. Als ob sie ihn gestoßen hätte.

»Warum willst du Pfarrer werden?« fragte sie.

»Die Mama wollte es.«

»Aber sie ist doch tot.«

»Ja, gerade deshalb.«

Sie seufzte tief und lehnte sich an ihn, so daß er ihre Brust durch das feuchte, dünne Leinen spürte. Er bekam eine Gänsehaut am ganzen Körper. Er vermochte sich nicht zu rühren.

»Mir sagt niemand, daß ich Pfarrer werden soll«, meinte sie zufrieden.

Er räusperte sich und nahm sich mit Gewalt zusammen.

»Frauen werden nicht Pfarrer.«

»Nein, zum Glück.«

Es fing wieder an zu regnen. Behutsame kleine Tropfen, die in hauchfeinen Wellen auf das tiefgrüne Gras fielen. Erde und Nässe lagen schwer in den Nasenlöchern. Dinas Gerüche vermischten sich damit. Schlugen sich nieder, für immer. Dort, wo es den Geruch von Frauen gab.

»Du magst mich nicht«, stellte sie plötzlich fest.

»Das habe ich nicht gesagt.«

»Nein, aber es ist so!«

»Das ist es nicht...«

»So?«

»Du bist nicht... Ich finde... Vater sollte nicht eine so junge Frau haben.«

Da lachte sie gurrend, als ob ihr etwas einfiele, was sie nicht erzählen wollte.

»Pst!« sagte er. »Du weckst die Leute.«

»Wollen wir in der Bucht baden?« flüsterte sie und schüttelte ihn am Arm.

»Baden! Nein! Es ist ja mitten in der Nacht!«

»Macht das was? Es ist so schwül.«

»Es regnet doch.«

»Und wenn schon. Ich bin bereits naß.«

»Die Leute könnten aufwachen... und...«

»Hast du jemanden, der dich vermißt?« flüsterte sie.

Ihr Flüstern packte ihn an der Kehle. Beugte ihn zur Erde nieder. Schickte ihn hoch in die Luft. In die Berge. Schlug ihn mit einem Faustschlag wieder herunter auf die Bank.

Später schaffte er es nicht mehr, die Wirklichkeit und den Traum von dem Pferdekopf auseinanderzuhalten.

»Aber Vater...«

»Jacob schläft!«

»Aber es ist hell...«

»Kommst du mit, oder bist du ein Angsthase?«

Sie stand auf und beugte sich über ihn, bevor sie ging. Drehte sich noch einmal um und blieb ein oder zwei Sekunden stehen. Es lag eine gewisse Trauer auf ihrem Gesicht, die nicht zu der Stimme und den Bewegungen paßte.

Sie ging in eine nasse Wand hinein, die ihren Körper ansaugte und sie unsichtbar machte. Aber die Richtung war nicht zu verfehlen.

Als er zur Bucht hinter dem Fahnenhügel kam, war er klatsch-naß. Sie stand nackt zwischen den Steinen im seichten Wasser. Watete ein paar Schritte. Bückte sich und hob etwas vom Grund auf. Untersuchte es genau.

Da! Als ob sie seinen Blick auf den Hüften gespürt hätte, drehte sie sich um und richtete sich auf. Sie hatte den gleichen Gesichts-ausdruck wie vorher im Gartenhaus.

Er wollte nur zu gerne glauben, daß er sich deshalb fügte.

Zog Hose und Hemd aus. Befangen und erregt zugleich. Und watete zu ihr hin. Das Wasser war kalt. Aber er empfand es nicht.

»Kannst du schwimmen?«

»Nein, wieso?« antwortete er und hörte selbst, wie dumm es klang.

Sie kam näher. Ein hämmernder Druck gegen die Schläfen droh-te ihn zu ertränken, obwohl er nur bis zu den Knien im Wasser stand.

Plötzlich merkte er, wie idiotisch er sich in der weißen Unterwä-sche ausnahm. Fröstelnd.

Sie kam zu ihm und faßte ihn um die Taille und wollte ihn im tie-fen Wasser haben. Er ließ sich ziehen. Ließ sich so weit hinaus-führen, daß sie von selbst schwammen. Ließ sich über die Stelle, wo der Meeresboden steil abfiel, hinwegziehen.

Sie bewegte sich für sie beide. Unterkörper und Beine in ruhi-gem Rhythmus. Kraftlos überließ er es ihr, ihn über Wasser zu hal-ten. Sie beide über Wasser zu halten.

Das eiskalte Wasser, der sanfte Sprühregen, ihre Hände, die den Griff wechselten und ihn bald hier, bald da anfaßten.

Das Pferd aus seinen Träumen! Dina, die sein Vater geheiratet hatte. Aber sie war eine ganz andere.

Er hätte ihr gerne von dem schwarzen Loch auf dem Friedhof er-zählt. Das Ingeborg verschluckt hatte. Erzählt vom Vater, der am Beerdigungstag halbvoll herumgetorkelt war.

Aber er hatte nicht die Worte gelernt, die man dazu brauchte. Sie waren so drückend. Wie diese Nacht.

Er hätte am liebsten alles erzählt, was er Ingeborg hätte sagen sollen, bevor sie starb. Erzählt vom Weihnachtsabend auf Reinsnes. Wenn die Mutter hin und her lief. Sehr beschäftigt, mit hektischen roten Flecken auf den Wangen. Von all den Nadeln, die ihn stachen, wenn Mutters Blick sich von ihm abwandte, weil der Vater das Zimmer betrat.

Er hätte ihr von der Trauer erzählen können, die ihn immer übermannte, wenn er von zu Hause wegfuhr. Obwohl er es sich wünschte, von zu Hause wegzukommen.

Dina wurde eine Walküre aus Mutter Karens Sagenbuch. Ein Wesen, das ihn über Wasser hielt. Das insgeheim alles verstand, was er nicht zu sagen vermochte.

Johan entspannte sich in dem tiefen Wasser. Die Abscheu vor Dina ertrank. Ihre Nacktheit legte sich wie eine dünne Haut um ihn.

Ich bin Dina, die einen glänzenden Fisch hält. Mein erster Fisch. Mußte ihn selbst vom Haken nehmen. Die Angel bog sich. Er ist nicht schlimm verletzt. Ich werfe ihn wieder hinaus. Dann wird er es schaffen. Es ist ein blauer Tag.

Sie hatten nichts, um sich abzutrocknen. Er versuchte sich in der ungewohnten Rolle eines Kavaliers und bot ihr sein Hemd zum Abtrocknen an.

Sie lehnte ab.

Ernst und zitternd zogen sie sich im Regen an.

Plötzlich sagte sie, als ob sie am Kai stünden und er schon reisefertig wäre: »Schreib mir!«

»Ja«, sagte er und warf einen ängstlichen Blick auf den Pfad, der nach oben zum Haus führte.

»Ich habe noch nie mit jemandem zusammen gebadet.«

Das war das letzte, was sie sagte, bevor sie den Pfad hinauflief.

Er wollte ihr etwas nachrufen, aber er wagte es nicht. Sie war bereits zwischen den Bäumen verschwunden.

Es tropfte von allen Zweigen. Er hängte seine Verzweiflung an die Zweige. Die ununterbrochen alles in nassen Tropfen zur Erde fallen ließen. Wieso kannst du schwimmen, wenn du nie mit jemandem zusammen gebadet hast? tropfte es. Immer wieder.

Denn er wagte nicht, ihr nachzurufen. Jemand könnte es hören...

Er versteckte sich darin. Versteckte die Lust, die am Strand lag und in dem Tang schwamm. In der Frage: Wieso kannst du schwimmen?

Aber zuletzt schaffte er es nicht mehr. Er kroch unter einen großen Stein, der schon in der Kindheit sein Versteck gewesen war. Dort nahm er sein steinhartes Glied in die Hand und ließ es geschehen. Ohne an Gott zu denken.

Von diesem Tage an haßte Johan seinen Vater. Tief und inbrünstig. Noch immer, ohne sich mit seinem Gott zu beraten.

Jacob wurde wach, als Dina in den Saal kam.

»Um Himmels willen, wo bist du gewesen?« rief er aus, als er die nasse Gestalt erblickte.

»Draußen, baden.«

»Nachts?« rief er ungläubig.

»Da treiben sich für gewöhnlich nicht so viele Leute herum«, sagte sie.

Sie streifte alle Kleider ab, warf sie auf einen Haufen auf den Boden und kam zu ihm ins Bett.

Es war warm genug für zwei.

»Hast du das Seegespenst gesehen, du Hexe?« scherzte er im Halbschlaf.

»Nein, aber ich habe den Sohn vom Seegespenst gesehen!«

Er lachte leise und beklagte sich, daß sie so kalt war. Er wußte nicht, daß sie schwimmen konnte.

7. Kapitel

KANN AUCH JEMAND EIN FEUER UNTERM GEWAND TRAGEN, OHNE
DASS SEINE KLEIDER BRENNEN?
ODER KÖNNTE JEMAND AUF KOHLEN GEHEN, OHNE DASS SEINE
FÜSSE VERBRANNT WÜRDEN?
(Die Sprüche Salomos, Kapitel 6, Vers 27 und 28)

Dina fuhr in diesem Sommer mit nach Bergen.

Mutter Karen begriff, daß Dinas Erziehung keine kurzfristige
Angelegenheit war. Und als das Frachtschiff glücklich abgefahren
war, mußte sie zugeben, daß sie sich nach Ruhe und Frieden gesehnt hatte. Daß Johan kurz danach abreiste, war schon schlimmer
für die alte Frau.

Dina war ein zügelloses Kind, das gehütet werden mußte.

Mehr als einmal wurde die Mannschaft durch ihre vielen Einfälle
gestört oder behindert.

Anders nahm es mit großer Gelassenheit und mit Humor.

Als erstes beförderte Dina das Schlaffell von der Kajüte auf das
Deck. Dort amüsierte sie sich mit Kartenspiel und weltlichen Liedern zusammen mit einem fremden Mann, der sich im letzten
Augenblick hatte anheuern lassen – und der auf einem verkrüppel-
ten Saiteninstrument spielte. Einem Typ von Instrument, wie es die
russischen Seeleute benutzten.

Dieser schwarzbärtige Bursche sprach gebrochen Schwedisch und
behauptete, daß er mehrere Jahre von Land zu Land gewandert war.

Er war mit einem russischen Schiff von Norden gekommen und
eines Tages in Reinsnes an Land gegangen. Dort hatte er sich niedergelassen und auf eine Fahrgelegenheit nach Süden gewartet.

Jacob bat den Rudergänger ein paarmal, für Ruhe da draußen zu
sorgen. Aber es nützte wenig. Er kam sich wie ein alter Griesgram
vor. Und das war eine Rolle, die er nicht ertragen konnte.

Zuletzt kam er aus der Kajüte herausgekrochen und machte bei
dem Spektakel mit.

Am nächsten Tag bestimmte er, daß sie im Laufe des Abends auf Grøtøy landen sollten. Sie wurden dort freundlich aufgenommen und gut verpflegt.

Grøtøy war gerade Anlegestelle für die »Prinds Gustav« geworden, und der Wirt hatte große Baupläne für neue Häuser, einen Laden und eine Poststelle.

Es war vor kurzem ein Kunstmaler ins Haus gekommen, der Seeleute porträtieren wollte. Und Dinas ganze Aufmerksamkeit konzentrierte sich schnell auf die Staffelei. Sie lief wie ein Tier herum und roch an den Ölfarben und dem Terpentin. Sie hing an den Bewegungen des Malers und kroch ihm fast auf den Schoß.

Die Leute fühlten sich belästigt von ihrer Natürlichkeit. Die Dienstleute tuschelten über die junge Frau aus Reinsnes. Und sie schüttelten den Kopf über Jacob Grønelv. Er hatte wohl seine Probleme...

Dinas Vertraulichkeit mit dem Maler machte Jacob zu einem argwöhnisch dreinblickenden Kettenhund. Und er schämte sich ihrer, wenn sie Dinge tat, die sich nicht gehörten.

Alles das versuchte er im Bett wiedergutzumachen. Er warf sich auf sie mit dem Recht und der Stärke eines verletzten und eifersüchtigen Ehemannes.

Aber es wurde auf der anderen Seite der dünnen Wand so laut geklopft, daß er aufgeben mußte.

Dina legte die Hand auf seine Lippen und formte ein Pst.

Dann zog sie das Nachthemd hoch und setzte sich rittlings auf den ungläubigen Jacob. So brachte sie ihn einigermaßen lautlos in das Reich der Seligen.

Als sie sich wieder auf das Meer begaben, beruhigte sich Dina in der Kajüte. Und die Welt bekam eine bessere Farbe für Jacob.

So steuerten sie auf Bergen zu ohne weitere Scharmützel für ihn.

Das Gewimmel am Vågen*! Die Festung, die Häuser, die Kirche. Die Kutschen. Mit eleganten Herren und Damen unter den Sonnenschirmen.

---

* Vågen ist der Hafen mitten in der Stadt Bergen. (Anm. d.Übs.)

Dina hatte das Gefühl, daß ihr Kopf auf einer Radnabe montiert wäre. Sie klapperte in den neuen Reiseschuhen über das Pflaster. Und starrte eingehend auf jeden einzelnen Kutscher, der hocherhobenen Hauptes auf dem Kutschbock saß, die Peitsche auf dem Knie ruhend.

Die Wagen sahen oft aus wie schön verzierte Sahnekuchen, überquellend von hellen Sommerkleidern mit Knöpfen und Rüschen. Und Spitzenschirmen. Die Kopf und Gesicht der Besitzerinnen vollständig verdeckten.

Kavaliere gab es auch. Entweder elegant gekleidet mit dunklem Anzug und Melone oder jung und keck mit hellem Anzug und in die Stirn gedrücktem Strohhut.

Irgendwo stand ein alter Offizier in einem blauen Mantel mit roten Aufschlägen und lehnte sich an einen Ziehbrunnen. Er hatte seinen Schnurrbart so fest mit Pomade gezwirbelt, daß er wie aufgemalt aussah. Dina ging geradewegs hin und faßte ihn an. Jacob zog sie am Arm und räusperte sich verlegen.

Irgendwo lockte ein Schild zum Kauf von erlesenem Madeirawein und von Havannazigarren. Rote Plüschsofas und mit Quasten behangene Lampenschirme thronten hinter den Kaffeehausgardinen.

Dina wollte hinein und Zigarren rauchen! Jacob folgte ihr. Wie ein bekümmerter Vater versuchte er ihr klarzumachen, daß sie in der Öffentlichkeit keine Zigarren rauchen konnte.

»Wenn ich schon einmal in Bergen bin, will ich auch Zigarren rauchen«, sagte sie beleidigt und trank gierig von dem Madeira.

Jacob hatte sich einen eleganten Anzug gekauft, eine blaue doppelreihige Jacke aus Alpaka mit Samtaufschlägen und eine karierte Hose. Er trug einen Hut, als ob er es nicht anders gewohnt sei.

Er nahm sich Zeit beim Barbier und beim Frisör. Und kam mit glattrasierten Wangen zum Hotel zurück. Er hatte gute Gründe dafür.

Ein Grund war, daß der Hotelbesitzer gefragt hatte, ob es zwei Einzelzimmer sein sollten. Eines für Herrn Grønelv und eines für seine Tochter. Ein anderer Grund war, daß Dina vor fast einem Jahr die Bemerkung gemacht hatte, er habe graue Haare. Sie mußten nicht mehr grau sein als nötig.

Dina probierte Hüte und Kleider mit der gleichen Feierlichkeit an, mit der sie heimlich Hjertruds Kleider anprobiert hatte, bevor sie von zu Hause wegging.

Die Kreationen in Bergen waren Wunderwerke. Dina wurde älter, und Jacob wurde jünger.

Sie waren zwei eitle Zeisige, die sich in den Schaufenstern spiegelten und in den Dreckpfützen, die zufällig auf dem Weg waren.

Anders lächelte gutmütig über die hemmungslose Putzsucht.

Dina taxierte und zählte, addierte und dividierte. Fungierte als eine Art lebende Rechenmaschine für Jacob und Anders, wenn Kauf und Verkauf entschieden werden sollten. Sie erregte Aufmerksamkeit.

Eines Abends war Jacob betrunken und eifersüchtig. Sie hatte mit einem kultivierten Herrn gesprochen, der sie mit Respekt behandelte, weil sie auf dem Hotelklavier Beethoven spielte.

Als Jacob und sie allein waren, warf er ihr vor, daß sie immer wie eine Hure aussehe, wenn sie die Haare hängen lasse.

Zunächst hatte sie nicht geantwortet. Aber er hörte nicht auf. Da trat sie ihm ans Schienbein, daß er aufstöhnte, und sagte: »Das ist nur Jacob Grønelvs Geiz. Er erträgt es nicht, daß andere meine Haare sehen. Der Herrgott ist nicht so geizig. Sonst hätte er den Haarwuchs gebremst!«

»Du stellst dich zur Schau«, sagte er und rieb sich das Schienbein.

»Und wenn ich ein Pferd wäre? Oder ein Frachtschiff? Dann dürfte ich mich wohl zeigen? Soll Dina unsichtbar sein wie eine Tote?«

Jacob gab es auf.

Am letzten Tag in Bergen kamen sie an einem Bretterzaun vorbei, an dem Plakate aller Art hingen.

Dina war eine Fliege, die Witterung von einer Zuckerschale bekommen hatte.

Fahndung nach einem Taschendieb. Der Mann könne gefährlich sein, stand da. Kleine handgeschriebene Plakate verkündeten, daß eine religiöse Erbauungsstunde stattfinden solle und daß Näharbeiten ausgeführt würden.

Ein älterer, gutsituierter Mann suchte eine Haushälterin.

Mittendrin hing die Bekanntmachung, daß ein Mann gehängt werden solle, weil er seine Geliebte ermordet habe.

Das Bild des Mannes war mit so viel Dreck beworfen worden, daß man es nicht mehr erkennen konnte.

»Ein Glück für die Familie«, kommentierte Jacob düster.

»Da fahren wir hin!« sagte Dina.

»Zu einer Richtstätte?« fragte Jacob entsetzt.

»Ja!«

»Aber Dina! Sie werden einen Mann hängen!«

»Ja. Das steht ja auf dem Plakat.«

Jacob starrte sie an. »Das ist ein schrecklicher Anblick!«

»Es fließt kein Blut.«

»Aber er muß sterben.«

»Das müssen alle.«

»Dina, du verstehst nicht richtig...«

»Schlachten ist viel schlimmer!«

»Man schlachtet Tiere.«

»Ich will jedenfalls dahin!«

»Das ist nichts für Damen. Außerdem ist es gefährlich...«

»Warum?«

»Der Mob könnte auf den Gedanken kommen, wohlhabende Damen zu lynchen, die aus purer Neugierde da auftauchen. Das ist wahr«, fügte er hinzu.

»Wir mieten einen Wagen, dann können wir schnell wegfahren.«

»Wir kriegen keinen Kutscher, der uns zu unserem Amüsement dorthin fährt.«

»Wir wollen uns nicht amüsieren«, sagte Dina böse. »Wir wollen sehen, wie es vor sich geht.«

»Du erschreckst mich, Dina! Was willst du denn sehen bei einer solchen Szene?«

»Die Augen! Seine Augen... Wenn sie ihm den Strick um den Hals legen...«

»Liebe, liebe Dina, das ist doch nicht dein Ernst?«

Dinas Blick floß an ihm vorbei. Als ob er nicht da wäre. Er nahm sie am Arm und wollte weitergehen.

»Wie er es trägt, das muß ich sehen!« sagte sie bestimmt.

»Was ist denn da zu sehen, wenn ein armer Kerl in seinem Elend...«

»Das ist kein Elend!« unterbrach sie ihn gereizt. »Das ist der wichtigste Augenblick.«

Sie gab nicht nach. Jacob begriff, daß sie allein hinfahren würde, wenn er sich nicht fügte.

Sie mieteten einen Wagen und fuhren am nächsten Morgen frühzeitig zu der Richtstätte. Der Kutscher war auch nicht unwillig, wie Jacob zuerst geglaubt hatte. Aber er wollte eine saftige Bezahlung dafür haben, daß sie während der Hinrichtung so standen, daß sie auf den kleinsten Wink von Jacob wegfahren konnten.

Die Menschen strömten von allen Seiten herbei und versammelten sich um den Galgen. Die Erwartung lag wie ein stickiger Trandunst in der Luft.

Jacob fröstelte und schielte zu Dina hinüber.

Sie hatte ihre hellen Augen auf die Galgenschlinge gerichtet. Sie zog an ihren Fingern, daß es in den Gelenken knackte. Der Mund stand auf. Wenn sie einatmete, gab es ein zischendes Geräusch.

»Schluß damit«, sagte Jacob und legte die Hand auf die Finger.

Sie antwortete nicht. Aber die Hände lagen jetzt ruhig in ihrem Schoß. Der Schweiß tröpfelte langsam von der Stirn und rann an den Nasenflügeln herunter. Zwei kleine Bäche.

Es wurden nicht die üblichen Gespräche geführt. Ein gleichmäßiges Murmeln lag in der Luft. Eine Erwartung, für die Jacob sich bedankte.

Er hielt Dina gut fest, als der Mann auf einem Wagen zu dem Galgen gebracht wurde.

Der Mann hatte nichts über dem Kopf. Er war zerlumpt, schmutzig und unrasiert. Seine Hände krümmten und öffneten sich in den Handschellen.

Jacob konnte sich nicht erinnern, daß er jemals einen so verkommenen Menschen gesehen hatte.

Seine Augen starrten wild auf die Volksmenge. Ein Pfarrer war gekommen und sagte etwas zu dem armen Kerl. Einige spuckten auf den Wagen und riefen drohende Schimpfworte. »Mörder« war eines davon.

Der Mann wich den Qualstern erst aus. Dann war es, als ob er bereits starb. Er ließ sich aus den Hand- und Fußschellen lösen, und der Strick wurde um seinen Hals gelegt.

Ein Teil der Menschen hatte sich zwischen den Wagen, in dem Dina und Jacob saßen, und die Absperrung vor den Galgen gedrängt.

Dina erhob sich in dem offenen Wagen. Hielt sich an dem aufgeklappten Verdeck fest und beugte sich über die Köpfe derer, die unter ihr standen.

Jacob konnte ihre Augen nicht sehen. Hatte keinen Kontakt zu ihr. Er stand auf, um sie zu halten, falls sie fiel.

Aber Dina fiel nicht.

Das Pferd vor dem Hinrichtungswagen erhielt einen Hieb über die Flanke. Der Mann hing in der Luft. Jacob griff nach Dina. Die Zuckungen des Mörders pflanzten sich heftig in ihrem Körper fort.

Dann war es vorüber.

Sie sagte nichts, als sie zum Hafen fuhren. Saß nur ruhig da. Kerzengerade wie ein General.

Jacobs Halstuch war schweißnaß. Er legte die heimatlosen Hände in den Schoß und wußte nicht, was schlimmer war. Die Hinrichtung? Oder Dinas Wille, sie anzusehen?

»Er hat sich nicht sehr angestellt«, war der Kommentar des Kutschers.

»Nein«, sagte Jacob matt.

Dina starrte in die Luft, sie schien den Atem anzuhalten. Dann seufzte sie tief und laut. Als ob sie eine schwere Arbeit bewältigt hätte, die schon lange auf ihr gelastet hatte.

Jacob fühlte sich schlecht. Er behielt Dina für den Rest des Tages im Auge. Er versuchte mit ihr zu reden. Aber sie lächelte nur, sonderbar freundlich, und wandte sich ab.

Am anderen Morgen auf dem Meer weckte sie Jacob und sagte: »Er hatte grüne Augen, die mich ansahen!«

Da zog er sie an sich. Wiegte sie, als ob sie ein Kind wäre, das nicht gelernt hatte zu weinen.

Auf der Fahrt nach Norden übernachteten sie bei Jacobs alten Freunden auf dem Tjøtta-Hof. Sie hatten das Gefühl, auf einen Königshof zu kommen. So waren der Stil und die Aufnahme.

Jacob hatte ein wenig Angst vor Dinas vielen Einfällen. Gleichzeitig war er ein Mann, der seinen seltenen Jagdfalken vorzeigte. Man mußte sich damit abfinden, daß er zwickte, falls jemand ihn ohne Handschuh hielt.

Dina war besonders beeindruckt davon, daß sie einen Hof besuchten, der Amtsrichter und Justizräte beherbergt hatte und der in seinen besten Tagen so groß wie zwei bis drei Kirchspiele gewesen war. Sie brach zwar nicht in höfliches Entzücken über die prächtigen Wohnräume aus. Bemerkte nicht das Hauptgebäude mit seinen zwei Etagen und einer Länge von vierunddreißig Ellen.

Aber sie blieb jedesmal, wenn sie durch die Einfahrt gingen, bei den seltsamen Bautasteinen* stehen. Sie zeigte fast Ehrfurcht vor den alten Steinen und wollte Geschichten über sie hören. Sie lief hinaus, ohne Schuhe, um das Licht zu hüten, das am Abend so merkwürdig auf die Steine fiel.

Am ersten Abend gab es bei Punsch ein lebhaftes Gespräch. Der Salon war voll junger und alter Leute. Die Geschichten liefen wie Staffelhölzer um den Tisch.

Der Wirt erzählte, wie die Nordländer in die Hände von mächtigen Leuten und von dem Dänen Jochum Jürgens oder Irgens, wie er auch genannt wurde, gekommen waren.

Dieser Krongutsverwalter in Jütland wurde Kammerherr bei Kristian IV. Er war ein schlauer Fuchs. Es stellte sich heraus, daß er dem Königshaus unendlich viel Perlen und Rheinwein verkauft hatte. Und als bezahlt werden sollte, hatte der Staat kein Geld. Statt dessen gaben sie ihm ohne weiteres – durch die Übertragungsurkunde vom 12. Januar 1666 – alles Krongut in Helgeland, Salten, Lofoten, Vesterålen, Andenes, Senja und Troms. Für eine Schuld von 1440 Våg**.

---

* Bautasteine sind hohe, grob behauene Gedenksteine ohne Inschrift. (Anm. d. Übs.)
** 1 Våg = 17,932 kg. Man maß den Wert eines Hofes früher oft an dem Gewicht des Ertrages von Mehl oder Fisch, den der Hof erbrachte. (Anm. d. Übs.)

Das war gut und gerne die Hälfte des Grund und Bodens in den Nordländern. Dazu kamen die Lehnsherrenresidenz Bodøgård, der Richterhof in Steigen und der königliche Anteil am Zehnten in dem gesamten Gebiet.

Die Geschichte beeindruckte Dina so sehr, daß sie den Wunsch äußerte, Jacob solle sofort das Hausboot ausrüsten und sie in dem ganzen Distrikt herumfahren, mit dem der Rheinwein und die Perlen bezahlt worden waren.

Und sie stellte den jungen Mädchen auf dem Hof ernst gemeinte Rechenaufgaben. Um wie viele Flaschen oder Vierteltonnen hatte es sich gehandelt? Oder um wie viele große Tonnen?

Aber da niemand einen genauen Preis für die Perlen und den Rheinwein im 17. Jahrhundert angeben konnte, bekam sie kein Ergebnis.

Jacob wollte am nächsten Tag gerne nach Hause fahren.

Die Wirtsleute nötigten und überredeten ihn jedoch, noch zwei Nächte zu bleiben, wie es der Sitte entsprach.

Dina und Anders waren Verbündete, also gab er nach. Auch wenn er Anton, den Schiffer, auf seiner Seite hatte.

Jacob hatte während der ganzen Reise über Dinas Aussprüche und Bewegungen gewacht, wenn sie mit anderen zusammen waren. Es fing an, ihn zu belasten. Der nächtliche Drill war auch anstrengend.

Es war ihm sehr willkommen, als Dina und die jungen Töchter auf Tjøtta zwei Nächte aufblieben, um einem Gespenst aufzulauern.

Es pflegte nachts durch die Wohnräume zu gehen. Dina erfuhr von den Anzeichen. Es gab mehrere Leute auf dem Hof, die das Gespenst gesehen hatten. Sie sprachen darüber, als ob es ein ganz gewöhnlicher Nachbarbesuch wäre.

Aber Dinas Augen verschleierten sich, und sie runzelte die Stirn, als ob sie gerade ein unbequemes Notenblatt bekommen hätte, durch das sie sich durchspielen mußte.

In der zweiten Nacht kam eine kleine Kindergestalt durch das Wohnzimmer und verschwand hinter der alten Uhr. Sie hatten das Gespenst alle gesehen. Wieder einmal.

Dina war vollständig stumm. So stumm, daß es schon an Unhöflichkeit grenzte.

Jacob war bemüht, seine Erleichterung zu verbergen, als der Besuch zu Ende ging. Sie hatten insgesamt drei Nächte auf Tjøtta geschlafen.

Auf der Heimfahrt bemerkte Jacob, es sei doch seltsam, daß die Leute in Tjøtta an Gespenster glaubten.

Dina wandte sich ab, schaute über das Meer und antwortete nicht.

»Wie hat es sich benommen?« fragte er.

»So, wie sich verlorene Kinder meist benehmen.«

»Und wie benehmen sie sich?« fragte er ein wenig irritiert.

»Das solltest du wissen.«

»Warum sollte ich das wissen?«

»Du hast ja mehrere im Haus.«

Sie war eine fauchende Katze im Angriff. Er war so erschrocken über die Wendung, daß er schwieg.

Jacob erzählte Mutter Karen von Dinas Reaktion auf das angebliche Gespenst in Tjøtta. Aber er erzählte nicht, daß er in Bergen mit ihr bei einer Hinrichtung durch Erhängen gewesen war.

Mutter Karen dachte sich ihr Teil, aber sie schwieg. Sie hatte das Gefühl, daß das Mädchen klüger war, als man meinte.

»Du hast mehrere im Haus« war ein Hinweis, den Jacob ernst nehmen sollte, ohne daß jemand ihn daran erinnern mußte.

Mutter Karen gegenüber räumte er ein, daß ihn diese Reise mehr angestrengt hatte als gewöhnlich.

Sie sagte nicht, daß es an Dinas Begleitung lag. Hielt sich überhaupt mit nachträglichen klugen Bemerkungen zurück.

Außerdem war Mutter Karen zu dem Schluß gekommen, daß es auch ganz viel für sich hatte, daß Dina in diesem Sommer mit nach Bergen gefahren war.

Das schlaksige Mädchen hatte in der Zeit eine andere Haltung angenommen. Sie schien jetzt erst entdeckt zu haben, daß die Welt größer war, als man es vom Lehnsmannshof oder von Reinsnes aus sehen konnte.

Auch das Gesicht hatte sich verändert. Mutter Karen konnte

nicht genau sagen, was es war. Etwas mit den Augen, allem Anschein nach...

Mutter Karen verstand übrigens mehr, als sie zu erkennen gab.
Und sie unterließ es, ihrem Sohn zu wiederholen, was sie ihm damals gesagt hatte, als er ihr hocherfreut von der fünfzehn Jahre
alten Dina Holm erzählt hatte, die Herrin auf Reinsnes werden
sollte.

Sie legte nur leicht die Hand auf des Sohnes Schulter und seufzte
verständnisvoll. Und sie sah, daß neue Kleider und ein guter Haar-
schnitt nicht verbergen konnten, daß Jacobs Haar beträchtlich grau
geworden und der beginnende Bauch eingeschrumpft war.

Die Weste saß, als ob sie geliehen wäre. Er hatte tiefe Falten auf
der Stirn und bläuliche Ringe unter den Augen. Trotzdem war er
unglaublich schön.

Die mutlose Müdigkeit schien ihm besser zu stehen als seinerzeit
der Übermut, als Dina ins Haus kam.

Ruhige, schwere Bewegungen. Die Art, wie er sich aufrichtete.
Die hagere, große Gestalt, so vollständig ohne die Gravität, die
wohlhabende Männer seines Alters haben sollten.

Mutter Karen sah das alles zusammen. Auf ihre Weise.

Oline lief in der Küche geschäftig hin und her. Sie sah es auch. War
sich nicht sicher, ob sie den neuen Jacob wirklich mochte, der offensichtlich schwer an seiner Verantwortung trug. Sie war auch
nicht glücklich wegen Dina. Oline hätte am liebsten alles so gehabt
wie früher. Besonders Jacob.

Dina wollte mit dem Hausboot in den Nordländern herumfahren,
um alles zu sehen, was Kristian IV. für ein paar lumpige Perlen und
ein paar Vierteltonnen Rheinwein hergegeben hatte.

Sie konnte nicht begreifen, daß sich das zu dieser Jahreszeit nicht
machen ließ.

Jacob sagte milde, aber bestimmt: Nein!

Er nahm ihre Wut wie ein besonnener Vater auf sich. Und fand
sich mit ihrer Strafe ab. Die lief darauf hinaus, daß er in der kleinen
Kammer, die neben dem Saal lag, schlafen mußte.

Er war tatsächlich ausgelaugt nach der Reise, so daß er auf der unbequemen Chaiselongue, die da drinnen stand, wie ein Stein schlief. In der sicheren Erwartung, daß der Sturm sich legen und alle Dinge sich zum Besten wenden würden. Wenn er nur Tatkraft und Gesundheit wiedergewann.

8. Kapitel

Denn die Hure ist eine tiefe Grube, und die fremde Frau ist ein tiefer Brunnen.

Auch lauert sie wie ein Räuber und mehrt die Treulosen unter den Menschen.
(Die Sprüche Salomos, Kapitel 23, Vers 27 und 28)

Die neue Ehe, die mit dem Anblick von zwei gespreizten Schenkeln, die ein Cello umarmten, begonnen hatte und die sich in einem dramatischen Ereignis mit einer Braut auf einem Baum fortgesetzt hatte, verflachte mit der Reise nach Bergen.

Jacob wurde von einer ständigen Müdigkeit geplagt. Er glaubte, die ganze Zeit dafür sorgen zu müssen, daß er in Dinas Welt war. Nie verlor er sie aus den Augen oder ließ sie unterwegs anderen Menschen zuviel geben.

Er sah nicht klar genug, um es Eifersucht zu nennen, er wußte nur, daß gleich um die Ecke eine Tragödie lag, falls er Dina zu lange losließ.

Immer wurde sie ihm gestohlen! Von Gespenstern auf Tjøtta. Von Malern, Musikanten. Ja, einer von der Bootsmannschaft, den sie auf der Heimreise aus Gnade und Barmherzigkeit angeheuert hatten, weil er kein Geld für das Dampfschiff besaß, und der dafür arbeiten sollte, war eine hoffnungslose und entwürdigende Bedrohung gewesen.

Dina hatte Karten gespielt! Außerdem Pfeife geraucht mit diesem unrasierten und ungepflegten Halunken!

Jacob begriff allmählich, daß seine letzte Liebe ihn mehr kosten würde, als er ursprünglich gedacht hatte. Nicht zuletzt seine Nachtruhe.

Er konnte nicht einmal seine Touren entlang der Küste fortsetzen, um mit seinen Blutsbrüdern aus der Jugend zu zechen. Er konnte Dina nicht verlassen, und mitnehmen konnte er sie auch nicht. Sie störte die ganze Ruhe allein dadurch, daß sie immer auftauchte, wo Männer anwesend waren.

Sie konnte ebenso unflätig sein wie der schlimmste Abschaum im

117

Gesindehaus in der Johannisnacht und ebenso undurchsichtig wie ein Richter.

Von ihrer Weiblichkeit ganz zu schweigen, denn diese hatte nichts mit dem gewöhnlichen Anstand zu tun. Sie bewegte den großen, gut gebauten Körper wie ein junger General. Ob sie ritt oder saß.

Daß sie Gerüche aussandte, die eine Mischung aus Stall und Rosenwasser waren, und daß sie eine uninteressierte Kälte ausstrahlte, ließ die Männer sie umschwirren wie Fliegen.

Jacob hatte das auf der Reise nach Bergen zur Genüge erfahren. Er bekam Schweißausbrüche und infame Kopfschmerzen, wenn er nur daran dachte.

Und dann war da die Musik.

Für Jacob bedeutete Dinas Cellospiel eine erotische Erregung, und er wurde wahnsinnig eifersüchtig, wenn andere sie mit dem Cello zwischen den Schenkeln sahen.

Er ging so weit, daß er sie aufforderte, beide Beine geschlossen neben das Cello zu stellen! Das würde weniger anstößig auf die Zuschauer wirken.

Dinas Lachen erklang selten. Aber es dröhnte durch das ganze Haus, als Jacob, errötend wie sibirischer Mohn im August, ihr demonstrierte, wie sie sitzen solle. Man hörte sie bis hinunter zum Laden und den Kais.

Später verführte sie ihn am hellichten Tag, bei unverschlossener Tür. Jacob schlug sich zuweilen mit dem Gedanken herum, daß sie beim ersten Mal vielleicht gar nicht so unschuldig gewesen war. Daß ihr völliger Mangel an Scham, ihre zitternde Hingabe und das planmäßige Untersuchen seines behaarten Körpers mehr dem glich, was er dort erlebt hatte, wo man bezahlen mußte, als daß es dem Verhalten einer Sechzehnjährigen entsprach.

Es quälte ihn sogar in den Träumen. Er versuchte sie auszufragen, indem er zufällig diesbezügliche Worte fallen ließ...

Aber sie antwortete mit spitzen Glassplittern im Blick.

Mutter Karen und die Pflegesöhne ließen Jacob einen jungverheirateten Ehemann sein, bis er vom Herbstmarkt zurückkam. Aber dann signalisierten sie ihm mit Worten und Gesten, daß der Hof und das Geschäft ihn brauchten.

Zunächst beachtete er es kaum.

Mutter Karen rief ihn in ihre Kammer und sagte ihm ins Gesicht, daß man nicht wisse, ob man lachen oder weinen solle über das Leben, das er als erwachsener Mann führte.

Es sei schlimm genug gewesen, als er um Ingeborg trauerte, aber so schlimm wie diesmal sei es nicht gewesen. Er solle zum Frühstück aus dem Bett kommen und sich abends zu einer christlichen Zeit hinlegen. Sonst werde sie den Hof verlassen. Denn es sei ja alles durcheinandergeraten, seit diese Dina auf den Hof gekommen sei.

Jacob trug es wie ein Sohn. Mit schuldbewußt gesenktem Haupt.

Er hatte die Verwaltung des Hofes und die Geschäfte vernachlässigt. Dina forderte ihn ganz. Die Tage vergingen unmerklich in einer Art Tanz, in dem Dinas Launen, Dinas Einfälle, Dinas Bedürfnisse mit den seinigen verschmolzen.

Nur mit dem Unterschied, daß sie ein Kind war, dem man keine andere Verantwortung auferlegte, als Jacobs Kindbraut zu sein.

Jacob hatte sich lange unnütz und müde gefühlt. Dinas Einfälle waren eine Belastung geworden. Ihr tierisches Spiel in dem Himmelbett, oder wo es sonst war, raubte ihm den Schlaf und die Ruhe, die er brauchte.

Am gleichen Abend, an dem Mutter Karen mit ihm gesprochen hatte, verweigerte er die übliche Runde mit Wein und Brettspiel in halbnacktem Zustand vor dem Etagenofen.

Dina zuckte mit den Achseln und füllte zwei Weingläser, zog sich aus und setzte sich im Nachthemd ans Brettspiel.

Sie spielte mit sich selbst und trank beide Gläser. Sie rappelte mit den Ofentüren und summte bis tief in die Nacht.

Jacob konnte keinen Schlaf finden. In gleichmäßigen Abständen rief er leise nach ihr, um sie ins Bett zu bekommen.

Aber sie schürzte nur die Lippen und antwortete nicht einmal.

Kurz bevor es hell wurde, stand er auf. Reckte den steifen Körper und ging zu ihr hin.

Mit einer Engelsgeduld und der Berechnung einer Schlange. Er brauchte lange, bis sie weich wurde. Drei Spiele, um es genau zu sagen. Den Wein hatte sie längst ausgetrunken. Er holte vom Nachttisch die Kristallkaraffe mit dem lauwarmen Wasser und schenkte sich ein Glas ein. Dann sah er sie fragend an.

Sie nickte. Er goß auch ihr Wasser ein. Sie stießen an und tranken. Eigentlich wußte er, daß sie nicht redete oder auf Fragen antwortete, wenn die Augen schwer vom Wein waren, aber er machte trotzdem den Versuch.

»Dina, so geht das nicht. Ich muß meine Nachtruhe haben, weißt du. Es gib soviel zu tun für einen Mann wie mich. Tagsüber, meine ich. Du solltest Verständnis dafür haben, Liebes...«

Sie saß mit ihrem kleinen Lächeln da. Aber sie sah ihn nicht an. Er rutschte näher. Legte die Arme um sie und strich ihr über Haar und Rücken. Behutsam. Er war so müde, daß er nicht den Mut hatte, Streit oder Feindschaft heraufzubeschwören. Außerdem war Jacob kein Freund von Streit.

»Das Fest ist zu Ende, Dina, du mußt verstehen, daß wir Eigentümer arbeiten müssen. Und da brauchen wir unseren Schlaf wie andere Leute auch.«

Sie antwortete nicht. Lehnte sich nur dicht an ihn und lag ganz ruhig, während er sie streichelte.

So saß er und trank lauwarmes Wasser und streichelte sie, bis sie endlich einschlief.

Er trug sie ins Bett. Groß und schwer. Selbst für einen Mann wie Jacob. Es war, als ob die Erde nach ihr griff und sie beide vor dem Himmelbett in die Knie zwingen wollte.

Sie jammerte leise, als er sich von ihr befreite und sie zudeckte.

Es war Zeit zum Aufstehen. Er fühlte sich steif und alt und nicht wenig einsam, als er hinunter zu all den Pflichten schlich, die er versäumt hatte.

Jacob ließ den kleinen Abstellraum beim Saal in Ordnung bringen. Er war als Ankleideraum benutzt worden. Dort stand eine cognacfarbene Chaiselongue mit abgerissenen Fransen und schlechtem Bezug. Er bekam einen eigenen Nachttopf und Bettzeug. Hierhin zog er sich zurück, um zu schlafen. Begründete es mit seinem Schnarchen, Dina könne deswegen nicht schlafen.

Oline sah Jacob erstaunt an, als die Rede davon war. Aber sie sagte nichts, kniff nur den Mund zu einem Strich zusammen, der vielsagende Falten nach allen Seiten ausstrahlte. So weit war es also auf Reinsnes gekommen, daß der Herr des Hauses auf einer unbequemen Chaiselongue schlafen mußte, während ein junges Mädchen im Himmelbett lag! Oline schnaubte und schickte das Dienstmädchen mit der Bettwäsche, dem Federbett und dem Kopfkissen nach oben.

In der Nacht, als Jacob endgültig in den Ankleideraum umzog, begann Dina um Mitternacht Cello zu spielen, während alles tief und fest schlief.

Jacob wurde jäh aus dem Schlaf gerissen und spürte einen gefährlichen Zorn, noch ehe er richtig wach war. Er ging in den Saal, blickte sie wutschnaubend an und fauchte: »Jetzt reicht's! Du weckst das ganze Haus!«

Sie antwortete nicht, spielte einfach weiter. Da taumelte er durch das Zimmer, packte sie am Arm, um sie am Spielen zu hindern.

Sie schüttelte ihn ab, stand auf, so daß sie genauso groß war wie er. Lehnte das Cello vorsichtig gegen den Stuhlsitz und legte den Bogen weg. Dann stemmte sie die Arme in die Seiten, sah ihm in die Augen und lächelte.

Das machte ihn rasend.

»Was willst du eigentlich, Dina?«

»Cello spielen«, sagte sie kalt.

»Nachts?«

»Musik lebt am besten, wenn alles andere tot ist.«

Jacob begriff, daß dies zu nichts führte. Intuitiv tat er das gleiche, was er im Morgengrauen davor getan hatte. Er nahm sie in den Arm. Streichelte sie. Spürte, daß sie schwer in seinen Armen wurde. So schwer, daß er sie ins Bett schaffen konnte. Er legte sich zu ihr und streichelte sie ununterbrochen, bis sie einschlief.

Er wunderte sich, wie einfach es gewesen war, aber es wurde ihm auch klar, wie anstrengend es auf die Dauer werden könnte, ein großes Kind im Haus zu haben.

Die Lust! Die Tag und Nacht in ihm geschwelgt und gebrannt hatte, bevor sie nach Bergen fuhren, sie war verschwunden. Es wurde so anders und viel komplizierter, als er anfangs geglaubt hatte. Er fühlte sich erschöpft schon bei dem Gedanken daran.

Aber er ging nicht in den Ankleideraum.

Den Rest der Nacht lag er todmüde und verwirrt, mit Dinas Kopf im Arm. Starrte an die Decke und vermißte Ingeborgs sanftes Wesen.

Sie hatten in Frieden und Verträglichkeit gelebt und hatten große Freude aneinander gehabt. Aber jeder hatte sein eigenes Zimmer gehabt. Er überlegte, ob er wieder in sein altes Zimmer ziehen sollte. Aber nahm Abstand von dem Gedanken.

Dina würde sich fürchterlich rächen. Er kannte sie allmählich. Ihre Art war es, zu besitzen, ohne selbst in Besitz genommen zu werden.

Er konnte in der Dunkelheit nur ihre Konturen sehen. Aber die Düfte und die nackte Haut waren erreichbar.

Jacob seufzte tief.

Dann geschah etwas.

Es fing damit an, daß Mutter Karen ihren Frühjahrsanfall bekam, wie sie es alle nannten, aber es war Oktober.

Der Anfall äußerte sich darin, daß sie nicht schlafen konnte. Er pflegte sich einzustellen, wenn der Frühling sich an den beiden hohen Fenstern ihres Zimmers bereitmachte. Das Licht sei schrecklich im März, beklagte sie sich.

Oline sagte nichts. Aber sie verzog die Mundwinkel zu einem spöttischen Grinsen und wandte sich ab. Es war so typisch! Diese Leute vom Süden. Wenn sie nur aus Trondhjem kamen, jammerten sie schon. Über die Dunkelheit im Herbst und Winter. Und wenn der Herrgott es wieder umdrehte, war es auch nicht richtig. Oline war in ihrer Jugend in Trondhjem gewesen, dort war es im Frühling auch taghell.

Aber über etwas mußte ja immer geklagt werden. Trondhjems Damen benahmen sich, als ob sie aus Italien kämen!

Mutter Karens Frühlingsanfall, den alle im Haus für ein ebenso sicheres Zeichen hielten wie den Austernfischer, war in Unordnung geraten. Er kam dieses Jahr im Oktober.

Dann begann es nachts auf der Treppe zu knacken. Und auf dem Küchenschrank stand am Morgen eine Kasserolle mit Milchhaut für das Küchenmädchen.

Denn Mutter Karen wärmte sich Milch mit Honig. Und sie saß in der leeren Küche am Tisch und schaute zu, wie das Licht an den Kupfergefäßen an der Wand hochkletterte und an dem blauen Paneel hochschlich und offenbarte, daß die Flickenteppiche gewaschen werden mußten.

Mutter Karen wachte meist kurz nach Mitternacht auf. Sie ging leise in die Küche hinunter und ließ sich mit der Milch und der Ruhe in dem großen, schlafenden Haus nieder.

Aber diesmal war es zur falschen Jahreszeit, deshalb mußte sie Licht mitnehmen.

Als sie an dem Flurfenster vorbeiging, entdeckte sie, daß im Gartenhaus eine Kerze brannte. Zuerst glaubte sie, daß es der Mond war, der ihr einen Streich spielte, indem er seine Strahlen auf die farbigen Glasfenster richtete. Aber dann sah sie es deutlich.

Ihr erster Gedanke war, Jacob zu wecken. Sie nahm sich jedoch zusammen. Zog den Pelz über den Morgenrock, um die Sache zu untersuchen.

Sie kam nicht weiter als bis auf die Außentreppe, denn die Tür des Gartenhauses öffnete sich, und eine große Gestalt in einem Schafspelz trat heraus. Es war Dina!

Mutter Karen beeilte sich, wieder in den Flur zu kommen und nach oben zu laufen, so schnell die alten Beine es schafften.

Es ging nicht an, Dinas laute Erklärungen mitten in der Nacht entgegenzunehmen. Aber sie schwor sich, mit Dina am nächsten Tag zu reden. Aus irgendeinem Grund wurde es verschoben.

Mutter Karen lag mehr wach denn je. Weil sie auch auf Dina aufpassen mußte. Es war nicht recht zu begreifen, daß eine junge Frau sich in einer frostkalten Nacht ins Gartenhaus setzte, auch wenn sie einen Pelz anhatte.

Sie sprach auch nicht mit Jacob darüber.

Sie fand heraus, daß es ein Muster in Dinas Wanderungen gab. In kalten, klaren Nächten mit Sternen und Nordlicht setzte Dina sich ins Gartenhaus.

Endlich, als sie eines Tages allein im Wohnzimmer waren, sagte sie wie zufällig, während sie Dina aufmerksam beobachtete: »Du kannst zur Zeit auch nicht schlafen?«

Dina sah sie schnell an.

»Ich schlafe wie ein Stein.«

»Ich meine, ich hätte gehört... in der Nacht zum Freitag, daß du oben rumgelaufen bist?«

»So? Daran kann ich mich nicht erinnern«, sagte Dina.

Schluß. Mutter Karen kam nicht weiter. Es war nicht ihre Art, zu argumentieren und eine große Geschichte daraus zu machen, wenn die Leute nicht schlafen konnten. Aber es kam ihr merkwürdig vor, daß Dina es so geheimhalten wollte.

»Du bist ja die Dunkelzeit gewohnt.«

»Ja«, sagte Dina und fing an zu pfeifen.

Was dazu führte, daß Mutter Karen den Raum verließ. Sie empfand es als eine Herausforderung schlimmster Art. Frauen aus guter Familie pfiffen nicht.

Aber die Verärgerung dauerte nicht lange. Nach einer Weile kam sie wieder herein. Schaute Dina, die in ein paar Noten blätterte, über die Schulter und sagte: »Ja, spiel lieber für mich. Du weißt, ich kann Pfeifen nicht ausstehen. Es ist eine häßliche Angewohnheit, die sich nicht gehört...«

Die Stimme war sanft. Aber an der Meinung konnte kein Zweifel bestehen.

Dina verließ achselzuckend das Zimmer. Langsam ging sie hinauf in den Saal und spielte bei offener Tür Kirchenlieder.

Mutter Karen pflegte ihre Runde zu machen, um die Einkäufe für den Haushalt und die Vorräte zu kontrollieren.

Sie stieg nur mit großer Mühe hinunter in den feuchten Keller. Aber es mußte sein. Sie inspizierte die Regale mit dem Eingemachten und die Fässer mit dem Eingesalzenen. Sie ordnete an, daß saubergemacht wurde und daß die verdorbenen und alten Lebensmittel ausgesondert wurden. Sie hielt ihre gütige, starke Hand über das Ganze. Wußte, wieviel Johannisbeeren und Himbeeren jedes Jahr übrigblieben. Notierte und berechnete, wieviel man im nächsten Jahr brauchte.

Das Weinlager wurde viermal im Jahr aufgefüllt. Das hatte bis jetzt im allgemeinen genügt. Wenn sie von Jacobs Trauerzeit vor ein paar Jahren absah, war der Verbrauch mäßig gewesen.

An einem Dienstag vormittag kurz vor Weihnachten ging sie in den Keller, um zu zählen. Und sie stellte fest, daß es keine einzige Flasche Dry Madeira, die Flasche zu 78 Schillingen, mehr gab! Und nur noch ein paar Flaschen Rheinwein, Hochheimer, die Flasche zu 66 Schillingen! Bei den Rotweinen war nur noch ein äußerst knapper Posten von dem erlesenen St. Julien zu 44 Schillingen vorhanden. Zwei Flaschen!

Mutter Karen stieg energisch aus dem Keller herauf. Hüllte sich in ihr Umschlagtuch und ging höchstpersönlich in das Kontor, um mit Jacob zu sprechen.

Nur er hatte den Schlüssel zu der Gittertür vor den Flaschenregalen. Sie hatte selbst am Morgen darum bitten müssen!

Mutter Karen war mehr als bestürzt. Jacob hatte keinerlei Anzeichen eines schlechten Gewissens erkennen lassen, als er hörte, daß sie zählen wollte.

Oline hatte strenge Anweisung, für jede einzelne Flasche, die heraufgeholt wurde, im Haushaltsbuch einen Strich zu machen. Und die Rechnung mußte am Schluß stimmen.

Jacob saß mit seiner üblichen geliebten Pfeife da, als sie hereinkam. Er hatte rote Backen und war ohne Kragen wie gewöhnlich, wenn er mit Niels über den Geschäftsbüchern saß. Das war eine Arbeit, die er nicht mochte. In dem Augenblick, als Mutter Karen in der Tür erschien, wußte er, daß etwas nicht stimmte. Die kleine, schmächtige Gestalt unter dem Fransentuch war in Aufruhr.

»Ich muß mit dir reden, Jacob! Allein!«

Niels stand gehorsam auf und schloß die Tür hinter sich.

Mutter Karen wartete eine Weile, dann öffnete sie schnell die Tür, um sich zu überzeugen, daß er durch das Lager in den Laden gegangen war.

»Hast du wieder mit deinen häßlichen Angewohnheiten angefangen?« fragte sie.

»Liebe Mutter, worauf spielst du an?«

Er legte das Geschäftsbuch beiseite und machte die Pfeife aus, um sie nicht noch mehr aus der Fassung zu bringen.

»Ich bin im Keller gewesen, es gibt keinen Dry Madeira mehr und fast keinen St. Julien!«

Jacob stutzte und zog an seinem Schnurrbart. Etwas von dem alten schlechten Gewissen kam wieder hoch, so daß er schon im Begriff war zu glauben, er hätte den ganzen Wein getrunken.

»Liebe Muter, das ist doch schlechterdings nicht möglich!«

»Es ist aber so!«

Es fehlte nicht viel, daß Mutter Karens Stimme zitterte.

»Aber ich habe schon lange keine Expedition mehr da hinunter unternommen, ohne Olines Wissen. Das muß vor der Reise nach Bergen passiert sein...«

Er war ein unglücklicher kleiner Junge, der ungerecht für einen Dummenjungenstreich beschuldigt wurde, den er nicht ausgeheckt hatte.

»Jedenfalls sind die Flaschen weg!« stellte sie fest und sank in den Besucherstuhl vor dem mächtigen Schreibtisch. Sie atmete heftig und sah ihn forschend an. Jacob beteuerte seine Unschuld. Sie diskutierten verschiedene Lösungen. Keine war brauchbar.

Als Dina von ihrem Ausritt zurückkehrte, herrschte große Aufregung in der Küche. Es fand eine strenge Untersuchung statt.

Oline weinte. Alle wurden verdächtigt.

Dina ging dem Geräusch der erregten Stimmen nach und blieb in der Tür zur Anrichte stehen, ohne daß jemand sie bemerkte. In den alten Lederhosen, in denen sie immer ritt, und mit zerzausten, herunterhängenden Haaren. Das Gesicht war nach der Tour im scharfen Gegenwind und Schnee gerötet.

Eine Weile sah sie von einem zum anderen. Dann sagte sie ruhig: »Ich habe die Flaschen genommen. Es waren aber nicht so viele, wie Mutter Karen behauptet.«

Es wurde fürchterlich still in der Anrichte.

Jacobs Schnurrbart vibrierte, wie immer, wenn er nicht wußte, wie er sich den nötigen Respekt verschaffen sollte.

Mutter Karen wurde noch blasser.

Oline hörte auf zu weinen und schob den schweren Unterkiefer nach oben, so daß die Zähne aufeinanderschlugen.

»Du hast?« fing Mutter Karen verblüfft an. »Bei welcher Gelegenheit?«

»Verschiedene Gelegenheiten, an die ich mich nicht mehr genau erinnere. Zuletzt war es eine Nacht mit Vollmond und Nordlicht, und alles war verrückt, da mußte ich etwas zum Schlafen haben.«

»Aber der Schlüssel?« Jacob erholte sich von der Überraschung und ging ein paar Schritte auf Dina zu.

»Der Schlüssel liegt doch immer neben dem Rasierkasten, das wissen alle. Sonst hätte ja auch das Mädchen den Wein nicht ein paarmal holen können. Soll ich hier in der Anrichte verhört werden? Sollen wir vielleicht den Lehnsmann holen?«

Sie drehte sich auf dem Absatz um und lief hinaus. Und die Blicke, die sie Jacob zuwarf, waren keineswegs freundlich.

»Großer Gott!« seufzte Oline.

»Der Himmel bewahre uns!« ließ sich auch das Küchenmädchen vernehmen.

Aber für Mutter Karen bedurfte es nur eines Augenblicks, um die Situation zu erfassen und die Ehre des Hauses zu retten.

»Es ist ja nun alles ganz anders«, sagte sie ruhig. »Ich bitte um Entschuldigung! Oline! Euch alle zusammen! Ich bin eine alte, mißtrauische Frau. Ich habe nicht daran gedacht, daß Frau Dina in vollem Recht und aus Fürsorge für die Gäste des Hauses dort unten gewesen sein könnte.«

Sie richtete sich auf, kreuzte die Arme vor der Brust, wie um sich zu beschützen, dann ging sie mit würdigen Schritten Dina nach.

Jacob stand mit halboffenem Mund da. Oline hatte ein Mondgesicht. Die Mädchen machten Stielaugen.

Was zwischen Dina und Frau Karen Grønelv gesprochen wurde, erfuhr niemand.

Aber als die nächste Wein- und Branntweinsendung bestellt wurde, gab es eine eigene Quote für die junge Frau. Über die sie selbst verfügen konnte.

Die alte Frau überwachte trotzdem, wie oft eine neue Sendung bestellt werden mußte und wie viele Flaschen von jeder Sorte geordert wurden.

Immer nach Vollmond und auch sonst häufig kam Dina erst im Laufe des Tages vom Saal herunter.

Mutter Karen behielt ihren Kummer für sich.

Da nur Dina das Gartenhaus im Winter benutzte, zählte niemand anders als Mutter Karen die halbleeren, gefrorenen Weinflaschen ohne Korken, die unter der Bank aufgereiht standen.

Aber wenn Dina dann auch noch Kirchenlieder sang, so daß man es im Haupthaus oder im Gesindehaus hörte, war es schwierig, die Würde aufrechtzuerhalten und am nächsten Tag so zu tun, als ob nichts geschehen wäre.

Sie führte lange Gespräche mit sich selbst, in denen sie fragte und selbst antwortete.

Aber alles was recht ist, oft kam es nicht vor.

Es hing offensichtlich mit dem Mond zusammen.

Jacob und Mutter Karen sahen dennoch mit Sorge auf die weitere Entwicklung. Vor allem, weil man nicht vernünftig mit ihr sprechen konnte und sie sich nicht überreden ließ, ins Bett zu gehen, wenn sie erst einmal in der Stimmung war.

Sie konnte in einen wilden Zorn ausbrechen, falls jemand versuchte, sich ihr zu nähern.

Mutter Karen hatte angedeutet, daß sie krank werden könnte, wenn sie mitten in der Nacht draußen in der Kälte saß.

Aber Dina lachte lautlos, und die weißen Zähne blickten die alte Frau frech an.

Dina war nie krank. Es hatte ihr in den Monaten, die sie in Reinsnes war, nicht das geringste gefehlt.

Schließlich wurden die Winterausflüge in das Gartenhaus ein gut bewahrtes Familiengeheimnis. Und da jede Familie ihre Marotte hatte, akzeptierten alle, daß dies die Marotte der Familie Grønelv war.

9. Kapitel

Rosse werden gerüstet zum Tage der Schlacht; aber der
Sieg kommt vom Herrn.
(Die Sprüche Salomos, Kapitel 21, Vers 31)

Dina begann in den großen Lagerhäusern ein- und auszugehen, als
ob sie etwas suchte. Ständig holte sie die großen eisernen Schlüssel.

Die Leute konnten hören, daß sie hin- und herlief. Bald nach
oben, bald nach unten. Manchmal konnten die Leute sie in der
Ladeöffnung im Giebelraum, wo der Flaschenzug befestigt war,
sehen. Anscheinend regungslos, den Blick dorthin gerichtet, wo
Meer und Himmel eins wurden.

*Ich bin Dina. Reinsnes frißt Menschen. Menschen sind wie Bäume. Ich
zähle sie. Je mehr, desto besser. Auf Abstand. Nicht so nah an den Fenstern. Da wird alles dunkel.*

*Ich gehe in Reinsnes herum und zähle. Die Felswand über dem Sund
hat sieben Gipfel. In der Allee stehen zwölf Bäume auf jeder Seite!*

*Hjertrud war mit mir in Tjøtta. Sie war ein kleines Mädchen und ver-
steckte sich hinter der Uhr. Weil ich nicht allein war, machte sie sich so
klein. Sie braucht einen Ort. Es ist im Winter so kalt am Strand von Fagernesset.*

*Die du bist, bist du für immer. Durch welchen Raum du auch gehen
mußt.*

*Hjertrud atmet unter den Fußbodenbrettern der Lagerhäuser. Sie
pfeift zwischen den Balken, wenn ich die Ladetüren öffne. Hjertrud
kommt immer zurück. Ich habe die perlmuttschimmernde Muschel.*

Dina wanderte in den großen, hohen Brettergebäuden zu allen Ta-
ges- und Nachtzeiten herum. Manchmal war es dunkel, so daß sie
eine Lampe mitnehmen mußte. Die Leute gewöhnten sich an ihre
Rituale.

»Es ist nur die junge Frau, die da rumläuft...«, sagten sie zueinander, wenn sie Geräusche aus einem Lagerhaus vernahmen oder
einen Lichtschein in den Fenstern sahen.

Das Echo veränderte sich je nachdem, wo sie ging. Je nachdem, was da gelagert war, in welchem Stockwerk sie ging oder welche Windrichtung herrschte. Alles mischte sich mit dem ewigen, aber wechselnden Sog.

Bei dem größeren Kai war ein Teil des Hauses aus Balken gebaut. Wie zur Verstärkung der dünnen Bretter, die einen Rahmen um das Ganze bildeten. In dem aus Balken gezimmerten Teil bewahrte man alles auf, was weder Frost noch Feuchtigkeit noch Wärme vertrug. Hier wurden Mehl und ungemahlenes Getreide gelagert. Lederwaren, Wäschekisten und Reisekisten aller Art.

In den anderen Räumen befanden sich Fässer mit Salzfisch, Klippfisch, Salz, Teer. In den beiden oberen Geschossen war der Teergeruch nicht so stark.

Segel und Maste lagen im Erdgeschoß über den Balken. Alle in verschiedenen Farben je nach Alter und Zustand.

Die Segel lagen grauweiß wie Leichentücher in losen Falten hoch oben unter der Decke auf Holzgestellen aus trockenen Pfählen. Oder sie hingen zum Trocknen über dem mächtigen Mittelbalken und schickten taktfeste und magische Tropfen hinunter auf den narbigen Boden. Er war fleckig mit vielerlei Muster. Von Teer, Tran und Blut.

In dem größten Lagerhaus, das nach einem früheren Besitzer, der sich hier erhängt hatte, Andreasbrygge genannt wurde, hing eine Unzahl von Netzen und Fischereigeräten an den Wänden. Hier befand sich auch der Stolz des Hofes. Ein neues, dunkelbraunes Heringsnetz. Luftig und hoch hing es gleich neben der schweren zweiflügeligen Tür auf der Seeseite.

Die Gerüche waren lebendig und streng, aber sie wurden durch Meer, Salz und Seewind ständig gereinigt. Sie waren eine Wohltat für die Nase.

Das Licht fiel durch die Ritzen der Bretter, und die Strahlen kreuzten sich. Bald hier, bald da.

Hier kam Hjertrud zu Dina. Im Spätherbst. Im ersten Jahr auf Reinsnes.

Sie stand im Schnittpunkt von drei Sonnenstrahlen. Sie fielen durch die Ritzen in den Wänden.

Sie war unversehrt und heil. Die Augen wach und freundlich. In den Händen hielt sie einen unsichtbaren Gegenstand.

Dina begann zu reden, mit heller Kinderstimme: »Es ist lange her, daß Vater das Waschhaus abgerissen hat. Das Waschhaus auf Reinsnes ist nicht gefährlich...«

Da glitt Hjertrud zwischen den Falten des Heringsnetzes fort, als ob sie derartige Gesprächsthemen nicht ertrüge.

Aber sie kam wieder. Die Andreasbrygge war Treffpunkt. Sie war am meisten den Winden ausgesetzt.

Dina sprach mit Hjertrud über das kleine Mädchen hinter der Uhr auf Tjøtta und über ihren neuen Zeitvertreib, im Gartenhaus zu sitzen.

Aber sie quälte Hjertrud nicht mit alltäglichen Dingen, die sie aus eigener Kraft schaffen mußte.

Daß Jacob und Mutter Karen mit ihrem Einsatz im Haus nicht zufrieden waren und daß sie die Haare aufstecken und zusammen mit Oline einen Essensplan aufstellen sollte.

Sie sprach mit Hjertrud über die unglaublichen Dinge, die es in Bergen gab. Aber nicht über den Mann am Galgen.

Einmal lächelte Hjertrud mit offenem Mund, so daß die Zähne sichtbar wurden.

»Sie gehen in Kleiderhüllen und reden gegen eine Wand, und keiner hört, was der andere sagt, wenn sie nur ihre Waren schnell und zu einem guten Preis verkaufen! Und die Damen können nicht die einfachsten Zahlen zusammenzählen! Sie wissen nicht, wie unendlich weit es bis zu uns hier oben ist. Und sie sehen nichts von der Welt wegen ihrer großen Hüte und dem Sonnenschirm über dem Kopf. Sie haben Angst vor der Sonne!«

Hjertrud antwortete ihr zunächst ganz einsilbig. Aber allmählich kam heraus, daß sie Schwierigkeiten hatte. Mit Zeit und Raum. Es gefiel ihr nicht, daß sie aus der Kammer im Lehnsmannshof vertrieben worden war.

Am meisten sprach sie von den strahlenden Farben im Regenbogen, die man hier unten nur in einem schwachen Abglanz sehen konnte. Und die vielen Sternenhimmel, die wie eine Spirale in allen Richtungen die kleine Erde umgaben. Es war so großartig, daß man es sich nicht vorstellen konnte.

Dina lauschte der leisen Stimme, die ihr so vertraut war. Stand mit halbgeschlossenen Augen und hängenden Armen da.

Hjertruds Duftwasser durchdrang die Lagerhausgerüche und den strengen Salz- und Teergeruch. Aber bevor er so intensiv wurde, daß er die Luft in Stücke schlug, verschwand Hjertrud in den Netzfalten.

Ich bin Dina. Wenn Hjertrud geht, werde ich erst ein Blatt, das in einem Bach segelt. Dann steht mein Körper allein und friert. Aber das dauert nicht lange. Dann zähle ich die Balken und die Fensterscheiben und die Ritzen im Fußboden. Und das Blut rinnt allmählich in meine Adern. Ich werde warm.

Hjertrud ist!

Jacob hatte Angst, daß Dina sich nicht wohl fühlte. Einmal kam er ins Lagerhaus, um sie zu holen.

Da hob sie die Hand zum Mund und sagte: »Pst!«, als ob er sie bei einem wichtigen Gedanken gestört hätte. Sie wirkte irritiert, daß er gekommen war, und nicht froh, wie er gehofft hatte.

Später gab er es auf, ihren Wegen zu folgen. Wartete nur. Mit der Zeit hörte er auch auf, ihre Wege zu registrieren.

Im ersten Jahr mit Dina war Jacob noch Herr und Meister im Himmelbett, auch wenn ihm die Situationen manchmal über den Kopf wuchsen und ihn erschreckten und scheu machten.

Aber nach und nach wurde es ihm schmerzlich bewußt, daß das eheliche Zusammenleben, das er mit Gewalt und in gieriger Witwermanier begonnen hatte, zu einem Ritt wurde, den er nicht so oft schaffte, wie er gerne gewollt hätte. So kam es, daß Jacob, der in seinem ganzen erwachsenen Leben viel Freude im Bett gehabt hatte, sich selbst eingestehen mußte, daß er nicht genügte.

Und Dina kannte keine Gnade. Schonte ihn nicht. Zuweilen kam er sich wie ein Zuchthengst vor, dessen Besitzer gleichzeitig die Zuchtstute war. Er stürzte sich in den Abgrund, sooft er konnte. Aber sie war unersättlich und unermüdlich. Versagte sich nicht die verrücktesten Stellungen und Bewegungen.

Jacob gewöhnte sich nicht daran. Wurde alt und müde und verlor seinen stolzen Jagdinstinkt.

Er wünschte sich ruhigere Tage mit einer verantwortungsvollen und würdigen Ehefrau. Er dachte immer öfter an die selige Ingeborg. Gelegentlich weinte er, wenn er am Ruder stand, aber es gab genügend Gischt, so daß keiner sehen konnte, wie vor allem Tränen mit dem Wind über Bord flogen.

Mutter Karen und auch er glaubten so lange wie möglich, daß sich alles bessern würde, wenn Dina ein Kind bekäme.

Aber das geschah nicht.

Jacob kaufte einen jungen schwarzen Hengst. Er war wild und nicht zugeritten. Da er ständig Anlaß zu Flüchen und Verwünschungen gab, wurde er der Schwarze* genannt.

Dina schickte nach Weihnachten eine Botschaft zum Lehnsmann, ohne Jacob gefragt zu haben. Sie wollte, daß Tomas ihr half, das neue Pferd zuzureiten.

Jacob wurde wütend und wollte den Jungen wieder nach Hause schicken.

Dina bestand darauf, daß ein Wort ein Wort war. Man konnte einen Häuslerjungen nicht an einem Tag einstellen und ihn am nächsten wieder wegschicken. Wollte er, daß sie sich gründlich blamierten? Hatte er vielleicht nicht die Mittel, sich einen Hofjungen und zusätzlich einen Stalljungen zu halten? War er weniger bemittelt, als er ihrem Vater erzählt hatte, als er um sie freite?

Nein, natürlich nicht...

Und Tomas blieb. Er schlief im oberen Stock des Gesindehauses bei den Mannsleuten. Aber er wurde entweder übersehen oder geneckt. Denn er war Dinas Spielzeug. Ritt mit ihr ins Gebirge. War immer dicht hinter ihr, wenn sie sich außerhalb des Hauses bewegte. Hing an ihr mit gesenktem Blick, wenn sie in das Kajütboot stieg und ein strammes Mieder und ein mit Fransen besetztes Cape anhatte.

Dina auf Reinsnes hielt sich keinen Hund. Hatte keine Vertrauten. Sie besaß ein schwarzes Pferd – und einen rothaarigen Stalljungen.

---

* »Der Schwarze« hat in Norwegen auch die Bedeutung »Teufel«. (Anm. d. Übs.)

10. Kapitel

MUSS NICHT DER MENSCH IMMER IM DIENST STEHEN AUF ERDEN, UND SIND SEINE TAGE NICHT WIE DIE EINES TAGELÖHNERS?

WIE EIN KNECHT SICH SEHNT NACH DEM SCHATTEN UND EIN TAGELÖHNER AUF DEN LOHN WARTET.
(Das Buch Hiob, Kapitel 7, Vers 1 und 2)

»Es ist mit der Ehe wie mit den Gewürzgurken, die in eine zu süße Lake gelegt worden sind! Du mußt ein gut gewürztes Stück Fleisch dazu haben, um es zu überstehen!«

Oline war sich ihrer Sache sicher. Sie war nie verheiratet gewesen. Aber sie hatte alles aus der Nähe gesehen. Glaubte, daß sie die Ehe in- und auswendig kannte. Sie kannte sie durch die ersten Verlobungsgesellschaften, die Aussteuerkisten und die Mitgift. Unzeitige und freundliche Hausgeräusche, Knacken von Betten und Nachttöpfen.

Es fing mit den eigenen Eltern an, von denen sie nie sprach. Die Mutter, eine Bauerntochter aus Dønna, die unter ihrem Stand heiratete, wurde von der mächtigen Familie verstoßen. Und saß jahrelang auf einer Häuslerstelle mit unzähligen Kindern und einem kleinen Boot, um die Nahrung herbeizuschaffen.

Der Mann verschwand auf dem Meer. Und das war's. Allerdings trieb sein Boot an Land und ließ sich reparieren. Aber was sollte eine Familie mit einem Boot, wenn kein Mann da war, der es ruderte?

Die Mutter legte sich zeitig zum Sterben hin, und die Geschwister wurden in alle Winde verstreut. Oline war die Jüngste. Und was von den Eltern an Kleinigkeiten da sein mußte, war längst weg, als sie an die Reihe kam zu erben.

»Mit einer guten Gesundheit und guten Zähnen kann man alles kauen!« war ihr Wahlspruch. Das hinderte sie nicht, die zartesten Schneehühner in Wildsoße hervorzuzaubern. Zermahlene Wacholderbeeren, Vogelbeergelee mit reichlich Schnaps waren Offenbarungen für Feinschmecker.

Aber bei Oline gab es noch mehr zwischen Himmel und Erde.

Die Kochkunst hatte sie »wie durch ein Wunder« als junges Küchenmädchen in Trondhjem erlernt. Es war nicht minder verwunderlich, wie sie dorthin gekommen war.

Aber Oline sprach nicht über sich. Deshalb wußte sie alles über die anderen.

Eines schönen Tages hatte sie das Heimweh da unten in Trondhjem so sehr gepackt, daß sie etwas unternehmen mußte. Es hatte sicher mit einem Mann zu tun, der sich nicht wie ein Herr...

Sie fand ein Frachtschiff, das nach Norden fuhr, und sie wäre keine Frau gewesen, wenn sie sich die Heimfahrt nicht erbettelt hätte. Sie kam mit einer großen Holzschachtel mit Lefse* an Bord. Das entschied möglicherweise über die Fahrkarte.

Es war ein Schiff aus Reinsnes und ein Schicksal.

Oline blieb in der blaugestrichenen Küche. Wie das Leben so spielte.

Ingeborg schätzte ihre Kochkunst und ihre feste Hand sehr.

Aber als Mutter Karen einzog, bekam sie eine wirkliche Kennerin ins Haus. Mutter Karen hatte in Hamburg und in Paris »getafelt«! Und sie war damit einverstanden, daß das Essen großzügig und mit Liebe zubereitet wurde.

Mutter Karen und Oline besprachen das »Menü« mit einem so großen Ernst, als ob sie das Vaterunser beteten.

Die alte Dame hatte in ihren Bücherschränken Kochbücher mit französischen Rezepten. Die sie sehr genau in Olines Sprache, Maße und Gewichte übersetzte. Und wenn sich die Zutaten nicht beschaffen ließen, weder in Bergen noch in Trondhjem, dann fanden sie gemeinsam einen guten Ersatz.

Mutter Karen verwandte viel Zeit und Überlegung darauf, einen kleinen Kräutergarten anzulegen. Und Jacob brachte äußerst seltene Samen von seinen Reisen mit.

Oline erreichte mit ihren Resultaten solche Höhen, daß die Gäste bei widrigem Wetter gerne in Reinsnes blieben, sowohl bei Sturm als auch bei Windstille.

---

* Lefse ist ein weißer Fladen, der mit Butter bestrichen und mit Zucker und Zimt bestreut wird. Dann wird er gerollt und in Stücke geschnitten. (Anm. d. Übs.)

Olines Loyalität gegenüber ihrer Herrschaft war mit den Händen zu greifen und zu spüren. Gnade dem, der versuchte, die Reinsnes-Familie im Kirchspiel schlechtzumachen. Wer es versuchte, bekam es am eigenen Leib zu spüren. Oline hatte Verbindungen. Sie erfuhr alles, was wert war, gehört zu werden.

Die Dienstleute auf Reinsnes wurden nicht vorgewarnt. Sie erhielten einfach den Bescheid, ihr Bündel zu schnüren und zu gehen. Es konnte sogar während der Schlachtzeit passieren, oder wenn eine Fahrt nach Bergen vorbereitet wurde.

Man erzählte sich, daß es einem Knecht und einer Magd so ergangen war, als Jacob in seiner großen Trauer das Himmelbett in den Garten gestellt hatte, um der toten Ingeborg näher zu sein. Weil Oline die Geschichte zu Ohren gekommen war.

»Mit meiner und mit Gottes Hilfe haben die Leute den Platz als Gnadengeschenk erhalten. Man geht nicht mit dem Kopf unter dem Arm und mit Dreck auf der Zunge, wenn man auf Reinsnes ist!« war das Zeugnis, das sie mitbekamen.

Sie hatte Ingeborgs erste Ehe miterlebt. Kinderlos, ruhig und grau. Wie ein ewiger Herbsttag, ohne Laub, ohne Schnee, ohne Ernte. Sie trauerte nur, wie es sich geziemte, als der Hausherr draußen blieb.

Sie behütete die Witwe wie ein Schmuckstück. Brachte ihr in schlaflosen Nächten heißen Johannisbeerwein mit Zimt. Legte unaufgefordert glühend heiße Steine, in Wollappen eingewickelt, in das Himmelbett im Saal.

Die Skepsis stand Oline im Gesicht geschrieben, als der fünfzehn Jahre jüngere Jacob ins Haus kam.

Zum ersten Mal hörte sie von diesem Mann, als Ingeborg vom Thing zurückkam und erzählte, daß sie einen tüchtigen Steuermann aus Trondhjem kennengelernt habe. Auf dem Thing war sie wegen eines Streites über ein paar Brutkolonien gewesen, für deren Besitz sie keine schriftlichen Unterlagen besaß und auf die ein Anlieger Anspruch erhoben hatte.

Sie gewann den Rechtsstreit. Und der Mann kam auf den Hof! In selbstgefertigten Seemannsstiefeln und in Ziegenlederhosen von einem Zechkumpan in Møre.

Den Lederhut, mit einer graugemusterten Strickmütze als Innenfutter, trug er wie eine tote Krähe unter dem Arm.

Ein Steuermann, der angezogen war wie seine Mannschaft und der keinen Wert darauf legte, sich herauszuputzen.

Die ersten Nächte schlief er in der Gästekammer. Das braungelockte Haar und die dunklen Augen schlugen Funken und erregten allgemeines Aufsehen. Es war lange her, daß Reinsnes einen wirklich schönen Mann beherbergt hatte.

Der gut gebaute, elastische Körper kam erst zu seinem Recht, als Jacob die Lederbekleidung abgelegt hatte. Tuchhosen mit weiten Hosenbeinen und einem fremdartigen Schnitt kamen zum Vorschein. Ebenso eine kurze rosa Brokatweste und ein weißes Hemd von bester Qualität. Es hatte keinen Kragen, und Jacob trug es am Hals offen, als ob man mitten im warmen Sommer wäre.

In kürzester Zeit nahm Jakob manche wichtige Befestigung ein. Eine seiner ersten Taten war, daß er seine Schritte in die große Küche zu Oline lenkte, mit zwei gut abgehangenen Hasen. Die er dann selbst abzog.

Er brachte auch noch andere Geschenke in die Küche. Direkt aus der großen Welt. Kleine Leinen- und Sackleinenbeutel mit Kaffee, Tee, Pflaumen, Rosinen, Nüssen und Zitronensäure. Die letztere nahm man zum Punsch oder zum Pudding.

Mit einer lässigen Selbstverständlichkeit, als ob er wüßte, wer das Kommando auf Reinsnes führte, legte er die Herrlichkeiten auf Olines blankgescheuerten Tisch.

Und während er die Hasen abhäutete, geschah es, daß Oline ihm ihre vorbehaltlose Liebe schenkte. Und in allen späteren Jahren hielt sie sie warm und lebendig wie Schneehuhnküken im Juni. Ihre Liebe war von der Art, wie es in der Bibel stand: Sie ertrug alles. Absolut alles!

Frau Ingeborg war auch verliebt gewesen. Das konnte sogar der Pfarrer sehen. Er sprach in der Hochzeitspredigt und in der Tischrede beim Hochzeitsmahl über die Liebe.

Ingeborg duldete es sogar, daß Jacob seine Mutter nach Reinsnes holte. Obwohl sie nicht mehr von ihrer Schwiegermutter wußte, als daß sie kurzfristig nicht zur Hochzeit kommen konnte. Sie sei im Ausland und habe mehrere Bücherschränke mit geschliffenen Glastüren! Die müsse sie mitnehmen, wenn sie in den Norden ziehe, wie sie sich in ihrem ersten Brief ausdrückte.

Karen Grønelv wurde zu einem Begriff, lange bevor sie nach Reinsnes kam. Daß sie eine Schiffers- und Kaufmannswitwe aus der Stadt Trondhjem war, mit Bücherschränken, erforderte Anerkennung und Respekt. Aber daß sie sich jahrelang im Ausland aufhielt, ohne einen Mann an ihrer Seite zu haben, der auf sie aufpaßte, machte den Leuten deutlich, daß sie keine x-beliebige Trondhjem-Dame war.

Ingeborg wurde knapp sieben Monate nach der Hochzeit Mutter. Um dem Pfarrer zuvorzukommen, als sie den Sohn zur Taufe anmelden mußte, ließ sie ein paar Worte darüber fallen, daß sie keine Woche zu vergeuden gehabt hätte. Sie habe mit achtzehn Jahren geheiratet, aber ihre erste Ehe sei kinderlos geblieben, und jetzt sei sie über vierzig. Gott werde ihren Eifer und ihre Not verstehen.

Der Pfarrer nickte. Er sagte nicht, daß es vor Gott so aussehen könnte, daß die Eile mehr mit der Jugend des Bräutigams zu tun hatte als mit ihrem Wunsch, Mutter zu werden. Solche Worte geziemten sich nicht.

Man sagte gar nichts zu Ingeborg aus Reinsnes. Sie gab reichlich in die Armenkasse. Und zwei stolze Silberleuchter mit Gravierung standen im Kirchenchor und stammten von der Reinsnes-Familie.

Der Pfarrer segnete ihre Mutterschaft und bat sie, in Gottes Frieden zu wandeln und ihren Sohn alles zu lehren, was Er ihnen befohlen hatte.

Und es wurde beschlossen, daß er der erste Pfarrer der Familie werden sollte.

Niels war vierzehn gewesen und Anders zwölf, als sie durch ein Schiffsunglück zu Waisen wurden. Da sie mit Ingeborg entfernt verwandt waren, kamen sie aus »carité« nach Reinsnes.

Allmählich hatte man das Gefühl, als ob sie immer dorthin gehört hätten. Sie zogen den Nutzen daraus, daß dem Hof der Erbe fehlte.

Als sich aber herausstellte, daß dieser Jacob Ingeborg geschwängert hatte und der Hof mit einem Erben gesegnet wurde, mußten Niels und Anders erleben, daß ihre Jugendträume, Reinsnes mit allen Nutzungsrechten zu erben, untergingen wie ein umgekipptes Boot.

Oline wachte über sie alle, bereits zu Ingeborgs Lebzeiten. Mit ihrem trockenen, ergebenen Blick und ihrer unermüdlichen Disziplin.

Für sie bedeutete es wenig, daß sie zwei Herrinnen hatte, solange sie in Frieden zusammen lebten und ihr nicht im Wege standen.

Jacob wurde ihr mit der Zeit am wichtigsten. Wenn jemand nur ein paar unbedeutende Worte darüber verlor, flog er raus.

Mit ihrem Stolz und ihrem Standesbewußtsein, die ebenso ausgeprägt waren wie ihr Glaube an das Jenseits, trauerte sie aufrichtig und mit rotgeweinten Augen, als Ingeborg starb.

Aber einen schöneren Tod konnte man sich kaum wünschen. Alle Zeichen standen gut. Der Flieder fing an ihrem Beerdigungstag an zu blühen. Und es gab eine reiche Multebeerenernte im Herbst.

Jacobs Ehe mit Dina war ein böses Vorzeichen für Oline. Und es kam nicht nur daher, daß Dina sich nie in der Küche zeigte und Hasen abzog.

Daß sie ein Benehmen wie ein Knecht hatte, auf Bäume kletterte und nachts im Gartenhaus Wein trank, war noch nicht das Schlimmste.

Aber daß sie Oline überhaupt nicht »sah«, war unverzeihlich.

Oline begriff nicht, was dieses Kuckucksjunge, und wenn es zehnmal Lehnsmann Holms Tochter war, auf Reinsnes zu suchen hatte.

Daß Jacob sich derart unpassend verheiratet hatte, war für Oline eine Katastrophe.

Aber sie schwieg, wie zu vielem anderen. Und da sie in der Kammer hinter der Küche schlief, direkt unter dem Himmelbett im Saal, hatte sie volle Kontrolle über die Geräusche und Vibrationen da oben.

Eine so große und schamlose Aktivität war ihr ein Rätsel. Es kränkte sie mehr als Ingeborgs Tod.

In allem Unwillen zitterte eine Saite. Eine Neugierde. Zu ergründen, was einen Menschen wie Jacob zu einer solchen Wahnsinnstat getrieben hatte. Zu ergründen, wieso ein junges Mädchen den ganzen Hof beherrschen konnte. Obwohl sie offensichtlich keinen Finger rührte.

11. Kapitel

TRINKE WASSER AUS DEINER ZISTERNE UND WAS QUILLT AUS DEINEM BRUNNEN.

SOLLEN DEINE QUELLEN HERAUSFLIESSEN AUF DIE STRASSE UND DEINE WASSERBÄCHE AUF DIE GASSEN?

HABE DU SIE ALLEIN UND KEIN FREMDER MIT DIR.

DEIN BORN SEI GESEGNET, UND FREUE DICH DES WEIBES DEINER JUGEND.
(Die Sprüche Salomos, Kapitel 5, Vers 15–18)

Jacob fing an, »notwendige« Bootstouren zu unternehmen. Er suchte alte Freunde auf. Fand einen Vorwand, um nach Strandstedet zu fahren. Zuerst wollte Dina unbedingt mitfahren. Aber er wies sie damit ab, daß es für sie langweilig werden würde. Es würde kalt werden. Er würde schnell wieder...

Er übte sich in Ausreden. Sie wurde seltsamerweise nicht wütend. Zog sich nur zurück.

Morgens konnte er manchmal den großen Schafspelz auf dem Treppenabsatz liegen sehen. Wie den Balg eines verhexten Tieres, das wieder zu einem Menschen geworden war.

Sie fragte ihn nie, wo er gewesen war. Auch dann nicht, wenn er nachts fortgeblieben war. Empfing ihn nie in der Tür.

Sie saß nachts oft im Gartenhaus. Aber sie spielte nicht Cello.

Als Jacob eines Abends spät von Strandstedet zurückkam, sah er im Kontor Licht brennen.

Dina saß dort und blätterte in den Abrechnungen. Sie hatte alle Geschäftsbücher aus den Regalen gezerrt und auf dem Fußboden verstreut.

»Was machst du da?« rief er aus.

»Ich versuche, mich hier zurechtzufinden«, antwortete sie, ohne ihn anzusehen.

»Davon verstehst du nichts. Wir müssen aufräumen, sonst wird Niels ärgerlich, das kannst du dir doch denken.«

»Ich glaube nicht, daß Niels fähig ist, immer richtig zu rechnen«, murmelte sie und biß sich in den Zeigefinger.

»Wieso denn? Er hat jahrelang nichts anderes gemacht.«

»Bei ihm verschwinden Zahlen. Herr Lorch hätte gesagt, daß er falsch rechnet.«

»Dina, red keinen Unsinn. Komm, wir gehen rauf zum Hof. Es ist spät. Ich habe dir Kuchen mitgebracht.«

»Ich will das hier überprüfen. Du, ich möchte eine feste Arbeit im Kontor haben!«

Ihre Augen glänzten, und sie schnaubte. Ein Zeichen, mit dem sie, selten genug, kundtat, daß sie sich wohl fühlte.

Aber Niels sagte deutlich, was er davon hielt. Entweder er oder Dina. Jacob suchte zu vermitteln. Meinte, daß Dina in der Buchführung eine gute Hilfe sein könne. Ja, sie sei geradezu genial im Rechnen und Kalkulieren und dergleichen. Aber Niels, der den Mund sonst nie zur Unzeit öffnete, sagte nein!

Dina trat mit ihrem Lächeln vor, direkt vor sein Gesicht. Sie war einen halben Kopf größer und schwang die Worte wie scharfgeschliffene Waffen: »Nein, es soll niemand sehen, daß du nicht richtig rechnen kannst! In deinen Büchern verschwinden Zahlen – wie Tau im Gras! Was? Aber Zahlen verschwinden nicht für immer. Es sieht nur für den so aus, der nichts davon versteht…«

Es wurde still im Kontor.

Dann drehte Niels sich auf dem Absatz um und marschierte hinaus, während er noch über die Schulter rief: »So etwas wäre zu Ingeborgs Zeiten nie passiert! Im Kontor bin ich oder ›die da‹!«

Dina durfte nicht ins Kontor. Statt dessen warf sie Niels bei den Mahlzeiten Blicke zu.

Er fing an, in der Küche zu essen.

Jacob versuchte es wiedergutzumachen, daß er in die Sache mit Niels eingegriffen hatte. Er brachte Dina kleine Geschenke mit, wenn er von seinen Reisen kam. Seife oder eine Brosche.

Er versuchte, sie in die Gemeinschaft und in die Gespräche einzubeziehen.

Eines Abends, als sie alle nach dem Essen im Salon saßen, wandte er sich direkt an Dina und fragte, was sie von dem neuen König Oscar I. halte.

»Vielleicht versuche ich, den neuen König in das Kontor von Reinsnes zu holen, damit er herausfindet, wo die Zahlen geblieben sind!« erwiderte sie mit einem Grinsen.

Niels stand auf und ging raus.

Jacob kannte eine Witwe in Strandstedet. Sie hatte grobe, wenn auch nicht unschöne Gesichtszüge und einen grauen, würdigen Knoten im Nacken. Sie hatte einen hübschen Körper unter einem strammen Mieder. Und saß allein in einem kleinen Haus, in dem sie in aller Ehrbarkeit Logiergäste aufnahm und für die Leute nähte.

Bei ihr fand Jacob einen gewissen Trost. Zu ihr konnte er kommen und sein Herz ausschütten, und mit ihr konnte er sich unterhalten.

Während er zu Ingeborgs Zeiten das Boot genommen und Geselligkeit, Tanz und Vergnügen gesucht hatte, manchmal auch eine oder zwei Umarmungen, suchte er jetzt Ruhe und Frieden.

Eines Mannes Bedürfnisse! Unergründlich und nicht vorauszusagen.

Der Sommer 1844 kam. Er war voller Ameisen und Licht und ohne weitere Bedeutung.

Mutter Karen besorgte Dina eine Sammlung Volkslieder von einem gewissen Jørgen Moe und ein Buch mit heidnischen Märchen von Asbjørnsen und Moe. Aber die blieben liegen.

Hjertruds Buch war spannender. Und man konnte, im Gegensatz zu den Märchen, den Schluß nie erraten.

»Die Märchen haben eine andere Moral, meine liebe Dina«, sagte Mutter Karen.

»Wieso?«

»Es sind nicht Gottes Worte. Die Märchen beruhen auf Volkstum und Volksmoral.«

»Was ist der Unterschied?« fragte Dina.

»Gottes Worte sind heilig. Sie handeln von der Sünde und der Notwendigkeit der Erlösung. Die Märchen sind nur von Menschen erzählt. Hier werden die Bösen bestraft und die Guten siegen.«

»Aber Hjertruds Buch ist auch von Menschen geschrieben«, sagte Dina.

»Gott hat Seine Sendboten. Seine Propheten, die Sein Wort vermitteln«, erklärte Mutter Karen.

»Ja, ja. Er erzählt jedenfalls bessere Geschichten als Asbjørnsen und Moe!« stellte Dina fest.

Mutter Karen lächelte.

»Es ist schon gut, liebe Dina! Aber du darfst die Bibel nicht Hjertruds Buch nennen! Und du darfst Gottes Wort nicht mit den heidnischen Märchen vergleichen!« sagte sie versöhnlich.

»Hjertruds Buch, die Bibel, kann bei dem Vergleich nur gewinnen«, meinte Dina trocken.

Mutter Karen begriff, daß Dina für philosophische Diskussionen und theologische Themen wenig Verständnis hatte.

Dina spielte Cello und ritt mit Tomas. In der Andreasbrygge traf sie Hjertrud.

Ein Weinglas hinterließ jeden Morgen rote Ringe auf dem Tisch im Gartenhaus.

Vom Kirschbaum aus beobachtete sie die Schiffsroute. Das Dampfschiff brachte wenige Reisende. Und die an Land gingen, kamen aus anderen Welten.

Dina zog ihre Schlüsse aus Jacobs häufigen Fahrten nach Strandstedet. Die Gerüchte erreichten sie durch die Wände des Gesindehauses und mit zufälligen Windstößen. Sie erhielt eine Strophe hier, eine Strophe da. Manchmal verstummte das Flüstern, wenn sie einen Raum betrat oder sich den Leuten näherte. Sogar auf dem Kirchhügel.

Und sie setzte die einzelnen Teile zusammen.

Es wurde Herbst.

Das dunkle Meer hatte weiße Schaumkronen, und der Schnee schoß Eisnadeln von der Blauwand. Der Mond war weiß und voll, und das Nordlicht jagte böse Mächte über den sternenklaren Himmel.

Schnee und Regen hatten einander abgewechselt, so daß die Straße über das Gebirge nicht passierbar war, weder für Pferde noch für Menschen. Jeder, der ein Boot besaß, pries sich glücklich. Auch wenn das Meer von seltsamen Winden gepeitscht wurde, die man nicht kannte.

Bald kamen sie von Norden in den Sund herein. Bald kamen sie von Westen und zogen eine schwere See und heimatlose Kormorane mit blauschwarzen Federn hinter sich her.

Dina war die ganze Nacht wach. Aber sie tat nicht, was sie sonst zu tun pflegte. Stand nicht auf, um sich im Schafspelzmantel ins Gartenhaus zu setzen.

Eine unheilschwangere Nacht. Der klare Himmel und das Nordlicht waren voller Protest gegen den Sturm, der über sie hinwegfegte.

Dina lag im Himmelbett, hatte den Vorhang weggezogen und starrte durch die hohen Fenster, bis das Tageslicht den Himmel bleich und unendlich fern werden ließ.

Jacob kam plötzlich durch die geschlossene Tür. Aus der Türfüllung bis zu ihrem Bett. Hinkend.

Das Gesicht war verlebt, und er sah elend aus, er streckte die Hände vor, als ob er um Gnade bitte.

Er hatte nur den einen Stiefel ausgezogen und machte einen solchen Krach, daß er das ganze Haus hätte wecken können.

Die Treulosigkeit war ihm ins blasse Gesicht gemeißelt.

Sie hatte ihn gerufen. Aber er hörte nicht. So daß es zu spät wurde. Die schlimmen Vorahnungen kamen wieder. Sie hielt Ausschau nach dem Morgen und wartete auf eine Nachricht aus Strandstedet.

Ich bin Dina. Jacob handelt nicht so, wie er spricht. Er ist ein Pferd, das nicht geritten werden will. Er weiß, daß er mir gehört. Aber er hat Angst, ich könnte sehen, daß er gerne loskommen möchte.

Es ist spät. Die Menschen sind wie Jahreszeiten. Jacob ist jetzt bald Winter. Zuerst spüre ich den Hieb. Ich glaube, es tut weh. Aber der Schmerz verschwindet in dem Großen, das ich immer in mir habe.

Ich schwebe von Raum zu Raum, zwischen den Möbeln und Menschen. Dort kann ich die Menschen herumtaumeln lassen. Sie sind schlechte Spieler. Wissen nicht, wer sie sind. Schon mit einem kleinen Wort kann ich ihre Augen zum Flackern bringen. Die Menschen sind nicht. Ich werde sie nicht mehr zählen.

Ein beschädigtes Boot kam mit einem verfrorenen und durchnäßten jungen Burschen zum Hof. Jacob war verletzt und mußte bei der Witwe auf Larsnesset abgeholt werden.

Dina war nicht überrascht. Sie machte sich fertig und gab den Befehl, den Schlitten mit dem Schwarzen anzuspannen.

Anders wollte durchaus, daß sie das Boot nahm. Es sei unsinnig für eine Frau, übers Gebirge zu fahren.

Dina war ein fauchender Luchs und war bereits auf dem Sprung.

Anders zuckte mit den Achseln. So rauh, wie der Sund sich augenblicklich gebärdete, war es vielleicht die bessere Lösung.

Es sah so aus, als ob sie sich schon am Morgen entsprechend angezogen hätte, so daß sie sich nur noch in Umschlagtuch und Pelz zu wickeln und in den Schlitten zu setzen brauchte, um Jacob zu holen.

Mutter Karen und Oline machten sich mehr Sorgen um Jacob als um Dinas waghalsige Fahrt.

So kam es, daß Dina selbst Jacob aus der Kammer der Witwe holte.

Er war fröhlich mit ihr zusammen gewesen und wollte den Besuch wie üblich in Frieden und Wonne beenden.

Unglücklicherweise stürzte er auf dem spiegelblanken Eis vor der Haustür ganz übel und fiel die Treppe hinunter. Der Unterschenkel brach wie ein dürrer Zweig beim ersten Windhauch. Der Bruch war so häßlich, daß die Knochensplitter herausstanden.

Glück im Unglück, der Doktor war zufällig in Strandstedet. Mit einer Flasche Rum wurde der schlimmste Schmerz betäubt, als der Doktor die Wunde reinigte und das Bein schiente.

Dina hatte, ihrer Gewohnheit entsprechend, Lederhosen und Winterstiefel an wie ein Mann. Sie beanspruchte viel Platz in dem kleinen Haus. Zwischen ihren Augenbrauen hatte sie eine tiefe Schlucht. Die Worte waren festgefroren.

Sie behandelte die Witwe wie eine Dienstmagd. Und gute Ratschläge, Jacob liegen zu lassen und zu warten, bis man mit dem Boot über den Fjord fahren konnte, beachtete sie nicht.

Sie befahl, daß man ihr half, Jacob auf dem Schlitten festzubinden. Zuletzt lag er wie eine gut gewickelte Schafsroulade in den Fellen.

»Die Frau muß Geld bekommen für die Auslagen beim Doktor und für das Logis«, sagte Jacob mit schwacher Stimme und verzog das Gesicht vor Schmerz.

Aber Dina sagte weder danke noch adieu zu Jacobs Wirtin. Schnalzte mit der Zunge, um das Pferd in Trab zu setzen, und schwang sich hinten auf den Schlitten.

Das Pferd war ein Teufel. Floh vor den funkensprühenden Kufen über das Gebirge. Die Fahrt war ein Sog.

Dina war ein Falke über dem Mann.

Er hatte eine Todesangst, als sie auf dem steilsten Stück der vereisten Straße fuhren.

Die Straße war zum Teil von der Herbstüberschwemmung zerstört. Und das Bein schmerzte, wenn sie die tiefen, vereisten Furchen bewältigen mußten.

Zum ersten Mal wurde ihm vollständig bewußt, was es hieß, in Dinas Gewalt zu sein.

Jacobs Erfahrung mit Pferden und Straßen war gering. Er fühlte sich auf dem Meer wohler.

Er versuchte, sich zu beklagen, daß sie keine Mannschaft mitgenommen hatte, die sein Boot hätte nach Hause segeln können.

Aber sie würdigte ihn keines Blickes.

Jacob hatte nicht nur ein ernstlich verletztes Bein, er war auch in Ungnade gefallen. Wußte, daß er die Zeit auf beiden Seiten arbeiten lassen mußte. Aber es fehlte ihm sehr an Geduld.

Der Bruch war bedenklich, die Schiene nicht gut, und außerdem wollte die Wunde nicht heilen.

Alle bösen Mächte schienen sich in dem unschuldigen Bein niedergelassen zu haben. Jacob wurde bettlägrig. Brüllte und jammerte, flüsterte und flehte um Mitleid.

Sein Bett mit allem Drum und Dran wurde ins Wohnzimmer heruntergebracht, damit er das Gefühl hatte, noch zu den Lebenden zu gehören.

Die Kluft zwischen Dinas Augenbrauen wurde noch größer. Und ihre Sympathie für den Kranken war gut verborgen.

Als Jacob in aller Unschuld fragte, ob sie nicht lieber für ihn spielen wolle, anstatt soviel Wein zu trinken, stand sie aus dem Ledersessel auf. So jäh, daß das Glas sich über das Spitzendeckchen ergoß.

Der Wein bildete eine rote Blume, die sich immer mehr ausbreitete. Der Stiel löste sich vom Glas.

»Du kannst die Witwe auf Larsnesset bitten, daß sie dich auf Vordermann bringt«, zischte sie und lief aus dem Zimmer.

Anders holte das Kajütboot heim nach Reinsnes. Und Mutter Karen und Oline pflegten den Kranken und schonten sich nicht.

Nach Dinas Wutausbruch verstand Jacob einiges. Aber er wußte nicht, daß die Sache nicht wiedergutzumachen war.

Für ihn war alles wiedergutzumachen, was Frauen betraf. Selbst die zwei Jahre mit Dina hatten ihm diesen unerschütterlichen Optimismus nicht nehmen können.

Es wurde nicht besser mit Jacob. Er bekam Brand in die Wunde. Die Farbe verriet es. Der Gestank breitete sich wie ein böses Gerücht aus. Eine unbarmherzige Warnung des Jüngsten Gerichts legte sich klamm auf jede Sekunde.

Die Stunden wurden kostbar.

Mutter Karen sah ein, daß Jacob eine sachgemäße Behandlung brauchte. Schnell!

Dina war die einzige, die wußte, was eine sachgemäße Behandlung bedeutete.

Sie hatte Brand früher schon einmal erlebt. Ein Netzfischer des Lehnsmanns hatte durch Erfrierungen Brand in den Fuß bekommen. Er überlebte, aber er saß nun aus Gnade und Barmherzigkeit auf dem Hof und hielt den Stumpf in die Luft. Nach ein paar Jahren war er so eingetrocknet vor Bitterkeit und Haß auf alles und jeden, daß die Dienstmädchen sich weigerten, ihm das Essen zu bringen.

Dina war zu ihm hineingegangen, ohne daß sie dort etwas zu suchen hatte.

Jacobs Fuß roch bereits in den Gängen. Mutter Karen saß an seinem Bett. Oline ließ Tränen in die Suppe fallen.

Das Meer war des Teufels, mit Wellen so hoch wie die Türen der Bootsschuppen.

Anders war diesmal damit einverstanden, als Dina sagte, daß Tomas und sie Jacob über das Gebirge zum Doktor fahren würden.

Hatten sie und der widerspenstige Schwarze es einmal geschafft, dann konnten sie es zusammen mit einem Pferdeknecht wohl auch ein zweites Mal schaffen.

Es war unbedingt die beste Lösung. So wurde es gemacht.

Nur daß Tomas nicht mitkam.

Er sah sie mit einem ungläubigen Blick an, als sie sich auf den Schlitten schwang und allein fahren wollte.

Jacob nickte ihm bleich zu. Als ob er betete.

Tomas setzte zum Sprung an. Um sich auf den Schlitten zu werfen. »Nein!« fauchte sie und schlug ihm mit einem Seilende über die Hand. Dann zischte sie: »Geh!« zu dem Pferd und fuhr mit funkensprühenden Kufen aus dem Hof.

Tomas lag auf dem vereisten Hofplatz. Mit einem blutigen Striemen auf der rechten Hand und schwer atmend.

Später verteidigte er Dinas Verhalten damit, daß drei auf dem Schlitten zuviel gewesen wären. Und daß sie sich beeilen mußte, wenn sie den Doktor rechtzeitig erreichen wollte.

Wie das meiste, was Tomas sagte, genügte es den Leuten, die es hörten.

Er hatte die Angst in Jacobs Blick gesehen. Aber es kostete unendlich viel, sich daran zu erinnern. Tomas war ein geprügelter Hund. Er jaulte nicht – solange noch Zeit war.

Er ertränkte seine Gedanken in der Wassertonne, die auf dem Hof stand. Tauchte Hand und Kopf in das eisige Wasser. Spürte den Schmerz des Peitschenhiebes im ganzen Arm, bis hinauf in die Achselhöhle.

Dann fuhr er mit der nassen Hand leicht über das Gesicht und ging zu Oline.

Mit einem Gesicht, das nach der Behandlung mit dem eiskalten Wasser knallrot war, ließ er ein paar Worte darüber fallen, daß Jacob sicher fürchterlich schlecht dran sei.

Oline fuhr sich über die Augen und schnüffelte beinah unmerklich. Der Geruch von Jacobs Fuß war das einzige, was sie von ihm noch hatte.

Drei Stunden später war Tomas zur Stelle, um Dina und das Pferd mit den leeren Deichseln in Empfang zu nehmen.

ZWEITES BUCH

1. Kapitel

DAS HERZ ALLEIN KENNT SEIN LEID, UND AUCH IN SEINE FREUDE
KANN SICH KEIN FREMDER MENGEN.
(Die Sprüche Salomos, Kapitel 14, Vers 10)

In dem Jahr, als Jacob zu Grabe getragen wurde, blieb es an Weihnachten still auf Reinsnes.

Niemand fühlte sich verlockt, die Witwen dort zu besuchen. Glatteis kam wie bestellt für diejenigen, die eine Entschuldigung für ihr Fernbleiben brauchten.

Oline behauptete, daß ein feuchtes Jammern aus den Wänden sich in ihre beiden Hüften setze und ihr keine Ruhe gebe.

Das Glatteis dauerte bis Mitte Januar. Der Hof wurde von einer lähmenden Untätigkeit heimgesucht.

Tomas machte sich in der Nähe der Saalfenster zu schaffen. Blickte mit einem blauen und einem braunen Auge hinauf. Und wußte selbst nicht, daß seine Augen bettelten.

Wenn er ab und zu mit Holz in den Saal geschickt wurde, zitterten seine Hände so, daß er auf der Treppe Holzstücke verlor.

Dina saß immer mit dem Rücken zu ihm, wenn er das Holz in den Korb hinter dem Wandschirm mit Leda und dem Schwan legte.

Er betete ihren Rücken an, sagte »Gottes Frieden« und ging.

Niemand wußte, wann Dina schlief. Tag und Nacht trabte sie in Reiseschuhen mit Eisen auf den Absätzen durch das Zimmer.

Hjertruds Bibel hatte hauchdünne Seiten, die in dem Zug vom Fenster her zitterten.

Mutter Karen war ein schöner, kleiner Zugvogel, der aus irgendeinem Grund überwinterte.

Die Trauer machte sie durchsichtig und einem zerbrechlichen Glas verwandt. Die Dunkelzeit legte Schatten auf ihr weiches, zerfurchtes Gesicht.

Sie vermißte Jacob. Das lockige Haar und die lachenden Augen. Liebte ihn so, wie er war, bevor die verrückte Zeit in Reinsnes begann.

Das Alter machte es ihr leichter, über die Grenzen zu den Toten zu gehen. Die Dienstleute glaubten, sie fange an, närrisch zu werden. Sie hinkte durch die Gegend und redete mit sich selbst.

In Wirklichkeit war es die Reaktion auf eine große Einsamkeit. Und hoffnungslose Sehnsucht. Nach dem, was gewesen war.

Menschen und Tiere, Ställe, Nebengebäude und Laden waren geprägt von dieser Einsamkeit.

Der ganze Hof hielt die Luft an und wartete, daß jemand den leeren Raum, den Jacob hinterlassen hatte, ausfüllen würde.

Reinsnes war ein großes Boot geworden, das ohne Steuerung und ohne Mannschaft dahintrieb.

Daß Dina nicht aus dem Saal herunterkam und nachts in Reiseschuhen auf und ab ging, machte die Sache nicht besser.

Daß sie aufgehört hatte zu sprechen, war unheimlich.

Anders brach aus diesem Trauerhaus aus und rüstete sich zum Fischfang bei den Lofoten.

Mutter Karen schrieb an Johan, daß er nun vaterlos geworden sei, aber nicht heimatlos. Sie brauchte eine Woche, um die richtigen Worte zu finden. Und verschonte ihn mit Details.

Man habe alles getan, um seinen Vater zu retten, schrieb sie. Trotzdem habe Gott ihn zu sich genommen. Vielleicht habe er in seiner großen Gnade gesehen, daß Jacob das harte Schicksal eines Krüppels wohl nur schwer ertragen hätte... Vielleicht verstehe Gott in Seiner Weisheit, daß Jacob für ein solches Leben nicht geschaffen war.

Nachdem der Brief mit der Trauerbotschaft weggeschickt war, ging die alte Frau unter großem Kraftaufwand zu Dina.

Gerade als Dina einen Schritt zum Fenster hin tun wollte, um sich mit dem Rücken zur Tür zu stellen, durchbrach Mutter Karens sanfte Stimme die Stille des Raums.

»Du läufst dauernd hier oben im Saal herum! Aber das bringt nichts.«

Vielleicht waren es Mutter Karens weiße zitternde Nasenflügel. Oder die unruhigen Hände, die sich immer wieder in einer neuen Franse des Umschlagtuches festhakten.

Dina kam aus ihrer Schale heraus und verriet ein sprachloses Interesse.

»Das Leben muß weitergehen, liebe Dina. Du solltest herunterkommen und die Leute zur Ordnung rufen. Und…«

Dina bot Mutter Karen mit einer Handbewegung einen Platz an dem runden Tisch mitten im Zimmer an. Bedeckt mit einer gelben Plüschdecke mit Troddeln, die sich schwach in dem Luftzug von der offenen Tür her bewegten.

Die alte Frau setzte sich schwerfällig auf einen Stuhl mit ovaler Rückenlehne.

Der Tisch und die vier Stühle waren von Bergen nach Reinsnes transportiert worden, als sie im ersten Jahr hier wohnte. Sie hatte selbst dafür gesorgt, daß die kostbaren Möbel vorsichtig an Land gebracht wurden.

Und plötzlich war die alte Frau wie verwandelt. Als ob sie nicht in den Saal gekommen wäre, weil die Einsamkeit und der Kummer so groß waren, daß sie nicht allein damit leben konnte.

Sie starrte auf das geschwungene Tischbein. Sie schien etwas Ungewöhnliches zu sehen. Dann fing sie langsam und ohne Einleitung an, die Geschichte der Möbel zu erzählen.

Dina ging durch das Zimmer und schloß die Tür. Holte Tafel und Griffel und setzte sich neben die Alte. Erst mit ihrem Lächeln wie ein Schild. Dann einfach sie selbst. Lauschend. Als ob sie ihr ganzes Leben nur auf diese Geschichte gewartet hätte.

Mutter Karen erzählte von den hellen Möbeln mit dem vornehmen Bezug auf den Stuhlsitzen. Jacob hatte gemeint, daß die Stühle Frauenkörpern glichen, mit ausgeschnittenem Mieder und schöner Hüftpartie.

Sie ließ die Finger über das kleine Loch im oberen Teil der Rückenlehne gleiten. Es war zart geformt wie ein Herz. Sie strich mit der durchsichtigen Hand über die Plüschdecke auf dem Tisch und verweilte traurig bei dem Brandfleck von einer Zigarre.

»Der stammt aus Jacobs unglücklichen Tagen als Witwer«, sagte sie mit einem tiefen Seufzer.

Ohne Anfang und Ende berichtete sie von ihrem abenteuerlichen Leben zusammen mit Jacobs Vater. Von den Jahren in Paris und Bremen. Von unzähligen Schiffsreisen mit dem geliebten Mann.

Bis sie einmal in Trondhjem darauf gewartet hatte, daß er von Kopenhagen kam. Vergeblich.

Sie hatten an einer verdammten Stelle an der Südwestküste Schiffbruch erlitten.

Aber am meisten erzählte Mutter Karen von dem blankpolierten Tisch in dem großen Festsaal. Von Rokokospiegeln und phantastischen Bücherschränken. Von Truhen mit Einsatz und Geheimfächern. Unzusammenhängend und monoton.

Immer wieder kam sie auf die Möbel zurück, die nach Reinsnes gebracht worden waren.

Jacob hatte angeordnet, sie vom Salon in den Saal zu schaffen. Denn Dina sollte mitten im Saal sitzen und bei gutem Wetter über den ganzen Sund sehen können. Sie sollte einen Blick auf die herrlichen Strände von Reinsnes werfen können, wenn sie Lust dazu hatte!

Dina lauschte ausdruckslos. Die Uhr unten im Wohnzimmer schlug plötzlich dreimal. Das weckte die Alte auf. Sie warf einen sanften Blick auf Dina und hatte anscheinend vergessen, daß sie Geschichten erzählte. Jäh kehrte sie zurück in die Einsamkeit und das Kopfzerbrechen über die Zukunft.

»Du mußt dich nützlich machen! Nicht nur hier herumgehen und Tag und Nacht deine Trauer pflegen! Der ganze Hof ist heruntergewirtschaftet. Die Leute wissen nicht, was sie eigentlich tun sollen. Die Tage vergehen.«

Dina sah hinauf an die Decke. Es war, als ob ihr jemand ein Lächeln aufgemalt hätte, aber bei der Arbeit ermüdet wäre, weil sie ihm nicht gelang.

»Und darum soll ich mich kümmern?« schrieb sie auf die schwarze Tafel.

Mutter Karen sah unschlüssig und verzweifelt auf.

»Es gehört dir ja alles zusammen.«

»Wo steht das?« schrieb Dina.

Die Finger um den Griffel wurden weiß.

Eines Nachmittags zog Dina die Reithosen an. Dann rutschte sie in Kleinmädchenmanier das Treppengeländer hinunter. Sie kam unbemerkt in den Stall.

Der Schwarze lauschte mit gesenktem Kopf auf ihre Schritte. Als sie an die Futterkrippe trat, schüttelte er die Mähne, stampfte mit den Vorderbeinen, knabberte an ihrer Schulter und fletschte gutmütig die Zähne.

Das Pferd und die Frau. Bald waren sie ein Körper.

Niemand bemerkte sie, bis sie den Weg hinunter zum Strand flogen und zwischen Lagerhäusern und Hügeln verschwanden.

Die Leute, die sie sahen, schlugen die Hände zusammen. Fragten die Nächststehenden. Ob sie es gesehen hätten? Daß Dina wieder draußen war? Daß Dina mit dem Schwarzen fortritt?

Zunächst lag Hoffnung in der Frage. Dann wurden sie unruhig. Es war mit der Zeit so widernatürlich geworden, daß Dina sich woanders aufhielt als im oberen Stockwerk.

Tomas wurde losgeschickt, um sie im Auge zu behalten. Sie wählte glücklicherweise nicht den Weg übers Gebirge. Streifte nur an den schwarzen Stränden entlang. Er holte sie ein, tat aber so, als ob er unsichtbar wäre. Machte nicht den Fehler, sie zu warnen, als sie das Pferd galoppieren ließ. Hielt guten Abstand.

Es war eine Art Schattenreiten.

Aber plötzlich hatte sie genug davon. Das Pferd hatte Schaum vor dem Maul. Beim Stall hielt sie so plötzlich an, daß die Eisklumpen von den Hufen spritzten und Tomas an den Beinen trafen, so daß er aufschrie.

Er brachte beide Tiere wortlos in den Stall. Trocknete sie ab und gab ihnen Wasser und Heu.

Dina blieb eine Weile stehen und sah Tomas bei der Arbeit zu. Seine Bewegungen wurden linkisch und unsicher.

Ihre Augen folgten den schmalen Hüften. Den starken Händen. Den langen roten Haaren. Dem großen Mund.

Dann begegnete sie seinem Blick. Einem braunen und einem blauen Auge. Sie stellte sich wahrhaftig vor ihn hin. Raffte die Haare mit beiden Händen über dem Kopf zusammen. Ließ sie wieder los, so daß sie über die Schultern flossen. Drehte sich um und ging aus dem Stall.

Der Gastwirt und Schiffseigner Jacob Grønelv hatte eine Art Testament geschrieben. Aber er hatte nicht damit gerechnet, daß es so bald gebraucht würde, deshalb hatte es keine gültigen Stempel oder Unterschriften von Zeugen. Und es gab keine Kopie bei der Obrigkeit.

Aber dem Lehnsmann hatte er von dem Dokument erzählt. Jacob war nicht nur sein Schwiegersohn, er war auch sein Jagdkamerad und Freund gewesen.

Der Gedanke, daß es irgendwo ein Testament gab, und wenn es noch so ungültig war, beunruhigte den Lehnsmann. Weil Jacob einen erwachsenen Sohn und zwei Pflegesöhne hatte.

Er war nicht nur Dinas Vater, er war auch Lehnsmann. Es war seine Pflicht, dafür zu sorgen, daß alles seine Richtigkeit hatte.

Als das Wetter besser wurde, begab sich der Lehnsmann nach Reinsnes. Um mit Dina unter vier Augen zu sprechen. Über Jacobs Letzten Willen, der sich irgendwo befinden mußte. Am ehesten in dem großen Kontor beim Laden.

Dina hörte aufmerksam zu, wußte aber nichts von Jacobs Letztem Willen und hatte auch kein Papier gesehen. Jacob und sie hätten über solche Dinge nicht gesprochen, schrieb sie auf die schwarze Tafel.

Der Lehnsmann nickte und meinte, daß es angebracht wäre, schnell zu handeln. Eine Einigung zu finden. Bevor etwas anderes bestimmt würde. Sonst gebe es nur Unfrieden. Er habe seinerzeit genug davon erlebt.

Nachdem der Lehnsmann weggefahren war, ging Dina ins Kontor.

Niels wurde von einem solchen Besuch vollständig überrumpelt. Er blieb hinter dem massiven Eichentisch sitzen. Die Mundwinkel verrieten Erstaunen und Unwillen. Das Gesicht mit den dunklen Bartstoppeln und dem struppigen Schnurrbart war ein offenes Buch.

Dina blieb vor dem Tisch stehen und sah ihn eine Weile an. Da er keine Miene machte, ihr entgegenzukommen, schrieb sie etwas auf ihre schwarze Tafel. Bat um den Schlüssel zu dem großen eisernen Schrank.

Er erhob sich unwillig und ging zum Schlüsselschrank, der sich zwischen den beiden Fenstern befand.

Als er sich umdrehte, sah er, daß sie in dem alten Drehstuhl Platz genommen hatte. Er begriff sofort, daß er überflüssig war.

Und als er immer noch stand und starrte, nachdem er den Schlüssel auf den Tisch gelegt hatte, nickte sie nur freundlich zur Tür hin.

Widerstrebend ging er hinaus. Schritt an allen Schubfächern im Laden vorbei und sah durch den Ladengehilfen hindurch. Als ob der Mensch Luft wäre.

Dann machte er sich allerlei auf dem Hof zu schaffen. War ein Nebelwetter und eine Plage. Ließ Bemerkungen fallen, daß sogar lebendige Frauenzimmer anfingen zu geistern! Und daß sie glaubten, etwas von Geschäften und Geschäftsbüchern zu verstehen! Aber sie solle nur da sitzen und sich wichtig tun, die Madame! Er werde sie gewiß nicht stören! Man werde ja sehen, wohin das führe. Sie hätte ihn ja nach den Büchern fragen können, ihn im voraus benachrichtigen, daß sie alle Papiere und Verträge sehen wolle. Dann hätte er alles herausgesucht und ordentlich vor sie hingelegt. Bestimmt!

Niels war ebenso dunkel und verschlossen wie der Bruder, Anders, blond und offen war. Wäre Anders nicht auf den Lofoten gewesen, dann hätte er wohl ein Wort gesagt und ihm einen guten Rat gegeben.

Dina suchte systematisch und verbissen. In dem alten Kontorschrank, in dem Eisenschrank, in Schubladen und Regalen. Stundenlang.

Im Laden wurde es allmählich still. Der Gehilfe kam herein und fragte, ob er die Lichter löschen solle. Dina nickte, ohne aufzusehen. Und setzte die Suche in den Papieren und Mappen fort. Zwischendurch richtete sie sich auf und hielt sich den Rücken.

Kurz bevor sie im Begriff war, für diesen Abend aufzugeben, fiel ihr Blick auf ein altes Kästchen aus hellackierter Birke, das in einem übervollen Regal stand. Halb begraben zwischen Bestellzetteln und einem Stapel Schnupftabak.

Sie stand schnell auf, ging zielstrebig durch den Raum, als ob Jacob da wäre und ihr Bescheid sagte. Das Kästchen war verschlossen. Aber sie konnte es mit einem Federmesser öffnen.

Zuoberst lagen Zeichnungen des Frachters »Mor Karen« und ein Stapel alter Briefe von Johan. Als sie die Briefe hochhob, glitt ein gelber Umschlag heraus und blieb einen Augenblick trotzig auf der einen Breitseite stehen. Legte sich dann ordentlich auf den Tisch.

Sie hatte ihn noch nie gesehen. Wußte es aber dennoch. Es war Jacobs Letzter Wille.

Sie räumte auf. Ließ das Schloß wieder zuschnappen und brachte das Kästchen gewissenhaft dorthin zurück, wo es gestanden hatte. Dann steckte sie den Umschlag unter ihr Tuch, löschte die Lampe und tastete sich durch den dunklen Laden hinaus.

Der Himmel war von Mond und Sternen erobert worden. Das Nordlicht flackerte und winkte mit selbstleuchtenden Laken, als ob es mit ihr zusammen den Fund feiern wollte.

Sie ging schnell über den vereisten Hofplatz. Hinein in den Flur und hinauf in den Saal. Es begegnete ihr niemand.

Aber es siedete und flüsterte im ganzen Haus. Dina ist vom Obergeschoß heruntergekommen! Die junge Frau hat den Laden inspiziert! Niels meint, sie hat die Abrechnungen und alles andere inspiziert!

»Gott ist gut«, sagte Mutter Karen jubelnd zu Oline. Und Oline nickte, während sie zur Tür lauschte, an der Dina gerade vorbeiging.

Dina kroch in das große Himmelbett. Ließ den Vorhang an allen Seiten herunterfallen und breitete Jacobs Letzten Willen mit steifen Fingern zwischen ihren Schenkeln aus.

Seine Stimme kam leise aus den Wänden und mischte sich in das Ganze ein. Sie hatte vergessen, daß er eine schöne Stimme hatte. Einen angenehmen Tenor, der aber nicht besonders sauber war.

Sie lächelte, während er ihr vorlas.

Keine Zeugenunterschrift. Kein Siegel. Nur eines Mannes Letzter Wille. In Einsamkeit an einem späten Abend niedergeschrieben. Wie in einem Anfall von Klarsicht. Am 13. Dezember 1842.

Trotzdem ließ es sich kaum vermeiden, daß die Erben es zu sehen bekamen. Denn Jacobs Letzter Wille besagte unter anderem folgendes:

Seine Frau Dina sollte zusammen mit Johan, dem Sohn aus der ersten Ehe, das Erbe verwalten, wie es dem Gesetz entsprach, solange sie in fortgesetzter Gütergemeinschaft lebten.

Es war Jacobs Letzter Wille, daß seine Frau die Hinterlassenschaft und das Geschäft, ihren Fähigkeiten entsprechend, verwaltete, bis Johan mit dem Studium fertig war, und daß sie die Männer hinzuziehen sollte, die sie brauchte, um den Status aufrechtzuerhalten. Der Sohn Johan sollte seine theologische Ausbildung fortsetzen und, als Vorschuß auf das Erbe, in den Genuß eines Unterhalts kommen und im übrigen sein Heim in Reinsnes haben, solange er unverheiratet war und es selbst so wollte. Es sollte ihm freigestellt werden, den Hof nach dem Erbrecht zu übernehmen, wenn er es wünschte.

Jacobs Frau Dina sollte zusammen mit Mutter Karen Grønelv die Verantwortung für die täglich anfallenden Arbeiten haben, soweit sie das Haus, die Tiere und die Dienstleute betrafen.

Mutter Karen sollte nicht nur ihr Altenteil, sondern alle Rechte und Bequemlichkeiten bis zu ihrem Tod haben.

Der Pflegesohn Niels sollte den Laden und die Buchführung unter sich haben, solange es für Reinsnes und auch für Niels selbst nützlich war.

Der Pflegesohn Anders sollte die Aufsicht über die Frachtschiffe und die Verantwortung für die Ausrüstung der Schiffe und den Handel haben.

Beide Pflegesöhne sollten den Zehnten von allen Überschüssen bekommen, an deren Einbringung sie beteiligt waren.

Niemand, der dem Kaufmann Grønelv Geld schuldete, sollte nach dessen Tod eine Auktion erleiden, um die Schulden zurückzahlen zu können. Eine beträchtliche Summe für die Armen fehlte auch nicht.

Dina benutzte den Rest des Abends dazu, Jacobs Letzten Willen zu ehren. Sie schrieb ein neues Testament.

Aber sie versuchte nicht, das echte zu verfälschen oder es als etwas anderes auszugeben als ihres »seligen und lieben Mannes«

mündlich geäußerten Wunsch, soweit sie sich daran erinnern konnte.

Es war Jacobs Willen zum Verwechseln ähnlich, außer einigen wenigen Punkten: Den Zehnten an die Pflegesöhne erwähnte sie nicht. Statt dessen aber, daß sie ihre Stellung so lange behalten sollten, als es für Reinsnes lohnend war oder Frau Dina es für zweckmäßig hielt. Sie schrieb auch nichts davon, daß Johan den Hof übernehmen sollte, wenn er es wünschte.

Im übrigen schrieb sie schön und ordentlich Punkt für Punkt auf. Gab acht, daß die Summe für die Armen nicht fehlte.

Dann heizte sie den Etagenofen gut ein. Und zündete die Kerzen in dem siebenarmigen Leuchter auf dem Spiegeltisch an.

Die ganze Zeit, während Jacobs Letzter Wille in dem schwarzen Ofenbauch brannte, lächelte sie. Dann legte sie den Bogen, den sie geschrieben hatte, auf das Schreibpult aus lackiertem Nußbaum. So offen, daß alle, die hereinkamen, ihn sehen konnten.

Sie ging zu dem großen Himmelbett und legte sich voll angezogen auf den Rücken.

Plötzlich spürte sie Jacobs Gewicht auf sich. Er drang in sie ein. Sein Atem war fremd. Die Hände waren hart. Sie wies ihn wütend ab. Und Jacob nahm Hose und Seidenweste und verschwand mitten durch die Wand.

Ich bin Dina, die spürt, wie eine Schwanzflosse unter den Rippen schlägt. Sie hat mir einen Streich gespielt. Noch gehört sie dem Meer und den Sternen. Sie schwimmt hier drinnen und gehört sich selbst, während sie mich frißt. Ich trage sie in mir, solange ich muß. Sie ist dennoch nicht so leicht oder so schwer wie Hjertrud.

Es kam nicht darauf an, wie das Ganze sich abgespielt hatte, sondern darauf, was die Leute glaubten, wie es sich abgespielt hatte.

Sie stand auf und sah in den Ofen. Legte mehr Holz auf. Blieb stehen und wachte darüber, daß das Feuer die verkohlten Reste von Jacobs Letztem Willen aus der Welt schaffte.

In dieser Nacht hörte niemand Dina in Reiseschuhen mit Eisenabsätzen im Zimmer herumlaufen.

Der Lehnsmann brachte den Schreiber und zwei Zeugen mit, als er das nächste Mal kam.

Die alte und die junge Witwe setzten sich zusammen mit dem Lehnsmann und den beiden Männern an den ovalen Tisch im Saal.

Dinas Papier mit der Erinnerung an Jacobs Letzten Willen sollte denen, die es betraf, in Anwesenheit von Zeugen bekannt gemacht werden.

Johan war in Kopenhagen, aber Mutter Karen war sein Vormund.

Dina hatte sich geziemend angezogen. Das schwarze Kleid, das zur Beerdigung genäht worden war. Alle auf dem Hof wurden benachrichtigt.

Schließlich standen sie mit gesenktem Kopf um den Tisch und hörten Jacobs Worte, die der Lehnsmann mit dröhnendem Baß vorlas. Es war sehr würdig. Feierlich.

Keiner kam auf den Gedanken, ein Testament zu vermissen. Es war ja ein Unglück gewesen. Und es war so plötzlich gekommen. Gott segne den Hausvater! Den Wohltäter.

Alle bekamen in irgendeiner Weise eine kleine Anerkennung. Alle priesen Jacobs Letzten Willen, weil er an sie alle gedacht hatte.

Der Lehnsmann meinte, man brauche nicht zu Protokoll zu geben, daß Johan einen Teil des Erbes für seinen Unterhalt während des Studiums bekommen solle. Alle Eltern seien verpflichtet, je nach ihrem Stand für ihre Kinder zu sorgen, ohne daß man es einen Vorschuß aufs Erbe nannte.

Aber Dina lächelte und schüttelte den Kopf.

»Wir haben nicht das Recht, davon abzusehen, daß sein Vater tot ist«, schrieb sie auf die Tafel.

Der Lehnsmann sah seine Tochter mit verwirrtem Respekt an. Dann diktierte er dem Schreiber Dinas Wünsche. Und Mutter Karen nickte. Das Protokoll wurde mit einem Siegel versehen.

Der Lehnsmann hielt eine Rede auf seinen toten Schwiegersohn und Freund und auf seine Tochter und ermahnte alle, guten Willens zu sein. Der Hof brauche eine feste Hand.

Mutter Karen seufzte erleichtert. Das Leben ging weiter. Dina war vom oberen Stockwerk heruntergekommen.

Die Sonne stieg höher und höher. Bald färbte sie um Mitternacht den Himmel im Norden.

Die Seevögel würden nicht zur Ruhe kommen, die Schneehühner Eier legen, und der Traubenkirschbaum würde blühen.

Mutter Karen bekam einen Brief von Johan.

Er kondolierte und trauerte höflich. Er wolle die Heimreise nicht auf sich nehmen, ehe er ein wichtiges Examen abgelegt habe. Er wäre zu Vaters Beerdigung ja sowieso zu spät gekommen.

Zwischen den Zeilen las Mutter Karen, was sie längst wußte. Daß er von der Bewirtschaftung eines Hofes und der Führung eines Geschäfts nichts verstand. Daß er nicht in einem Laden versauern wollte und von der Buchhaltung wenig Ahnung hatte. Aber er wollte einen Vorschuß aufs Erbe haben, während er studierte.

Auch wenn er Trauer empfand, so zeigte er sie jedenfalls nicht dadurch, daß er das Geschäft des Vaters übernehmen wollte.

Mutter Karen las Dina den Brief vor.

»Meine tiefste Anteilnahme und Gruß an Dina in dieser schweren Zeit!« waren Johans Schlußworte.

2. Kapitel

Jakob aber richtete ein steineres Mal auf an der Stätte, da er mit ihm geredet hatte und goss Trankopfer darauf und begoss es mit Öl. Und Jakob nannte die Stätte, da Gott mit ihm geredet hatte, Bethel.

Und sie brachen auf von Bethel, und als es noch eine Strecke Weges war bis Efrata, da gebar Rahel. Und es kam sie hart an über der Geburt.

Da ihr aber die Geburt so schwer wurde, sprach die Wehmutter zu ihr: Fürchte dich nicht, denn auch diesmal wirst du einen Sohn haben.

Als ihr aber das Leben entwich und sie sterben musste, nannte sie ihn Ben-oni (Sohn meines Unglücks), aber sein Vater nannte ihn Ben-jamin (Sohn des Glücks).
(Das erste Buch Mose, Kapitel 35, Vers 14–18)

Eines Tages kam Mutter Karen überraschend in den Saal, ohne anzuklopfen. Dina stand mitten im Raum und zog sich an.

Man konnte deutlich sehen, daß sie schwanger war. Die Sonne schien durch das hohe Fenster herein und verriet alles vor Mutter Karens klugen Augen. Dina war seit fünf Monaten Witwe.

Die ältere Frau war klein und zartgliederig. Neben der hochgewachsenen Dina erinnerte sie eher an eine seltene Porzellanpuppe, die immer in einem Glasschrank gestanden hatte und nie an den Haaren gezogen worden war, als an einen wirklichen Menschen aus Fleisch und Blut.

Die Runzeln in ihrem Gesicht waren feine Spinnweben, die im Sonnenschein zitterten, als sie zum Fenster ging, um dem Herrn mit ihrem Dankgebet näher zu sein.

Sie streckte der anderen beide Hände hin. Aber Dinas Blick war eine Säule eiskalten Gletscherwassers.

»Der Herr segne dich, Dina, du wirst ja ein Kleines haben«, flüsterte sie bewegt.

Dina zog schnell den Rock an und hielt die Bluse wie zum Schutz vor sich.

Als die alte Frau keine Miene machte zu gehen, setzte Dina drohend einen Fuß vor den anderen. Energische kleine Schritte.

Und ehe Mutter Karen wußte wie, stand sie·in dem dunklen Gang vor der verschlossenen Tür.

Dinas Blick verfolgte die alte Frau. Nicht nur am Tag, sondern bis in den Schlaf und in die Träume. Sie wußte nicht, wie sie sich diesem unzugänglichen Geschöpf nähern sollte. Als sie am dritten Tag vergebens versuchte, Kontakt mit Dina zu bekommen, ging sie zu Oline in die Küche. Um sich Trost und Rat zu holen.

Oline stand am Tischende. Mit zwei Schürzen. Die eine über der anderen.

Die rundliche Gestalt mit dem großen Busen hatte nicht einmal eine Katze genährt. Trotzdem redete Oline so, als ob sie die Urmutter wäre.

Sie wußte, ohne daß sie den Gedanken zu denken brauchte, daß sie das meiste durch ihre bloße Gegenwart lenkte. Mit ihren heruntergezogenen Mundwinkeln und der rosigen, runzligen Stirn, hinter der soviel Umsicht steckte.

Oline meinte, daß die junge Frau Ruhe haben müßte! Gutes Essen! Und warme Strumpfsocken, anstelle der schrecklichen Schuhe, mit denen sie auf dem zugigen Fußboden herumlief.

Daß Dina sich ärgerte, daß sie ein Kind bekommen sollte, ohne einen Mann an ihrer Seite zu haben, schien Oline verständlich.

»Frauenzimmer werden schon von weniger wichtigen Dingen aus der Fassung gebracht«, sagte sie und richtete den Blick nach oben an die Decke. Als ob sie Dutzende von Geschichten über derlei Vorkommnisse erzählen könnte.

Es sei nicht zu erwarten, daß eine so junge Frau nach dem, was sie durchgemacht habe, einen Segen oder etwas Großartiges darin sehe, den Fortbestand der Familie zu sichern.

Damit reduzierte Oline alles zu einer Frage der Zeit und der Fürsorge.

Wer geglaubt hatte, daß Dina an dem Tag, als sie das Kontor inspizierte, den Saal endgültig verließ, irrte sich.

Sie ging in den Stall. Und zu Mutter Karens Verzweiflung ritt sie. In diesem Zustand! Aber im übrigen hielt sie sich im Saal auf. Dina aß im Saal. Wohnte im Saal.

Wenn Mutter Karen von Zeit zu Zeit versuchte, sie ins Eßzimmer herunterzulocken, besonders wenn sie Gäste hatten, dann lächelte sie nur und schüttelte den Kopf. Oder sie tat so, als ob sie nicht hörte.

Dina hatte die Gewohnheiten ihrer Kindheit wieder angenommen. Da hatte sie auch allein gegessen. Weil der Vater sie nicht ertrug. Und schon gar nicht, während er aß.

Tomas versuchte, Dinas Augen einzufangen, wenn sie das Pferd holte, um zu reiten. Er half ihr auf den Pferderücken, indem er die Hände faltete, damit sie sie als Steigbügel benutzen konnte. Das tat er, seit man munkelte, daß sie in Umständen war.

»Sie sollte einen Sattel benutzen, bis es vorüber ist...«, sagte er einmal und ließ einen schüchternen Blick über ihren Bauch gleiten.

Sie war einer Antwort enthoben. Stumm, wie sie war.

Die Leute redeten offen darüber, daß Dina schwanger, stumm und menschenscheu war.

Die alte Mutter Karen, die versuchte, den großen Hof zu führen, tat ihnen leid. Sie war über siebzig und so schlecht zu Fuß.

Die Leute erzählten sich, daß Dina, als nach dem Doktor geschickt worden war, mit einem Stuhl nach ihm geworfen hatte, weil er ohne weiteres in den Saal spaziert war, um ihre Schwermut zu kurieren.

Es hieß, daß man Dina mit dem Irrenhaus gedroht hatte, falls sie sich nicht anständig benahm, aber es hatte sie nicht im geringsten beeindruckt. Sie hatte den Doktor so böse angesehen, daß er es für sicherer hielt, sich zurückzuziehen, ohne sie kuriert zu haben.

Die alte Frau hatte den Doktor zum Punsch gebeten und zum Mittagessen mit Schneehuhn und Wein und Zigarren, um das Verhalten der jungen Frau wiedergutzumachen.

Dina tobte und knallte die Kommodenschubladen zu in ihrer Einsamkeit. Weil sie ihre Kleider nicht mehr zubekam.

Bauch und Brust hatten einen Umfang angenommen, der Aufsehen und Neid bei denen erregt hätte, die weniger gesegnet waren. Falls sie sich gezeigt hätte.

Aber sie ging im Saal auf und ab und existierte für niemanden und nichts.

Schließlich kam Mutter Karen kurz zu ihr herein. Und man schickte nach Strandstedet wegen eines Nähmädchens.

Die Tage gingen dahin. Zusammengeschmiedet von dunklen Nächten. Dicht. Wie saurer Rauch von einer ungepflegten Feuerstelle.

Ich bin Dina, die in Hjertruds Buch liest. Durch Hjertruds Vergrößerungsglas. Denn Christus ist ein unglückliches Geschöpf, er fordert, daß ich ihm helfe. Er schafft es nie, sich selbst zu erlösen. Hat zwölf verschworene Männer, die auf ungeschickte Weise versuchen, ihm zu helfen. Aber das gelingt nicht. Alle sind feige, ängstlich und unschlüssig. Judas kann wenigstens zählen... Und er wagt es, richtig schlecht zu sein. Aber es sieht so aus, als ob er sich in eine Rolle hineinzwingen läßt. Als ob er nicht genügend Verstand hätte zu sagen, daß er nicht Verräter sein mag, nur damit alle anderen davonkommen...

Weil Dina nicht reden konnte, vergaß man sich und glaubte, sie sei auch taub.

Es wurde in den Gängen und hinter ihrem Rücken munter geplappert. Und da sie auch nie zu verstehen gab, daß sie hörte, was die anderen sagten, wurde es zu einer Gewohnheit. So wußte Dina immer, was los war und was die Leute meinten.

Sie schrieb ihre kurzen Wünsche und Befehle auf. Mit einem Griffel auf die schwarze Tafel. Sie schickte eine Bestelliste an die Buchhandlung im Tromsø.

Bekam mit dem Dampfschiff Kisten. Öffnete sie selbst mit einem Stemmeisen, das beim Ofen lag.

Das Mädchen, das Holz hinauftrug und die Asche mitnahm, fand es mehr als ungemütlich mit einem solchen Werkzeug.

Aber als das schwere, ungemütliche Werkzeug nicht mehr an seinem gewohnten Platz lag, war es noch ungemütlicher.

Die Bücher handelten von Buchführung und Bewirtschaftung eines Hofes. Die Lektüre machte Dina manchmal so wütend, daß Oline glaubte, die Hausherrin würde den Ofen zertrümmern.

Man ließ einen erfahrenen Buchhalter kommen. Dina saß mehrere Stunden im Kontor und bekam die ganze Buchhaltung gründlich erklärt.

Es entwickelte sich eine ernstliche Mißstimmung zwischen ihr und Niels. Der Buchführungsmensch blieb einen Monat. Ging in den Wohnräumen und im Kontor ein und aus wie ein Wachhund.

»Das nächste ist wohl, daß Madame sich in den Einkauf der Waren einmischt«, murmelte Niels und schielte zu dem Buchführungsmenschen Petter Olesen, der sich überhaupt nicht in Versuchung führen ließ, den Sarkasmus mitzumachen.

Es war ihm noch nie so gut gegangen wie hier auf Reinsnes. Am liebsten hätte er seine Tätigkeit bis ins Unendliche fortgesetzt.

Er saß abends im Rauchzimmer und rauchte Jacobs beste Meerschaumpfeife, als ob sie ihm gehörte.

Aber auf Dinas Gesellschaft mußte er verzichten. Außer wenn er ihr die Buchführung beibrachte. Sie hielt sich im Saal auf. Falls sie nicht ritt oder Befehle und Fragen aufschrieb. Die nie mißverständlich waren.

Keiner von den Leuten hätte sie freundlich nennen können. Seit sie nicht mehr sprach, sagte sie aber auch keine bösen Worte mehr.

Mutter Karen strahlte, daß Dina soviel Energie aufbrachte. Aber gleichzeitig rutschten ihr Vorwürfe heraus, daß sie nicht genügend Rücksicht auf »ihren Zustand« nehme.

Das löste Dinas schreckliche Kehllaute aus, so daß Spiegel und Fensterscheiben im Saal bei schönstem Wetter klirrten.

Eines fürchteten alle in Reinsnes, daß Dina sich nämlich über das Treppengeländer beugte und Laute von sich gab, die denen, die sie hören mußten, durch Mark und Bein gingen.

Es sei offenkundig, wem Dina nachschlage, waren Olines Worte.

Aber meistens herrschte Frieden. Mutter Karen schlummerte oft unter ihrem karierten Plaid im Wohnzimmer. Sie las immer wieder die regelmäßigen und trockenen Briefe von Johan. Manchmal laut für Dina. Sie erlaubte es sich, alt zu sein, weil sie sah, daß der Betrieb einigermaßen lief.

Jedoch die Gästezimmer blieben viele Monate leer. Die Trauer, die Sprachlosigkeit und die Verrücktheit auf Reinsnes wirkten nicht gerade anziehend. Es lag eine Art Winterschlaf über dem großen Handels- und Gästehof.

Das Frachtschiff »Mor Karen« war jedenfalls mit gutem Verdienst von den Lofoten zurückgekommen. Dank Anders. Es stellte sich heraus, daß viel von dem, was Jacob an Lob eingeheimst hatte, eigentlich Anders' gute Routine war.

Das Kind war aller Erwartung und Gesprächsthema.

Dina konnte natürlich nicht darüber reden. Aber sie schrieb auch nichts auf die Tafel darüber.

Die Dienstmädchen, Tea und Annette, nähten in ihrer freien Zeit Säuglingssachen, und Oline machte sich Sorgen, weil die Hebamme so weit entfernt wohnte.

An einem schwülen Tag passierte das, was die alte Frau lange befürchtet hatte.

Dina wurde vom Pferd geworfen.

Zum Glück sah Tomas den Vorfall vom Acker aus. Er rannte, daß ihn die Lungen schmerzten und er einen Bleigeschmack im Mund hatte. Er fand sie bei einem Preiselbeerbusch voller Knospen liegen. Arme und Beine ausgestreckt. An die Erde gekreuzigt. Das Gesicht zum Himmel gewandt – und grenzenlos offene Augen.

Eine Schnittwunde an der Stirn und ein Riß am Bein, wo ein dürrer Kiefernast es für gut befunden hatte, sich festzuhaken, waren die Schäden, die Tomas entdeckte.

Er steuerte auf den Sommerstall zu, weil er am nächsten war. Und weil der Herr in einem Anfall von Bosheit ein Gewitter und strömenden Regen schickte.

Der Schwarze hatte sich bei den ersten heftigen Schlägen sinnlos erschreckt und Dina abgeworfen, als sie ihn zur Ruhe zwingen wollte.

Tomas stützte und trug sie hinein in den undichten Stall. Half ihr hinunter auf das alte Heu. Denn die Geburt kam unter seinen Händen augenblicklich in Gang. Tomas hatte seiner Mutter auf der abseits gelegenen Häuslerstelle einmal geholfen, als es soweit war. Er wußte, was er zu tun hatte.

Der Schwarze ließ sich nicht reiten. So rannte er hinunter auf den Hof, um Hilfe zu holen.

Dort lief man nach Wasserkesseln, Holzscheiten und Laken. Die Mädchen schrubbten sich die Hände und nahmen Olines knappe Befehle entgegen.

Dina auf den Hof zu bringen sei nicht ratsam, meinte Tomas, die Mütze wie ein rotierendes Rad zwischen den Händen.

Oline watschelte unglaublich schnell zum Sommerstall hinauf. Tomas lief mit der Schubkarre, die mit der notwendigen Ausrüstung beladen war, hinterher.

Der Himmel ergoß sich über sie und drohte das, was unter der Ölhaut auf der Schubkarre lag, zu überschwemmen.

Oline rief atemlos, daß es jetzt genug sei! Es mache keinen Sinn, daß sie Sintflut und Geburt gleichzeitig hätten! Sie wollte den Mächten beweisen, daß sie das Kommando übernommen hatte.

Im Laufe einer knappen Stunde war alles vorüber.

Dinas Sohn war ein kleiner, aber kräftiger Junge. Geboren in einem Sommerstall, während der Himmel sich ausleerte und allem Nahrung gab, was wachsen sollte.

Der Schwarze stand in unbeherrschter Unruhe mit seinem großen Kopf und gefletschten Zähnen in der Türöffnung.

Wenn das Ganze nicht an ein Wunder grenzte und wenn Jacob nicht im November gestorben wäre, hätte Oline gesagt, daß das Kind zu früh geboren wurde!

Aber sie gab der jungen Mutter die Schuld, die sich aufgeführt hatte wie ein junges Mädchen, während sie »so war«.

Dina schrie nicht, während es vor sich ging. Lag nur mit weit offenen, starren Augen da und stöhnte.

Aber als das Kind draußen war und sie nur noch auf die Nachgeburt warteten, kam der häßlichste Schrei, den sie jemals gehört hatten.

Dina schlug mit den Armen um sich, öffnete den Mund und schrie aus vollem Hals.

Ich bin Dina und höre, wie ein Schrei in meinem Kopf ein Nest baut. Es macht die Ohren wieder dicht. Im Waschhaus in Fagernesset zischt der Dampf aus Hjertrud, während sie ihr ganzes Ich über den Fußboden ausgießt. Dann fällt sie zusammen. Das Gesicht zerbirst. Immer wieder. Wir treiben zusammen fort. Weit fort...

Dina wurde schwer und still in ihren Händen.

Mutter Karen, die auch gekommen war, jammerte verzweifelt.

Aber Oline gab Dina einen so derben Klaps auf die Wange, daß die Fingerabdrücke sich wie eine Narbe abzeichneten.

Und ihr Schrei brach wieder aus ihr heraus. Als ob er tausend Jahre festgesessen hätte. Er mischte sich mit dem schwachen Laut des weinenden Säuglings.

Er wurde ihr an die Brust gelegt. Er hieß Benjamin. Er hatte schwarze Haare. Die Augen alt und dunkel, wie Kohle im Berg.

Die Welt hielt die Luft an. Eine plötzliche Stille. Eine Erlösung.

Kurz darauf kam es unerwartet und energisch von dem blutigen Laken: »Macht die Tür zu! Es ist kalt!«

Dina hatte die Worte gesagt. Oline wischte sich die Stirn ab. Mutter Karen faltete die Hände. Der Regen suchte sich seinen Weg durch das Torfdach. Ein behutsamer, nasser Gast.

Die Neuigkeit drang bis zu Tomas vor, der auf einer Kiste unter einem Baum saß. Naß bis auf die Haut, ohne es wahrzunehmen. In gebührendem Abstand von dem Sommerstall.

Ein verwundertes Lächeln breitete sich über den ganzen Burschen aus. Erreichte seine Arme. Sie hoben sich lächelnd, so daß der Regen im Nu seine Hände füllte.

»Was sagst du da?« schluchzte er glücklich, als Oline mit der Neuigkeit kam.

»Macht die Tür zu! Es ist kalt!« lachte sie und schlug die nackten roten Arme um sich.

Dann lachten sie schallend. Mutter Karen lächelte erstaunt.

»Macht die Tür zu! Es ist kalt!« murmelte sie und schüttelte den Kopf.

Dina wurde in einem soliden Segel transportiert. In den Händen von Niels, dem Melker, einem zufälligen Kunden im Laden und Tomas. Anders war in Bergen.

Den Pfad hinunter zum Hof, durch die breite Eingangstür und die Treppe hinauf zu dem Himmelbett im Saal.

Dann erst kam die Hebamme, um zu kontrollieren, daß alles seine Richtigkeit hatte. Sie war äußerst zufrieden, und der Hebammenschnaps wurde auf einem Silbertablett serviert, sowohl in der Küche als auch im Saal.

Dina trank gierig, während die anderen nur nippten. Dann bat sie eines der Mädchen, die Seife aus der Kommodenschublade zu holen. Die Stimme ächzte wie bei einem unbenutzten Flaschenzug.

Sie legte die Seifenstücke in einem Kreis um den Jungen an ihrer Brust. Dreizehn nach Lavendel und Veilchen duftende Stücke. Ein magischer Kreis von Wohlgeruch.

Bald schliefen sie beiden.

Die Milch wollte sich nicht einstellen.

Sie fütterten das Kind zunächst mit Zuckerwasser. Aber das half auf die Dauer nicht.

Allen Frauen brach der Schweiß aus von dem ewigen Geschrei. Nach vier Tagen und Nächten war es nur noch ein ständiges Wimmern, unterbrochen von kleinen Pausen, wenn das Kind vor Ermattung einschlief.

Dina war blaß. Sie stimmte in das Gejammer der Frauen nicht mit ein.

Schließlich kam Tomas damit an, daß er von einem Lappenmädchen im Süden des Kirchspiels wußte, die gerade ein Kind geboren hatte, das aber gestorben war.

Sie hieß Stine. War mager, hatte große Augen, eine schöne, helle Haut und hohe Backenknochen.

Oline meckerte ganz offen über eine so magere Amme. Daß sie Lappin war, konnte sie gerade noch hinnehmen.

Aber es zeigte sich bald, daß die kleinen Brüste ein nie versiegendes Lebenselixier enthielten. Und der magere, sehnige Körper besaß eine Ruhe, wie geschaffen, um ein Kind einzulullen.

Sie hatte vor ein paar Tagen einen kleinen Jungen verloren. Aber das erwähnte sie mit keinem Wort. Zuerst war sie mißtrauisch, elend und wurde von der Milch fast gesprengt.

Man wußte, daß sie nicht verheiratet war. Aber niemand verspottete sie deswegen.

Es war Stine, die Gleichgewicht und Ruhe in die schweren, Wohlgeruch verbreitenden Julinächte brachte. Alles wurde leiser.

Ein süßlicher Geruch nach Kleinkind und Milch sickerte aus Stines Kammer. Floß durch den Gang bis in die hintersten Ecken. Sogar im Gesindehaus konnte man den Geruch von Frau und Kind ahnen, wie das auch zugehen mochte.

Dina lag sieben Tage im Bett. Dann fing sie wieder an herumzulaufen. Emsig wie eine Ziege am ansteigenden Hang.

»Ist es nicht das Kind, dann ist es Dina, die uns Kummer macht«, sagte Oline.

Es war ein heißer Sommer. Drinnen und draußen. Die Leute glaubten allmählich, daß es wieder so werden könnte wie früher. Als der Herr Jacob selig noch lebte und der Punsch den Verwandten, den Freunden und den privilegierten Reisenden von nah und fern angeboten wurde.

Stine stillte. Und schlich wie ein Schatten umher. Lautlos, als ob sie mit dem Sommerwind und dem Grundwasser verwandt wäre.

Oline hatte den Leuten gesagt, sie sollten nicht darüber sprechen, daß das Kind in einem Sommerstall geboren war.

Mutter Karen meinte, daß sogar der Herr in einem Stall geboren war und daß man es als ein Zeichen nehmen könnte.

Aber Oline ließ sich nicht überzeugen. Niemand sollte die Geschichte ausposaunen. Trotzdem kam es heraus. Dina auf Reinsnes war bei ihrer Hochzeit in Unterhosen bei den Gästen aufgetaucht, und jetzt hatte sie im Sommerstall geboren!

Dina begann in diesem Sommer durch alle Räume zu gehen.

Als sie einmal in die Küche kam, bemerkte sie, daß Oline Schuppen auf den Schultern habe.

Oline war tödlich beleidigt. Hatte sie vielleicht nicht diese verworfene Dame im Sommerstall entbunden? Mit dem Gesicht eines grimmigen Hundes, den man an der Treppe festgebunden hatte, schielte sie hinauf zu den Deckenbalken, als Dina gegangen war.

Zwischen Stine und Dina herrschte eine stumme Vertraulichkeit.

Sie standen manchmal zusammen an der Wiege – ohne daß viel gesprochen wurde. Sie war nicht vorlaut, diese Stine.

Eines Tages fragte Dina: »Wer war der Vater von dem Kind, das du verloren hast?«

»Er ist nicht von hier«, sagte sie.

»Ist es wahr, daß er Frau und Kinder hat?«

»Wer sagt das?«

»Die Männer im Laden.«

»Sie lügen.«

»Und warum kannst du dann nicht sagen, wer es ist?«

»Es ist nicht wichtig, das Kind ist tot...«

Diese harte Lebensphilosophie schien Dina zu gefallen. Sie sah Stine in die Augen und sagte: »Nein, du hast recht, es ist nicht wichtig! Es geht niemanden etwas an, wer der Vater ist.«

Stine schluckte und begegnete dankbar dem Blick der anderen.

»Unser Kind soll Benjamin heißen, und du sollst es über die Taufe halten!« fuhr Dina fort und griff nach dem kleinen, nackten Kinderfuß, der in der Luft strampelte.

Das Kind lag ohne Windeln da. Es war stickig warm im Obergeschoß. Es roch Tag und Nacht nach einem sonnenverbrannten Haus.

»Geht das denn?« fragte Stine erschrocken.

»Das geht. Du hast dem Würmchen das Leben gerettet.«

»Ihr hättet ihm ja verdünnte Kuhmilch geben können...«

»Unsinn! Du brauchst einen neuen Rock, einen neuen Unterrock und ein neues Mieder. Und der Pfarrer wird nach der Kirche hierherkommen.«

Der Lehnsmann war außer sich vor Wut, als er begriff, daß er sein erstes Enkelkind nicht über die Taufe halten und daß es nicht seinen Namen tragen würde.

»Jacob! Er müßte Jacob heißen!« donnerte er. »Benjamin ist ein kryptischer, biblischer Weibereinfall!«

»Benjamin ist der Sohn von Jacob – in der gleichen Bibel«, sagte Dina hartnäckig.

»Aber keiner in den zwei Familien heißt Benjamin!« rief der Lehnsmann.

»Ab nächsten Sonntag wird es der Fall sein! – Würdest du dich vielleicht ins Rauchzimmer zurückziehen, damit es Ruhe gibt.«

Der Lehnsmann blieb stehen. Mit dunkelrotem Gesicht. Die Leute in der Küche und in den Zimmern waren Zeugen des Auftritts. Der Lehnsmann war auf den Hof gekommen, um die Sache in Ordnung zu bringen. Und das war der Dank!

Er würde in der Kirche Seite an Seite mit dieser Stine stehen, diesem Lappendienstmädchen, das ein uneheliches Kind geboren hatte.

Der Lehnsmann konnte so verletzt sein, daß die Wut in ihm steckenblieb. Wenn der Zorn dann endlich ausbrach, konnte niemand mehr die Laute deuten.

Schließlich drehte er sich um und verkündete, daß er dieses Irrenhaus verlassen wolle. Und daß Benjamin ebensowenig ein Männername sei wie Maria.

»In Italien gibt es Männer, die Maria heißen«, bemerkte Dina trocken. »Fahr nach Hause und vergiß deine Pfeife nicht, sie liegt da drinnen. Und der Name ist und bleibt Benjamin!«

Auf der Treppe zum oberen Stock stand Stine und weinte lautlos vor sich hin. Sie hatte jedes Wort gehört.

Oline murmelte etwas, das keiner zu hören brauchte. Die Tagelöhner saßen bei ihrer Abendmahlzeit in der Küche und waren peinlich berührt.

Aber als sie auf dem Weg hinunter zum Gesindehaus waren, fingen sie an zu lachen. In der Tat, sie war hartnäckig, die junge Frau. Sie konnten es nicht ändern, aber sie mochten es. Niemand im Kirchspiel hatte eine Frau, die ihr Kind von einem Dienstmädchen über die Taufe halten ließ, nur weil dieses das Kind gestillt hatte!

Lehnsmann Holm ging mit wütenden, schweren Schritten hinunter zum Boot.

Aber als er den Grusweg hinter sich hatte, schien er sich ein wenig zu besinnen. Die Schritte wurden langsamer, bis er beim Bootsschuppen mit einem Seufzer stehenblieb.

Dann drehte er sich zum zweiten Mal an diesem Tag auf dem Absatz um und ging den gleichen Weg zurück. Machte auf der Treppe einen unnötigen Krach und rief zur offenen Tür hinein: »Dann laßt ihn halt in der Sünde leben und nennt ihn Benjamin! In Gottes Namen!«

Aber Dagny traf es hart. Sie wollte überhaupt nicht mit in die Kirche gehen. Diese eklatante öffentliche Beleidigung marterte sie Tag und Nacht.

Und als sie zur Kirche fahren wollten, war sie erkältet und fühlte sich miserabel, mit Kopfschmerzen und roten Augen.

Die Jungen sollten auch nicht ohne ihre Aufsicht mitfahren. Es waren inzwischen zwei.

Der Lehnsmann war sich seiner Schuld bewußt, als er ihre anklagenden Augen auf sich ruhen sah. Aber er ermannte sich, seufzte und erklärte, daß es trotz allem sein erstes Enkelkind sei. Er sei verpflichtet, zur Kirche zu fahren!

Er stand auf mit dem Taufgeschenk in der Tasche. Schließlich war er ein angesehener Mann. Und unsäglich erleichtert, daß er Dagnys Vorwürfen und ihren mißbilligenden Blicken entkam, die ständig besagten: Da kannst du sehen, was du für eine Tochter hast, mein guter Lars! So eine Schande!

Als ob er das nicht wüßte!

Die schlimmste Strafe waren Dagnys vielsagende Blicke und die anschließende Bemerkung über ihr eigenes vorzügliches Benehmen als junges Mädchen »da unten im Süden«. Das weckte einen solchen Zorn in ihm, daß er sich mehrmals hatte beherrschen müssen, seine großen Hände nicht um ihren Hals zu legen.

Aber der Lehnsmann würgte nicht und schlug nicht. Er blickte die Leute mit zwei dunkelblauen Augen an. Und war tief beleidigt und unglücklich, wenn etwas nicht stimmte.

Gutmütig und mit viel Ruhe bekam er es immer so hin, wie er wollte, auf dem Thing und auch sonst. Jedenfalls seit Dina in Reinsnes gut aufgehoben war.

Mehr als einmal dachte er dankbar an den toten Freund und an Mutter Karen. Wagte es jedoch nie, über die Situation in Reinsnes näher nachzudenken.

Nur wenige getrauten sich, ihm Gerüchte zu erzählen. Aber wenn Dagny ihn aus irgendeinem Grund züchtigen wollte, bekam er zu hören, wie schlimm es auf Reinsnes zuging. Mit einer Hausfrau, die nicht in ihrem Zimmer blieb, sondern nachts ausritt. Die Umgang mit Knechten und Dienstmädchen hatte.

Gelegentlich dachte er an Dinas Kindheit. Daß sie so lange von Sitte und Anstand ferngehalten worden war. Bis dieser seltsame Lorch kam. Der weder Fisch noch Fleisch war, wie Dagny zu sagen pflegte.

Rein gefühlsmäßig hatte der Lehnsmann in kurzen Augenblicken ein schlechtes Gewissen. Aber er faßte es als eine Beleidigung auf, die nur dazu angetan war, ihm zu schaden. Deshalb glaubte er in seinem vollen Recht zu sein, wenn er es wegschob.

3. Kapitel

Der süßsaure Duft des Kleinkindes und der Brustmilch hatte eine
sonderbare Wirkung auf alle. Besonders, weil seit dem letzten Mal
dreiundzwanzig Jahre vergangen waren.

Oline kam gelegentlich mit Vergleichen.

»Er hat Ähnlichkeit mit Johan!« Oder: »Es ist beinah so, als ob
man Johan sähe!« – »Er hatte auch diesen Ausdruck, wenn er in die
Windeln machte!«

Sie legte eine große Begeisterung für die Zukunft der Familie an
den Tag. Und war sehr damit beschäftigt, wie die Ohren an dem
Kopf des kleinen Benjamin saßen. Sie hatte sich darauf versteift,
daß sie ein wenig abstanden. Und das war ein fremdes Element in
der Familie. Sie sah Dina an, die ihre Ohren immer unter den Haaren versteckte.

Sie mußte sich zusammennehmen, um nicht zu untersuchen, ob
der Junge die spitzen Faunohren von seiner Mutter hatte.

»Der Lehnsmann bekam die Ohren abgeschnitten, als er klein
war, weil sie so häßlich waren«, bemerkte Dina respektlos.

Oline war gekränkt. Aber sie verstand die Andeutung. Und unterließ es, sich über das Aussehen des Jungen zu äußern, solange
Dina in der Nähe war.

Aber Stine bekam das eine oder andere zu hören. Anfangs
bekümmerte es Oline sehr, daß das Kind nicht ein einziges Haar auf
dem Kopf hatte. Und daß es ein großes Muttermal auf der linken
Schulter hatte.

Und sie belastete Stine damit, daß es an der Milch liegen könnte, wenn die Haare nicht wuchsen.

Da nützte es wenig, daß Stine und auch Mutter Karen es besser
wußten. Daß beide irgendein Kind kannten, das völlig kahl gewesen war, bis es anfing zu laufen. Und daß die Natur sich so etwas öfter mit einem Menschenkind erlaubte.

Benjamins erster Sommer war unerträglich heiß.

Stines Brustlappen wurden schnell sauer, und ständig hing ein Dutzend davon zum Trocknen auf der Leine hinter dem Waschhaus.

Der Flieder war so schnell verblüht, daß man den Duft kaum wahrgenommen hatte. Die Ernteaussichten waren bei der Trockenheit nicht gut. Die Hitze machte die Menschen schlapp und reizbar.

Unterdessen trank, weinte und schlief der kleine Benjamin wie ein junger Hund von guter Rasse. Alles an ihm wuchs, daß man zusehen konnte, außer den Haaren.

Er aß seine magere, kleine Amme förmlich auf. Sie bekam Schmerzen in den Backenzähnen. Und wurde immer dünner, obwohl Oline sie mit Butter und Sahne fütterte, damit die Milch reichlich floß.

Daß Dina es durchgesetzt hatte, daß Stine Benjamin über die Taufe hielt, hatte dem Lappenmädchen einen ungeschriebenen und unausgesprochenen Status verliehen, weit über Reinsnes hinaus.

Dina selbst schien das Ganze vergessen zu haben, sobald die Taufe vorüber war.

Und Stine nahm durchwachte Nächte, das Stillen, das Windeln und alles andere auf sich. Sie genoß das Ansehen, das sie bekommen hatte. Versteifte den mageren Rücken gegen das Gerede der Leute und genoß das Privileg, das Frühstück im Bett serviert zu bekommen, jeden Tag eingemachte Multebeeren und dicke Sahne. Samt frischer Butter und Honigmilch, um den Appetit zu steigern und zu stärken.

Was geschehen würde, wenn der Junge eines Tages abgestillt wurde, diesen Gedanken wies sie ängstlich von sich. Es waren noch ein paar Monate, und niemand sprach davon.

Jedesmal, wenn Stine das Kind in Dinas Arme legte, wurde ein magischer Kreis geschlossen. Schließlich kam es so weit, daß Dina das Kind nicht nahm, ohne daß Stine dabei war und es ihr gab. Stine war die erste und die letzte.

Als Mutter Karen und Oline sich eines Tages über Stine beugten, die den Jungen stillte, sagte Dina: »Stine soll so lange auf dem Hof bleiben, wie sie will. Wir brauchen sie noch zu mehr als nur zum Stillen!«

Mutter Karen war gekränkt, weil man sie nicht um Rat gefragt hatte, aber sie kam schnell darüber hinweg.

Es war also beschlossene Sache, daß Stine wohlgeborgen auf Reinsnes blieb, nachdem sie abgestillt hatte.

Von dem Tage an lächelte sie.

Ihre Zahnschmerzen legten sich, als sie endlich den Mut aufgebracht hatte, die Behandlung ihrer Backenzähne dem Schmied zu überlassen.

Tomas trug eine Erinnerung an Jacobs Beerdigungstag mit sich herum. Als ein wahnwitziges Geschehen.

Er sah Dina auf dem Treppengeländer reiten. Nackt und groß, den Unterrock zwischen sich und dem lackierten Holz, um besser zu gleiten.

Manchmal glaubte er, daß er geträumt hatte. Ein paarmal war er sich nicht ganz sicher.

Dann fiel ihm blitzartig ein, daß er, Tomas, auf dem Schaffell im Saal gelegen hatte.

Er war dadurch heimlich geadelt und verdammt worden. Er gehörte nicht mehr seinem eigenen Stand an. Es hatte nichts zu sagen, daß nur er das wußte.

Sein Rücken wurde straffer, und er bekam einen nach innen gewandten, hochmütigen Blick, der sich für einen Häuslerjungen und Stallburschen nicht gehörte.

Viele sahen es, aber niemand wußte, woher es kam. Er war ein Fremder auf Reinsnes. Einer, den Dina mitgebracht hatte.

Aber bei der Heuernte fiel es keinem ein, sich über Tomas lustig zu machen. Denn es war nicht möglich, mit seinem Tempo mitzuhalten. Neben ihm zu mähen vermied man tunlichst.

Endlich fanden sie etwas heraus, um ihn in Schach zu halten.

Sie ließen ihn den ganzen Tag das Heu mit der Heugabel auf den Wagen aufladen. Dann ließen sie ihn abends die schwierigsten Wiesenstücke allein mähen. In den Pausen mußte er nach dem Wetzstein oder der Sauermilchkanne laufen.

Tomas protestierte nie. Denn er sprang hinein in Bilder und Erlebnisse. Gerüche. Während er stundenlang die Arme mit den schweren Heulasten über den Kopf streckte. Oder während er zwischen dem Hof und den Wiesen hin- und herlief. Neue Wetzsteine holte, den Schleifstein drehte, bei Oline die Sauermilchkannen füllte.

In dem Sommer, als Dina gebar, war sein Körper ölig und dunkel von Schweiß und Sonne.

Jeden Nachmittag steckte er Kopf und Oberkörper in den Wassertrog auf der Pferdekoppel und schüttelte sich zusammen mit den Pferden.

Trotzdem brannte er. Er kam mit dem Löschen nie weiter als bis zu einer Reittour. Sie war ihm nie ganz nah, immer war sein Steigbügel dazwischen.

Er hätte sich dem Teufel verkaufen können, um das Eisen zu entfernen.

Dina war oft in der kleinen, steil abfallenden Bucht hinter dem Fahnenhügel. Gut versteckt zwischen Hügeln und Birkenwald. Und in annehmbarem Abstand von den Wiesen und Feldern und der Anlegestelle.

Sie lag bis zum Kinn in dem kühlen Wasser, während die Brüste oben schwammen, als ob sie Tiere wären, die eigenmächtig versuchten, schwimmen zu lernen.

Es kam vor, daß Hjertrud am Waldrand stand und mit halberhobenen Armen winkte, wenn Dina an Land ging.

Dann hielt Dina an, das Hemd oder das Handtuch teilweise um sich geschlungen. Blieb stehen. Bis Hjertrud sie ansprach oder verschwand.

Seit Dina aus dem Wochenbett aufgestanden war und wieder herumlief, versuchte Tomas mit seinem ganzen Scharfsinn herauszufinden, wann sie badete. Es waren die seltsamsten Zeiten.

Er hatte sein eigenes Warnsystem. Und er ließ alles stehen und liegen, jedenfalls wenn er auf dem Hof war.

Wachte er nachts auf, war er vorbereitet. Hatte eine Witterung, durch das Gras, am Gesindehaus vorbei, hinunter zur Bucht zu schleichen, um die ihn ein Fuchs hätte beneiden können.

Eines Tages stand er plötzlich vor Dina. Nachdem er mit Anstand gewartet hatte, bis sie angezogen und auf dem Weg nach oben war.

Kleine Vögel flatterten im Schatten der Bäume.

Von der anderen Seite des Sunds konnte man auf einem der Höfe die Essensglocke hören.

Die Blauwand hatte sich gerade den dunkelblauen Abendschatten angezogen, und es summte von Insekten. Der Duft des Heidekrauts und des sonnenverbrannten Tangs mischte sich mit allem anderen.

Dina blieb stehen und betrachtete den Menschen vor sich. Fragend. Als ob sie wissen wollte, wer er war. Sie hatte die tiefe Falte zwischen den Brauen. Das machte ihn unsicher. Trotzdem mußte er es wagen.

»Du hast gesagt, du würdest mir Bescheid geben...«

»Bescheid? Was für einen Bescheid?«

»Daß du mich sehen willst.«

»Und warum sollte ich dich sehen wollen?«

Er spürte, wie ihre Stimme jeden Knochen in seinem Körper zerbrach. Dennoch stand er aufrecht.

»Wegen... daß – der Tag, an dem Jacob... Wegen dem Tag im Saal...«

Er flüsterte es. Klagte es. Trug es ihr vor wie ein Opferlamm.

»Ich habe anderes zu tun gehabt.«

Sie stellte es fest, so wie sie im Geschäft die Endsumme der Bilanz zweimal unterstrich. Soundsoviel Überschuß. Soundsoviel Verlust wegen schlechten Fischfangs.

»Ja... aber...«

Sie benutzte ihr Lächeln. Das alle mißverstanden. Aber nicht Tomas.

Denn er hatte eine andere Dina erlebt. Im Saal. Seitdem hatte er es nie gemocht, wenn sie lächelte.

»Die Zeiten sind wohl anders geworden. Man tut das, was man tun muß«, sagte sie und sah ihm in die Augen.

Ihre Pupillen weiteten sich. Er sah den bernsteinfarbenen Fleck in der linken Iris. Erlebte die Kälte in den bleigrauen Augen wie einen physischen Schmerz. Es lähmte ihn. Er blieb stehen. Obwohl sie ein deutliches Zeichen gab, daß sie vorbeigehen wollte. Er wagte nicht, sie anzufassen, auch wenn sie sich so nahe waren, daß nur Haut und Kleider sie trennten.

Da schien ihr etwas einzufallen. Sie hob die Hand und legte sie auf seine flaumig weiche Wange. Sie war feucht vor Wärme, Spannung und Scham.

»Ich mußte eine Zeitlang Ruhe haben, ohne Angst«, sagte sie geistesabwesend. »Aber du kannst ja noch reiten.«

Am gleichen Abend ritten sie über die Scharte, noch bevor Dinas Haare richtig trocken waren.

Ein paarmal lenkte sie den Schwarzen mit strammen Zügeln an seine Seite, so daß ihr Stiefel ihn am Bein ritzte.

Es wurde Herbst. Das Laub verfärbte sich, und von weitem sah es so aus, als ob der Hang mit den Espen brannte.

Er wagte es nicht, ihr zuzusetzen oder etwas zu fordern.

Er würde es nicht verkraften, mehr als einmal am Tag abgewiesen zu werden.

Aber das verzehrende Feuer in seinem Körper wurde nicht gelöscht. Tomas schlief unruhig, mit vielen verwirrenden Träumen, die er im Gesindehaus nicht erzählen konnte.

Er hörte manchmal mitten in der Arbeit auf und spürte ihren Duft. Er glaubte, daß sie direkt hinter ihm stand, und drehte sich blitzschnell um. Aber sie war nicht da.

Indessen breiteten die Weidenröschen ihre rotvioletten Blüten über die Wegränder und wilden Wiesen.

Die Vogelkinder hatten längst fliegen gelernt. Die Möwe und die Seeschwalbe dämpften ihre Rufe zu einem gleichgültigen Girren, falls jemand mit Seelachs an Land kam. Und der Brunnen wurde langsam leer.

4. Kapitel

WER EINEN MENSCHEN RAUBT, SEI ES, DASS ER IHN VERKAUFT, SEI
ES, DASS MAN IHN BEI IHM FINDET, DER SOLL DES TODES SEIN.
(Das zweite Buch Mose, Kapitel 21, Vers 16)

Seit Dina sich von den Leuten nicht mehr fernhielt, sah Mutter
Karen mit steigender Unruhe, daß sie wieder zu recht ungehörigen
Einfällen und Gewohnheiten zurückkehrte.

Dina erregte Aufsehen, wenn sie unter Fremden war. Ihre Haltung entsprach beinahe der eines wohlhabenden Mannes mit großem Ansehen. Ohne eine Miene zu verziehen, rauchte sie nach dem
Essen Zigarren, falls sich die Gelegenheit dazu bot. Als ob sie Anstoß erregen und provozieren wollte.

Wenn die Herren sich ins Rauchzimmer zurückzogen, ging Dina
selbstverständlich mit.

Sie lag mit übergeschlagenen Beinen auf der Chaiselongue. Die
Hand, die die Zigarre hielt, ruhte lässig auf dem Plüsch.

Sie brachte es sogar fertig, die Schuhe wegzuschleudern.

Sie sagte nicht viel. Nahm selten an den Diskussionen teil, aber
erlaubte sich kurze Korrekturen, wenn sie meinte, daß etwas nicht
stimmte.

Die Männer fühlten sich überwacht und beklommen. Und die
gemütliche Stunde mit der Zigarre und dem Punsch war nicht
mehr das, was sie gewesen war.

Dinas Gegenwart und Mienenspiel ging den Herren auf die Nerven. Man konnte ihr, als der Hausherrin, nicht einmal höflich andeuten, daß sie unerwünscht war. Und sie ließ sich auch nicht vertreiben.

Es war, wie wenn der Pfarrer dabei wäre. Man konnte sich nicht
frei geben oder die richtigen Geschichten erzählen.

Frau Dina saß da mit ihrem Lächeln und hörte zu. Gab ihnen das
beklemmende Gefühl, sich zu blamieren.

Besonders schmachvoll war es, wenn sie das Gespräch unterbrach, um Zahlen zu korrigieren, Jahreszahlen, oder um ihnen zu
sagen, was sich am meisten für sie lohnen würde oder was in den
Zeitungen gestanden hatte.

Anfangs glaubten die Herren, sie würde aufstehen und gehen, wenn Benjamin irgendwo im Hause Laut gab. Aber sie hob nicht einmal die Augenbrauen.

Auf die Dauer wurde es Niels zuviel. Er verlegte die Punschstunde ins Kontor. Richtete sich mit der Zeit in einer Ecke einen kleinen Salon ein.

Aber Dina ließ sich nicht vertreiben. Beobachtete mit Argusaugen die Buchführung. Und trank von dem Kontorpunsch.

Als Benjamin etwa ein Jahr alt war, fand Dina Stine in Tränen aufgelöst mit Benjamin im Arm.

Es tropfte und tropfte. Lautlos. Der Junge starrte auf seine Amme, während er saugte. Ab und zu schloß er das eine Auge, weil er instinktiv gelernt hatte, daß ihm eine Träne mitten ins Auge fallen konnte.

Eigentlich saugte er nur wegen der Behaglichkeit und der menschlichen Nähe, denn Stines Brust fing an zu vertrocknen. Es sei auch Zeit, meinte Mutter Karen. Nach vielem Wenn und Aber bekam Dina Stines Geschichte zu hören.

Sie hatte sich verführen lassen. Hatte nicht geglaubt, daß sie schwanger werden könnte, solange sie stillte. Aber die alte Regel galt sicher nicht für solche wie sie.

Zunächst wollte sie nicht damit herausrücken, wer der Vater war. Aber Dina ließ nicht locker.

»Wenn du nicht sagen willst, wer der Vater ist, damit er deine Ehre wiederherstellt, dann kann ich dich nicht hierbehalten.«

»Aber das geht doch nicht«, weinte Stine.

»Warum geht das nicht?«

»Weil er ein vornehmer Herr ist.«

»Dann ist er nicht von Reinsnes.«

Stine weinte.

»Ist er von Strandstedet?«

Stine schneuzte sich und schüttelte den Kopf.

»Ist er von Sandtorg?«

So drängte Dina weiter, bis sie sich Klarheit darüber verschafft hatte, was sie eigentlich schon wußte. Daß Niels der Vater war.

Niels benutzte seinen Salon zu mehr als nur zu Punsch, wenn es nachts dunkel in dem Geschäftsgebäude war.

»Mir ist zu Ohren gekommen, daß Niels Vater wird!«

Dina schloß die Kontortür hinter sich und stemmte die Arme in die Seiten. Niels saß hinter dem großen Eichentisch.

Er sah auf. Sein Blick erlosch. Es fiel ihm schwer, ihrem Blick zu begegnen. Dann machte er eine Kehrtwendung und tat so, als ob er zum ersten Mal von dieser Geschichte hörte. Überstürzte Ausflüchte rannen heraus wie aus einem Zuckersack, der ein Loch bekommen hat.

»Die Beschuldigungen sind völlig unsinnig!« stellte er fest.

»Du bist alt genug, um dich unter Kontrolle zu haben, das brauche ich dir wohl nicht zu sagen. Aber ein Kind kommt nicht vom Heiligen Geist. Nicht in unserer Gegend! Das war bei den Juden. Es war ein besonderer Fall! Soweit ich es beurteilen kann, hast du hier mit Stine geschlafen. In diesem Raum!«

Niels widersprach, noch ehe sie fertig war. Sie redeten einen Augenblick gleichzeitig.

Da sprühten Funken in Dinas Augen. Mut und Verachtung paarten sich mit einer gewissen Freude.

Langsam ging sie ganz nah an den Schreibtisch heran, während sie seinen Blick festhielt. Dann beugte sie sich über ihn und legte den Arm leicht um seine Schulter. Ihre Stimme war wie das Schnurren einer Katze an einer Sonnenwand.

»Niels ist erwachsen genug, um zu wählen. Heute kann Er zwischen zwei Möglichkeiten wählen: Er kann Stine demnächst heiraten, oder Er kann Reinsnes für immer verlassen! Mit dem Lohn für ein halbes Jahr!«

Niels sah wie Rauhreif aus. Vielleicht hatte er geahnt, daß Dina nur auf eine Gelegenheit wartete, um ihn loszuwerden. Hatte das schon begriffen, als sie zum ersten Mal im Kontor in den Geschäftsbüchern wühlte.

»Sie will mich von Mutter Ingeborgs Hof vertreiben!« sagte er und war so erregt, daß er vornehm sprach.

»Es ist lange her, daß Ingeborg dieser Hof gehört hat!« erklärte Dina höhnisch.

»Das muß Johan erfahren. Heute noch!«

»Vergiß nicht zu erzählen, daß du in einem halben Jahr Vater wirst und versuchst, Stine mit der Schande sitzen zu lassen. Das wird Johan, der zukünftige Pfarrer, wohl für eine große Heldentat halten!«

Sie drehte sich um und wollte gehen.

»Niels kann heute abend kommen und mir mitteilen, wie Er sich entschieden hat«, sagte sie, ihm den Rücken zuwendend. Schloß behutsam die Tür hinter sich und nickte dem Ladenmädchen freundlich zu, das mit flatternden Ohren wie zufällig bei der Tür stand.

Er kam am Abend zu ihr hinauf in den Saal, als sie gerade spielte. Sie waren gut vorbereitet. Alle beide.

Er könne ein Lappenmädchen nicht heiraten! Eine, die schon ein Kind von einem anderen bekommen habe. Auch wenn das Kind gestorben sei. Das müsse Dina verstehen.

Auch habe er schon etwas anderes im Sinn. Er habe sich ein junges Mädchen aus guter Familie ausgesucht. Er nannte den Namen. Und lächelte Dina forschend an.

»Aber Er konnte das Feingefühl und den Gedanken, daß sie ein Lappenmädchen ist, beiseite schieben, als Er sie im Kontor auf den Rücken gelegt hat!«

»Sie hat mitgemacht!«

»Ja, natürlich, und sie macht jetzt noch mit. Es wächst und gedeiht in ihrem Bauch. Nur Niels macht nicht mit.«

»Es ist gegen Jacobs Willen, wenn ich gehen muß.«

»Niels weiß nichts von Jacobs Willen, aber ich weiß es!«

»Du drohst mir, daß ich mein Heim verlassen muß!«

Er setzte sich auf einen Stuhl.

Dina ging zu ihm hin und strich ihm über den Arm. Beugte sich über ihn.

»Wir brauchen dich nur zum Hochzeitstag. Dann kannst du gehen – oder bleiben«, sagte sie leise. »Bleibt Er, kann Er mit dem doppelten Lohn rechnen, wegen Stine.«

Niels nickte und fuhr sich mit der Hand über das Gesicht. Die Schlacht war verloren.

Eine tragische Gestalt wanderte an diesem Abend auf den Wegen zwischen den Häusern umher. Und er wollte kein Abendessen. Aber Niels hatte gelernt, daß man sich dort, wo man war, absichern mußte, solange man nicht fest im Sattel saß. Ungleiche Herren hatten ungleiche Gesetze.

Dinas Gesetz war anders als das der meisten Menschen.

Niels war lange Jahre sehr klug gewesen. Er hatte ein vielseitiges Handelstalent, sofern es darum ging, sich ein eigenes Einkommen zu verschaffen. Dieser Verdienst erschien nicht in den Abrechnungen.

Gelegentlich kamen Fischer oder Bauern zu Mutter Karen oder zu Anders, um sich über Niels' hartes Vorgehen zu beklagen, wenn sie ihre Schulden nicht bezahlen konnten.

Offen gestanden hatte Mutter Karen schon öfter einem armen Kerl seine Schulden im Laden beglichen. Damit Niels Ruhe gab.

Er behauptete, er könne das Gerücht, daß die Schulden gestrichen würden, nicht aufkommen lassen, denn sonst kämen sie alle angerannt und klagten ihre Not, damit auch sie ihre Schulden loswürden.

Aber Mutter Karen bezahlte.

Dina mischte sich in diese Dinge nicht ein, falls die Schuld notiert war.

Aber es war schon vorgekommen, daß Niels Schulden eintrieb, die nicht in den Büchern standen. Die nur auf mündlichen Abmachungen beruhten, wie Niels das nannte.

Diese Abmachungen wären nicht entdeckt worden, wenn die Leute sich nicht beschwert hätten.

Dina kniff den Mund zusammen und sagte: »Eine Zahl, die nicht in den Büchern steht, ist keine Zahl! Sie kann nicht eingetrieben werden.«

Niels sagte nichts mehr.

Er paßte nur auf, daß die Leute beim nächsten Mal keinen Grund hatten, sich zu beschweren.

Und die Begleichung der Forderungen war so verborgen wie ein Schatz im Himmel.

Niels hatte es übernommen, eine morsche Stelle im Fußboden des Kontors zu reparieren. Unter dem schweren Waschtisch, der mit einer dicken Marmorplatte in der Ecke hinter der Tür thronte. Die Sache geriet schnell in Vergessenheit, sobald sie erledigt war.

Die Mädchen bewegten den Waschtisch nie von der Stelle. Er war zu schwer. Sie putzten schön drum herum. Ließen den Putzlappen an dem blauen Sockel lecken.

Mit der Zeit war unten ein Streifen Farbe abgewaschen, und das blanke Holz schaute hervor. Die Scheine lagen sicher unter dem lose eingefügten Brett. In einer Schachtel aus bestem Blech. Das Vermögen vermehrte sich ständig.

Stine war verschwunden, als Benjamin ins Bett sollte. Er hatte den ganzen Tag im oberen Stock des Gesindehauses mit Garnknäueln gespielt, während die Mädchen unten mit Weben beschäftigt waren.

Zuerst waren sie ungehalten, als das Kind müde wurde und quengelte und längst schon hätte geholt werden müssen.

Dann sagten sie Oline Bescheid. Die Suche wurde in Gang gesetzt.

Dina suchte auch. Aber es nützte nichts. Nirgends eine Spur von Stine.

Am dritten Tag fand Dina sie in der kleinen Fischerhütte, aus der sie stammte.

Tomas und Dina kamen mit dem Ruderboot, um sie nach Hause zu holen. Stine saß beim Ofen und rührte die Suppe für die Abendmahlzeit, als Dina erschien. Das Gesicht war häßlich von Ruß und Tränen.

Sie wollte erst nicht reden. Schielte zaghaft zu der Familie, die drum herumsaß. Es gab nur einen Raum in der kleinen Hütte. Keine Möglichkeit, unter vier Augen zu sprechen.

Aber als das gichtkranke Knochengestell von Vater sich räusperte und sie gütig ansah, antwortete sie doch.

»Ich will den Niels nicht heiraten!«

Sie wollte lieber Schande und Strafe für das Verhältnis auf sich nehmen. Sie wollte nicht das ganze Leben von einem gequält werden, der gezwungen worden war, sie zu heiraten, nur damit er auf Reinsnes bleiben konnte.

»Er ist dort, seit er mit vierzehn Jahren die Eltern verloren hat!«
fügte sie hinzu. Es lag eine Anklage darin.

*Ich bin Dina. Ich brauche nicht zu weinen. Denn alles muß so sein, wie es
ist. Stine weint. Ich trage sie in mir. Schwer oder leicht. So wie ich Hjertrud trage.*

Die Anwesenden hörten, daß Frau Dina aus Reinsnes um Entschuldigung bat. Immer wieder.

Stines alter Vater saß in einer Ecke. Stines jüngere Schwester
übernahm die Essenszubereitung. Ein halbwüchsiger Junge ging
aus und ein und trug Holz herbei.

Keiner machte den Versuch, sich einzumischen. Schließlich wurde zu Tisch gebeten. Zu Heringssuppe und Flachbrot. Der Tisch
war derb. Weiß gescheuert wie gebleichte Walknochen. Die Gefühle lagen schwer in dem Dampf über dem Tisch.

Die Neuigkeit verbreitete sich. Wie die Funken von einem Feuer
dürrer Kiefern. Er konnte froh sein, dieser Niels, daß er sich
nicht im Gesindehaus aufhalten mußte. Denn er wurde nicht ge-
schont.

Stine hatte Niels verschmäht! Das war eine hübsche Geschichte.
Niels kroch herum und wollte sich Respekt verschaffen. Die
Dienstmädchen mieden ihn. Die Männer wichen ihm aus. Er war
ein Aussätziger. Die Justiz der Unterdrückten war vernichtend.

Aber Stine kam auf den Hof zurück. Sie wurde dicker. War rot-
wangig und gesund wie eine Rose, nachdem die anfängliche Mor-
genübelkeit sich gegeben hatte.

Sie sang Benjamin etwas vor und aß gut.

Mutter Karen machte mit den Gästen aus nah und fern Konversation und erzählte ihnen von ihren früheren Reisen in Europa. Daß
es stets dieselben Geschichten waren, tat der Sache keinen Abbruch.

Für wirklich berühmte Gäste waren sie jederzeit neu und wurden
zum ersten Mal gehört.

Und die alten Gäste gewöhnten sich an die vornehmen Berichte,
wie man sich an die Jahreszeiten gewöhnt. Mutter Karen hatte Ge-

schichten, die zur Bildung und zum Gemüt eines jeden Gastes paßten. Sie wußte immer, wann es genug war.

Oft zog sie sich mit einem gnädigen Seufzer schon zur Punsch-
zeit zurück und ließ ein paar Worte darüber fallen, daß sie sich
wünschte, jünger und rüstiger zu sein.

Dann übernahm Dina mit gnadenlosen Fingern. Jetzt kam die
Musik. Eine Erlösung. Fieber! Breitete sich über den ganzen Hof
aus, über Wiesen und Felder. An den Stränden. Erreichte Tomas
auf dem harten Lager im Gesindehaus. Schuf Trauer und Freude.
Je nachdem, wo der Ton hintraf.

5. Kapitel

DENN WIR STERBEN DES TODES UND SIND WIE WASSER, DAS AUF
DIE ERDE GEGOSSEN WIRD UND DAS MAN NICHT WIEDER SAMMELN
KANN; ABER GOTT WILL NICHT DAS LEBEN WEGNEHMEN, SONDERN
ER IST DARAUF BEDACHT, DASS DAS VERSTOSSENE NICHT AUCH VON
IHM VERSTOSSEN WERDE.
(Das zweite Buch Samuel, Kapitel 14, Vers 14)

Eines Tages stand Stines Bruder in der Küche von Reinsnes. Angetan mit der einfachen Kleidung der Seelappen aus gegerbtem Ren-
tierfell samt blauer Kappe mit Band. Die Lappenschuhe waren
abgetragen und durchnäßt.

Sie hatten kein Mehl mehr zu Hause. Er war übers Gebirge gegangen, um in Reinsnes um eine milde Gabe zu bitten. Und da war
er auf der Höhe von einem Bären überrascht worden.

Er hatte sich so erschrocken, daß ihm der eine Ski vom Fuß geglitten und den steilen Hang hinuntergesaust war. Den Rest des
Weges hatte er durch den tiefen Schnee stapfen müssen.

Der Junge hielt die Hände so, als ob er kein Gefühl in ihnen hätte.
Er war zartgliedrig und klein wie die Schwester. Im Jahr zuvor konfirmiert. Er hatte noch keinen Bartwuchs, nur einen Flaum hier und da
und einen mächtigen schwarzen Schopf über den intelligenten Augen.

Oline sah sogleich, daß er sich die Hände erfroren hatte. Stine
ging schweigend hin und her und traf ein paar Vorbereitungen.
Schmierte Wollappen mit Tran ein. Sie war gerade dabei, die armen
Finger zu verbinden, als Dina in die Küche kam. Es stank nach
Tranlappen, Schweiß und nassen Kleidern. Der Junge saß auf ei-
nem Schemel mitten in der Küche. Hilflos ließ er sich verarzten.

»Was ist los?« fragte Dina. Während sie ihr antworteten, kam
Jacob mit dem Gestank nach verfaultem Fleisch aus dem Windfang
herein. Es glich keinem anderen Geruch.

Dina griff nach dem Türrahmen und lehnte sich schwer dagegen, bis sie sicher war, daß sie stand. Dann ging sie hin zu dem Jungen und nahm die armen Hände in Augenschein. Da hörte Jacob
auf, Gerüche zu verbreiten.

Sie blieb stehen, während Stine einschmierte und verband. Der Junge weinte ein bißchen. Es war still in der blauen Küche. Nur der Fußboden knackte unter Stines Schritten.

Es ging dem Jungen bald besser dank Stines Behandlung. Er blieb auf dem Hof, bis er wieder ein ganzer Kerl war. Wurde in Tomas' Kammer einlogiert.

Er konnte sich nicht nützlich machen. Aber er fing nach ein paar Tagen an zu reden.

Tomas nahm die unerwartete Freundschaft mit einer gewissen Zurückhaltung an. Bis er merkte, daß es ihn näher zu Dina brachte, wenn er sich um den Jungen kümmerte.

Dina fragte, wie es Stines Bruder gehe. Sie trug ihm Genesungswünsche auf.

Tomas hatte Dina beigebracht, mit der Finnenbüchse zu schießen, schon bevor sie nach Reinsnes gezogen war. In aller Heimlichkeit an einem Berghang oberhalb von Fagernesset, wenn sie Schneehühner aus den Fallen holten. Auf dem Hof glaubten die Leute, daß nur Tomas sich im Schießen übte.

Der Lehnsmann hatte großes Vertrauen zu dem Jungen und verließ sich darauf, daß er kein Pulver verschwendete.

Später bekam Tomas die Finnenbüchse vom Lehnsmann geschenkt. Er wollte Bärenjäger werden.

Die Büchse war in Salangen geschmiedet worden. Von einem Finnen, der sein Handwerk verstand. Es war das Kostbarste, was Tomas besaß.

Und jedesmal, wenn von einem Bären die Rede war, stellte Tomas es so geschickt an, daß er mit auf die Jagd gehen durfte. Aber allein hatte er noch keinen Bären geschossen.

Dina war in die Kunst des Schießens eingeweiht worden, ohne daß sie auf der Jagd hatte üben können.

Der Lehnsmann akzeptierte, daß seine Tochter mit einem Finnengewehr umgehen konnte, solange sie nicht zuviel darüber redete, wenn Gäste da waren.

Jacob indessen hatte gemeint, daß Frauen nicht mit Pulver schießen sollten. Pulver war genauso teuer wie Gold.

Aber ebenso, wie er sich damit abfinden mußte, daß Dina Zigarren rauchte, mußte er zusehen, wie sie sich mit der Finnenbüchse im Schießen übte, als sie nach Reinsnes gekommen war.

Die Büchse hatte einen kurzen und schönen Lauf. Das Schloß war einfach und ohne besondere Raffinessen und erforderte desto mehr vom Schützen.

Die Waffe hatte keinen Deckel über der Zündpfanne und vergeudete das Schießpulver, so daß es einem um die Ohren stob.

Aber Dina hatte sich die nötigen Kniffe beigebracht. Geschicklichkeit und Blick stimmten mit der Waffe überein. Sie schien mit dem Schießpulver die gleiche Schnelligkeit und Sicherheit zu haben wie mit den Zahlen.

Die Bärengeschichte von Stines Bruder mußte wahr sein. Auch andere hatten den Bären gesehen. Und alles deutete darauf hin, daß er auf dem Weg übers Gebirge war. Jedenfalls hatte er fürs erste noch nicht an den Winterschlaf gedacht. Ein »Schlagbär«. Nicht sehr groß. Aber die Tatzen kräftig genug, um zwei Schafe zu schlagen, die im Herbst nicht vom Gebirge heruntergekommen waren.

Eines Abends erschien Dina im Gesindehaus bei Tomas. Sie paßte ihn ab, als er allein in der Kammer war.

»Wir gehen morgen auf die Jagd, Tomas. Wir müssen den Bären erlegen, der sich da herumtreibt!« sagte sie.

»Ja, ich habe auch schon daran gedacht. Aber Dina! Du kannst nicht mitkommen!« sagte er. »Ich nehme den Knecht von...«

»Schweig!« unterbrach sie ihn. »Niemand weiß, was wir vorhaben. Nur wir zwei erlegen den Bären! Hörst du, Tomas? Wir sagen, daß wir Fallen stellen.«

Es wurde still.

Dann willigte er ein. Er nickte. Er wollte den Bären gerne erlegen, nur um stundenlang mit ihr zusammensein zu können. Vom Morgengrauen an, bis es dunkel wurde.

Sie machten die Fallen fertig. Tomas versteckte das Gewehr in seinem Rucksack. Sie stellten die Fallen nicht weit entfernt vom Hof. Mit den Schneehühnern ließ es sich in diesem Jahr gut an. Sie hatten sich am Waldrand festgesetzt, und es sah nicht so aus, als ob sie große Eile hätten, ins Gebirge zu kommen.

Der Schnee war zeitig gefallen und hatte alles gut zugedeckt. Aber es lag nicht genug Schnee, um die Skier zu nehmen. Das Gelände war unwegsam und steinig. Es war anstrengend, stundenlang durch den Schnee zu stapfen. Aber sie verloren kein Wort darüber.

Die Schneehühner hatten die Farbe noch nicht gewechselt und waren in dem vielen Weiß deutlich zu erkennen.

Dann machten sie sich auf die Jagd nach Meister Petz.

Tomas ging mit der geladenen Büchse voran.

Dina leicht gebeugt hinterher, den Blick zwischen die Bäume gerichtet.

Stunde um Stunde bewegten sie sich in dem Umfeld, wo der Bär zuletzt gesehen worden war. Aber sie fanden keine Spur. Hörten ihn nicht. Schließlich mußten sie umkehren, da es anfing zu dämmern. Sie waren erschöpft. Die Enttäuschung, daß sie die Spur des Bären nicht gefunden hatten, saß tief in Tomas.

Sie schauten bei den Schneehuhnfallen nach, um wenigstens den Fang mitnehmen zu können.

Tomas hakte die Tiere aus und hängte sie an seinen Gürtel.

Ein Schneehuhn hatte sich bei dem Kampf um die Freiheit den Flügel halb abgerissen. Dunkelrote Tropfen fraßen sich in den mit Reif bedeckten Schnee. Ein Tier lebte noch, als Tomas es losmachte. Zwei runde, glühende Kohlenstücke blinkten sie ein paarmal an, ehe Tomas den kleinen Kopf auf dem Hals umdrehte und das Ganze vorüber war. Reif bedeckte die Moore. Es lag eine Ahnung von Rauhnebel in der Luft, wenn sie sich anhauchten.

Sie gaben den Bären nicht auf, auch als sie schon weit vom Gebirge heruntergekommen waren. Sie gingen hintereinander. Mit gutem Abstand.

Als sie bei dem Fuchseisen nachschauten, saß ein Hase darin. Der eine Hinterlauf war übel verletzt. Trotzdem machte er einen Satz, als Dina ihn aus dem Eisen herausnahm. Er taumelte zwischen den Birkenstämmen und schlüpfte hinter ein paar Buckel. Sie liefen beide hinterher. Dina fand ihn.

Sie versuchte, mit einem Stock den Kopf zu treffen. Aber sie traf nur den Hinterleib.

Es ruckte in dem kleinen Körper, bevor er auf drei Läufen über den Schnee flüchtete. Aber kurz darauf drehte er sich zu ihr um. Wimmerte wie ein neugeborenes Kind. Dann kroch er auf den Vorderläufen zu ihr hin, während er den verletzten Hinterleib nachzog. Weinte in die weiße Luft, und der Schnee rundum färbte sich langsam rot.

»Schlag zu!« sagte Tomas, als das Tier vor Dinas Füßen liegen blieb. Sie zeigte darauf. Der Tod war bereits in den Hasenaugen.

Ich bin Dina, die in dem Waschhaus von Fagernesset steht, indes der Dampf es nicht schafft, Hjertruds Schrei zu ersticken. Er zerbirst. Singt in den Fenstern. Zittert in allen Gesichtern. Klirrt in den Eisstücken in den Wassertonnen. Die ganze Welt ist rosa und weiß von Schrei und Dampf. Hjertrud wird langsam aus sich selbst herausgeschält. In Wellen und mit großer Kraft.

»Schlag zu!« sagte Tomas wieder.

Da wandte sie den Kopf und sah ihn an, als ob er nicht dazugehörte. Tomas schielte erstaunt zu ihr hin. Sein Mund kräuselte sich zu einem kleinen Lächeln.

Endlich bekam er Oberwasser. Zum ersten Mal. Er legte an und schoß. Der Schuß war so heftig, daß es den Hasen vom Boden hob. Der Kopf und der kleine Körper drehten sich vor ihren Augen in der Luft. Eine weiche, ersterbende Bewegung.

Dann wurde es still. Und der Pulverdampf legte sich auf sie beide. Dina wandte sich ab. Weiße Fellstücke lagen zwischen all dem Roten und Zerrissenen. Tomas hängte das Gewehr über die Schulter. Der Blutgeruch war scharf und nicht zu umgehen.

Als Dina sich umdrehte, stand der Mann da und beobachtete sie. Mit einem wissenden Lächeln.

Da wurde sie zu einem Luchs, der einer großen Beute an die Kehle sprang.

Es krachte auf dem Harsch, als der stämmige Mann zu Boden ging, die schwere Frau über sich.

Während sie sich herumwälzten, riß sie an seinen Kleidern und biß ihn in den Hals. Erst als er sich gefaßt hatte, begann er sich zu wehren. Sie atmeten heftig.

Zuletzt lag er ruhig unter ihr und ließ sie gewähren. Sie entblößte sein Glied und rieb ihre kalten Hände daran. Murmelte unzusammenhängende Worte, die er nicht verstand. Er schnitt vor Schmerz eine Grimasse und krümmte sich. Dann machte er die Augen zu und ergab sich.

Das Glied hob sich allmählich und kam ihr mit seinem glühenden, willigen Kopf entgegen. Sie hatte Schwierigkeiten, sich in ihren Kleidern zurechtzufinden. Kurz entschlossen zerschnitt sie die Kleider mit seinem Jagdmesser.

Tomas zuckte zusammen, als die Klinge aufblitzte, aber Dina setzte sich nur auf ihn und öffnete sich für seinen Speer. Dann ritt sie ihn. Wild.

Sie kam hoch auf die Knie und ließ sich knurrend mit ihrem ganzen Gewicht auf ihn fallen.

Er spürte, wie ihr warmer Schoß sein ganzes Sein umarmte. Hie und da ein eisiger Luftzug, wenn sie sich hob. Eisnadeln durchlöcherten ihn.

Er hatte mit blutigen Händen ihre Hüften umfaßt und hielt sie fest. So fest.

Die Haare fielen ihr über das Gesicht wie ein dunkler Wald. Der Abendhimmel stach ihm die Augen aus, als er einmal versuchte, sie anzusehen. Der gesprenkelte Hase war Zeuge. Rot und weiß.

Als alles vorüber war, sank sie zusammen – und blieb schwer auf ihm liegen.

Das Gesicht wurde langsam naß. Es tropfte auf seinen Hals. Er rührte sich nicht. Nicht bevor sie laut weinte. Da tastete er sich durch ihre Haare, und sein Blick fiel auf ihr eines Auge. Ein offenes Loch im Eis.

Er stützte sich auf die Ellenbogen, und sein Mund suchte ihre Stirn. Dann barst es auch für ihn. Der Schnee unter ihm war geschmolzen und hatte ihn durchnäßt, die Kälte schlug plötzlich von allen Seiten über ihm zusammen.

Sein Zittern pflanzte sich in ihrem Körper fort, in langen, kalten Wellen. Die Sonne hatte sich längst in die Berge gestürzt. Der Harsch stach mit eiskalten Nadeln in die Handflächen.

Sie standen auf und gingen Hand in Hand nach Hause, bis sie so nahe an die Häuser kamen, daß sie von den Leuten überrascht werden konnten. Da lösten sich ihre Hände voneinander. Nichts wurde gesprochen.

Er trug die Schneehühner und den Hasen. Sie die Finnenbüchse. Der Lauf zeigte ruhig zur Erde und bewegte sich im Takt mit ihren Schritten.

Als sie auf den Hof kamen, räusperte sich Tomas und sagte, daß er lieber einen Kreuzfuchs gefangen hätte. Er habe im Jahr davor einen schwarzen Fuchs gefangen und ihn einem russischen Händler für einen guten Preis verkauft. Zehn Speziestaler seien ein schöner Nebenverdienst.

Sie antwortete nicht.

Der Mond war herausgekommen. Es war spät.

Hjertrud war nicht da. Sie ließ sich nicht einen einzigen kleinen Augenblick aus den Ecken hervorlocken.

Aber Jacob mahlte und knirschte wie eine Mühle. Und um fünf Uhr morgens holte sie den Hasen, der unter dem Dach des Gesindehauses hing, wetzte das Messer und enthäutete das, was von dem Hasen noch übrig war. Es gab keinen anderen Ausweg.

Sie mußte fest ziehen, damit das Fell abging. Unwillig, aber dennoch... Der tote Körper zog die enthäuteten bläulichen Gliedmaßen an sich, als sie fertig war und ihn losließ. Sie schienen sich noch immer vor dem Ende schützen zu wollen.

Sie schnitt die Gliedmaßen ab und fing an, das Tier zu zerlegen. Ungewohnt, wie ihr die Arbeit war, ging sie ihr nicht schnell von der Hand. Mit jedem Stück, das von der ursprünglichen Ganzheit abgetrennt wurde und immer mehr einem gewöhnlichen Stück Fleisch von irgendeinem Tier glich, beruhigte sich der ohrenbetäubende Schrei.

Der Wind pfiff um die Hausecken. Das Messer kratzte an Knochen und Knorpeln. Der Schrei wurde schwächer und schwächer. Bis Hjertrud an ihrer Seite stand, mit heilem Kopf, und alles so wohltuend still wurde.

Zuletzt legte sie den Hasen in kaltes Wasser. Er war umgeben von einem bläulichen Häutchen, das ihr seine Regenbogenfarben sandte. Durch das Wasser hindurch.

Sie stellte die Wanne mit dem Hasen gut zugedeckt auf die Bank im Windfang. Machte die Bank sauber. Deckte auch Blut und Fell zu, damit Aasfresser und Vögel nicht darüber herfielen.

Die Hände waren von der Arbeit und dem eiskalten Wasser sehr mitgenommen. Sie trocknete sie warm und ging eine Zeitlang in den Zimmern umher, derweil der Morgen kam. Dann zog sie sich langsam aus und kam zur Ruhe, während der Hof erwachte.

6. Kapitel

DARUM SOLLT IHR AUCH DIE FREMDLINGE LIEBEN; DENN IHR SEID
AUCH FREMDLINGE GEWESEN IN ÄGYPTENLAND.
(Das fünfte Buch Mose, Kapitel 10, Vers 19)

Reinsnes war aus dem Dämmerzustand erwacht. Man konnte nicht
mit dem Finger auf etwas Bestimmtes zeigen. Aber Mutter Karen
glaubte, daß es seinen Anfang nahm, als Dina endlich in dem Netz
gefangen wurde, das Verantwortung heißt. Und sie war darauf bedacht, sie zu loben.

»Du bist eine tüchtige Kaufmannswitwe, liebe Dina!« konnte sie
sagen. Ohne zu erwähnen, daß man eigentlich auch eine Hausfrau
brauchte.

Mutter Karen wurde allmählich alt. Sie zog in die Kammer hinter
dem Wohnzimmer. Konnte die Treppen nicht mehr gehen.

Sie holten einen Mann, der etwas vom Schreinern verstand, und
er entfernte eine Wand zwischen zwei Kammern. Mutter Karen bekam Platz für Bett und Bücherschrank.

Sie brauchte diese Möbelstücke und einen alten hochlehnigen
Barockstuhl unbedingt.

Der Schlüssel zum Bücherschrank steckte immer, aber niemand
anders als Mutter Karen rühre das Schloß an.

Die Kammer wurde tapeziert und in hellen Farben gestrichen.
Dabei hatte Mutter Karen eine gute Hilfe an Dina. Ja, eine Zeitlang
hatten sie tatsächlich einen gewissen Kontakt.

Dinas praktische Art und ihre Fähigkeit, alles in Gang zu halten,
freuten Mutter Karen. Und wie schon so oft dachte sie: Wäre doch
Dina so tatkräftig und praktisch in allen Dingen, die Reinsnes be-
treffen!

Oder sie murmelte vor sich hin: »Würde Dina doch einen passenden Mann finden!«

Benjamin wuchs heran und begann Reinsnes zu erforschen. Er
dehnte seine Wege bis hinunter zu den Lagerhäusern und dem La-

den und hinauf in die Hügellandschaft mit dem Sommerstall aus. Zäh wie ein Weidenzweig stapfte er zusammen mit Stines Hanna durch die Gegend. Um die Welt außerhalb des weißen Hauptgebäudes zu ergründen. Immer mit einer tiefen Falte zwischen den Augenbrauen.

Er hatte nicht Mama oder Mutter sagen gelernt. Und er hatte keinen, den er Vater nennen konnte. Aber er hatte manchen Schoß, auf den er klettern konnte.

Alle hatten einen Namen und ihren eigenen Geruch.

Mit geschlossenen Augen erkannte er, wer zu dem Geruch gehörte, den er einsog. Alle Leute waren für ihn da. Daß sie dazwischen auch noch andere Dinge zu tun hatten, bekümmerte ihn wenig. Irgend jemand war immer da, wenn er einen brauchte.

Stine war die Beste. Sie roch nach frischem Seetang oder nach sommerwarmen Blaubeeren. Oder roch nach Sachen, die nachts draußen gehangen hatten. Ihre Hände waren weiche, ruhige Tiere. Braun, mit kurz geschnittenen Nägeln.

Das dunkle, struppige Haar lag dicht an den Schläfen. Lockte sich nicht an der Stirn, wenn sie schwitzte, wie bei Dina. Stines Schweiß roch besonders gut. Wie offene Kräuterschubladen. Besser als die Walderdbeeren hinter der Koppel.

Mutter Karen hatte viele Geschichten und freundliche Augen. Ihre Worte kamen wie ein guter Wind. Sie glich ihren Blumen. Die wuchsen in Töpfen auf dem Fensterbrett und ließen im Winter ein wenig die Köpfe hängen.

Dina war fern wie ein Unwetter draußen im Meer. Benjamin suchte sie nicht oft auf. Aber ihre Augen sagten ihm, wem er gehörte.

Sie erzählte keine Geschichten. Aber sie packte ihn ab und zu am Nacken. Hart. Trotzdem tat es gut.

Sie setzte ihn auf das Pferd, falls sie Zeit hatte, daneben zu gehen und das Pferd am Zaum zu führen. Sie sprach ruhig mit dem Schwarzen. Aber sah Benjamin an.

Die Leute sagten, daß Hanna Stines Kind war, doch eigentlich gehörte sie Benjamin. Sie hatte kurze Finger und Augen wie gebrühte Mandeln. Wenn sie blinzelte, zitterten die langen geraden Augenwimpern auf der Wange.

Benjamin spürte manchmal einen Schmerz in der Brust, wenn er Hanna ansah. Es war ein Gefühl, als ob ihn jemand da drinnen gerissen hätte. Er konnte nicht entscheiden, ob es ein gutes oder ein schlechtes Gefühl war. Aber er fühlte es.

Eines Tages kam ein Kunstmaler mit Staffelei, Reisekorb und einer Leinentasche voller Tuben und Pinsel an Land.

Er wollte nur die Frau auf Reinsnes begrüßen, die er vor ein paar Jahren in Helgeland getroffen hatte. Bat den Kapitän so lange zu warten, bis er wieder zurückgerudert wurde. Ganz schnell ...

Der Kapitän schickte einen Boten an Land, als sie schon eine Stunde Verspätung hatten und alle in ungeduldiger Aufbruchstimmung waren.

Aber der Kapitän mußte das Gepäck des Mannes an Land bringen lassen. Die »Prinds Oscar« fuhr ohne diesen Passagier nach Norden. Denn er saß im Rauchzimmer und lauschte Dinas Cellospiel.

In den letzten Jahren hatte Dina öfter das Cello heruntergeholt, wenn Gäste da waren.

Die Inseln im Sund schienen an diesem eisfarbenen Sommerabend im Himmel zu schweben.

Der Kunstmaler nannte es ein flimmerndes Wunder! Eine Sinnestäuschung! Er mußte bis zum nächsten Dampfer bleiben, denn das Licht war wie Seide und Alabaster auf Reinsnes!

Aber es gingen noch viele Dampfer, bis er den letzten Pinselstrich setzte.

Dieser bemerkenswerte Mann wurde der neue Lorch. Obwohl er in jeder Beziehung Lorchs Gegenteil war.

Er kam wie ein grollender Vulkan an einem Tag im Juni. Sprach eine Art Schwedisch mit fremdem Akzent und hatte seinen eigenen Rum in einem Tongefäß mit Zapfhahn dabei.

Haare und Bart waren schneeweiß und umrahmten ein braungegerbtes Gesicht mit unzähligen Runzeln. Die Nase ragte wie ein imposanter Bergrücken in die Welt hinaus.

Die Augen saßen dicht beieinander, waren dunkel und lagen tief im Kopf. Als ob er sie zurückzöge vor der Dummheit und der Bosheit dieser Welt, um sie für ein besseres Dasein zu schonen.

Der Mund war rosig, wie bei einem jungen Mädchen, mit großen sinnlichen Lippen. Die Mundwinkel kräuselten sich unaufhörlich nach oben.

Die Hände sahen aus, als ob sie in Teer gesteckt hätten. Dunkelbraun. Sie waren kräftig und feinfühlig zugleich.

Dieser Mann lief mitten in der heißen Sonne mit einem pechschwarzen Filzhut und einer Lederweste herum. Die Weste hatte mangels Taschen einen tiefen Schnitt im rechten Brustteil. Dahinein steckte er Pinsel oder Pfeife, je nach Bedarf.

Pedro lachte, daß es durch Haus und Nebengebäude schallte. Und er sprach sechs Sprachen. Jedenfalls sagte er das.

Mutter Karen durchschaute, daß die Fertigkeiten in Deutsch und Französisch nicht überwältigend waren. Aber sie entlarvte ihn nicht.

Als Pedro Pagelli hatte er sich vorgestellt. Keiner glaubte ihm auch nur annähernd, was er von seiner Herkunft erzählte. Denn seine Geschichten und Familientragödien wechselten den Charakter und den Inhalt genau so, wie sich der Mond am Himmel veränderte oder die Menschen am Tisch einander ablösten. Aber erzählen konnte er!

Bald stammte er von einem Zigeunergeschlecht aus Rumänien ab, bald war er von adligem italienischem Herkommen. Dann war er Serbe, und seine Familie war durch Krieg und Verrat auseinandergerissen worden.

Dina versuchte, ihn betrunken zu machen, um die Wahrheit zu erfahren. Aber der Mann schien diese unglaublichen Geschichten so gründlich gelernt zu haben, daß er selbst an sie glaubte.

Man trank nachts im Gartenhaus oder im Rauchzimmer beträchtliche Mengen Wein. Die wahre Geschichte bekam jedoch niemand zu hören.

Statt dessen bekamen sie Bilder. Pedro malte sie alle. Und er malte Jacob nach einem anderen Bild so lebendig, daß Mutter Karen die Hände zusammenschlug und guten Madeira anbot.

Als Dina und er eines Tages in die Andreasbrygge gingen, um die Leinwand zu holen, die mit dem Dampfschiff geschickt worden war, geriet er außer Rand und Band über den Lichtkegel, der durch die offenen Ladetüren im Giebelraum hereinfiel.

»Hjertrud kommt da herein«, sagte Dina plötzlich.

»Wer ist Hjertrud?«

»Meine Mutter!«

»Tot?« fragte er.

Dina sah ihn überrascht an. Ihr Gesicht hellte sich auf. Sie holte tief Luft und fuhr fort: »Sie ist lange an den Stränden herumgewandert. Aber jetzt ist sie hier! Sie kommt durch die Ladetür im Giebelraum herein und geht durch die Heringsnetze, die ganz unten hängen, hinaus. Wir gehen alle Treppen gemeinsam, ehe sie verschwindet…«

Pedro nickte eifrig. Wollte noch mehr hören.

»Wie sah sie aus? War sie groß? So groß wie du? Welche Farben hatte sie?«

Dina zeigte ihm am gleichen Abend Hjertruds Gemälde. Sie erzählte von den Falten im Rock und von dem Haar, das einen Wirbel auf der rechten Seite hatte…

Er war so hingerissen von Hjertrud, daß er ins Lagerhaus zog und sie ganz lebendig zwischen vielen Treibnetzen malte. Es gelang ihm, ihre Gesichtszüge hervorzuholen.

Er sprach mit ihr, während er malte.

An dem Tag, als Pedro im Begriff war, das Bild zu beenden, tauchte Dina unverhofft auf.

»Du hast die Augen eines Menschen, der seine Seele bewacht«, murmelte er zufrieden zu dem Bild.

Dina war zuerst eine Säule hinter ihm. Er konnte nicht hören, daß sie atmete, und nahm es als ein gutes Zeichen.

Als das Geräusch hinter ihm zu einem Donnergrollen wurde und der Fußboden schwankte, drehte er sich erschrocken um.

Dina saß auf dem rissigen Boden und heulte.

Ein verlassener, wütender Wolf. Ohne Hemmungen oder Scham. Der Wolf saß im hellen Sonnenschein auf seinen Hinterbacken und weinte sich in seinem erschreckenden Lied aus.

Endlich schien sie zu begreifen, daß sie sich ganz unmöglich benahm. Sie trocknete die Tränen und lachte.

Pedro wußte, was jeder wahre Clown weiß, daß der Humor die sicherste Stütze der Tragödie ist. So ließ er sie mit beiden Phasen fertig werden. Warf ihr nur einen fleckigen Lappen zu, um das Ärgste aus dem Gesicht zu wischen.

Er malte unverdrossen weiter bis zum letzten Pinselstrich. Da war die blaue Stunde diesig weiß geworden, und die Geräusche auf dem Hof waren nur ein schwaches Summen. Die Schatten machten die Ecken zu Skizzen auf altem Pergament. Die Gerüche waren in ihnen.

Hjertruds Duftwasser schlich umher. Sie hatte wieder ein heiles Gesicht.

Hjertruds Bild wurde in den Salon gehängt. Alle, die auf den Hof kamen, bemerkten es. Sogar Dagny.

»Ein brillantes Kunstwerk!« sagte sie gnädig und beauftragte Pedro, die Familie des Lehnsmanns zu malen.

Pedro verbeugte sich und dankte. Er würde mit Freuden die Lehnsmannsfrau malen. Sobald er Zeit hätte...

Er malte Dina mit dem Cello. Sie hatte einen grünlichen Körper und war ohne Kleider. Das Cello war weiß...

»Das ist das Licht«, erklärte Pedro.

Dina sah das Bild verwundert an. Dann nickte sie.

»Einmal werde ich es in einer großen Galerie in Paris ausstellen«, sagte er träumend. »Es heißt ›Das Kind, das seine Trauer in Töne faßt‹«, fügte er hinzu.

»Was ist Trauer?« fragte sie.

Der Mann sah sie schnell an, dann sagte er: »Für mich sind es alle Bilder, die ich nicht deutlich sehe... Aber die ich dennoch mit mir herumtrage.«

»Ja«, sagte sie. »Es sind die Bilder, die man mit sich herumträgt.«

Ich bin Dina. Jacob geht immer an meiner Seite. Er ist groß und still und zieht den Fuß nach, den sie ihm nicht abgenommen haben. Der Geruch ist weg. Jacob verschwindet nicht, so wie es Hjertrud manchmal tut. Er ist ein Dampfschiff ohne Dampf. Treibt ruhig auf mich zu.

Hjertrud ist eine Mondsichel. Bald zunehmend, bald abnehmend. Sie schwimmt vor mir.

Pedro und Dina behielten »Das Kind, das seine Trauer in Töne faßt« für sich. Sie hatten eine Witterung dafür, daß es für die Augen der guten, braven Leute nicht geeignet war.

Es wurde in alte Laken eingewickelt und in die Kammer gestellt, in der Jacob zeitweise geschlafen hatte. Hinter die alte Chaiselongue ...

Pedro vertrug keinen Winter mit Schnee und Kälte. Er schrumpfte zusammen. Wurde alt und schwach wie ein krankes Pferd.

Als der Frühling kam, glaubten sie, er würde an Husten, Schnupfen und Fieber sterben. Stine und Oline fütterten ihn fast gewaltsam mit stärkenden Nahrungsmitteln.

Anfangs ging der Mann beinahe ein von dem vielen Essen. Dann erholte er sich allmählich und saß im Bett und malte. Da wußten sie, daß er das Schlimmste überstanden hatte.

Mutter Karen las ihm die Zeitungen vor, die Briefe von Johan und alles, was ihr in die Hände kam.

Aber von der Bibel wollte er nichts wissen.

»Die Bibel ist heilig«, brummte er düster. »Die soll man in Ruhe lassen, wenn Heiden im Zimmer sind.«

Wer Heide sein sollte, war nicht auszumachen. Mutter Karen entschloß sich, es nicht persönlich zu nehmen.

Benjamin stand oft in der Tür der Gästekammer und starrte den alten Mann an, der so viele Farben vor sich auf einem Brett hatte. Er folgte entzückt dem Pfeifenrauch, der zwischen den Hustenanfällen des Mannes zu den Deckenbalken wirbelte.

Der Junge starrte, bis er zum Bett gewinkt wurde und eine schwere Hand sich auf seinen Kopf legte.

Er sah in zwei lustige Augen. Da lächelte Benjamin. Und schaute den Mann erwartungsvoll an.

Und der Mann hustete, paffte an seiner Pfeife, machte ein paar Striche mit dem Pinsel und fing an zu erzählen.

Benjamin liebte es vor allem, daß Pedro im Bett lag. Da wußte er, wo er ihn fand.

Und Dina konnte ihn nicht klauen. Denn Dina scheute Krankenzimmer.

Pedro blieb bis September. Dann führte ihn das Dampfschiff fort.

Mit einem einzigen Signalton war er fort. Mit dem Filzhut und der Weste, mit den Farben und dem Reisekorb. Und mit dem Rumfäßchen, das einen Zapfhahn hatte. Im Keller von Reinsnes war es bis an den Rand gefüllt worden. Den Reiseproviant gönnte man ihm.

Ich bin Dina. Alle gehen fort. »Das Kind, das seine Trauer in Töne faßt« ist fort. Ich habe Hjertrud von der Wand genommen. Ihre Augen sind nicht mehr da. Ich kann nicht auf ein Bild sehen, das keine Augen hat. Trauer, das sind die Bilder, die man nicht sehen kann, aber die man dennoch mit sich herumträgt.

7. Kapitel

KANN AUCH ROHR AUFWACHSEN, WO ES NICHT FEUCHT IST, ODER
SCHILF WACHSEN OHNE WASSER?
NOCH STEHT'S IN BLÜTE, BEVOR MAN ES SCHNEIDET; DA VER-
DORRT ES SCHON VOR ALLEM GRAS.
(Das Buch Hiob, Kapitel 8, Vers 11 und 12)

Ein kindliches Geheimnis, in einem Heuschober zu rasten wie zwei
davongelaufene Kinder.

Tomas sammelte Brosamen, und nichts wurde fortgeworfen. Er
lebte sein einsames Leben im Gesindehaus zusammen mit Männern, mit denen er nichts gemein hatte.

Er bekam seinen Lohn. Und arbeitete während der Heuernte für
zwei. Als ob er ihr zeigen müßte, daß er ein Mann war. Wurde nie
damit fertig, es ihr zu zeigen. In jedem Frühjahr. Bei jedem Ritt. Bei
jeder Heuernte.

Und allmählich bekam Tomas die Verantwortung für die Heuernte, die Tiere, den Kuhstall und den Pferdestall. Er machte den
alten Melker überflüssig. Die Verantwortung wurde ihm mit Dinas
Einverständnis zugeschoben.

Und Tomas träumte. Von Dina und dem Pferd mit den hängenden
Deichseln ohne Schlitten und Hausherrn. Träumte sein Gewissen.

Danach hatte der Schwarze tagelang Jacobs Augen. Die Augen
fragten nach Benjamin. Er hatte das Gefühl, daß er, Tomas, alles
tragen müßte.

Beachtete ihn Dina eine Zeitlang nicht, meinte er den Gestank
einer Hexe zu vernehmen, wenn sie vorbeistrich. Er verglich sie mit
anderen schlanken Mädchen, die er gesehen hatte. Mädchen mit
schmalen Handgelenken und scheuen Augen.

Aber die Träume kamen angeglitten und vereitelten jede Ab-
wehr. Legten ihren großen, schönen Körper dicht neben ihn. So
daß er das Gesicht zwischen ihren Brüsten verstecken konnte.

Jedesmal, wenn er sie stundenlang im Lagerhaus hin- und hergehen hörte, spürte er so etwas wie Zärtlichkeit.

Einmal schlich er sich in das Haus und rief sie beim Namen. Aber sie wies ihn wütend ab. Wie man einen lästigen Stallburschen abweist.

Tomas konnte Benjamin nicht ansehen, ohne daß er die Gesichtszüge des Jungen erforschte. Die Farben. Die Bewegungen. War er Jacobs Sohn?

Es wurde eine Besessenheit. Ein Gedanke, der immer über allen anderen Gedanken lag. Er sah die hellen Augen und das schwarze Haar des Jungen. Dinas Merkmale. Aber womit waren sie gemischt?

Eines war sicher: Dieser Junge würde nie so groß werden wie Jacob oder Dina.

Aber er glich auch nicht Johan. Und Johan war Jacobs Sohn...

Tomas lockte den Jungen. Gewann sein Zutrauen. Machte sich unentbehrlich. Erzählte ihm, daß er keine Angst vor dem Schwarzen zu haben brauche, denn das Pferd habe Wache gestanden, als er geboren wurde.

Benjamin kam oft zu den Pferden. Weil Tomas im Stall war.

Dina ging systematisch vor, um alle verschwundenen Zahlen zutage zu fördern. Zahlen verschwanden nicht einfach wie Wörter. Es gab immer einen Ort, auch wenn ihn anscheinend niemand entdeckte.

Zahlen konnten sein wie verschwundene Lämmer im Gebirge. Aber sie waren da. In irgendeiner Form. Und das würde Niels verraten! Früher oder später. Er hatte den Schlüssel zu den heimatlosen Zahlen.

Sie hörte jedoch auf zu nörgeln. Suchte nur mit Falkenaugen. Arbeitete sich durch die alten Geschäftsbücher und Papiere von vorn bis hinten durch.

Sie beobachtete Niels' sämtliche Geschäfte. Solche, die er offen abwickelte, und andere, die er unter der Hand machte.

Bis jetzt hatte sie noch keine einzige fehlende Buchung bemerkt. Niels hatte einen lächerlich geringen Verbrauch an Kleidern. Lebte anspruchslos wie ein Mönch. Er besaß eine Schnupftabaksdose aus Silber und einen Spazierstock mit einem ebensolchen Handgriff. Beides Geschenke von Ingeborg, lange vor Dinas Zeit.

Aber Dina gab nicht auf.

Als ob die Jagd und die Zahlen den größten Eigenwert hätten. Nicht das Geld.

Der Buchhalter, der nach Jacobs Tod aus Tromsø gekommen war, hatte Dina das Nötigste an einfacher Buchführung beigebracht.

Der Rest kam allmählich durch Übung. Es spielte sich so ein, daß Niels die tägliche Arbeit übernahm und Dina kontrollierte.

Es ging einigermaßen gut, bis sie anfing, sich für den Laden zu interessieren. Das heißt, für die Ausrüstung der Schiffe und die Fahrt nach Bergen und für den Handel im Laden.

Dinas Zahlen standen in den verschiedenen Geschäftsbüchern. Ihre Buchstaben waren groß und nach links geneigt, mit einzelnen Schnörkeln und Schlingen. Sie ließen sich nicht nachmachen.

Es galt, die erforderliche Menge Salz und Mehl, Sirup und Branntwein zu bestimmen. Kleine Dinge zum täglichen Gebrauch. Aufwendige Ausrüstungen mit Hanfseilen und Fischereigerät mußten berechnet werden, für den eigenen Bedarf und auch für die Pächter.

Auch Anders kam zu Dina mit seinen Anforderungen für die Schiffe und den Betrieb. Und genau das wurde zu einer Eiterbeule zwischen den Brüdern.

Niels hielt sich an den Tagen, an denen Dina im Kontor war, sorgfältig fern.

Als er eines Tages hereinkam und sich allein glaubte, saß sie unerwartet am Schreibtisch.

»Dina kann ja gleich die gesamte Buchführung übernehmen«, sagte er düster.

»Und was soll der gute Niels dann anfangen?« fragte sie.

»Die Bestellungen für den Laden kontrollieren und dem Gehilfen zur Hand gehen«, antwortete er schnell. Als ob er die Antwort bereits geübt hätte.

»Niels taugt nicht dazu, jemandem zur Hand zu gehen«, bemerkte sie und schlug das Geschäftsbuch mit einem Knall zu. Überlegte es sich anders und schlug es mit einem Seufzer wieder auf. »Niels ist beleidigt. Er ist schon lange beleidigt. Ich glaube, da fehlt etwas...«

»So? Was sollte das sein?«

»Das neue Küchenmädchen hat Andeutungen gemacht, daß du sie kneifst – und sie störst –, wenn sie beim Bettenmachen und dergleichen in der Kammer ist.«

Niels sah zur Seite. Wütend.

»Niels sollte heiraten«, sagte sie langsam.

Der Teufel ritt ihn bei diesen Worten. Sein Gesicht verdunkelte sich. Er holte einen Mut hervor, den er selten zeigte.

»Macht Dina mir da einen Heiratsantrag?«

Er schaffte es sogar, ihr spöttisch in die Augen zu sehen.

Einen Augenblick starrte sie ihn verblüfft an. Dann kräuselte sie den Mund zu einem Lächeln.

»Wenn Dina eines Tages freit, braucht der, den es betrifft, nach nichts zu fragen! Er soll nur antworten!«

Dina unterschrieb etwas, die Zungenspitze im rechten Mundwinkel. Dann griff sie nach dem Silberknauf der schweren Löschpapierrolle, die immer griffbereit stand. Rollte sie über »Dina Grønelv«.

Ihr Namenszug wurde aufgesaugt. In Spiegelschrift. Aber deutlich genug.

Ich bin Dina. Niels und ich, wir zählen alle Dinge auf Reinsnes. Ich besitze die Zahlen, wo immer sie auch sind. Niels ist zu ihnen verurteilt. »Der Sklave zählt. Der Herr sieht.« Niels gibt nichts. Auch nicht sich selbst. Er ähnelt Judas Ischariot. Dazu verurteilt, der zu sein, der er ist. Judas ging hinaus und erhängte sich.

Niels ließ die Finger von den Dienstmädchen, lebte sein einsames Leben, nahe bei ihnen allen.

Manchmal sah er die kleine Hanna an, wenn sie vorbeitrottete. Er rührte sie nicht an. Rief sie nicht. Aber gab ihr braunen Zucker aus der Schublade. Schnell. Als ob er Angst hätte, daß es jemand sehen könnte.

Oder er murmelte ein paar hastige Worte zu dem Ladengehilfen, der daraufhin ein großes Stück Zucker abschnitt und es in die kleine Hand legte.

Hanna hatte Stines gelbe Haut und ihre dunklen Augen. Aber

wenn sie gekränkt war, konnte ein Eingeweihter sehen, daß sie sich mit den gleichen Bewegungen zurückzog wie Niels. Wie ein Wolfsjunges, das von seinem eigenen Rudel erschreckt wurde.

Dem Lehnsmann kamen Geschichten über Dina zu Ohren.

Meist waren es alte Neuigkeiten, die ihn nicht beunruhigten. Aber eines Tages wurde ihm ins Ohr geflüstert, daß die Frauen auf Reinsnes, Stine und Dina, wie Eheleute zusammenlebten.

Da war der Lehnsmann so erbittert, daß er sich auf den Weg nach Reinsnes machte.

Dina kam sein Gepolter vor wie der heftige Nordwestwind, der im Winter über die Blauwand fegte.

Als er ins Zimmer trat und mit ihr allein zu sprechen wünschte, beruhigte er sich. Er vergaß die Worte.

Das Thema war äußerst heikel. Er wußte nicht, wie er es anpacken sollte.

Schließlich spuckte er sein Anliegen in einer ganz ungehobelten, primitiven Sprache heraus und schlug mit der Faust auf den Tisch.

Dina erstach den Lehnsmann mit blitzenden Augen. Er kannte das gut. Und wich zurück.

Er sah, wie ihre Gedanken arbeiteten, noch ehe er fertig war.

Sie kommentierte nichts von dem, was der Lehnsmann gesagt hatte. Machte nur die Tür zur Anrichte auf und bat das Mädchen, Niels zu holen. Und sie schickte auch nach Stine, Oline, Mutter Karen und Anders.

Niels erschien aus Respekt vor dem Lehnsmann.

Er kam ruhig herein und legte wohlerzogen die Hände auf den Rücken, nachdem er dem Lehnsmann die Hand zum Gruß gereicht hatte.

Die Ärmelschoner glitten immer wieder auf die Handgelenke, und er errötete vor Unsicherheit.

Dina sah ihn fast zärtlich an, während sie sagte: »Ich habe gehört, daß Niels gut darüber informiert ist, was Stine und ich treiben. Daß wir wie Eheleute zusammenleben!«

Niels schnappte nach Luft. Aber er stand merkwürdig fest. Nur der enge Hemdkragen bedrängte ihn, so daß er schluckte.

Der Lehnsmann war mehr als betroffen. Die Menschen in dem Raum hatten keine Augen, und die Türen standen auf bis zur Küche. Das Gespräch dauerte nicht lange. Niels leugnete. Dina war sich ihrer Sache sicher. Trotzdem hörte sie ihm gelassen zu, als er das Ganze ein bösartiges Gerede nannte, mit dem man einen Keil zwischen ihn und Dina treiben wollte.

Plötzlich beugte sich Dina mit glasigen Augen zu ihm hinüber. Und spuckte auf seine Schuhspitzen.

»Da sitzt wohl die Bosheit, möchte ich meinen. Bitte schön!«

Der Mann wurde blaß. Wich zurück. Wollte etwas sagen. Aber überlegte es sich anders. Die ganze Zeit sah er hilflos von Dina zum Lehnsmann.

Niels hatte in den Schankstuben gesessen und hie und da ein paar Worte fallen lassen. Und die Leute hatten sie für bare Münze genommen.

Der Lehnsmann setzte seinen mächtigen Apparat gegen Niels in Bewegung. Sorgte dafür, daß das Sündenregister des Mannes an den Tag kam. Seine Untauglichkeit als Verwalter des Ladens und die Feigheit in Vaterschaftssachen. Seine Gier. Sein Traum, Reinsnes mit aller Pracht zu übernehmen, indem er Dina heiratete. Und daß er kläglich abgewiesen worden war.

Danach war Niels ein gebrochener Mann. Daß er immer noch auf Reinsnes blieb, verstand niemand.

Aber es herrschte Ruhe zwischen ihm und Dina. Er war kein würdiger Gegner mehr.

Dina bat Oline, Lammbraten zu machen. Innen noch rosa und außen scharf gebraten und knusprig. Sie ließ guten Wein aus dem Keller holen und lud das ganze Haus und die Familie des Lehnsmanns zu einem Versöhnungsessen ein.

Niels lehnte, ohne ein Wort zu sagen, ab. Er erschien einfach nicht.

Mit seinem leeren Gedeck konnte Dina allen Leuten zeigen, daß es nicht an ihr lag.

Niels saß mit seiner Pfeife im Kontor und wollte nicht zu den Herrlichkeiten hereingeholt werden.

Heimlich ging Stine mit einem Korb voll von dem, was Küche und Keller zu bieten hatten, zu ihm hinunter. Er ließ sie nicht herein, aber sie setzte den Korb vor die Tür.

Als sie abends, ehe sie zu Bett ging, den Korb holte, war fast alles Eßbare und Trinkbare fort. Übrig waren nur noch Soßen und Reste der steif gewordenen Verzierung. Und der Bodensatz in einer Flasche. Sie schmuggelte alles hinauf in die Küche. Oline fragte nicht, schaute sie nur schräg von der Seite an und seufzte, während sie ihrer Arbeit nachging.

Aus dem Wohnzimmer hörte man Klavierspiel. Die Töne flossen siegesbewußt zu ihnen heraus.

Eines Tages halfen Dina und Benjamin Mutter Karen, eine Garnhaspel zu entwirren, die Hanna durcheinandergebracht hatte. Sie saßen in Mutter Karens Kammer.

Benjamin zeigte auf die Gemälde an der Wand und fragte nach dem Mann, der einmal dagewesen war und Bilder von den Leuten gemalt hatte.

»Er hat zwei Briefe geschickt«, antwortete Dina. »Er stellt Bilder aus, und es geht ihm gut.«

»Wo ist er jetzt?«

»In Paris.«

»Was macht er da?«

»Er versucht berühmt zu werden«, erzählte Dina.

Mutter Karen nahm Jacobs Bild von der Wand und gab es Benjamin in die Hand.

»Das ist Jacob«, sagte sie feierlich.

»Der gestorben ist, bevor ich kam?«

»Er ist dein Vater«, flüsterte Mutter Karen bewegt. »Ich habe dir das Bild schon früher gezeigt ...«

»Wie war er, Dina?« fragte Benjamin. Mutter Karen wirkte fast drohend, wenn sie gerührt war, da hielt er sich lieber an Dina.

»Er war der schönste Mann in der ganzen Gegend. Er war Mutter Karens Junge, auch wenn er schon groß und erwachsen war. Wir waren verheiratet. Er stürzte in den Wasserfall, ehe du geboren warst.«

Benjamin hatte die gleichen Worte schon früher gehört. Er hatte auch ein paar Westen und Hemden vom Vater gesehen. Sie rochen nach Tabak und Meer. Ungefähr so wie Anders.

»Er war ein unglücklicher Mann, weil er so früh sterben mußte«, sagte Mutter Karen und schneuzte sich in ein winzig kleines Taschentuch mit Spitzenkante.

Benjamin beobachtete sie. Wenn sie so war, wie ein kleiner Vogel, bekam er auch Lust zu weinen.

»Niemand ist unglücklich, weil er sterben muß. Es sind die Lebenden, die unglücklich sind«, sagte Dina.

Mutter Karen sagte nichts mehr über das Unglück der Toten.

Aber Benjamin merkte, daß da mehr zu sagen war, und kroch auf ihren Schoß. Um zu trösten.

Dina war für ihn wie ein ganz dunkler Dachboden, und er hielt sich für den Rest des Tages von ihr fern.

Dina redete nie mit ihm, wenn er mit seinen Sachen auf dem Fußboden spielte, und holte ihn nie herein, wenn er im Garten war. Sie rief nicht und regte sich nicht auf, wenn er ohne Erlaubnis unten am Strand war.

In einer Sommernacht, kurz nachdem Mutter Karen von Jacobs Unglück gesprochen hatte, sah Benjamin Dina in dem großen Vogelbeerbaum im Garten sitzen.

Er war aufgewacht und wollte hinaus und nachsehen, ob die Hühner Eier gelegt hatten, denn er glaubte, es wäre Morgen.

Sie saß ganz ruhig und sah ihn nicht.

Er vergaß die Eier und blieb bei dem Lattenzaun stehen und starrte sie an.

Da winkte sie, aber er sah, daß sie nicht ganz sie selbst war.

»Warum ist Dina auf den Baum geklettert?« fragte er, als sie herunterkam.

»Dina ist immer auf Bäume geklettert.«

»Warum?«

»Es ist schön – da hinaufzukommen – näher zum Himmel.«

»Ist es wahr, was Mutter Karen sagt, daß Jacob im Himmel wohnt?«

Dina sah ihn endlich offen an. Und er spürte, daß er sich gerade danach gesehnt hatte.

Sie nahm ihn an der Hand und ging mit ihm zum Haus. Der Tau legte sich schwer auf ihren Rocksaum. Zog sie zur Erde herunter.

»Jacob ist hier. Überall. Er braucht uns.«

»Warum sehen wir ihn nicht?«

»Wenn du dich dort auf die Treppe setzt, ja, genau da! Dann spürst du ihn ein klein wenig in deiner Nähe. Nicht wahr?«

Benjamin setzte sich, die kleinen braunen Hände auf den Knien, und gab sich dem Gefühl hin. Dann nickte er energisch.

Dina stand einen Augenblick sehr ernst neben ihm.

Ein ängstlicher Wind schmiegte sich zwischen die beiden. Wie ein Atem.

»Ist er nur hier auf der Treppe, Dina? Ist er nur hier?«

»Nein! Überall. Er braucht dich, Benjamin«, sagte sie. Als ob sie bei dem Gedanken erstaunt wäre.

Dann ging sie langsam ins Haus. Ohne zu sagen, daß er mitkommen oder ins Bett gehen solle.

Benjamin spürte, wie sehr er sie entbehrte.

Er ging barfuß über den Hofplatz zum Hühnerhaus. Dort roch es nach Heu und Hühnerdreck. Er sah die Hühner auf ihrer Stange sitzen und begriff, daß es noch Nacht war.

Als er nachmittags am Küchenfenster stand und hinausschaute, sagte er plötzlich mit lauter, stolzer Stimme zu Oline: »Da reitet Dina! Verdammt! Dina reitet schnell!«

»Auf Reinsnes sagt ein Junge nicht ›verdammt‹.«

»Hat Jacob nicht ›verdammt‹ gesagt?«

»Jacob war ja ein Mann.«

»War Jacob immer ein Mann?«

»Nein.«

»Hat er ›verdammt‹ gesagt, wenn er kein Mann war?«

»Puh!« sagte Oline verlegen und strich mit den fleischigen Händen abwechselnd über die Schürze. »An dir erziehen zu viele herum. Du bleibst ja dein Leben lang ein Heide!«

»Was ist ein Heide?«

»Einer, der ›verdammt‹ sagt!«

Benjamin ließ sich vom Schemel gleiten und trollte sich hinaus.

Dann ging er durchs Haus, bis er Mutter Karen fand. Ihr offenbarte er feierlich, daß er ein Heide war.

Es gab eine ziemliche Aufregung deswegen.

Oline indessen blieb dabei. Der Junge wurde zu wenig erzogen. Er entwickelte sich zu einem Wildling. Genau wie seine Mutter.

Sie blinzelte ihn an. Da verwandelte sich ihr Gesicht in eine vertrocknete Kartoffel mit alten weißen Keimen, die an beiden Seiten herunterhingen. Die Haarzotteln schauten immer unter dem Kopftuch hervor.

In den Vollmondnächten, wenn der Schlaf nicht kommen wollte, saß Dina im Gartenhaus, bis sich alles beruhigte und die Welt in Streifen zwischen Himmel und Meer wegfloß.

Sie fuhr Jacob durch die unordentlichen Haare. Als ob nie etwas zwischen ihnen vorgefallen wäre. Sie sprach mit ihm darüber, daß sie wegfahren wollten. Übers Meer. Irgendwo in ihrem Körper saß eine Wut. Die er verstand.

8. Kapitel

SIEHE, GOTT IST GROSS UND UNBEGREIFLICH; DIE ZAHL SEINER
JAHRE KANN NIEMAND ERFORSCHEN.

ER ZIEHT EMPOR DIE WASSERTROPFEN UND TREIBT SEINE WOL-
KEN ZUSAMMEN ZUM REGEN,

DASS DIE WOLKEN ÜBERFLIESSEN UND REGEN SENDEN AUF DIE
MENGE DER MENSCHEN.

SIEHE, ER BREITET SEIN LICHT UM SICH UND BEDECKT ALLE
TIEFEN DES MEERES.
(Das Buch Hiob, Kapitel 36, Vers 26–28 und 30)

Mutter Karen datierte ihre Briefe mit 1853. Ab und zu kam die
Welt etwas näher. An den Tagen, an denen das Dampfschiff die
Zeitungen brachte. Louis Napoleon Bonaparte war Kaiser von
Frankreich geworden. In der Zeitung stand, daß die Monarchisten,
die Liberalen und die konservativen Bonapartisten sich um einen
starken Führer zusammengeschlossen hätten, um »das rote Gespenst« zu bekämpfen. Die Revolutionswelle schwappe von Land
zu Land.

Mutter Karen hatte Angst, daß die Welt in Brand geraten könnte, bevor Johan wieder nach Hause kam. Sie hatte sich in den letzten Jahren viel Sorgen um ihn gemacht. Er blieb so ewig lange weg.
Sie wußte nicht, was er trieb. Ob er seine Examina machte. Ob er
überhaupt einmal zurückkehrte.

Seine Briefe gaben ihr nicht das, wonach sie sich sehnte. Sie las
sie Dina vor, um von ihr Trost und einen Kommentar zu bekommen.

Und Dina hielt mit ihrer Meinung nicht hinter dem Berg.

»Er schreibt, wenn er kein Geld mehr hat! Er bekommt doppelt
soviel, wie sein Erbe ausmacht. Mutter Karen ist zu gutmütig, wenn
sie ihm von Ihrem eigenen Geld zusteckt.«

Daß Johan ihr einmal versprochen hatte, aus Kopenhagen zu
schreiben, erwähnte sie nicht. Es war jetzt neun Jahre her. Mit
Johan brauchte man nicht mehr zu rechnen. Nur noch auf dem
Verlustkonto.

Als der Winter sich bereits seinem Ende zuneigte und es im April anfing zu tauen, wurden sie plötzlich von einem Meter Schnee überfallen und von einem Sturm, der alles, was nicht niet- und nagelfest war, ins Meer fegte.

Auf den Häuslerstellen entlang der Küste saßen wieder viele Witwen. Und da Frost und weitere Unwetter folgten und die Schneeschauer wie eine Wand zwischen den Höfen standen, kamen die Leichen erst im Laufe des Juni ins Grab.

Die Erde hielt den Frost fest. Der Regen wollte nicht kommen und dem längsten Winter seit Menschengedenken ein Ende machen.

Hjertrud zeigte sich während des ganzen Frühlings nicht. Dina wanderte in den Lagerhäusern auf und ab. Stundenlang. Bis die Kälte unter den Wolfspelz kroch und auch ihre Füße mit einem eiskalten Griff umklammerte, so daß sie gefühllos wurden und ihren eigenen Weg in die Wärme gehen wollten.

Der Frühling wurde für Tier und Mensch härter, als es der Winter gewesen war. Es wurde sogar von der Kanzel um Tauwetter gebetet und in den Hauspostillen um Regen und Schneeschmelze gejammert.

Der Sommer kam Mitte Juni. Mit einer Wärme, die alle Lebewesen wie ein Schlag traf. Die Birke stand mit ihrem schlanken weißen Stamm halb versteckt im Schnee. Das Laub war aufgesprungen und lag wie ein unsittlicher Schleier auf den dünnen Zweigen.

Erst wiegten sie sich leicht, in der Nacht, als der Südwestwind kam. Dann gaben sie sich hin. Einer nach dem anderen, den Berghang hinauf. Wiegten sich und waren mitten in dem großen, brausenden Leben. Es ging alles so schnell. So schnell.

Dann kamen die Schneeschmelze und die Überschwemmung. Das Wasser stand auf Wiesen und Feldern, brauste durch die Schluchten. Riß die Straße oben in der Scharte mit und donnerte den gleichen Weg hinunter, den Jacob einmal mit dem Schlitten genommen hatte.

Dann legte sich der Aufruhr. Nach und nach. Es wurde endlich alles grün.

Die Menschen und Tiere kamen aus ihren Häusern. Vertraute Sommergeräusche wagten sich hervor. Zuletzt waren die Tage satt an Sonne, Teer und Fliederduft. Spät, aber unendlich wohltuend.

Ich bin Dina. Die Laute dringen zu mir wie ferne Rufe oder lästiges Flüstern. Oder wie donnernder Lärm, der die Trommelfelle auffrißt.

Ich stehe im Eßzimmer am Fenster und sehe Benjamin mit einem Ball im Garten spielen. Ich werde in Hjertruds Trichter hineingesaugt. Wirbelnd schnell. Kann nicht dagegen ankämpfen.

Da ist Lorchs Gesicht! So groß, daß es die ganze Fensterfläche ausfüllt, so weit der Fjord reicht und noch weiter. Benjamin ist ein kleiner Schatten in Lorchs Pupille, in der er in großer Eile herumschwirrt.

Lorch hat Angst! Ich lasse ihn zu mir herein. Es ist der 7. Juli.

Es war während der späten Fliederblüte, als ein Brief aus Kopenhagen kam. Adressiert an den Lehnsmannshof mit Dinas Namen. Schräge, zierliche Schrift.

Der Lehnsmann schickte einen Knecht mit dem Brief nach Reinsnes. Er war kurz. Als ob jeder Satz mit großer Mühe in einen Stein gemeißelt worden wäre:

Meine geliebte Dina!
Ich liege in Kopenhagen. Werde endlich sterben. Die Lunge ist ausgezehrt. Ich habe nichts zu vererben. Ich wünsche Dir alles Gute. Jeden Tag bereue ich es, daß ich weggegangen bin.
Ich war nicht gesund genug und hatte auch nicht das Geld, um zurückzukommen. Aber das Cello lebt. Dina! Willst Du es nach Hause holen? Mache es behutsam. Es ist ein edles Instrument.
Dein Lorch.

Dina ging durch die Lagerhäuser. Durch alle drei, der Reihe nach. Durch alle Räume.

Sie beachtete Hjertrud den ganzen Tag nicht. Jacob war nur ein Staubwirbel.

Sie jammerte leise vor sich hin. Die Schuhe hackten die Stunden in Stücke. Das Tageslicht war hoffnungslos ewig. Warf sich durch die schmalen Fenster auf den Fußboden.

Sie ging im Todesreich. In die Lichtkegel und wieder hinaus. Es war ein Alptraum und ein schöner Traum.

Dann lehnte Lorch sich endlich an ihre Stirn.

Später traf sie Lorch immer, wenn sie zur Ruhe kommen wollte.

Er war im Tod, wie er im Leben gewesen war, scheu und unbeholfen.

Jedes Jahr während der Fliederblüte wanderte sie über die neu mit Muschelsand bestreuten Gartenwege. Zwischen den Beeten, die mit gleich großen, runden Steinen eingefaßt waren. Das Meer hatte sie gemahlen und geformt, beleckt und hergegeben.

Dort war Lorch. Sie hatte sie alle zusammen nach Reinsnes geholt. Auch Lorch. Er gehörte ihr. Die Entdeckung war ein brausender Ton aus dem Meer. Ein melancholischer Celloton. Baßtöne von Geröllhalden und Felsen. Ein hemmungsloses Erlebnis von Lust und Notwendigkeit.

9. Kapitel

ZUM FEST ABER HATTE DER STATTHALTER DIE GEWOHNHEIT, DEM
VOLK EINEN GEFANGENEN LOSZUGEBEN.
   DA FRAGTE SIE DER STATTHALTER: WEN VON DEN BEIDEN SOLL
ICH EUCH FREIGEBEN? SIE ANTWORTETEN: BARABBAS!
(Das Evangelium nach Matthäus, Kapitel 27, Vers 15 und 21)

In der Passagierliste der »Tromsø Stiftstidende« stand, daß der
cand. theol. Johan Grønelv mit der »Prinds Gustav« in der ersten
Klasse von Trondhjem komme.
   Mutter Karen war außer sich vor Freude und wischte sich die
Tränen ab. In der letzten Zeit hatte er nur selten geschrieben. Aber
sie wußten, daß er endlich sein Abschlußexamen gemacht hatte.
   Er war in all den Jahren nicht zu Hause gewesen. Aber in einem
Brief an Mutter Karen hatte er gesagt, daß er nach Hause kommen
wolle, um seinen Geist auszuruhen, nachdem er die Nase so lange
in die Bücher gesteckt habe.
   Falls Dina eine gewisse Unruhe wegen des heimkehrenden Johan verspürte, dann verbarg sie es gut.
   Der Theologe erwähnte in seinem letzten Brief, daß er sich mit
vielen Zweifeln und in vollem Bewußtsein, daß es unbescheiden sei,
um eine Pfarrstelle in Helgeland beworben habe. Aber er erwähnte nicht genau, wo.
   Dina meinte, daß er sich um eine Pfarrstelle weiter südlich hätte
bewerben sollen. Sie seien einträglicher, fügte sie hinzu und sah
Mutter Karen in die Augen.
   Mutter Karen kümmerte sich nicht um einträglichere Pfarrstel-
len. Sie versuchte sich zu erinnern, wie er aussah und wie er sich
verhalten hatte, als sie ihn zuletzt sah. Aber die Gedanken gingen
in eine andere Richtung. Jacobs Tod wurde übermächtig. Sie seufzte und blätterte in Johans Briefen. Bereitete sich gründlich darauf
vor, ihn als den zu empfangen, der er war: Mann und Theologe.

Ich bin Dina, die einen Jungen mit ängstlichen Augen kennt. Das Wort
PFLICHT steht ihm auf der Stirn geschrieben. Er gleicht Jacob nicht. Er

223

hat struppiges blondes Haar, das im Salzwasser war, und schmale Hand-
gelenke. Ich mag sein Kinn. Es hat einen Spalt und weiß nichts von der
Pflicht auf der Stirn. Wenn er kommt, hat er ein fremdes Gesicht aufge-
setzt, um sich vor mir zu verstecken.

Mutter Karen und Oline planten einen glanzvollen Empfang. Der
Pfarrer sollte eingeladen werden! Die Lehnsmannsfamilie. Alle, die
etwas darstellten!

Es sollte ein Kalb geschlachtet und guter Madeira angeboten
werden. Die Silbersachen wurden durchgesehen. Ebenso Tisch-
decken und Steingut.

Oline plante voller Freude und sehr energisch. Jacobs Sohn
mußte gefeiert werden!

Sie nahm Benjamin in die Lehre und brachte ihm bei, vor dem
älteren Bruder einen Diener zu machen.

»So!« erklärte sie ihm und schlug die Hacken zusammen wie ein
General.

Und Benjamin machte ihr das Kunststück mit großem Ernst und
präzise nach.

Unter Mutter Karens Oberaufsicht wurde die Dachstube nach
Süden, die sie selbst vorher bewohnt hatte, instand gesetzt. Es blieb
wenig Zeit zu einer Renovierung nach ihren Vorstellungen.

Aber sie beharrte darauf, trotz Dinas gerunzelter Brauen, daß die
beiden gelben Ledersessel aus dem Saal in Johans Kammer gebracht wurden. Und der Mahagonibücherschrank mit den Elfen-
beinrosetten an den Türgriffen sollte aus ihrer Kammer zu dem
jungen Theologen gebracht werden.

Die Männer, Tomas voran, zogen und zerrten, während Mutter
Karen im Gang auf einem Stuhl saß und mit heller Stimme kom-
mandierte.

Es wirkte auf die Männer, die da schwitzten und keuchten, wie
ein sanfter Peitschenschlag in den Nacken.

»Vorsicht, lieber Tomas! Nein, nein, gib acht auf das Paneel!
Jetzt langsam drehen! Paßt auf, daß die Glastüren nicht aufgehen!«

Aber endlich hatten sie es so, wie Mutter Karen es haben wollte,
und Dina stützte sie die Treppe hinauf, damit sie alles in Augenschein nehmen konnte.

Entweder spiele ihr das Alter einen Streich, oder der Raum sei in der Länge und auch in der Breite etwas kleiner geworden, meinte sie.

Dina sagte es gerade heraus, daß so herrschaftliche Möbel, von denen Mutter Karen meinte, daß sie für einen Pfarrer passend seien, keinen Platz in der Südstube im Obergeschoß von Reinsnes hätten! Da müßten sie wohl anbauen.

Mutter Karen schluckte die Antwort hinunter und setzte sich auf einen Stuhl neben der Tür. Dann sagte sie leise: »Er hätte eigentlich im Saal wohnen sollen...«

Dina antwortete nicht. Sie stemmte beide Arme in die Seite und überlegte, während sie sich umsah.

»Er bekommt den Schreibtisch, der im Saal steht, und den dazugehörigen Stuhl. Sie passen gut zum Bücherschrank. Die beiden großen Sessel bringen wir wieder dahin zurück, wo sie gestanden haben...«

Mutter Karens Blick glitt hilflos von Wand zu Wand.

»Der Raum ist sicher zu klein...«

»Johan hält sich hier ja nicht dauernd auf. Er wohnt doch wohl im ganzen Haus, Mutter Karen? Er braucht Bücherschrank, Stuhl, Tisch und Bett. Wenn er allein sein will, meine ich.«

Und so wurde es gemacht. Aber Mutter Karen fand, daß ein Theologe im Saal wohnen sollte, wenn er nach Hause kam.

Der Regen strömte von Südwesten herein.

Die weichen Nadelbüschel der vier Lärchen, mit dem alten Taubenschlag in der Mitte, standen waagerecht im Wind.

Ingeborgs Rosenbüsche am Haupthaus und rund um das Gartenhaus wurden geplündert. Und Mutter Karens Stolz, das Lilienbeet, sah aus, als ob es jemand stundenlang mit einer scharfen Lauge bearbeitet hätte.

Der Backofen zog nicht richtig. Oline war ein Jüngstes Gericht mit Schwefel und Beschwörungen, Weinen und Klagen.

Die Mädchen schlichen ängstlich herum und vergaßen von einer Minute zur anderen, was sie machen sollten. Denn wenn Oline gelegentlich die Fassung verlor, war es jedesmal schlimmer als beim letzten Mal.

Anders kam kurz in die Küche, um einen Schluck Kaffee zu trinken, nachdem er sich um das Bergen der Boote gekümmert hatte.

Als er sah, was los war, bemerkte er gutmütig: »Oline wird noch mal in zwei Stücke bersten vor Wut. Aber das macht nichts, denn auf jeder Seite ist noch genug von ihr vorhanden!«

»Ja, aber nur mit *einer* Hand und mit *einem* Fuß auf jeder Seite, um dich zu bedienen! Verschwinde, du Leckermaul!« antwortete sie schlagfertig und trat mit dem Holzschuh nach ihm.

Aber seinen Kaffee bekam er. Das war Gesetz. Gegen zwei Bündel Reisig als Bezahlung.

Die Männer hatten die Boote geborgen und waren dabei, an den Kais alles festzuzurren.

Auf dem Fahnenhügel hing eine erbärmliche Fahne, der größte Teil war schon weggeblasen. Es sah aus, als ob man zum Hohn eine Piratenfahne gehißt hätte.

Am schlimmsten war der Regen. Er war so heftig und machte einen solchen Lärm auf dem Dach und in den Rinnen, daß es an Mutter Karens Nerven zehrte.

Im Gesindehaus wurden undichte Stellen im Dach entdeckt. Die Mädchen und Knechte eilten mit Wannen und Eimern herbei, um Bettwäsche und Truhen zu retten.

Tomas lag der Länge nach auf dem Dach. Versuchte neue Schieferplatten zu befestigen, aber er mußte schnell aufgeben.

Im Sund hatte die »Prinds Gustav« sich stundenlang abgemüht, ohne sonderlich voranzukommen.

Auf Reinsnes starrte man zwischen aller Arbeit immer wieder nach draußen. Holte sie jetzt nicht auf? Ja, wahrhaftig, sie schien sich zu nähern.

Man hatte überlegt, ob man die erbärmliche Fahne herunterholen sollte. Aber es war die einzige, die sie hatten. Mutter Karen war absolut dagegen. Daß der Sturm die halbe Fahne abgerissen hatte, dafür konnte man nichts, aber eine nackte Fahnenstange war eine Beleidigung.

Niels wollte Tomas zu dem Pächter weiter drinnen schicken, um eine Fahne zu leihen.

Aber Dina verhinderte es. Bis Tomas zurück wäre, sei Johan im Haus und man brauche keine Fahne mehr.

Benjamin war bereits zweimal, ohne sich etwas überzuziehen, draußen gewesen, um nach dem Dampfschiff zu schauen. Er mußte von Kopf bis Fuß frisch angezogen werden.

Beim zweiten Mal rief Oline durchs Haus, daß der Junge ein Wilder sei und daß Stine besser auf ihn aufpassen solle.

Aber Benjamin rief zurück. Mit lauter, heller Stimme: »Nein, Oline, Benjamin ist ein Heide!«

Hanna nickte ernst und half ihm mit den vielen Knöpfen. Ihre Liebe und ihr Zusammenhalt waren unangreifbar. Er ging voran, sie trippelte hinter ihm her. Fiel er in den Bach, dann fiel Hanna auch in den Bach. Schlug er sich ein Loch ins Knie, dann weinte sie. Meinte Oline, daß Benjamin ein Heide war, dann weinte sie laut und wütend, bis Oline einräumte, daß sie ja auch eine Heidin war.

Cellotöne rannen durch Türen, Fenster und Ritzen nach draußen. Mischten sich mit den Windböen, die kamen und gingen.

Der Regen war eine Wasserharfe, die ihre eigene Melodie spielte.

Dina saß mitten in diesem Spiel, während das Haus Kopf stand und der ganze Garten herumwirbelte wie Sahne in einem Butterfaß. Sie kümmerte sich nicht um die Aufregung. Es sah so aus, als ob das Chaos sie beruhigte.

Große Gefühle schienen mitunter nötig zu sein. Wenn der Dampfer gleich unter Land war, würden die Leute zu ihr hinaufrufen. Sie würden auf den Treppen trapsen, auf dem Kies knirschen, in der Küche und der Anrichte rumoren und Türen schlagen.

Dann würde es still im Haus sein, während sie Jacobs Sohn am Ufer empfingen. Auch wenn die Hurrarufe und das Tuten des Schiffes ferne Geräusche waren, würde doch alles deutlich genug sein.

Sie wollte so lange warten. Und dann hinuntergehen in die Allee und zum Willkommen winken. Auf Abstand zu den Leuten. Vielleicht würde sie ihn allein treffen, um zu sehen, wer er war.

Aber nichts wurde so, wie sie geglaubt hatten, obwohl sie sich mit dem Unwetter und der Verspätung abgefunden hatten.

Die »Prinds Gustav« hatte das bekannte Tuten von sich gegeben, um weiterzufahren. Anders und Niels hatten persönlich den heimgekehrten Sohn mit dem Boot geholt. Und einer von den jungen Burschen packte den Bug des Ruderbootes und bugsierte es zwischen den Steinen an Land.

Der Regen hatte nachgelassen. Dina hatte Stellung an der Haustür bezogen und starrte die Allee hinunter.

Johan stand hinter seinen Kisten und schwenkte lächelnd den Hut zu den Menschen, die sich zwischen Steinen und Lagerhäusern aneinanderklammerten. Neben ihm stand ein großer, dunkler Mann in Lederkleidung.

Am Ufer wiesen Kopftücher, Umschlagtücher und Rockzipfel steif und mutig nach Nordosten. An dem wütenden Himmel flogen die Wolken in schwindelnder Eile vorbei.

Da schlug ein Blitz ein. Flammen. Rot, qualmend, bösartig.

»Das Stalldach brennt!« schrie ein Knecht.

In dem Chaos, das entstand, wußte keiner, was er tun sollte oder mußte.

Der Theologe! Die »Prinds Gustav«! Sie waren jetzt ganz unwichtig.

Die Leute rannten zum Stall, so schnell sie konnten. Mit Armen und Beinen, wie eine unschlüssige Herde.

Tomas stand plötzlich mit schwingendem Beil auf dem Dach. Rußig, mit wütenden Bewegungen, schlug er die brennenden Dachbretter los. Und beförderte sie auf die Erde, daß die Funken stoben. Niemand wußte, wo er die Geistesgegenwart und die Kräfte hernahm. Niemand hatte ihm eine Anordnung gegeben.

Dina stand unversehens in der Menge und gab kurze Befehle.

»Anders, die Tiere! Die Pferde zuerst! Niels, nasse Segel über das Heu! Evert, hol noch mehr Beile! Gudmund, mach die Koppel auf! Ihr Mädchen, holt euch alle einen Eimer!«

Die Worte peitschten durch den Wind und das Prasseln des Feuers auf dem Dach. Sie stand mit gespreizten Beinen, die Haare ein schwarzes Gewirr.

Der blaue Musselinrock mit sechs Meter Weite war ein Segel, das ihren Körper gegen den Wind drückte.

Die Augen waren kalt und konzentriert. Sie hatte den Blick auf Tomas gerichtet, als ob sie ihn dort oben festhalten könnte, indem sie ihn ansah.

Die Worte kamen mit der Stimme eines Raben. Dunkel und aggressiv.

Allmählich kletterten noch andere die Leiter hinauf, die Tomas auf der Scheunenbrücke angelegt hatte, und kamen ihm zu Hilfe.

Der Regen, der in den letzten vierundzwanzig Stunden wie eine Seuche über Land und Meer gewütet hatte, war verschwunden. Aber der Wind war voll tückischer Bosheit.

Ständig mußten sie mit nassen Säcken und Segeln kommen, um die Funken zu löschen, ehe sie trockene Nahrung fanden, in die sie sich hineinfressen konnten.

Mehrmals fielen angebrannte Bretter oder Balken in den pulvertrockenen Heuboden und drohten die ganze Ernte zu vernichten.

»Anders! Paß drinnen im Heuboden auf. Halte nasse Segel bereit!« schrie Dina.

Die Leute sammelten sich in aller Eile dort, wo sie sich am meisten nützlich machen konnten. Die Eimer, die im Gesindehaus das Regenwasser von dem lecken Dach aufgefangen hatten, wurden geholt. Neue kamen aus Küche und Keller hinzu.

Ein Gutes hatte der Regen gehabt, daß nämlich draußen alles naß war. Gras und Wände. Alles war durchnäßt. Wies die Funken ab, daß es zischte und fauchte.

»Der Herrgott scheint sich heute um Dächer wenig zu kümmern«, murmelte Anders, während er mit einem zusammengerollten, nassen Segel über der Schulter an Dina vorbeiraste. Aber sie beachtete ihn nicht.

Die »Prinds Gustav« ankerte schleunigst und setzte die Ruderboote aufs Wasser. Kurz darauf strömten die männlichen Passagiere und die Mannschaft die Allee hinauf, um beim Löschen zu helfen.

Der Stall war am weitesten vom Ufer entfernt. Er stand etwas abseits von den anderen Häusern. Der Weg, um das Löschwasser zu holen, war weit.

Einige liefen zum Brunnen, der sich zwischen dem Stall und der Häusergruppe beim Hauptgebäude befand. Aber es brachte nichts, jedesmal nur mit einem Eimer zu kommen.

Sie bildeten jetzt aus Frauen und Männern eine Kette. Vom Ufer bis hinauf zum Stall. Für eine dichte Kette waren sie nicht genug, sie mußten immer ein paar Meter rennen bis zum nächsten Glied.

Aber bald flogen die Eimer von Hand zu Hand hinauf zu der Scheunenbrücke.

Die Seeleute waren eine gute Hilfe. Es ertönten derbe Rufe. Flüche und Bravorufe durcheinander.

Steuermann und Kapitän halfen auch beim Löschen. Sie hatten die lange Jacke und die Mütze abgeworfen und waren zusammen mit den anderen in die wogende Menge hineingegangen.

Der Maschinist war Engländer und sprach mit dröhnender Stimme sein Kauderwelsch, von dem niemand viel verstand. Aber er hatte Schultern und Nacken wie ein Walroß und war es gewohnt, anzupacken.

Drei Männer waren jetzt mit Tomas auf dem Dach. Sie hatten Stricke um den Leib und gingen in einem merkwürdig schwankenden Gang, den Windstößen preisgegeben, aber sie konnten sich aus eigener Kraft auf den Beinen halten. Zwei hatten ein Beil, und die beiden anderen nahmen die Wassereimer entgegen.

Die Beile erwiesen sich als besonders nützlich. Bald war ein Viertel des Daches abgeschlagen und lag schwelend auf der Erde.

Der Wind erfaßte allmählich das Heu, das unter dem unbeschädigten Teil des Daches lag und deshalb auch nicht mit nassen Segeln zugedeckt war.

Der Heuhaufen begann sich wie durch einen Zauberstab in Bewegung zu setzen. Im Takt. Eine gesetzmäßige Bewegung, bei der es so aussah, als ob jeder einzelne Halm gleichzeitig mit den anderen Bescheid bekommen hätte. Heraus aus dem dachlosen Heuboden und senkrecht in die Luft. Eine kleine Kurve über den Leuten auf dem Hof und dann ruckweise nach Süden über die Felder und Wiesen zum Meer.

»Niels! Das Heu! Mehr Segel!«

Dinas Stimme trug so weit, daß der Kapitän einen Augenblick verwundert den Kopf hob.

Niels war gerade anderweitig beschäftigt und hörte den Befehl nicht. Aber andere hörten ihn. Die Segel kamen, und das Heu wurde gezwungen, ruhig liegen zu bleiben.

Die Stunden vergingen, ohne daß man es merkte. Die »Prinds Gustav« lag einsam und verlassen vor der Küste.

Hanna und Benjamin liefen überall herum und nahmen alles mit offenem Sinn und weit offenen Augen in sich auf. Die Beine waren bis obenhin verdreckt, und die Kleider sahen katastrophal aus. Aber niemand beachtete es.

Als das Feuer gelöscht war und nur noch hie und da eine bescheidene Rauchsäule von den Dachbrettern, die auf der Erde lagen, daran erinnerte, daß es ein Großbrand hätte werden können, wandte Dina den Blick vom Dach. Sie war erschöpft und setzte den Eimer ab.

Ihre Schultern sanken herunter, als ob ihr etwas den Atem benähme. Der Rücken krümmte sich.

Sie warf die Haare mit der gleichen Bewegung wie ein Pferd, das gerne die Sonne sehen möchte, aus dem Gesicht. Es gab einen breiten Riß mit blauem Himmel da oben.

Da begegnete ihr ein fremder Blick.

Ich bin Dina. Meine Beine sind Pfähle in der Erde. Mein Kopf ist ohne Gewicht und nimmt alles auf: Geräusche, Gerüche, Farben.

Die Bilder um mich bewegen sich. Die Menschen. Der Wind. Ein beißender Geruch nach verbranntem Holz und Ruß. Erst sind es nur Augen, ohne Kopf oder Körper. Wie ein Teil meiner Müdigkeit. Um sich darin auszuruhen.

Ich habe noch nie einen solchen Menschen gesehen. Ein Seeräuber? Nein! Er kommt aus Hjertruds Buch! Er ist Barabbas!

Wo bin ich so lange gewesen?

10. Kapitel

O DASS DU MEIN BRUDER WÄRST, DER MEINER MUTTER BRÜSTE
GESOGEN! FÄNDE ICH DICH DRAUSSEN, SO WOLLTE ICH DICH KÜS-
SEN, UND NIEMAND DÜRFTE MICH SCHELTEN!

ICH WOLLTE DICH FÜHREN UND IN MEINER MUTTER HAUS BRIN-
GEN. IN DIE KAMMER DERER, DIE MICH GEBAR. DA WOLLTE ICH
DICH TRÄNKEN MIT GEWÜRZTEM WEIN UND MIT DEM MOST MEI-
NER GRANATÄPFEL.
(Das Hohelied Salomos, Kapitel 8, Vers 1 und 2)

Die Augen waren von einem intensiven Grün. In einem Gesicht
mit groben Zügen und einem mehrere Tage alten Bart. Die Nase
ragte selbstsicher in die Welt und benutzte breite Nasenflügel als
Pflug.

Dina brauchte den Kopf nicht zu senken, um seinem Blick zu begegnen. Das Gesicht war wettergegerbt und hatte eine große weiße Narbe auf der linken Backe. Man konnte durchaus sagen, daß er
erschreckend und häßlich wirkte.

Der Mund war groß und ernst. Der Amorbogen schön nach
oben geschwungen. Als ob der Schöpfer dem Gesicht einen weichen Zug hätte geben wollen.

Die braunen halblangen Haare waren verschmutzt und fettig.
Die Hemdbrust war sicher einmal weiß gewesen, aber jetzt durchnäßt und verrußt. Der eine Ärmel war an der Naht aufgerissen,
schlotterte um den Arm und schien eher einem Bettler zu gehören.

Um die Taille trug er einen breiten Ledergürtel, der die weiten
Lederhosen hielt. Der Mann war mager und knochig wie ein Strafgefangener. In der linken Hand hielt er ein Beil.

Das war Barabbas, der freigegeben worden war. Jetzt sah er sie
an, als ob er gleich zuschlagen würde...

Tomas und der Fremde hatten beide ein Beil benutzt. Der eine, weil
er wußte, was auf dem Spiel stand. Für Reinsnes. Für Dina.

Der andere, weil er zufällig hier gelandet und zu einem Brand
gekommen war, den zu löschen ihm Spaß machte.

»Es ist ja gutgegangen«, sagte er nur. Er war noch außer Atem nach dem Kampf. Die kräftige Brust bewegte sich wie ein Blasebalg.

Dina starrte ihn an.

»Bist du Barabbas?« fragte sie ernst.

»Wieso?« fragte er ebenso ernst. Sie konnte an seiner Aussprache hören, daß er kein Norweger war.

»Ich sehe, daß sie dich freigelassen haben.«

»Dann bin ich wohl Barabbas«, sagte er und gab ihr die Hand. Sie nahm sie zunächst nicht. Er blieb stehen.

»Ich bin Dina Grønelv«, sagte sie und ergriff jetzt seine Hand. Sie war schweißnaß und schmutzig von der Arbeit. Große Hand mit langen Fingern. Aber die Handfläche war so weich wie ihre.

Er nickte, als ob er wüßte, wer sie war.

»Du bist bestimmt kein Schmied«, sagte sie und nickte zu seiner Hand hin. »Nein, Barabbas ist kein Schmied.«

Das Murmeln und Schwatzen im Umkreis der beiden klang erleichtert und drehte sich nur um eine Sache. Den Brand!

Dina riß sich von seinem Blick los und wandte sich langsam den Leuten zu. Es waren insgesamt etwa dreißig. Dann rief sie mit einer Stimme, in der Verwunderung über irgend etwas mitschwang: »Ich danke euch! Ich danke euch allen zusammen! Jetzt haben wir Essen und Trinken ehrlich verdient! Es wird in der Gesindestube und im Eßzimmer gedeckt. Alle sollen sich wie zu Hause fühlen, und alle sind unsere Gäste!«

Danach kam Johan zu Dina und reichte ihr die Hand. Er lächelte breit.

»Das war vielleicht eine Heimkehr!« sagte er und drückte sie einen Augenblick an sich.

»Das kann man wohl sagen, Johan! Du siehst, wir sind noch einmal davongekommen.«

»Das ist Herr Zjukovskij. Wir haben uns auf dem Schiff kennengelernt«, fügte er hinzu und zeigte auf den Mann.

Der Fremde reichte ihr wieder die Hand, als ob er vergessen hätte, daß es schon einmal geschehen war. Diesmal lächelte er.

Nein, Barabbas war kein Schmied.

Im Laufe des Abends legte sich der Wind. Die Leute kamen ins Haus. Die »Prinds Gustav« lag immer noch vor Anker. Bereits mit etlichen Stunden Verspätung.

Es wurde eine Brandwache organisiert. Sicherheitshalber. Sie hofften, daß der Regen vorbei war, wegen des Heus.

Anders und Tomas wollten nach Strandstedet, um Baumaterial zu holen und Arbeitskräfte für den nächsten Tag anzuheuern. Das Dach mußte so schnell wie möglich repariert werden.

Der Lehnsmann und Dagny trafen erst ein, als der Brand gelöscht war. Er schimpfte ein bißchen, weil Hof und Betrieb nicht versichert waren. Dina erwiderte ruhig, daß sie in Zukunft daran denken wolle. Es kam zu keinem Streit, denn der Pfarrer und der Theologe gesellten sich dazu.

Mutter Karen trippelte wie ein Schneehuhn durch die Gegend. Mit Hüften und Beinen ging es ihr seltsamerweise viel besser als sonst.

Oline war plötzlich allein geblieben mit ihrer Arbeit, weil die Mädchen draußen Wassereimer weiterreichten. Dafür hatte sie ein paar Stunden für sich.

Oline war es gewohnt, sich selbst zu helfen.

Das im ganzen gebratene Kalb war wunderbar geworden, obwohl sie voller Panik lange zwischen der Küche und dem großen, alten Backofen im Backhaus hin- und hergelaufen war. Der Ofen, ursprünglich eine offene Feuerstelle, besaß jetzt eine moderne Eisentür. Dort hatte sie das Kalb gebraten.

Dann war es im schlimmsten Regen, kurz bevor die »Prinds Gustav« getutet hatte, in die Küche gebracht worden.

Und mitten in der ganzen Aufregung war die hinkende Mutter Karen die einzige, die Zeit hatte, um ihr zu helfen, es wieder ins Backhaus zu bringen. Beide hatten schnell begriffen, daß es vorläufig kein Festmahl geben würde.

Oline übergoß das Kalb mit Wasser und Fett, damit es nicht zu trocken wurde. Sie feuerte vorsichtig, mit größter Liebe.

Die Soße konnte sie erst im letzten Augenblick machen. Sie mußte sich auch erst beruhigen. Eine klumpenfreie Soße ließ sich nicht mit einem galoppierenden Herzen herstellen.

Sie hatte dem Kalb die Rippen gebrochen und vor dem Braten Fleisch um die Nieren gewickelt. Die Nieren waren ihr Stolz. Sie gehörten dazu. Sie wurden mit einem scharfen Messer geschnitten und als das Beste serviert.

Die Wacholderbeeren lagen zerdrückt auf einem Brett und verbreiteten ihren Duft. Eigentlich gehörten Wacholderbeeren zum Wild. Aber Olines Kalbsbraten war mehr als das Fleisch von einem Kalb. Sie servierte Wacholderbeeren und herrliche Kräuter dazu.

Das Johannisbeergelee und die Multebeeren standen in Kristallschalen, zugedeckt mit einem Tuch, in der Speisekammer. Die Pflaumen lagen hinten auf dem Ofen im Wasser. Weich und gut durchgezogen. Oline hatte sie mit zitternden Händen ausgesteint, während sie zwischen dem Fenster und dem Arbeitsplatz hin- und herlief.

Die neuen Kartoffeln waren noch klein, sie waren von den Mädchen am Abend vorher geschrubbt worden. Hatten über Nacht im Keller in frischem Wasser gestanden. Sie mußten im letzten Augenblick in vier großen Töpfen gekocht werden.

Die Eimer, in denen die Kartoffeln gestanden hatten, waren längst von den Mädchen zum Löschen geholt worden. Die Kartoffeln hatten sie in aller Eile in einen Backtrog geschüttet.

Jetzt, wo die Gefahr vorüber war, jammerte Oline um den Backtrog. Der war heilig. Da sollte nichts anderes hinein als Teig. Es konnte Zauber, Spukhefe oder noch Schlimmeres entstehen, wenn man den Backtrog leichtsinnig zweckentfremdete.

»Aber Herrgott, es hat doch gebrannt!« seufzte sie ergeben und ließ die Kartoffeln in die Töpfe plumpsen, in die sie von Rechts wegen gehörten.

Als der Brand endlich gelöscht und Johan gebührend begrüßt worden war, machten sich die Leute noch einmal fein für das Fest.

Der eine oder andere von den Männern besaß nur ein einziges Hemd. Und er hatte vielleicht zu spät daran gedacht, es während der Rettungsarbeiten auszuziehen. Also rieb man das Gröbste einfach ab und dachte nicht weiter daran. Hauptsache, man wusch den Ruß und Schmutz vom Körper, dann konnten die verdreckten Kleider als ein Ehrenzeichen gelten.

Oline legte letzte Hand an ihr Werk, gleichzeitig gab sie den Befehl, für die Schiffsmannschaft und die Passagiere, die sich an den Löscharbeiten beteiligt hatten, zu decken.

Mutter Karen bestimmte, daß Kapitän, Steuermann, Maschinist und Johans Reisefreund im Eßzimmer mitessen sollten. Den Rest verteilte sie ohne Rangordnung auf das Ausgedinge. Dort wurden mehrere Tischplatten auf Böcke gelegt, und sie wurden mit schneeweißen Laken und Wildblumen gedeckt.

Oline war schweißnaß und gut gelaunt. Sie verrichtete ihre Arbeit in würdigem Tempo und mit großer Sorgfalt.

Die Stimmung im Ausgedinge schlug bereits hohe Wellen, als das Essen kam. Denn es war Rum auf den Tisch gestellt worden. Die Mannschaft hatte ihre Spendierhosen angezogen und hatte sowohl eine Fracht an Land geholt, die man ganz offen beim Namen nannte, als auch eine, die man sich eher unauffällig zu Gemüte führte.

Niemand sprach davon, daß der Dampfer irgendwann einmal nach Norden weiterfahren mußte.

Die Männer halfen beim Servieren, als ob sie nie etwas anderes gemacht hätten.

Mutter Karen hatte nicht angeordnet, daß im Ausgedinge Wein oder andere starke Sachen ausgeschenkt wurden. Der Rum reichte indessen lange. Es war wie mit dem Krug der Witwe von Sarapta, er war gastfreundlich und nicht leer zu trinken.

Aber man fuhr noch öfter zu dem segensreichen Schiff hinaus. Und die Boten kamen alle mit ausgebeulter Drillichbluse oder Jacke den Hang herauf.

Die Stimmung wurde immer ausgelassener. Geschichten flogen über den Tisch wie Stafettenhölzer. Mit abschließendem Gelächter und Grunzen.

Der Pfarrer, der bedauerte, daß seine Frau sich nicht wohl genug gefühlt hatte, um mitzukommen, saß an dem einen Tischende.

Dagny hatte trotz der Sommerwärme ein Samtkostüm nach der letzten Mode an, mit schmaler Taille und hohem Spitzenkragen. Gerade aus Bergen eingetroffen.

Dina schaute mehrmals auf die Brosche am Kragen. Sie hatte Hjertrud gehört.

Mutter Karen saß am anderen Tischende mit Johan neben sich und anschließend Dina.

Ein adliges Ehepaar aus Schweden befand sich auf einer Vergnügungsreise in den Nordländern. Sie mußten vom Schiff geholt und bewirtet werden, auch wenn sie beim Löschen nicht geholfen hatten. Der adlige Herr wurde auf die andere Seite von Mutter Karen gesetzt. Als die Offiziere und noch mehr Leute vom Schiff dazukamen, mußte man zusammenrücken, und es ergab sich, daß der Fremde, Zjukovskij, jetzt Dina direkt gegenübersaß.

Silber und Kristall glänzten unter der roten Lampe.

Augustdämmerung. Margeriten, Glockenblumen, Efeublätter und Blätter vom Vogelbeerbaum lagen auf der weißen Decke. Hohe Gläser mit edlem Inhalt prangten auf dem Tisch. Die Düfte und das Essen machten die Menschen freundlich und anziehend. Nicht alle kannten sich, aber sie hatten zwei Dinge gemeinsam. Das Essen und den Brand!

Mutter Karen legte ihr Gesicht in freundliche Falten. Sie lächelte und machte Konversation. Das war Reinsnes wie in alten Tagen! Da hatte es Gesellschaften gegeben! Da hatte es Festessen und den Duft von gebratenem Kalb oder Wild gegeben. Mutter Karen spürte, wie zufrieden sie war, daß die alte Zeit zurückkehrte. Sie war froh, daß sie Stine angelernt hatte, Hausfrau auf Reinsnes zu sein. Dina war nicht so veranlagt, daß sie irgendwelche Lehren über häusliche Pflichten annahm. Und Reinsnes brauchte eine Hausfrau, die mehr konnte als musizieren und Zigarren rauchen. Heute abend merkte sie so richtig, daß Stine gut mit der Aufgabe fertig wurde.

Es war nicht zu leugnen, daß das Lappenmädchen tüchtig und gescheit war. Sie hatte ein gewinnendes Wesen, während Dina die Leute abstieß.

Dina schaute zu Barabbas hin. Er hatte jetzt ein sauberes Hemd an. Die Haare waren noch feucht. Die Augen im Lampenlicht noch grüner.

Dina hatte Zjukovskij angeboten, sich in einem der Gästezimmer zurechtzumachen. Er hatte es mit einer Verbeugung angenommen.

Als sie ihn zusammen mit Johan hinuntergehen hörte, hatte sie sich in das betreffende Zimmer geschlichen. Es roch nach Rasierseife und Leder.

Er hatte eine große Reisetasche aus Rindsleder zurückgelassen, halboffen. Zunächst schaute sie kaum hinein. Aber dann hob sie Kleidungsstücke und einige kleine Dinge hoch. Ihre Hand fand plötzlich ein Buch. Mit einem soliden, abgeschabten Lederrücken. Sie schlug es auf. Es war wahrscheinlich Russisch. Auf der Titelseite eine schräge, verschnörkelte Signatur:

Лев Жуковский

АЛЕКСАНДР ПУШКИН war mit großen, eckigen Buchstaben gedruckt. Er hatte dieses Buch wohl geschrieben. Der Titel des Buches war auch nicht zu entziffern.

Es waren die gleichen ungereimten und unverständlichen Schriftzeichen wie auf den Kisten und Kästen mit russischen Waren.

»Unbegreiflich…«, murmelte sie laut vor sich hin. Als ob sie wütend wäre, weil sie nicht verstand, was das für ein Buch war.

Sie hielt es unter die Nase und roch daran. Geruch von feuchtem Papier, das lange auf Reisen gewesen war. Der seltsame Geruch eines Mannes. Süßlich und bitter zugleich. Tabak, Staub, Meer!

Jacob kam aus der Wand. Er brauchte sie heute abend. Sie murmelte ihm ein paar Flüche zu, um ihn loszuwerden. Er gab aber nicht auf. Strich um sie herum. Bat um Gnade. Er erfüllte den ganzen Raum mit seinen Gerüchen. Sie wehrte ihn mit der Hand ab und wollte ihn weg haben.

Dann legte sie das Buch wieder dahin, wo sie es gefunden hatte. Richtete sich auf. Atmete heftig. Als ob sie eine schwere Arbeit hinter sich gebracht hätte.

Lauschte nach Schritten auf der Treppe. Hatte ein Alibi, falls er zurückkam. Sie wollte für den Abend Kerzen in die Leuchter stecken. Daß dies normalerweise nicht ihre Arbeit war, konnte er ja kaum wissen. Den Korb mit den Kerzen hatte sie auf den Boden gestellt.

Jacob blieb da, bis sie den Korb aufhob und hinausging. Im Lichtkegel der Flurlampe ließ er ihren nackten Arm los. Er schleifte den kranken Fuß hinter sich her. Und zog sich in die dunkle Ecke zurück, in der die Wäscheschränke standen.

»Wir haben das Stalldach gerettet! Ohne deine Hilfe!« zischte sie und ging hinunter ins Eßzimmer.

Ich bin Dina, die schwimmt. Der Kopf bewegt sich allein in dem Raum. Wände und Dach öffnen sich. Der Himmel ist ein gewaltiges dunkles Bild aus Samt und zerbrochenem Glas. In dem ich schwimme. Ich will! Und ich will nicht!

Während der Vorspeise bemerkte die adlige Dame, daß es seltsam sei, einen so schönen Garten noch so nahe am Pol zu finden. Und die schönen Wege zwischen den Beeten, mit Muschelsand bestreut! Sie seien ihr aufgefallen, bevor man zu Tisch ging. Es müsse sehr zeitraubend und mühsam sein, das alles auf einem so kargen Boden zustande zu bringen.

Mutter Karen bekam einen strengen Zug um den Mund, aber sie antwortete höflich, daß es schon schwierig sei und daß in harten Wintern die Rosenbüsche erfrieren könnten. Sie wolle ihr am nächsten Tag gern den Kräutergarten zeigen. Der sei eine Spezialität von Reinsnes.

Dann wurde auf den jungen Theologen angestoßen. Auf den Stall und das Heu. Das man mit Gottes Hilfe vor den Flammen gerettet hatte.

»Und die Tiere. Gott segne die Tiere!« fügte Mutter Karen hinzu.

Und dann stießen sie auf die Ernte und die Tiere an. Und sie waren immer noch bei der Vorspeise.

Der adlige Herr hatte bereits Olines Fischsuppe gelobt. Hatte darauf bestanden, daß Oline ins Eßzimmer kam und seine Huldigungen für das Essen entgegennahm. Die Fischsuppe sei die beste, die er jemals gegessen habe. Und er habe überall in der Welt, wo er hingekommen sei, Fischsuppe gegessen.

Französische Fischsuppe? Habe er jemals französische Fischsuppe gegessen?

Mutter Karen hatte französische Fischsuppe gegessen. Und somit erzählte sie von ihrem dreijährigen Aufenthalt in Paris. Sie klirrte mit ihren Filigranarmbändern und gestikulierte sanft mit beiden Händen.

Plötzlich rezitierte sie französische Gedichte, und sie errötete wie ein junges Mädchen.

Die weißen, gut frisierten Haare, in Wacholderabsud gespült und mit der Brennschere zur Feier des Tages gewellt, wetteiferten mit dem Silberbesteck und den Leuchtern.

Als Oline endlich hereinkam, sie hatte sich ja erst ein bißchen zurechtmachen müssen und die obere Schürze ausziehen, da waren alle schon bedauerlich weit von der Fischsuppe entfernt.

Der adlige Herr wiederholte tatsächlich seine etwas einfallslose Rede auf die Suppe. Da er gerade das Wort hatte, hielt er auch eine Rede auf das Hauptgericht. Allmählich wurde er so wortreich, daß Oline knickste und erklärte, sie müsse gehen.

Danach entstand eine peinliche Pause.

Zjukovskij lockerte ein wenig die Halsbinde. Es war warm im Zimmer, obwohl die Fenster zum Garten geöffnet waren.

Die Nachtschwärmer verirrten sich hinter die dünnen Spitzengardinen. Angezogen vom Licht. Einer flog direkt in die Flamme vor Dina. Ein kurzes Flackern. Dann war es vorüber. Ein verkohlter Rest – als Staub auf der Tischdecke.

Sie hob ihr Glas. Die Stimmen um sie herum versanken. Er hob auch sein Glas und verbeugte sich. Sie sagten kein Wort. Dann nahmen sie gleichzeitig das Besteck und fingen an zu essen.

Der Kalbsbraten war rosa und saftig. Die Sahnesoße Samt auf dem weißen Porzellan. Das Johannisbeergelee zitterte am Rand.

Dina beförderte es energisch auf das Fleisch. Die neuen Kartoffeln waren so gut geschrubbt, daß sie keine Schale mehr hatten. Nur die mehlige, weiche Rundung. Sie steckte die silberne Gabel hinein und stach ein Stück ab. Ließ es langsam durch die Soße gleiten. Holte ein bißchen Gelee dazu und hob es zum Mund. Sie begegnete seinem Blick, während auch er einen Bissen in den Mund schob.

Einen Augenblick hatte er ein Stück rosa Fleisch zwischen den Lippen. Die Zähne blitzten. Dann schloß er den Mund und fing an zu kauen. Seine Augen waren Leuchtfeuer über den Tisch.

Sie fing die Iris von beiden Augen mit der Gabel auf und steckte sie in den Mund. Ließ die Zunge darüber gleiten. Vorsichtig. Die Augäpfel schmeckten salzig. Sie waren nicht zu schlucken oder zu kauen. Sie rollte sie nur zum Gaumen hoch und fuhr mit der Zungenspitze darüber. Dann sammelte sie sie vorne im Mund, teilte die Lippen und ließ sie hinaus.

Er kaute ruhig und mit Genuß, während die Augen sich wieder auf ihren Platz begaben. Sein Gesicht hatte einen intensiven Glanz. Als ob ihrer beider Genuß auf seiner Haut sichtbar würde. Die Augen schaukelten sich auf den Platz, wo sie hingehörten. Und zwinkerten ihr zu.

Sie zwinkerte zurück. Ernst. Dann aßen sie weiter. Schmeckten sich gegenseitig. Kauten. Nicht zu gierig. Wer sich nicht beherrschte, hatte verloren.

Ihr entfuhr ein Seufzer. Einen Moment vergaß sie zu kauen. Dann lächelte sie, ohne es zu merken. Es war nicht das gewöhnliche Lächeln. Es mußte eins sein, das jahrelang überlebt hatte. Es kam aus der Zeit, als sie auf Hjertruds Schoß saß und Hjertrud ihr über die Haare strich.

Er war schön auf der einen Seite, häßlich auf der anderen. Die Narbe teilte ihn in zwei Teile. Machte einen Bogen, der das Kinn mit einer tiefen Scharte spaltete.

Dinas Nasenflügel vibrierten, als ob jemand sie mit einem Halm kitzelte. Sie legte Messer und Gabel weg. Hob die Hand zum Gesicht und fuhr mit dem Finger über die Oberlippe.

Des Lehnsmanns Stimme brach ein. Er fragte Johan, ob er sich um eine Pfarrstelle beworben habe.

Johan sah beschämt auf seinen Teller und meinte, daß es für die Gäste kaum von Interesse sei, etwas über sein Leben zu hören. Aber der Lehnsmann war da anderer Meinung.

Zum Glück kam das Dessert. Die Multebeeren waren mit Sahne verziert. Sie waren das Gold des Jahres. Tomas hatte sie auf den Mooren, die zum Hof gehörten, gepflückt.

Die Gesellschaft schwelgte in den Köstlichkeiten. Der Steuermann erzählte, daß er einmal unfreiwillig bei einer Hochzeit in Bardu gewesen sei. Dort habe man keinen Bissen frisches Fleisch bekommen. Und auch kein Dessert. Es habe zu allen Mahlzeiten nur Rømmegrøt* und Milchgetränke gegeben. Und getrocknetes Hammelfleisch, so salzig, daß nur der Hausherr es schneiden durfte. Sie hätten Angst gehabt, daß jemand das Messer kaputt machte.

Mutter Karen setzte eine strenge Miene auf und meinte, es sehe den Leuten in Bardu nicht ähnlich, so geizig mit dem Essen zu sein.

Aber es nutzte nichts, sogar der Pfarrer lachte.

Tomas hatte nichts aus dem Fäßchen der Seeleute getrunken.

Er mußte kontrollieren, daß die Tiere wieder in den Stall kamen, er mußte die Brandwache organisieren und dafür sorgen, daß sie einigermaßen nüchtern blieb.

Anders und Niels verschwanden schnell im Hauptgebäude. Und danach sah er sie nicht mehr. Das bedeutete, daß die ganze Verantwortung auf ihm lag.

Als er in das Ausgedinge kam, war das Essen abgeräumt, und die Leute saßen gemütlich bei Kaffee, Rum und Pfeife zusammen.

Plötzlich wurde es ihm zuviel. Er fühlte sich erschöpft und ausgenutzt.

Dina war nach dem Brand zu ihm gekommen. Sofort. Hatte ihn freundschaftlich in den Rücken geknufft, wie es ihre Art war. »Tomas!« hatte sie gesagt. Das war alles.

Genau da hatte es ihm gereicht. Und als sie sich dann nicht mehr blicken ließ, nicht mehr mit ihm redete, ihm nicht dankte, so daß es auch andere hörten, da klumpte es sich für ihn zusammen. Alles.

Er wußte, daß er bei den Rettungsarbeiten der Wichtigste gewesen war. Der Erste auf dem First mit dem Beil. Es hätte schlimmer ausgehen können, wenn er nicht gewesen wäre.

Auf einmal empfand er so etwas wie Haß auf sie. Auch auf den großen, fremden Mann, der ihm geholfen hatte, die Bretter von dem brennenden Dach loszuschlagen.

Tomas fragte die Männer vom Schiff, wer er war. Aber keiner wußte mehr, als daß er Norwegisch mit Akzent sprach und in der

---

* Rømmegrøt ist ein Brei aus saurer Sahne und Mehl, er wird mit Zucker bestreut und mit ausgelassener Butter übergossen. (Anm. d. Übs.)

Passagierliste mit einem unchristlichen Namen aufgeführt war. Als ob er ein Chinese wäre! Er kam jetzt von Trondhjem. Er hatte immer nur dagesessen und gelesen und geraucht oder mit Johan Grønelv geredet. Er wollte hoch hinauf in den Norden und nach Osten. Vielleicht war er Finne, vielleicht war er auch noch weiter von Osten. Aber er sprach gut Norwegisch.

Tomas hatte gesehen, daß der Mann, als er vom Dach herunterkam, sich zu Dina stellte. Es quälte ihn, daß er zweimal ihre Hand ergriffen hatte. Es quälte ihn noch mehr, daß der Fremde im Haupthaus mitessen durfte. Er war doch angezogen wie ein Seemann.

Tomas tat seine Pflicht mit zusammengebissenen Zähnen. Dann machte er sich drinnen bei Oline zu schaffen und fragte, ob sie noch etwas brauche. Trug extra Holz und Wasser herein und blieb.

Er setzte sich wahrhaftig ans Tischende und ließ sich von Oline bedienen. Entschuldigte sich damit, daß er zu müde sei, um im Ausgedinge zu feiern.

Er aß langsam und kaute gründlich. Als ob jede Kaubewegung und das anschließende Hinunterschlucken überlegt sei.

»Mehr Suppe ist nicht da«, jammerte Oline. »Der schwedische Adelsherr hat fast ein Faß davon gegessen!«

Sie hatte nie gehört, daß vornehme Herrschaften so schlechte Manieren hatten, daß sie von der Vorspeise ein zweites Mal haben wollten. Das konnte kein besonderes Gut sein, das der Mann bewirtschaftete.

Tomas nickte gleichgültig. Saß über den Tisch gebeugt.

Oline sah ihn von der Seite an, während sie Sahnetupfer auf die Multebeeren spritzte. Als der letzte Tupfer gesetzt war, wischte sie sich die Hände sorgfältig am Handtuch ab. Jeden Finger einzeln. Als ob die Sahne gefährlich wäre.

Dann verschwand sie einen Augenblick in der Anrichte und kam mit einem Glas besten Rotweins zurück.

»Da!« sagte sie kurz, setzte das Glas barsch vor Tomas hin und ging wieder an ihre Arbeit.

Tomas probierte den Wein. Um zu verbergen, daß er über ihre Fürsorge gerührt war, platzte er heraus: »Verdammt!«

Oline murmelte schroff, daß sie schon lange wüßte, wo Benjamin diese gottlosen Ausdrücke gelernt habe.

Tomas grinste matt.

Es war ungefährlich und warm in der Küche. Der Dunst, der Essensgeruch, das Stimmengewirr aus den Zimmern machten ihn dösig.

Aber irgendwo in seinem Kopf gab es einen hellwachen Punkt.

Dina kam nicht in die Küche.

Stine zog sich mit den Kindern zurück. Eine eigensinnige Jungenstimme und Hannas wütende Laute waren eine Weile zu hören.

Aber allmählich wurde es still im Obergeschoß.

Dagny, Mutter Karen und die Gräfin bekamen ihren Kaffee im Salon serviert.

Dina nahm die Chaiselongue im Rauchzimmer in Beschlag, rauchte Zigarren und schenkte sich selbst ihren Wein ein. Der Graf sah sie zuerst erstaunt an, dann setzte er sein Gespräch mit den Herren fort.

Nach einer Weile sah der Pfarrer Dina milde an und sagte: »Frau Dina muß kommen und uns helfen, die Hausorgel zu stimmen.«

Er hatte die Fähigkeit, alles zu übersehen, was sich bei Dina nicht schickte. Er schien zu wissen, daß sie wichtigere Eigenschaften besaß.

Er pflegte zu sagen, daß man die Menschen in den Nordländern so hinnehmen mußte, wie man die Jahreszeiten hinnahm. Ertrug man sie nicht, dann sollte man sich eine Zeitlang zurückziehen und sich sammeln.

Die Pfarrersfrau lebte nach diesem Grundsatz. Deshalb hatte sie auch nicht die Kraft gehabt, zu Johans Empfang zu kommen.

»Der Pfarrer weiß, daß ich nicht sehr vertraut mit der Orgel bin, aber ich werde es versuchen«, sagte Dina.

»Beim letzten Mal ging es doch gut«, sagte der Pfarrer.

»Es kommt halt auf das Gehör an«, meinte Dina trocken.

»Das stimmt. Dina ist musikalischer als die meisten anderen! Sie hat ihm viel zu verdanken – wie hieß er noch? Dieser Lehrer, der Sie dazu brachte, die Musik zu lieben?«

»Lorch«, sagte Dina.

»Ja, genau. Wo ist er jetzt?«

»Auf dem Weg nach Reinsnes. Mit seinem Cello...«, sagte sie. Kaum hörbar.

»Das ist interessant! Sehr erfreulich!« meinte der Pfarrer. »Wann wird er eintreffen?«

Dina brauchte nicht zu antworten, denn der Graf verwickelte den Pfarrer in ein Gespräch.

Johan saß als natürlicher Mittelpunkt in einem Kreis von älteren Leuten. Aber er hatte nichts dazu getan, es hatte sich von selbst so ergeben. Seine leise Stimme verriet Interesse und Anteilnahme. Er fuhr sich unablässig mit der rechten Hand über die widerspenstigen blonden Haare, ohne sich dessen bewußt zu sein. Eine Sekunde später hingen sie wieder in der Stirn.

Er hatte sich während seiner langen Abwesenheit verändert. Nicht nur äußerlich. Seine Worte klangen fremd. Er hatte sich einen dänischen Tonfall angewöhnt. Und er bewegte sich, als ob er Gast in einem x-beliebigen Handelshof wäre. Schien die Leute nicht wiederzuerkennen. Er fuhr über keinen Gegenstand mit der Hand. Lief nicht von Raum zu Raum, um zu sehen, ob noch alles so war wie früher. Abgesehen von seiner Beteiligung bei den Löscharbeiten war er noch nirgends gewesen außer im Hauptgebäude.

Anders fragte Johan nach den Verhältnissen in Dänemark. Ob er sich den politischen und nationalistischen Studententreffen verbunden gefühlt habe.

Johan sah aus, als ob er sich schämte, nein zu sagen.

»Die Dänen haben nach der Schlacht bei Isted sicher gejubelt? Das hat ihnen geschmeckt, die Deutschen zu schlagen«, sagte Zjukovskij.

»Ja sicher«, sagte Johan. »Aber es ist nicht natürlich, daß die Dänen sich Schleswig einverleiben. Sprache und Kultur sind verschieden.«

»Es war wohl König Frederiks Traum?« fragte der Russe.

»Ja, und der Traum der Nationalisten«, sagte Johan.

»Ich habe gehört, daß Zar Nikolaus den Krieg entschieden hat«, sagte Dina.

»Ja, er hat den Preußen mit Krieg gedroht, falls sie Jütland nicht räumen«, erwiderte Zjukovskij. »Aber die neue Wehrpflicht in Dänemark hat wahrscheinlich auch eine Rolle gespielt.«

Sie fuhren fort, über das politische Aufblühen Dänemarks zu sprechen.

»Er ist in Politik gut bewandert«, sagte der Lehnsmann zu Zjukovskij.

»Man hört hier etwas und dort etwas«, lächelte der Mann.

»Im allgemeinen sind die Leute in Dänemark nicht so gut orientiert«, sagte Johan anerkennend.

»Danke.«

Dina hatte die Männer während ihres Gesprächs beobachtet.

»Mutter Karen hatte Angst, daß Johan vor seiner Heimkehr in Krieg und Demonstrationen hineingezogen würde.«

»Ich bin wohl zu wenig interessiert an solchen Dingen«, sagte Johan schnell. »Niemand läßt sich von einem Theologen provozieren.«

»Sag das nicht«, meinte der Pfarrer. »Aber jetzt bist du ja hier«, fügte er hinzu.

»Die Theologen sind eben verschieden«, sagte Johan beschämt. »Ich kann kaum als eine politische Macht angesehen werden. Bei dem Pfarrer ist das natürlich anders.«

»Na, na«, sagte der Pfarrer gutmütig. »Ich möchte auch nicht als eine weltliche Macht gelten.«

»Aber der Pfarrer ist es trotzdem, wenn ich das sagen darf«, meinte Dina.

»Inwiefern?« fragte der Pfarrer.

»Wenn die Obrigkeit etwas tut, was dir nicht gerecht erscheint, dann sagst du deine Meinung, auch wenn du nichts damit zu tun hast.«

»Ja, das kann schon sein...«

»Und der Pfarrer setzt oft seinen Willen durch«, fuhr Dina freundlich fort.

»Das kann auch sein«, lächelte der Pfarrer zufrieden.

Das Gespräch wurde wieder ungefährlich. Und der Lehnsmann erzählte weitschweifig von Rechtsfällen und Streitereien auf dem letzten Thing.

Am meisten wunderte sich Anders über Johan. Er fand nichts mehr von dem Jungen wieder, den er hatte aufwachsen sehen. Entschuldigte ihn damit, daß er in so jungen Jahren von zu Hause fortgegangen war. Und daß so viele Leute da waren.

Bei Tisch hatte Anders deutlich gemerkt, daß es für Mutter Karen nicht leicht war, einen frischgebackenen Pfarrer nach Hause zu bekommen. Sie bemühte sich, ein Gesprächsthema zu finden.

Johan war wohl höflich und freundlich. Aber er war ein Fremder geworden.

Nachdem der Pfarrer eine kurze Pfeife geraucht hatte, begab er sich mit vielen Entschuldigungen und Segenswünschen auf den Heimweg. Das Musizieren habe er für ein andermal gut, sagte er.

Dina begleitete den Pfarrer hinaus. Als sie ins Wohnzimmer zurückkam, schlug sie ein paar Akkorde auf dem Klavier an. Zaghaft.

Der Fremde war sofort zur Stelle. Lehnte sich an das Instrument und lauschte.

Dina brach ab und sah ihn fragend an.

Und plötzlich war alles im Gang. Er stimmte ein klagendes, melancholisches Lied auf russisch an.

Dina nahm die Melodie sofort auf und begleitete nach dem Gehör. Wenn sie einen Fehler machte, verbesserte er, indem er die Töne noch einmal vorsang.

Das Lied war fremdartig. Voller Trauer. Der große Mann fing auf einmal an zu tanzen. So wie die russischen Seeleute, wenn sie ein wenig betrunken waren. Die Arme nach oben und zur Seite. Geschmeidige Hüften und gebeugte Knie.

Der Rhythmus wurde wilder und fröhlicher. Der Mann tanzte so tief unten am Boden, daß es eigentlich unmöglich war, sich auf den Beinen zu halten. Streckte die langen Beine zur Seite und zog sie wieder unter den Körper. Immer schneller.

Eine gewaltige Kraft schlug einen Ring nach dem anderen um ihn. Er war ernst und konzentriert. Aber ganz offensichtlich spielte er.

Ein erwachsener Mann, der spielte! Die Narbe leuchtete auffallend weiß in dem glühenden Gesicht. Er war Janus mit zwei Gesichtern. Wirbelte herum und zeigte eine beschädigte und eine unbeschädigte Wange.

Dina achtete genau auf die Bewegungen des Mannes, während ihre Finger tanzten. Kräftig und leicht.

Mutter Karen, Dagny und die Gräfin unterbrachen ihr gebildetes Gespräch. Die Männer im Rauchzimmer erhoben sich, einer nach dem anderen, um zu sehen und zu hören. Stine stand mit vier Kindern im Flur.

Benjamins Augen und Mund waren weit aufgerissen. Er kam ins Zimmer herein, auch wenn es nicht erlaubt war.

Hanna und die beiden Söhne des Lehnsmanns blieben bescheiden in der Tür stehen.

Zuletzt war der Raum erfüllt von einem großen Lächeln. Es hüpfte wie ein kleines, flauschiges Tier von Mensch zu Mensch. Die Freude glich einem Wunder in den Zimmern von Reinsnes. Sie war so selten geworden in den letzten Jahren.

Der Gesang und das Klavierspiel drangen bis in die Küche.

Eine tiefe Männerstimme mit einer seltsam gleitenden Melodie und mit Worten, die man nicht verstand, belebte das ganze Haus.

Tomas rutschte unruhig hin und her. Oline lauschte mit halboffenem Mund. Das Mädchen, das in den Zimmern bediente, kam in die Küche. Kichernd und heiß.

»Sie wollen noch mehr Punsch! Der fremde Kerl singt russische Lieder und springt mit gebeugten Knien rauf und runter wie ein Verrückter! Er jodelt und schlägt sich auf die Hacken! So was habe ich noch nie gesehen! Und er soll im Südzimmer schlafen. Dina hat Bescheid gesagt! Wir sollen Wasser in den Krug und in die Karaffe füllen. Und wir sollen frische Handtücher hinlegen!«

Tomas spürte, wie eine Faust ihm mit einem einzigen Schlag den Atem benahm.

Zjukovskij beendete den Tanz ebenso schnell, wie er ihn begonnen hatte. Verbeugte sich galant, als alle klatschten, atmete heftig und ging ins Rauchzimmer zu der erloschenen Zigarre.

Schweißperlen standen ihm auf der Stirn. Aber er wischte sie nicht weg. Runzelte nur leicht die Brauen und öffnete sein Halsbündchen.

Jacob schmiegte sich an Dinas Arm. Er war schlecht gelaunt.

Dina schob ihn weg. Aber er hielt sie noch fest, als sie zu Zju-kovskij ging. Er hatte sich auf den freien Stuhl neben der Chaise-longue gesetzt.

Sie reichte ihm die Hand und dankte ihm für das Tableau. Die Luft zwischen ihnen war wie Meeresleuchten. Das machte Jacob verrückt.

Später, als alles wieder normal geworden war und die Gäste sich über das wunderbare Licht im hohen Norden unterhielten, beugte Zjukovskij sich mutig vor und legte seine Hand leicht auf die ihre.

»Dina Grønelv spielt gut«, sagte er schlicht.

Jacobs Abneigung gegen den Mann traf Dina zwischen die Augen. Sie zog die Hand zurück.

»Danke!« sagte sie.

»Außerdem ist Sie so tüchtig, daß Sie die Löscharbeiten bei einem Brand leiten kann... Und Sie hat schöne Haare.«

Er sprach sehr leise. Aber in einem Ton, als ob er sich an dem Gespräch über das Wetter im Norden beteiligte.

»Man ist unzufrieden mit mir, weil ich sie nicht hochstecke«, antwortete sie.

»Ja, das glaube ich«, sagte er nur.

Die Kinder und Stine waren wieder nach oben gegangen.

Es wurde allmählich spät. Und das nächtliche Licht brach zwi-schen den Spitzengardinen und den Topfpflanzen herein.

»Du hast erzählt, daß deine Stiefmutter musikalisch ist, und wir haben es jetzt gehört. Aber du hast auch erwähnt, daß sie Cello spielt«, sagte Leo Zjukovskij zu Johan.

Es war das erste Mal, daß jemand Dina Stiefmutter nannte. Sie machte den Mund auf, als ob sie etwas sagen wollte, machte ihn aber wieder zu.

»Ja«, sagte Johan eifrig. »Spiel uns etwas auf dem Cello, Dina!«

»Nein, jetzt nicht.«

Sie zündete sich eine neue Zigarre an.

Jacob war äußerst zufrieden mit ihr.

»Wann hast du erzählt, daß ich spiele?« fragte sie.

»Auf dem Schiff. Das war alles, was mir einfiel, als ich von Dina erzählen sollte«, antwortete Johan.

»Ja, viel mehr ist dir vermutlich nicht eingefallen...«, murmelte sie.

Leo Zjukovskij sah von einem zum anderen. Niels hob den Kopf. Er hatte den ganzen Abend kaum ein Wort gesprochen. Aber er war jedenfalls da.

»Was meinst du damit?« fragte Johan unsicher.

»Ach, nichts, nur daß du so lange fortgewesen bist ...«, antwortete sie.

Sie richtete sich auf und fragte, ob jemand Lust hätte, noch ein bißchen durch den Garten zu spazieren, bevor man ins Bett ging, das Unwetter war ja vorüber.

Sie sahen sie verwirrt an. Leo Zjukovskij war der einzige, der aufstand. Johan schaute sie beide an. Als ob da ein Detail wäre, das ihn interessierte. Dann streckte er die Hand nach der Zigarrenkiste aus, die Anders geöffnet hatte und anbot.

Es war seine erste Zigarre an diesem Abend.

Tomas hielt mehr Brandwachen, als ihm zugeteilt waren.

Als er einmal auf dem Weg vom Ausgedinge zum Stall war, sah er Dina und den Fremden auf dem weißen Muschelsand in der Nähe des Gartenhauses promenieren.

Der Fremde hatte zwar die Daumen in die Ärmelausschnitte seiner Weste gesteckt und hielt guten Abstand. Aber sie verschwanden dann im Gartenhaus.

Tomas dachte ernstlich daran, ins Wasser zu gehen. Es gab jedoch zu viele Wenn und Aber. Zunächst hatte er die Verantwortung für die Brandwache. Dann waren da die alten Eltern. Und die kleinen Schwestern.

Schließlich blieb er auf dem Heuboden sitzen, mit angezogenen Knien und Heu auf den Kleidern. Er hatte einen Entschluß gefaßt. Er wollte mir ihr reden. Sie zwingen, ihn anzusehen. Er würde so lange sticheln, bis sie mit ihm auf die Jagd ging!

Das Kajütboot des Pfarrers war schon weit in den Sund hinausgekommen, und der Tanz auf dem Kai hatte angefangen. Tomas ging zur Andreasbrygge, um den nächsten Mann auf die Wache zu schicken.

Dann ging er wieder in die Küche zu Oline. Half ihr, die Reste in den Keller zu tragen. Holte Wein. Trug Wasser und Brennholz herein.

Ein paarmal drehte Oline sich von ihrer Arbeit um und sah ihn an.

»Tea und Annette sind unten beim Tanz ...«, versuchte sie sich. Er antwortete nicht.

»Du tanzt nicht viel, Tomas?«

»Nein.«

»Quält dich irgendwas, Junge?«

»Ach, man ist jetzt müde«, sagte er nur.

»Und du hast auch keine Lust zu einem Schwatz, wo wir für heute mit der Arbeit fertig sind?«

»Doch«, sagte er verlegen.

Dann ging er mit einem leeren Eimer in den Windfang hinaus und hüstelte die ganze Zeit. Er hatte das Wasserfaß dort draußen bis zum Rand aufgefüllt und auch das Wasserschiff im Herd. Das Holz lag ordentlich in seiner Ecke. Das Anfeuerholz in der Kiste.

»Komm rein und setz dich zu mir«, sagte Oline.

»Willst du nicht ins Bett gehen?«

»Heute abend hat das keine Eile.«

»Nein, nein.«

»Wie ist's, willst du noch einen Kaffee mit Schuß?«

»Ein Kaffee mit Schuß wär' schön.«

Sie saßen in Gedanken versunken an dem großen Tisch.

Es hatte aufgeklart. Der Wind war nur eine Erinnerung und ein schwaches Rauschen. Die Augustnacht war voll Kräuter und blauem Licht. Es sickerte durch das offene Fenster herein.

Tomas rührte umständlich den Zucker in der Tasse um.

11. Kapitel

LEGE MICH WIE EIN SIEGEL AUF DEIN HERZ, WIE EIN SIEGEL AUF
DEINEN ARM. DENN LIEBE IST STARK WIE DER TOD UND LEIDEN-
SCHAFT UNWIDERSTEHLICH WIE DAS TOTENREICH.
(Das Hohe Lied Salomos, Kapitel 8, Vers 6)

Er sah im Licht der Nacht besser aus als unter den Lampen. Dina
erforschte ihn ohne Scham. Sie gingen auf dem knirschenden Muschelsand. Er nur in Hemd und Weste. Sie mit einem roten Sei-
dentuch um die Schultern.

»Er ist nicht hier im Land geboren?«

»Nein.«

Pause.

»Spricht Er ungern über sein Vaterland?«

»Das nicht. Aber es ist eine lange Geschichte. Ich habe zwei Va-
terländer und zwei Sprachen. Russisch und Norwegisch.«

Er wirkte verlegen.

»Die Mutter war Norwegerin«, sagte er kurz. Beinahe patzig.

»Was tut Er, wenn Er nicht auf Reisen ist?«

»Da singe ich oder tanze.«

»Kann man davon leben?«

»Zeitweise.«

»Wo wohnt Er jetzt?«

»In St. Petersburg.«

»Das ist wohl eine unerhört große Stadt.«

»Eine unerhört große und schöne Stadt«, sagte er und fing an,
von Kirchen und Plätzen in St. Petersburg zu erzählen.

»Warum reist Er soviel?« fragte sie nach einer Weile.

»Ja, wer weiß? Ich mag es. Außerdem suche ich.«

»Was?«

»Das, was alle suchen.«

»Was ist das?«

»Die Wahrheit.«

»Worüber?«

Er sah sie überrascht, fast ein wenig spöttisch an.

»Sucht Dina nie nach der Wahrheit?«

»Nein«, sagte sie kurz.

»Wie kann Dina ohne das leben?«

Sie wich etwas zur Seite. Jacob war zwischen ihnen. Er war zufrieden.

»Es kommt sicher noch mit der Zeit«, sagte er leise. Dann faßte er sie mit einem festen Griff unter den Ellenbogen und drückte Jacob aus Raum und Zeit. Sie gingen an dem beschädigten Stall vorbei. Die Kühe muhten laut da drinnen. Aber sonst war alles still. Nur der Geruch von verbranntem Heu und Holz kam ihnen entgegen.

Sie spazierten durch das weiße Lattentor in den Garten. Sie wollte ihm das Gartenhaus zeigen. Es lag wie geklöppelt in all dem Grün. Weiß mit verschnörkelten blauen Schnitzereien. Ein achteckiges Haus mit einem Drachenkopf an jeder Ecke. In gutem Zustand. Aber der Winter hatte ein paar von den farbigen Glasfenstern zur Strecke gebracht.

Er mußte den Kopf einziehen, als er hineinging. Er lachte. Denn sie mußte ihn auch einziehen.

Es war dämmrig da drinnen. Sie setzten sich nebeneinander auf die Bank. Er fragte sie aus über Reinsnes. Sie antwortete. Ihre Körper waren sich sehr nahe. Seine Hände lagen auf den Knien. Ruhig. Wie schlafende Tiere.

Er benahm sich sehr gesittet, dafür, daß er so dicht neben ihr saß. Jacob achtete auf jede Bewegung. Als ob Zjukovskij es wüßte, sagte er – daß es allmählich spät werde.

»Es war ein langer Tag«, sagte Dina.

»Es war ein phantastischer Tag«, sagte er.

Er stand auf, ergriff ihre Hand und küßte sie. Die Lippen waren warm und feucht.

Am nächsten Morgen standen sie im Flur des Obergeschosses. Gleich neben der Treppe.

Es war halbdunkel, und es roch noch nach Schlaf, Toiletteneimern und Seife.

Er verließ als letzter von den Reisenden das Haus. Die anderen waren bereits auf dem Weg zu den Booten.

»Ich fahre vor dem Winter wieder nach Süden...«, sagte er und sah sie fragend an.

»Herzlich willkommen!« antwortete sie, als ob er ein X-beliebiger wäre.

»Kann ich Sie dann Cello spielen hören?«

»Wahrscheinlich. Ich spiele fast jeden Tag«, antwortete sie und gab ihm die Hand.

»Aber gestern nicht.«

»Nein, gestern nicht.«

»Sie war vielleicht nicht in der Stimmung? Es hatte gebrannt ...«

»Es hatte gebrannt.«

»Und jetzt wird Sie darüber wachen, daß man das neue Dach richtig aufsetzt?«

»Es muß sein.«

»Sie hat eine große Verantwortung? Viele Dienstleute?«

»Warum fragt Er solche Dinge... jetzt?«

Seine Narbe zog sich nach oben. Das Lächeln war eine Offenbarung.

»Ich versuche Zeit zu gewinnen. Das ist nicht so einfach. Ich mache Ihr den Hof, Dina Grønelv.«

»Eine ungewohnte Situation für Barabbas?«

»Nicht ganz... Ich *bin* also Barabbas?«

Sie lachten einander zu mit entblößten Zähnen und Gurgeln. Zwei Hunde, die spielten und ihre Stärke im Verborgenen maßen.

»Du bist Barabbas!«

»Er war ein Räuber«, flüsterte er und kam näher.

»Sie haben ihn freigegeben«, lachte sie auf.

»Aber Christus mußte statt dessen sterben.«

»Christus muß immer sterben...«

»Gib mir ein Zeichen«, flüsterte er und blieb unschlüssig stehen.

Sie antwortete nicht. Griff blitzschnell mit beiden Händen nach seiner Hand und biß ihn kräftig in den Mittelfinger. Er stieß einen überraschten Schmerzenslaut aus.

Alles geriet aus den Fugen. Genug für ihn, daß er sie an sich riß und seinen Kopf an ihrer Brust verbarg. Und schwer atmete.

Einen Augenblick blieben sie so stehen. Ohne sich zu rühren. Dann richtete er sich auf, küßte ihre Hand und setzte den Hut auf.

»Ich fahre vor dem Winter wieder nach Süden«, sagte er mit rauher Stimme.

Treppenstufe um Treppenstufe trennte sie. Ein paarmal drehte er sich um und sah zu ihr hinauf. Die Haustür schlug zu. Er war fort.

Der Dampfer hatte einen Tag Verspätung.

Leo Zjukovskij stand auf der Brücke und hob die Hand zum Abschied. Es war warm. Er stand in Hemdsärmeln da. Alle die Zugeknöpften, Gutangezogenen nahmen sich dagegen idiotisch aus.

Sie beobachtete das Ganze vom Saalfenster. Er wußte, daß sie dort stand.

Ich bin Dina. Wir schwimmen an den Stränden. Nahe. Die Narbe ist eine Fackel im Tang. Seine Augen sind das grüne Meer. Das Licht über dem sandigen Grund. Der mir etwas zeigen will. Und etwas anderes verbergen. Er schwimmt von mir weg. Hinter die Landspitze. Die Berge. Denn er kennt Hjertrud nicht.

Johan stand auf einem Stein zwischen dem Tang und rief ein paar Worte zum Schiff hinüber. Leo Zjukovskij nickte und grüßte mit dem Hut.

Dann tutete der Dampfer. Die Schaufelräder kamen in Gang. Die Stimmen ertranken. Die grünen Augen hängte sie sich um den Hals.

Die Lehnsmannsfamilie war am frühen Morgen abgefahren. Anders und Niels brachten sie mit dem Boot zurück. Sie wollten sowieso nach Strandstedet, um alles zu holen, was sie für die Reparatur des Stalldaches benötigten. Es war nicht daran zu denken, das Holz aus dem eigenen Wald zu nehmen. Es mußte die richtigen Maße haben und trocken sein.

Sie hatten das Frachtschiff genommen, um alles Material mitbringen zu können. Der Knecht von Fagernesset mußte sich mit den Pferden allein in der Hitze zur Scharte hinauf abquälen.

Mutter Karen versuchte, ein vertrauliches Gespräch mit Johan zu führen. Über den eigentlichen Sinn des Lebens. Über den Tod. Über Johans Zukunft. Seine Pfarrstelle.

Dina ritt allein fort. Und kam erst gegen Abend nach Hause.

Tomas nahm es als ein schlechtes Zeichen. Er beschloß, daß er es besser noch aufschob, mit ihr zu reden. Bis zum nächsten Tag.

In dem Durcheinander mit dem Brand und Johans Heimkehr hatte niemand Dina gesagt, daß eine lange, große Kiste vom Dampfer an Land gebracht worden war.

Als der Ladenjunge mit dem Bescheid kam, ging sie hinunter zur Andreasbrygge. Mit weitausholenden, leichten Schritten.

Sie packte die Kiste an Ort und Stelle aus. Sie hatte einen Tag und eine Nacht im Lagerhaus gestanden.

Lorch fühlte sich verraten. Aber er machte ihr keine Vorwürfe. Sein Geruch wurde immer deutlicher, je näher sie dem Cello kam. Es war gut verpackt.

Sie nahm es vorsichtig aus der Kiste. Und versuchte es sogleich zu stimmen.

Die Saiten weinten. Sie sprach mit Lorch darüber. Wurde erregt und eifrig. Drehte und versuchte von neuem. Aber es kam nur ein verzweifeltes Weinen.

Unter ihr plätscherten die kleinen Wellen gegen die Steine. Schmatzten verwirrend sorglos. Schimmerten durch die Ritzen im Fußboden.

Sie heulte vor Wut und Enttäuschung, weil sie es nicht schaffte, das Cello zu stimmen.

Sie wollte es hinauf in den Saal tragen. Es mußte wohl erst ganz nach Hause kommen, ehe es sich stimmen ließ.

Aber als sie hinaus in den Sonnenschein trat, sah sie es. Es hatte auf der Reise aufgegeben. Das Cello. Es war tot. Das war passiert. Es war gesprungen.

Mutter Karen versuchte sie zu trösten. Meinte, es läge an der Temperatur und an der unterschiedlichen Luftfeuchtigkeit während der langen Seereise.

Dina stellte es in den Saal. In die Ecke. Neben das eigene. Das tote und das lebende. Beieinander.

12. Kapitel

DES TAGES KAM ICH UM VOR HITZE UND DES NACHTS VOR FROST,
UND KEIN SCHLAF KAM IN MEINE AUGEN.
(Das erste Buch Mose, Kapitel 31, Vers 40)

Zwischen der Heuernte und der Kartoffelernte gab es eine Atempause. Deshalb war es wichtig, mit der Reparatur des Daches fertig zu werden, ehe die Leute anderes zu tun hatten.

Die einheimischen Fischer kamen allmählich auch mit ihrem Klippfisch herein. Er wurde genau sortiert, in der Fischpresse im obersten Stock eines Lagerhauses zu 40-kg-Bündeln zusammengepreßt und für Bergen und den Export gelagert.

Die Leber wurde gleichzeitig mit dem Fisch abgeliefert und im Herbst zu braunem Tran gebrannt. Da roch jeder einzelne nach Tran. Der Geruch lag quälend über dem ganzen Hof. Setzte sich in Haare und frisch gewaschene Sachen. Setzte sich wie ein böser Geist in die armen Kerle, die an dem Tranbrennen beteiligt waren.

Alles brauchte seine Zeit. Und forderte die Menschen. Aber es brachte Schillinge und sorglose Tage für jeden.

Es gab Schwierigkeiten mit der neuen jungen Kuhmagd. Sie hatte regelrecht Angst vor der Leitkuh.

Seit dem Brand schienen die beiden sich gegenseitig auf die Nerven zu gehen. Fast täglich war die Milch im Stall verschüttet, und die Magd kam weinend zu Oline in die Küche.

Dina hörte eines Abends den Spektakel.

Sie ging in die Küche und bekam die betrübliche Geschichte von der Milch, die schon wieder auf dem Stallboden gelandet war, zu hören.

»Hast du richtig melken gelernt?« fragte Dina.

»Ja«, schluchzte das Mädchen.

»Ich meine, hast du es an lebendigen Kühen gelernt?«

»Ja«, sagte die Magd und knickste.

»Und wie machst du es?«

»Setz' mich auf den Schemel und nehm' den Eimer zwischen die Knie und...«

»Und die Kuh? Was machst du mit der Kuh?«

»Ich... wisch' die Zitzen ab... wißt Ihr...«

»Und sonst?«

»Sonst?«

»Ja, glaubst du, daß du einen Schemel melkst?«

»Nein...«

»Eine Kuh ist eine Kuh und muß behandelt werden wie eine lebendige Kuh. Verstehst du das?«

Die Magd wand sich ängstlich.

»Sie ist so bissig.«

»Sie wird bissig, wenn du kommst, um sie zu melken.«

»Am Anfang war sie nicht so.«

»Erst nach dem Brand?«

»Aber was hat das damit zu tun?«

»Du bist zu ungeduldig mit der Kuh, denn du willst schnell in die Gesindestube kommen und sehen, was da los ist. Du bist wie ein Brand – für die Kuh.«

»Aber...«

»Es ist so. Komm! Jetzt gehen wir in den Stall!«

Dina holte sich aus dem Windfang des Gesindehauses Stallkleidung. Dann gingen sie zusammen zu der muhenden Kuh. Dina stellte den Schemel und den Eimer ein Stück von dem Verschlag entfernt ab. Dann ging sie hinein und legte die Hand auf den Hals der Kuh. Schwer und ruhig.

»Du mußt dich jetzt beruhigen«, sagte sie leise zu dem schnaubenden Tier.

»Paß auf, sie beißt!« warnte das Mädchen ängstlich.

»Das tu ich auch«, antwortete Dina und streichelte die Kuh.

Die Magd machte große Augen.

Dina ging tiefer in den Verschlag hinein und winkte der Magd nachzukommen. Zögernd setzte die einen Fuß vor den anderen.

»So, sei nett zu der Kuh!« befahl Dina.

Und die Magd tätschelte die Kuh. Erst zaghaft. Dann beherzter.

»Sieh ihr in die Augen!« befahl Dina.

Und die Magd tat es, so gut sie konnte. Die Kuh wurde allmählich ruhiger und zupfte etwas Heu aus der Krippe.

»Red mit ihr wie mit einem Menschen!« befahl Dina. »Red über das Wetter und wie der Sommer war!«

Das Mädchen fing eine Art Gespräch mit der Kuh an. Zunächst ein wenig unsicher und wehleidig. Dann freimütiger. Zu guter Letzt fast innig.

»Zeig ihr den Eimer und den Lappen und sprich die ganze Zeit mit ihr«, sagte Dina und beobachtete die beiden, während sie sich aus dem Verschlag zurückzog.

Es endete damit, daß die Kuh den großen Kopf wandte und die Magd gelassen und verständnisvoll ansah, als sie gemolken wurde.

Das Mädchen strahlte. Die Milch spritzte hart und kräftig in den Eimer und schäumte über den Rand.

Dina stand dabei, bis das Mädchen fertig war.

Als sie mit den Milcheimern über den Hof gingen, sagte Dina eindringlich: »Red mit der Kuh über deine Sorgen, Mädchen! Über deinen Liebsten! Kühe mögen Geschichten!«

Die Magd wollte sich gerade für die Hilfe bedanken, da blieb sie erschrocken stehen.

»Aber wenn die Leute mich hören?« fragte sie verlegen.

»Da werden sie vom Blitz und vom Unglück getroffen«, sagte Dina ernst.

»Und wenn sie über mich klatschen, bevor sie der Blitz erschlägt?«

»Das geschieht nicht«, sagte Dina zuversichtlich.

»Wo hast du das alles gelernt?« fragte das Mädchen.

»Gelernt? Ich bin im Kuhstall und im Pferdestall beim Lehnsmann groß geworden«, erwiderte sie kurz. »Aber das darfst du nicht überall herumtragen, denn der Lehnsmann ist noch bissiger als eine Kuh.«

»Hast du dort melken gelernt?«

»Nein, das habe ich auf einer Häuslerstelle gelernt. Sie hatten nur eine Kuh.«

Das Mädchen sah sie sonderbar an und schluckte die nächste Frage hinunter.

Die junge Magd konnte nicht ergründen, was für eine Hausmutter sie eigentlich hatte. Erzählte es allen, die es hören wollten. Wie gut sich die Frau auf Tiere verstand. Und wie freundlich und hilfsbereit sie war.

Sie schmückte die Geschichte noch aus, die dann von Hof zu Hof ging. Zum Triumph für Dina und für die Magd und die Kuh.

Und es wurde allen klar, daß Dina auf Reinsnes mehr konnte als nur das Vaterunser. Und daß sie auf der Seite der kleinen Leute stand. Sie erinnerten sich an Geschichten über den Stallburschen Tomas. Der mit ihr zusammen aufgewachsen war. Er wurde respektiert und hatte Verantwortung auf Reinsnes.

Dann war da noch das Lappenmädchen Stine. Mit einem toten und einem lebenden unehelichen Kind! Eingegliedert in die Familie. Und sie hatte Benjamin über die Taufe gehalten.

Es wurden ein paar Einzelheiten dazugedichtet, so daß sich die Geschichten gut erzählen ließen und Dinas Gespür für die kleinen Leute mehr hervorhoben. Ihren Gerechtigkeitssinn. Ihre Großzügigkeit.

Weniger vorteilhafte Geschichten über Dina verloren ihre Wirkung. Sie wurden zu einer Besonderheit, die Dina von den anderen Hausfrauen und Madames unterschied. Und die sie noch außergewöhnlicher und stärker machte.

Das Heidekraut färbte den Reitweg rotviolett. Große Regentropfen fielen wie ein Sturzregen auf sie, wenn sie unter den Bäumen ritten. Die Sonne war nur ein Auge ohne Kraft und Wärme. Und die Farne schlugen träge gegen die Pferdebeine.

Da begann Tomas mit Dina zu reden. Weil er schon so lange das Gefühl hatte, daß sie durch ihn hindurchstarrte, als ob er Luft wäre.

»Dina sähe es vielleicht am liebsten, wenn ich mir woanders eine Stelle suchte?«

Dina hielt das Pferd an und wandte sich zu ihm. Die Augen verrieten, daß sie überrascht war.

»Und was veranlaßt dich, das zu sagen?«

»Ich weiß nicht, aber...«

»Was willst du sagen, Tomas?« Die Stimme war leise, auch nicht abweisend, wie er gefürchtet hatte.

»Ich denke... ich denke so oft an den Tag. Die Bärenjagd...«
Tomas stockte.

»Du bereust?«

»Nein! Nein, das darfst du nicht glauben.«

»Du möchtest gerne öfter auf die Bärenjagd gehen?«

»Ja...«

»In den Saal?«

»Ja!« sagte er fest.

»Und du glaubst, du wärst auf Reinsnes alt geworden, wenn die Leute im oberen Flur über dich gestolpert wären?«

»Ich weiß nicht?« Die Stimme klang bedrückt. »Aber würdest du, könntest du...«

Er griff nach ihren Zügeln und sah ihr verzweifelt in die Augen. Tomas. Ein Pferd mit Angst vor großen Hindernissen. Trotzdem sprang er.

»Könntest du?« wiederholte er.

»Nein«, sagte sie brutal. »Ich bin Reinsnes. Kenne meinen Platz. Du bist mutig, Tomas. Aber auch du kennst deinen Platz.«

»Und wenn das nicht wäre, Dina? Könntest du da...?«

»Nein«, sagte sie und warf die Haare aus dem Gesicht. »Da würde ich nach Kopenhagen fahren.«

»Was würdest du da machen?«

»Die Hausdächer ansehen. Und die Türme. Studieren. Alles über die Zahlen lernen. Wo sie sich verstecken, wenn sie nicht sichtbar sind. Weißt du, Tomas, Zahlen sind beständig. Mit Worten ist das nicht so. Worte lügen immer. Ob die Leute sie aussprechen oder ob sie schweigen... Aber Zahlen! Sie sind zuverlässig.«

Ihre Stimme. Die Worte. Waren wie Peitschenschläge. Die ihn trafen. Es wurde ihm keine Gnade zuteil.

Dennoch! Sie sprach mit ihm! Teilte ihm etwas von ihren Gedanken mit. Konnte er nicht in den Saal kommen, dann würde er sich jedenfalls große Mühe geben, um herauszufinden, was sie dachte.

»Benjamin, Dina?«

»Benjamin?«

»Ist er von mir?«

»Nein!« sagte sie hart, gab dem Schwarzen einen leichten Stoß mit der Schuhspitze und ritt davon.

Ich bin Dina. Die Lebenden brauchen auch jemanden. Genau wie die Tiere. Damit ihnen jemand über die Flanken streicht und mit ihnen redet. Tomas ist ein solches Tier.
Ich bin Dina. Wer streicht mir über die Flanken?

Der Fahnenhügel war ein schöner Ort. Es blies fast immer da oben. Nichts war beständig. Alles war flüchtig und in ewiger Bewegung. Grashalme und Blumen, Vögel und Insekten. Schneetreiben und Schneeverwehungen. Der Wind wohnte auf dem Hügel.

Aber die Felskuppe selbst stand fest. Der grasbewachsene, struppige, windzerzauste Hügel, auf dem die Besitzer von Reinsnes vor vielen Jahren eine Fahnenstange hatten einmauern lassen. Obwohl der Ort allen Winden und jedem unberechenbaren Wetter dramatisch im Wege war.

Die Fahne ließ sich meistens flicken. Aber nicht selten mußte man eine neue bestellen. Gegen diese Ausgabe war nichts einzuwenden. Denn die Fahne von Reinsnes konnte man im Sund schon von weitem sehen, ob man nun von Norden oder von Süden kam.

Dina hatte immer viel Sinn für den windgepeitschten Hügel gehabt. In diesem Herbst sah es so aus, als ob sie dort oben Wohnung bezogen hätte. Oder sie griff nach dem Cello. Die Saiten kreischten. Die Leute hielten sich die Ohren zu, und Mutter Karen kam hinkend in den Flur und rief sie herunter.

Oder sie kletterte in den Vogelbeerbaum. Um Jacob zu beschwören, damit sie jemanden hatte, an dem sie sich rächen konnte.

Aber die Toten mieden sie, wenn sie in der Verfassung war. Sie schienen zu verstehen, daß sie nicht in ihrer Welt waren. Daß dieser Barabbas der einzige war.

»Ich fahre vor dem Winter wieder nach Süden.« Aber Dina konnte nicht auf den Winter warten. Sie war nicht so veranlagt, daß sie warten konnte. Sie griff öfter nach dem Maul des Schwarzen als sonst. Hängte für Hanna und Benjamin die Schaukel in die Bäume.

Aber vor allem ging sie auf den Fahnenhügel, sobald ein Segel in Richtung Süden zu sehen war.

Und sie stand dort, wenn der Dampfer auf der Fahrt nach Süden zur Anlegestelle gerufen wurde.

Sie versuchte aus Johan herauszukriegen, wo dieser Leo hinfuhr.

Er schüttelte den Kopf und sah sie seltsam an. Sie hatte sich verraten. Er ging zu ihr hin und legte ihr die Hand auf die Schulter. »Auf diesen Leo solltest du nicht warten. Er ist wie der Wind. Er kommt nicht zurück«, sagte er überlegen.

Sie richtete sich jäh zu ihrer ganzen Größe auf. Und ehe sie wußten, wie ihnen geschah, hatte Dina ihn mit einem einzigen Schlag auf den Boden befördert.

Sie sah ihn einen Augenblick an. Dann glitt sie herunter auf den Boden und nahm seinen Kopf in ihren Schoß. Winselte wie ein geprügelter Hund. »Du bist Pfarrer, du sollst niemanden verleugnen. Verstehst du das nicht? Verstehst du nichts? Gar nichts...?«

Sie wischte das Blut, das aus seiner Nase rann, ab und holte ihn in die Wirklichkeit zurück. Es war ein Glück, daß keiner dazukam.

Sie weihten andere nicht in die Episode ein, aber Johan hatte seitdem einen Reflex, über den die Leute, die es sahen, sich wunderten. Wenn Dina eine unerwartete und abrupte Bewegung machte, duckte er sich blitzschnell. Und sein Gesicht bekam einen gequälten und beschämten Ausdruck.

Es zog sich in die Länge mit Johans Pfarrstelle. Er hatte sein Interesse sowohl für die Nordländer als auch für den Süden bekundet. Aber man schien seine Existenz vergessen zu haben.

Dina kümmerte sich nicht um die Probleme, die Mutter Karen und Johan beschäftigten. Jacob war abwesend und schlapp. Hjertrud verschwand wortlos zwischen den Tauen. Es geschah immer wieder.

Benjamin ließ sich mit einem erstaunten Ausdruck in seinen hellen Augen auf den Schoß nehmen. Wurde Dinas harte, fordernde Art bald leid, glitt von ihrem Schoß und lief zur Tür hinaus.

Sie war eine Schlafwandlerin. Die in Hjertruds schwarzem Buch las. Über Gerechte und Ungerechte.

Die hart schlug. Hart liebkoste und Rache schwor.

Die ersten Frostnächte kamen. Und glasierte Pfützen und vergessene Johannisbeeren. Eines Abends fiel Schnee als ein kleiner Vorgeschmack auf den Winter, mit einem drohenden Atem hinter sich. Es war nicht mehr »vor dem Winter«.

Dina zögerte Olines Gewohnheit hinaus, Bettzeug und Felle rechtzeitig aus dem Lagerhaus zu holen.

»Es ist zu früh für die Wintersachen«, sagte sie stur.

Damit mischte sie sich unverzeihlich in die Domäne der anderen ein. Oline verlor das Gesicht vor den Leuten. Dina und Oline waren zwei Gletscher. Ein tiefer Fjord lag dazwischen.

Eines Nachts jagte die Kälte durch die Steppdecken und Laken und bis in die Seele hinein.

Am nächsten Tag ging Dina zu Tomas in den Stall. Beugte sich über den Pferderücken, den er gerade striegelte, und stupste ihn wie gewohnt.

Die Blicke trafen sich mit unterschiedlicher Botschaft.

Seiner: überrascht, gespannt, lauschend. Ihrer: wütend, herrisch, hart. Ein fauchender Befehl, daß er im Dachgeschoß des Lagerhauses aufräumen und die Wintersachen ins Haus bringen sollte. Er schien in Ungnade gefallen zu sein.

Als er fragte, wer ihm helfen würde, machte sie ihm klar, daß er es allein schaffen mußte.

»Aber Dina, da brauche ich ja den ganzen Tag und noch den Abend dazu!«

»Tu, was ich gesagt habe!«

Er verkniff sich die Antwort.

Der Winter hatte seine Zähne gezeigt.

Tomas nahm eine Lampe mit. Mit gesenktem Kopf ging er auf sie zu, ohne zu wissen, daß sie da war. Gab bei jedem Schritt acht. Es konnten irgendwelche Gegenstände auf dem Boden liegen, so daß ein armer Kerl auf die Nase fiel.

Sie trat plötzlich aus einer Ecke hervor.

Die Felle hingen senkrecht an Stangen wie mächtige, weiche Wände. Saugten die Geräusche auf. Begruben sie für immer.

Draußen herrschte Barfrost, und der Vollmond stand hinter unruhig ziehenden Wolken. Man brauchte nichts zu verwischen vor Leuten, die gerne Spuren deuteten.

Ihre Wut saß tief und fest.

»Ich fahre vor dem Winter wieder nach Süden«, spottete der Mond durch die Wolken und das alte Lagerhausdach.

Sie schnappte sich Tomas wie ein halbverhungerter Hund. Gab sich kaum zu erkennen, ehe sie zwischen den Fellen lagen.

Es dauerte eine Weile, bis er begriff, was er in den Händen hatte. Er rang vor Schreck und Schmerz nach Luft, als er ihre Zähne in seinem Hals spürte und die Arme um seinen Körper. Dann ließ er sich auf zwei gut gelüftete Felle herunterziehen, deren Wolle eine Farbe wie Gischt hatte. Er konnte gerade noch die Lampe retten, die verschämt zusah.

Dina war Schmerz oder Genuß. Ob er sich im Saal vor dem schwarzen Etagenofen befand oder auf dem Dachstuhl des Lagerhauses, das war ihm egal. Auch wenn der Himmel sich auf ihn stürzte wie ein schwarzer Habicht, so war es doch – Himmel.

Sie riß das Umschlagtuch ab und knöpfte das Mieder auf. Zog die Röcke bis zur Taille hoch. Dann spannte sie ohne Einleitung den großen, starken Körper ihm entgegen.

Er kniete auf dem Fell und starrte sie in dem gelben Lampenlicht an. Dann zog er sich das Nötigste aus. So schnell, daß alles durcheinandergeriet und sie helfen mußte.

Mehrmals wollte er etwas sagen. Denn er spürte das Verlangen, sie zu segnen. Er hätte zu gern ein Vaterunser gebetet.

Aber sie schüttelte den Kopf und wuchs mit ihm in die Dunkelheit hinein. Ihr Körper war wie ein glatter Fels im Mondschein. Die Gerüche durchdrangen den Verstand und schlossen alles andere aus. Es zuckte und explodierte in allen Muskeln. Eine Lust, die so groß war, daß sie eine Kirche hätte füllen können! Setzte eine Lawine in Gang, eine Riesenwelle. Schäumend, mächtig und naß.

Er wurde auf ihr entführt. Ließ sich in das tiefe Meer hinaustreiben. Die Wellen schlugen über seinem Kopf zusammen.

Hie und da tauchte er auf und versuchte sie zu besiegen.

Sie ließ es geschehen. Dann zog sie ihn wieder hinunter. Hinunter zu dem Wald aus Tang. Salziger Tang und geile Meeresströmungen. Sie zog ihn über den Uferstreifen, von dem das Meer zurückgewichen war, und der Blasentang sandte aufreizende Gerüche in seine Nase. Sie ritt ihn hinaus zu den Fischgründen, wo die Fische Seite an Seite in dichten Schwärmen standen. Bauch an Bauch. Er nahm ihren Geruch wahr. Spürte, daß sie mit den Schwanzflossen auf seine Hüften schlugen.

Dann ging es in die Tiefe. Und mehr wußte er nicht. Luft und Feuchtigkeit wurden mit gewaltiger Kraft aus ihm herausgepreßt, als sie ihn an Land auf dem Strand ritt. Große Angelhaken und Fischmesser steckten in seinen Lenden und in der Brust. Das Zwerchfell war eine gesprungene Spülwanne. Er konnte genausogut sterben. Er war dort, wo er sein wollte.

Aber er starb nicht. Sie ließ ihn behutsam liegen. In der Flut. Er war ein junger Birkenzweig. Bei heftigem Unwetter vom Stamm abgebrochen. Laub und Farbe noch in gutem Zustand. Sonst nichts. Außer dem einen: gegeben zu haben – empfangen zu haben.

Es wurde kein Wort da drinnen gesprochen. Draußen war blauvioletter Tag. Die Möwen kratzten auf dem Dach. Die Wut war ausgelebt. Nicht schön; gespenstisch.

Hjertrud tauchte unerwartet aus der Ecke auf und versuchte die Lampe zu löschen. Gerade als sie ausgestreckt dalagen und wieder zu Atem kamen.

Sie beugte sich vor, um die Flamme auszublasen. Ganz dicht an Dinas Arm. Ihr Rocksaum streifte den Arm.

»Nein!« rief Dina. Reckte sich blitzschnell und zog die Lampe zu sich heran.

Hjertrud wich zurück und verschwand.

Dina saß mit verbrannten Fingern da.

Tomas hatte sich aufgerichtet, um zu schauen. Hielt sie im Arm. Fand ein paar tröstende Worte und blies auf die Hand. Als ob sie Benjamin wäre...

Sie zog die Hand zurück. Er hatte Hjertrud nicht gesehen! Hatte nicht begriffen, daß Hjertrud die Welt für sie verdunkeln wollte.

Dina kleidete sich langsam und sorgfältig an. Ohne ihn anzusehen. Als er sie umarmte, bevor sie gingen, lehnte sie einen Augenblick die Stirn an seine Stirn.

»Tomas! Tomas!« sagte sie nur.

Felle und andere Wintersachen kamen auch in diesem Jahr ins Haus.

Tomas trug Lasten, so hoch wie Heustapel. Er brauchte das ganze Eisen, das er im Körper hatte. Ohne aufzumucken. Vor der Abendmahlzeit war er fertig. Da schlug er ein Loch in die dünne Eisschicht auf der Tränke im Hof und tauchte den Kopf und den Oberkörper unter. Mehrmals. Dann zog er sich ein frisches Hemd an und ging zu Oline und dem Abendessen.

Es hatte angefangen zu schneien. Sanfte weiße Flocken. Der Herrgott war gut und diskret. Die Sünde ist oft nicht so groß, wie der Sünder glaubt. Tomas war der glücklichste Sünder in den Nordländern.

Der Körper war wie verhauen von den ungewohnten Bewegungen. Auf den Fellen und beim Transport der Felle. Jeder einzelne Muskel tat ihm weh. Er genoß es mit großer Freude und Erschöpfung.

13. Kapitel

BIS DER TAG KÜHL WIRD UND DIE SCHATTEN SCHWINDEN, WENDE
DICH HER GLEICH EINER GAZELLE, MEIN FREUND, ODER GLEICH
EINEM JUNGEN HIRSCH AUF DEN BALSAMBERGEN.
(Das Hohelied Salomos, Kapitel 2, Vers 17)

Stine brachte Benjamin und Hanna bei, die Erwartungen zu steuern, indem sie ihnen Aufgaben stellte, die sie meistern konnten.

Manchmal wurden sie ihrer mütterlichen Hand überdrüssig und kamen polternd in den Saal.

Dina jagte sie selten fort, aber es kam vor, daß sie ihnen befahl, ruhig zu sein oder nicht mit ihnen reden wollte. Oder daß sie sie damit beschäftigte, alle Dinge im Raum zu zählen.

Benjamin haßte dieses Spiel. Er fügte sich in der Hoffnung, daß Dina ihn beachten würde, wenn er eine Weile gezählt hatte. Aber er mogelte und erinnerte sich an die Zahlen vom vorigen Mal. Bilder, Stühle und Tischbeine.

Hanna war nicht so gut in das Zählsystem eingeweiht und versagte kläglich.

Nachdem Johan noch immer keine Pfarrstelle bekommen hatte, wurde beschlossen, daß er den Winter über in Reinsnes bleiben sollte, als Benjamins Lehrer.

Hanna heftete sich besonders treu an seine Fersen. Benjamin war nicht so vertraut mit diesem erwachsenen Bruder, der ihn bis in alle Ewigkeit unterrichten würde.

Es war vierzehn Tage vor Weihnachten. Die geschäftigste Zeit des Jahres. Oline erteilte ihre Befehle. Anders, Mutter Karen und Johan waren weggefahren, um allerlei für die Festtage einzukaufen, als Benjamin und Hanna zu Dina in den Saal kamen. Sie beklagten sich über Johan. Er hatte gesagt, daß Benjamin lernen sollte, aber es war doch vor einigen Tagen beschlossen worden, daß sie heute die Dreikönigskerze gießen sollten.

»Der Tag ist lang. Benjamin kann beides, lernen und Kerze gießen!« sagte Dina.

Hanna lief unruhig im Zimmer herum, sie war wie ein junger Hund, der an alles stieß, was ihm im Wege stand. In voller Fahrt riß sie die Decke von Lorchs Cello herunter. Dina starrte auf das Instrument. Der Sprung war nicht mehr da. Das Cello war ganz!

Hanna brach in Tränen aus, weil sie glaubte, sie hätte etwas Schlimmes gemacht und Dina würde sehr böse werden.

Stine hörte das Weinen und kam angelaufen.

»Lorchs Cello ist wieder ganz!« rief Dina.

»Das ist doch nicht möglich!«

»Es ist jedenfalls ganz!«

Dina trug das Cello zum nächsten Stuhl. Vorsichtig, ohne die anderen zu beachten, fing sie an, das Instrument zu stimmen.

Als die reinen Töne durch das Haus strömten, hoben alle den Kopf, und Hanna stellte das Weinen ein.

Da hörten sie zum ersten Mal in Reinsnes Lorchs Cello. Es hatte eine dunklere Botschaft als Dinas Cello. Hatte wildere Töne und mehr Kraft.

Stundenlang waren dies die einzigen Töne, auf die zu lauschen sich lohnte. Sie hörten nicht einmal, daß der Dampfer sich von Norden her näherte.

Nur Niels war wie gewöhnlich auf seinem Platz. Es schneite heftig. Das Schiff hatte mehrere Stunden Verspätung. Um diese Jahreszeit gab es nicht viele Reisende. Nur eine große, dunkle Gestalt mit einer Reisetasche aus Rindsleder in der Hand und einem Seemannssack über der Schulter. Er hatte einen Wolfspelzmantel an und eine imponierende Wolfspelzmütze auf dem Kopf und war in der Adventsdunkelheit nicht leicht zu erkennen.

Tomas stand in der Stalltür, als der Mann zusammen mit Niels vom Strand heraufkam. Sie gingen über den Hofplatz zur Haupttreppe.

Tomas grüßte den Fremden sehr kühl, als er die Narbe auf der linken Wange sah. Dann zog er sich wieder in den Stall zurück.

Leo Zjukovskij bat höflich um Unterkunft für ein paar Tage. Er sei müde nach einem mehrtägigen Sturm in der Finnmark. Er wolle nicht stören. Höre, daß die Dame des Hauses musiziere...

Die ganze Zeit spielte das Lorch-Cello da oben. Tief und klangvoll, als ob es nie einen Riß gehabt hätte.

Leo Zjukovskij wurde, seinem Wunsch entsprechend, in aller Einfachheit von Oline in der Küche bewirtet.

Er erfuhr von dem Cello. Das mehrere Monate einen Sprung gehabt hatte und wie durch ein Wunder wieder ganz war. Und von Dinas Freude über das alte Instrument, das sie von dem armen Kandidaten Lorch geerbt hatte.

Niels leistete ihm eine Weile Gesellschaft. Aber als Stine mit den Kindern hereinkam, entschuldigte er sich mit der vielen Arbeit, die noch auf ihn wartete, und ging.

Stine wollte Dina erzählen, daß Gäste gekommen waren. Leo Zjukovskij wollte es absolut nicht. Aber wenn sie die Türen zum Gang aufmachen würden, dann könnte er die Musik besser hören...

Der Mann aß Brei mit Olines Himbeersaft. Er schätze es sehr, in ihrer Küche zu sitzen, sagte er und dankte für das Essen, indem er sich leicht verbeugte und ihr die Hand küßte.

Seit Jacobs Tod hatte ihr keiner mehr Avancen gemacht. Sie wurde ganz hektisch. Schwatzte eifrig vom Haus und den Leuten und der Heuernte. Es verging eine Stunde. Oline erledigte ihre notwendigsten Pflichten, lief hin und her.

Leo lauschte. Immer wieder sah er zur Tür. Seine Nasenflügel vibrierten schwach. Aber die Gedanken waren hinter der ernsten, höflichen Stirn verborgen.

Oline war erstaunt, daß er sich nicht zu fein war, unaufgefordert Holz im Ofen nachzulegen. Ohne irgendwelche Umschweife. Sie nickte dem Mann bewundernd zu.

Lorchs Cello weinte. Tomas kam nicht zum Abendessen. Der Russe saß in der Küche!

Dina wollte Wein holen, um Lorchs Cello zu feiern. Sie kannte den Wolfspelzmantel nicht, der über dem Treppenpfosten hing.

Aber die Rindsledertasche erkannte sie wieder. Der Anblick und der Geruch schlugen ihr mit einer solchen Wucht entgegen, daß sie sich festhalten mußte.

Ihr großer Körper legte sich über das Geländer. Gekrümmt, als ob ein heftiger Schmerz sie überfallen hätte. Die Hand, die das glatte, runde Holz umfaßte, war im Augenblick schweißnaß. Sie setzte sich auf eine Treppenstufe und fauchte, als Jacob sich meldete.

Aber er konnte ihr nicht helfen. Ebenso überrumpelt wie sie. Behutsam zog sie die Röcke hoch und stellte die Füße eine Stufe tiefer, breitbeinig. Fest. Der Kopf hing zwischen den Händen, als ob er abgehackt und ihr in Verwahrung gegeben wäre.

Sie blieb sitzen, bis sie sich bei dem spärlichen Licht auf dem Spiegeltisch mit der Dunkelheit im Flur vertraut gemacht hatte. Dann stand sie unendlich langsam auf und ging die Treppe hinunter. Griff gierig nach der Reisetasche, wie um festzustellen, daß sie wirklich existierte. Dann öffnete sie die Tasche und faßte alles an, was darin lag. Fand ein Buch. Auch diesmal. Seufzte und steckte es unter das Umschlagtuch. Dann schloß sie die Tasche.

Die Kerze flackerte, als sie sich aufrichtete. Sie hatte ein Pfand genommen.

Sie ging die Treppe wieder hinauf. Leise. Heizte den Ofen nicht mehr. Niemand sollte die Ofentür zuklappen hören.

Und sie legte sich mit allen Kleidern aufs Bett, den Blick fest auf die Türklinke gerichtet. Ein paarmal bewegte sie die Lippen. Aber es kam kein Laut. Nichts geschah. Und Jacob saß auf der Bettkante und sah sie an.

Stine zeigte dem Gast die Dachkammer. Er wollte nicht, daß sie seinetwegen Feuer machten. Er sei in ausgezeichneter Verfassung und heiß wie Glut, sagte er.

Stine holte Handtücher und füllte warmes und kaltes Wasser in die Krüge.

Er verbeugte sich und dankte und sah sich in dem Raum um. Als ob er erwartete, daß etwas aus der Wand herausspringe.

Das Mädchen Tea wurde mit irgendeinem Auftrag nach oben geschickt. Sie trödelte bei dem Wäscheschrank herum und warf einen Blick in die Dachstube. Sie wollte auch ihren Teil an dem Fremden haben.

Etwas an dem Mann machte Stine verlegen. Sie beeilte sich und zog sich rückwärts aus der offenen Tür zurück, während sie eine gute Nacht wünschte.

»Hat Dina Grønelv sich schon zur Ruhe begeben?« fragte er, als sie im Begriff war zu verschwinden.

Stine war verwirrt.

»Sie hat vor kurzem noch gespielt... Soll ich nachsehen?«

Leo schüttelte den Kopf. Er ging die wenigen Schritte zu ihr hin und blieb in der Türöffnung stehen.

»Schläft sie dort?« flüsterte er und nickte in die Dunkelheit hinein, in Richtung Saal.

Stine war nicht einmal verletzt über die ungehörige Frage, so verblüfft war sie. Nickte nur und machte einen Knicks in der Dunkelheit – vor der Kammer, in der sie und die Kinder schliefen.

Es wurde still in dem großen Haus. Die Nacht war nicht sehr kalt. Aber schwarz mit einem schweren Himmel. Drinnen gab es einen Gang und zwei geschlossene Türen.

Die Lichter im Saal wurden vom Obergeschoß des Gesindehauses aus beobachtet. Für Tomas war die Nacht eine Hölle. Saß im Körper wie ein unersättlicher Igel, als der Tag anbrach.

Tea erzählte des langen und breiten, daß der Russe mit der Narbe am Abend mit dem Dampfschiff eingetroffen sei. Sie war morgens in den Saal gekommen, um zu heizen.

»Der im Sommer da war, als der Stall gebrannt hat!« fügte sie hinzu.

»Ach so!« sagte Dina von den Kissen herunter.

»Er hat den Seemannssack und die Reisetasche dabei. Er wollte nicht, daß die Frau gestört würde. Hat uns gebeten, die Tür zum Gang aufzumachen, damit er das Cello besser hören konnte... Hat stundenlang in der Küche gesessen. Oline war zum Umfallen müde, der Ofen war ausgegangen und so weiter!«

»Ist Niels nicht dagewesen?«

»Doch, eine Zeitlang. Sie haben ein oder zwei Pfeifen geraucht. Aber keinen Punsch...«

»In der Küche?«

»Ja.«

»Hat er gesagt, was er will?«

»Nein, er hat nur um Essen und Unterkunft gebeten. Es waren schwere Unwetter im Norden. Er hat nicht viel gesagt, nur gefragt.

Nach allem. Und Oline hat ununterbrochen über alles und jedes geschwatzt.«

»Pst, nichts über Oline! Wartet er auf den nächsten Dampfer?«

»Das weiß ich nicht.«

»War Stine nicht da?«

»Doch, sie hat ihm das warme Wasser aufs Zimmer gebracht und... Ich hab' gehört, daß er gefragt hat, ob die Frau hier drinnen schläft und...«

»Pst, mach nicht so einen Krach mit der Ofentür!«

»Ich hab' das nicht so gemeint.«

»Nein.«

»Ich meinte nur, daß er – er wollte sich vielleicht unterhalten...«

»Du meinst, was du meinst. Aber hör jetzt auf, mit der Ofentür zu schlagen.«

»Jawohl.«

Tea tat ihre Arbeit. Beinahe geräuschlos.

Die Wärme begann sich in dem Raum auszubreiten. Es bullerte und mahlte in dem schwarzen Bauch.

Dina blieb liegen, noch immer voll angezogen, bis Tea verschwunden war und sie hörte, daß das Mädchen an die Tür des Gästezimmers klopfte.

Da stand sie auf und hängte die seltsame Nacht über einen Stuhl. Stück für Stück. Ließ lauwarmes Wasser über die Haut rieseln und zwang Jacob, Abstand zu halten.

Sie nahm sich Zeit mit dem Bürsten der Haare und dem Anziehen. Wählte einen schwarzen Rock und ein rostrotes Mieder. Keine Brosche oder sonstigen Schmuck. Band ein moosgrünes, gestricktes Tuch um Schultern und Taille nach der Art der Dienstmädchen. Dann atmete sie tief durch und ging hinunter zum Frühstück.

Mutter Karen war gerade von Strandstedet zurückgekommen und bedauerte es sehr, daß sie am Abend vorher bei der Ankunft des Gastes nicht dagewesen war.

Oline war über irgend etwas gekränkt, was es auch sein mochte, und kniff den Mund bedrohlich zusammen.

Dina meinte mit einem Gähnen, daß es so schlimm nicht sein könne, er sei ja weder ein Beamter noch ein Prophet. Man könne es

wohl mit einem ordentlichen Mittagessen mitten in der Advents-
zeit wiedergutmachen.

Mutter Karen befahl ein großes Frühstück mit allen Finessen.

Oline warf ihrem Rücken einen wütenden Blick zu und dachte an
das, was sie an diesem Vormittag noch zu tun hatte. Die Backfrau
sollte am nächsten Tag kommen. Sie waren mit allem so spät dran.
Die Masern und andere Krankheiten waren in der Gegend umge-
gangen, so daß die Leute oft tagelang im Bett liegen mußten. Die
Hilfskräfte, die sie von draußen bestellt hatten, kamen verspätet.
Und die neue Hilfe im Stall war noch nicht eingearbeitet, wenn sie
auch willig war. Stine hatte wahrhaftig genug mit den Kindern am
Hals, und Dina war im Haus keine Hilfe.

Was sollte eine arme Frau machen? Großes Frühstück! Puh!

»Sieh mal an! Leo Zjukovskij besucht uns noch vor dem Sommer?«
Dinas Stimme war eiskalt.

Sie hörte ihn die Treppe herunterkommen und machte sich im
Flur zu schaffen.

Das Lächeln auf seinem Gesicht erstarrte.

»Vielleicht wird man so kurz vor Weihnachten in Reinsnes nicht
gern gesehen?« fragte er und ging mit ausgestreckten Händen auf
sie zu.

»In Reinsnes nehmen wir immer Gäste auf, die versprochen haben zu kommen, und die anderen...«

»So komme ich also nicht ungelegen?«

Sie sah ihn an, ohne zu antworten.

»Woher kommt Er?« fragte sie und gab ihm die Hand.

»Von Norden.«

»Von Norden ist ein weiter Begriff.«

»Ja.«

»Bleibt Er länger in unserem Haus?«

Er hielt ihre Hand zwischen seinen beiden Händen, als ob er sie
wärmen wollte.

»Bis zum nächsten Dampfer, wenn es geht. Ich möchte nicht
stören.«

»Hat Er die gleichen guten Zigarren mit wie das letzte Mal?«

»Ja.«

»Da rauchen wir eine auf nüchternen Magen vor dem Frühstück! Es ist übrigens ein Buch mit unverständlichen russischen Zeichen zu mir in den Saal gelangt. Heute nacht.«

Das Lächeln saß in beiden Augen, aber sein Gesicht blieb ernst.

»Du kannst es einstweilen behalten... Bücher werden so feucht, sie lösen sich auf bei den ständigen Seereisen. Aber ich will dir die Gedichte gerne übersetzen. Es sind Juwelen. In einer verrückten Welt. Ich werde eine Übersetzung schreiben, die Sie dazulegen kann. Kennt Sie Puschkin?«

»Nein.«

»Ich kann von ihm erzählen, wenn es interessiert.«

Sie nickte. Die Augen spiegelten noch blinde Wut.

»Dina...«, sagte er weich.

Die Kälte hatte alle Fenster mit Klöppelspitze versehen. Ein schwacher Geruch nach Zigarrenrauch sickerte aus dem Wohnzimmer.

»Barabbas ist kein Schmied«, flüsterte sie und rieb sein Handgelenk mit dem Zeigefinger.

14. Kapitel

ER ÖFFNETE DEN FELSEN, DA FLOSSEN WASSER HERAUS, DASS
BÄCHE LIEFEN IN DER DÜRREN WÜSTE.
(Der Psalter, Psalm 105, Vers 41)

Niels bewegte sich in Leos Schatten, als ob er Schutz bei dem Russen suchte. Er kam sogar zu den Mahlzeiten ins Haupthaus und saß
abends im Rauchzimmer. Die beiden führten lange, leise Gespräche.

Anders war sehr mit der Vorbereitung für den Lofot-Fischfang
nach Weihnachten beschäftigt. Eilte hin und her. Er hatte mit dem
einen Femböring beim Seelachsfischen vor Andenes großen Erfolg
gehabt. Im letzten Jahr hatte man ihn weit über das Kirchspiel hinaus »Seelachskönig« genannt. Neue Netze waren gekauft worden,
sowohl Schleppnetze als auch Zugnetze.

Eines Tages war der Lehnsmann mit seiner Familie zu Besuch da,
und Anders kam mit ein paar Zeichnungen, als man sich gerade zu
Tisch setzen wollte. Stolz wie ein Hahn breitete er sie auf einem
freien Tisch aus.

Das Pökelfleisch mußte warten, während alle auf die Herrlichkeit schauten.

Anders wollte ein Haus auf den Femböring bauen und einen
Ofen hineinsetzen, so daß sie zum Kochen nicht an Land zu gehen
brauchten. Sie könnten dann auch Tag und Nacht fahren und abwechselnd mit einem Dach über dem Kopf schlafen.

Der Lehnsmann nickte und zog an seinem Bart. Es sehe etwas
ungeschickt aus, meinte er. Aber es könnte vielleicht nützlich sein.
Ob er schon mit Dina über den Umbau gesprochen habe.

Niels meinte, es sei Wahnsinn, sich so etwas auszudenken. Und
häßlich würde der Femböring werden! Hoch und schwer zu steuern und nicht zu bugsieren.

Leo meinte, daß die Idee gut sei. Die russische Lodje sei auch
klobig, aber sie sei trotzdem auf See sehr brauchbar. Er sah sich
Anders' Zeichnung an und nickte anerkennend.

Mutter Karen schlug die Hände zusammen und lobte das Vorhaben, aber ermahnte alle, Platz zu nehmen, damit das Essen nicht kalt wurde.

Dina knuffte Anders in die Schulter und sagte freundlich: »Anders ist ein tüchtiger Mann! Er bekommt sein Haus auf dem Fembøring.«

Einen Augenblick sahen sie einander an. Dann faltete Anders die Zeichnungen zusammen, und sie setzten sich. Er hatte erreicht, was er wollte.

Ich bin Dina. Eva und Adam hatten zwei Söhne. Kain und Abel. Der eine erschlug den anderen. Aus Mißgunst.
Anders erschlägt keiner. Und ihn will ich behalten.

Dina fand Niels' Anwesenheit bei Tisch und seine ständige Hinwendung zu Leo mindestens so unangenehm, wie wenn sie Insekten in ihrem Essen hätte. Sie beobachtete ihn erst mit ihrem kleinen Lächeln, dann beanspruchte sie Anders' und Leos Aufmerksamkeit.

Stine war auch auf der Hut, solange Niels da war. Wenn es gelegentlich nötig war, sprach sie mit leiser, eindringlicher Stimme zu den Kindern. Energisch und sanft zugleich behandelte sie die Sprößlinge. Entgegen allen sonstigen Gepflogenheiten saßen sie mit den Erwachsenen bei Tisch. Wenn sie fertig waren, durften sie sich trollen. Es war schwierig, die Kinder ins Bett zu bekommen. Aber es wurde auf Reinsnes kein Gebrauch von der Rute gemacht. Das hatte Dina entschieden. Schaffte es jemand, ein wildes Pferd zu reiten ohne ein anderes Zuchtmittel, als ihm die Peitsche zu zeigen, dann mußte auch bei zwei Kindern der Anblick einer Rute genügen.

Stine war nicht damit einverstanden, aber sie behielt es für sich. Wenn sie sich genötigt sah, Benjamin an den Haaren zu ziehen, dann machten sie das unter sich aus.

Benjamin akzeptierte Stines Strafen, weil sie immer gerecht waren. Außerdem schied Stine einen besonderen Geruch aus, wenn sie sich anstrengte. Diesen Geruch hatte Benjamin schon als Kleinkind außerordentlich gemocht.

Er akzeptierte ihre Hand, wenn sie ihn im Affekt oder auch in aller Ruhe strafte, so wie man das veränderliche Wetter und die Jahreszeiten akzeptiert. Er weinte es sofort heraus und war nicht nachtragend.

Hanna war anders. Sie durfte man nicht strafen, ohne daß sie wußte, wofür. Sonst konnte man eine ganze Lawine von Lauten, Angst und Rache auslösen. Niemand vermochte sie dann zu trösten, außer Benjamin.

Gerade an dem Tag, als der Lehnsmann mit seiner Familie zu einem vorweihnachtlichen Besuch da war, gefiel es Benjamin, besonders unruhig bei Tisch zu sein.

Der Lehnsmann murmelte ungehalten, es sei ganz schlimm, daß auf Reinsnes zwei Kinder ohne die strenge Erziehung eines Vaters aufwüchsen.

Stine senkte den Kopf in blutroter Scham. Niels sah an die Wand, als ob er mitten im Winter ein seltenes Insekt entdeckt hätte.

Aber Dina lachte und schickte Hanna und Benjamin vom Tisch mit dem Hinweis, daß sie bei Oline fertig essen sollten. Sie nahmen ihre Schüsseln und trotteten fröhlich davon, ohne sich zu schämen.

»Ich kann nicht behaupten, daß Vater sich viel um meine Erziehung gekümmert hat. Und das wissen ja alle.«

Es war, als ob jemand dem Lehnsmann einen Priem ins Gesicht gespuckt hätte.

Mutter Karen blickte verzweifelt von einem zum anderen, aber sie wußte nicht, was sie sagen sollte. Die Stimmung im Raum wurde zu ranzigem Leberfett, als Dina hinzufügte: »Das Kind Dina hat wenig von der Vaterhand gesehen, als es zur Pflege bei den Häuslerleuten in Helle war. Und heute sitzt Dina auf Reinsnes.«

Der Lehnsmann wollte gerade wütend auffahren. Aber Dagny packte ihn am Arm. Sie hatte ihm klar und deutlich Bescheid gesagt. Falls er mit Dina keinen Frieden halten könne, während sie in Reinsnes zu Besuch waren, dann würde sie dieses Haus nie mehr betreten.

Denn Dinas Rache und ihre bösartigen Antworten, wenn der Lehnsmann sie zurechtwies, trafen auch Dagny. Ja, eigentlich wurde nur sie gedemütigt. Denn der Lehnsmann war genauso dickfellig für Schrammen und Schlägereien wie ein Walroß zur Paarungszeit.

Er nahm sich gewaltig zusammen und lachte wiehernd, als ob es sich um einen Scherz gehandelt hätte. Dann begann er mit Anders ein Gespräch über das Haus auf dem Fembøring.

Während der restlichen Mahlzeit waren Leos Blicke zwei Falken über den Menschen am Tisch.

Sie schienen alle wie gelähmt von dem, was Dina nicht gesagt hatte, als sie ihre unverschämte Antwort herausschleuderte.

Stine hob den Kopf erst wieder, als sie eine halbe Stunde später das Zimmer verließ.

Der Abend wurde kurz. Die Leute gingen zeitig zu Bett, und der Lehnsmann fuhr mit seiner Familie am nächsten Morgen nach Hause.

Mutter Karen versuchte den Schaden wiedergutzumachen. Sie verteilte viele Geschenke und sprach freundlich mit Dagny, ehe sie sich verabschiedeten.

Dina beliebte es, sich zu verschlafen, so mußte sie ihnen vom Saalfenster aus einen Abschiedsgruß zurufen, als sie zur Anlegestelle hinunterstapften.

»Gesegnete Weihnachten!« rief sie ihnen mit zuckersüßer Stimme nach und winkte.

Die Vorweihnachtstage begannen mit einem pechschwarzen Morgen und endeten mit einer dunklen Luftspiegelung auf gefrorenen Spuren im Schnee. Hektische Betriebsamkeit ging langsam über in den Abend und in schwere Ruhe. Sogar die Tiere waren von diesem Rhythmus angesteckt, auch wenn sie fast kein Tageslicht sahen.

Lorchs Cello hörte man an späten Abenden aus dem Saal, und in allen Fenstern waren Kerzen angezündet. An Kerzen wurde jetzt nicht gespart. Sonst gab es im Winter eine Quote von sechs Kerzen für das Wohnzimmer, werktags. Zwei Kerzen gleichzeitig. Zusätzlich zu den vier großen Lampen.

Es roch nach Schmierseife und Gebackenem, Birkenholz und Geräuchertem. Oline hatte die Backfrau dagehabt, es lag ein himmlischer Duft über Küche und Anrichte. Aber einige Arbeiten vertraute sie niemand anderem an. Den Butterteig zum Beispiel. Er entstand unter ihren mehligen Händen auf der großen Bank im Windfang. Bei offener Tür in der eiskalten Dezembernacht.

Sie thronte dort wie ein großes, geschäftiges Tier, eingehüllt in einen Pelz und mit einem Kopftuch über den Haaren. Das Gesicht weiß, die Backen allmählich rot von der Kälte.

Runde Holzschachteln mit Lefse standen auf dem Dachboden des Bootshauses. Die Kuchen wurden in der riesigen Speisekammer aufbewahrt. Die Fleischrouladen lagen unter Schraubbrettern im Keller. Einen ganzen Tag hörte man aus dem Backhaus das Hackmesser, denn Oline sorgte für Hackwürste. Der Gomme* war in Schüsseln gefüllt, mit Zimt bestreut und mit einem Tuch zugedeckt worden. Die Brote lagen in Kisten und Kästen und sollten auch für die Fahrt zu den Lofoten reichen.

Natürlich gab es viele Kammern und Zimmer auf Reinsnes. So hätte Dina Leo Zjukovskij für sich allein haben können, wenn sie sich bemüht hätte. Aber es gab auch viele Türen. Und alle wurden aufgemacht, ohne anzuklopfen. Deshalb wurde Leo der Gast aller.

Das Dampfschiff sollte in der Woche nach Weihnachten kommen. Vielleicht erst nach Neujahr.

Leo Zjukovskij führte Gespräche über Politik und Religion mit Johan. Mit Frau Karen sprach er über Literatur und Mythologie. Er blätterte in ihren Büchern. Aber gestand ein, daß er Russisch und Deutsch besser lesen konnte als Norwegisch.

Leo Zjukovskij wurde in aller Munde »Herr Leo«. Er steckte Tea, die morgens seinen Ofen heizte, ein paar Münzen zu. Aber niemand wußte, woher er kam und wohin er wollte. Wenn jemand fragte, antwortete er überzeugend, aber kurz, meist ohne Ortsnamen oder Datum.

Auf Reinsnes waren die Leute gewohnt, mit Fremden umzugehen, deshalb nahm man es mit höflicher Ruhe hin. Man lernte auch, die Zeichen des Russen zu deuten, je nach Fähigkeit und Interesse.

---

* Gomme ist ein Käse, von ähnlicher Beschaffenheit wie unser Hüttenkäse, aber braun. (Anm. der Übs.)

Dina begriff, daß er seit dem letzten Mal in Rußland gewesen sein mußte, denn er hatte russische Bilder mit, die offen herumlagen. Gelegentlich hatte sie sich unter einem Vorwand in seine Kammer geschlichen, wenn sie wußte, daß er im Laden war. Sie sog seinen Geruch ein. Nach Tabak, Lederkleidung, Reisetasche.

Sie blätterte in den Büchern. Es gab Unterstreichungen, aber keine Notizen wie in Johans Büchern. Nur schwache Bleistiftstriche.

In den ersten Tagen nach Leos Ankunft fragte Anders ihn, wann er zuletzt in Bergen gewesen sei.

Leo erwiderte nur: »Ich war im Sommer da.«

Dann lobte er das Frachtschiff »Mor Karen«, das an Land lag und darauf wartete, zu Wasser gelassen zu werden, um zu den Lofoten zu fahren.

»Die Schiffe hier in den Nordländern sind wirkliche Schiffe!« sagte er.

Und Anders' Augen glänzten, als ob das Schiff von ihm selbst gekauft und bezahlt worden wäre.

Abends entledigte Leo sich seiner Jacke und Weste und tanzte und sang. Die große, dunkle Stimme füllte das ganze Haus. Die Leute kamen aus der Küche und den Nebengebäuden, um zu hören und zu sehen. Die Türen wurden aufgemacht, und blinzelnde, an die dunkle Zeit gewöhnte Augen fingen bei der Wärme und dem Gesang an zu glühen.

Dina lernte die Melodien und spielte sie nach Gehör auf dem Klavier.

Lorchs Cello kam nie herunter aus dem Saal. Dina behauptete, daß es einen Ortswechsel nicht vertrage.

Am Heiligabend war der Himmel weiß von Schnee. Das Wetter hatte mit einem unerwarteten Wärmeeinbruch zugeschlagen. Das versprach nichts Gutes für die Weihnachtsgesellschaften. Die Schlittenbahn konnte in weniger als vierundzwanzig Stunden unbrauchbar sein, und das Meer war bereits unruhig. Es lag ein Schneesturm über dem Sund, der sich nicht zu erkennen geben wollte. Es war nicht vorauszusehen, welche Stärke er in sich barg.

Dina ritt an der Strandlinie entlang, weil der poröse Schnee mit dem scharfen Harsch darunter eine Pest für die einbrechenden Pferdefüße war.

Sie ließ den Schwarzen mit lockeren Zügeln dahintrotten, während sie in den trüben Horizont schaute.

Sie hatte Leo zu dem Ritt einladen wollen, aber er war bereits in den Laden gegangen. Sie wollte ihn dazu bringen, daß er sich zu erkennen gab. Er hatte nichts von dem wiederholt, was er oben im Flur an dem Tag nach dem Brand gesagt hatte.

Sie runzelte die Stirn, und sie blinzelte einen Augenblick hinüber zum Hof.

Die Häuser lagen dicht zusammengedrängt und verstreuten helle Lichtkegel aus vielen Fensterreihen. Die erfrorenen Vogelbeeren und die Kornbüschel wurden von den kleinen Taugenichtsen des Himmels auf schnellen Flügeln heimgesucht. Spuren von Tieren und Menschen, Mist und Abfall, lagen in all dem Weiß als graue und braune Flächen um die Häuser. Schatten von tropfenden Eiszapfen zeichneten zackige Muster von gierigen Zähnen in die Schneehaufen.

Dina bot keinen guten Anblick.

Aber als sie eine Stunde später am Stall anlangte, lächelte sie.

Das beunruhigte Tomas. Er nahm die Zügel entgegen und hielt den Schwarzen fest, während sie sich herunterschwang und dem Pferd einen Klaps auf die Flanke gab.

»Gib ihm etwas extra...«, murmelte sie.

»Und die anderen Pferde?«

Sie sah verwirrt auf.

»Mach, was du willst.«

»Kann ich ein paar Tage zwischen den Jahren frei haben?« fragte er und trat gegen einen Eisklumpen mit Pferdedreck.

»Kümmer dich aber darum, daß jemand im Stall ist«, sagte sie gleichgültig und wollte gehen.

»Bleibt er lange hier, der Herr Leo?«

Die Frage verriet ihn. Daß er Rechenschaft von ihr forderte... Sich das Recht herausnahm, sich zu wundern.

Dina sah aus, als ob sie im Begriff war, eine vernichtende Antwort zu geben. Aber sie hielt plötzlich inne.

»Nein, warum verstellt man sich so auf Reinsnes, Tomas?«

Sie lehnte sich an ihn.

Er dachte an den ersten Sauerampfer zwischen den Zähnen, im Vorsommer. Feuchter Sommer...

»Die Leute kommen und gehen...«, fügte sie hinzu.

Er blieb die Antwort schuldig. Tätschelte geistesabwesend das Pferd.

»Ich wünsche Ihr fröhliche Weihnachten!«

Seine Augen streiften ihren Mund. Die Haare.

»Du wirst doch erst das Weihnachtsmahl hier essen, bevor du heimgehst«, sagte sie schnell.

»Ich würde lieber etwas mit nach Hause nehmen, wenn es geht.«

»Es geht beides.«

»Danke!«

Plötzlich wurde sie böse.

»Du sollst nicht so bedrückt sein, Tomas!«

»Bedrückt?«

»Du läufst rum wie das heulende Elend!« rief sie. »Ganz gleich, was dir widerfährt, du siehst aus wie eine Beerdigung.«

Es wurde sehr still. Dann holte der Mann Luft. Tief. Als ob er sich darauf vorbereitete, alle Kerzen auf einmal auszublasen.

»Wie eine Beerdigung, Dina«, sagte er endlich, indem er jedes Wort betonte.

Er sah sie an. Spöttisch?

Dann war es vorüber. Die kräftigen Schultern sanken herunter. Er führte das Pferd in den Stall und gab ihm Hafer, wie sie es befohlen hatte.

Leo trat gerade aus seinem Zimmer, als sie die Treppe heraufkam.

»Komm!«

Sie sagte es wie einen Befehl, ohne Einleitung. Er sah sie erstaunt an, aber er folgte ihr. Sie machte die Tür zum Saal auf und bat ihn einzutreten.

Es war das erste Mal seit seiner Ankunft, daß sie mit ihm allein war. Sie zeigte auf einen Stuhl am Tisch.

Er setzte sich und deutete mit einer Geste an, daß sie sich auf den nächststehenden Stuhl setzen sollte. Aber da saß Jacob.

Sie zog die Reitjacke aus. Er stand auf und half ihr. Legte die Jacke vorsichtig auf das wuchtige Bett.

Sie übersah Jacob und setzte sich an den Tisch. Sie waren Figuren in einem Tableau. Jacob betrachtete sie.

Bisher war nichts gesprochen worden.

»Dina ist so ernst«, sagte Leo einleitend. Legte das eine Bein über das andere und schaute auf die beiden Celli. Ließ dann den Blick über das Fenster gleiten, den Spiegel, das Bett. Und schließlich zurück zu Dinas Gesicht.

»Ich will wissen, wer du bist!«

»Ist das gerade heute so wichtig? Am Heiligen Abend?«

»Ja.«

»Ich versuche die ganze Zeit, herauszufinden, wer ich bin. Und ob ich nach Rußland oder hierher nach Norwegen gehöre.«

»Und wovon lebst du, während du versuchst, das herauszufinden?«

Eine Sekunde blitzte es in den grünen Augen.

»Von dem gleichen wie Frau Dina, von dem Hab und Gut meiner Vorfahren.« Er stand auf, machte eine Verbeugung und setzte sich wieder. »Geruht Sie, die Bezahlung für das Logis sofort entgegenzunehmen?«

»Nur wenn er morgen abreist.«

»Meine Schuld wird größer, je länger ich bleibe. Vielleicht will Sie eine Sicherheit haben?«

»Die habe ich bereits. Puschkins Gedichte! Außerdem ist es bei uns nicht Sitte, daß die Gäste für die Beherbergung bezahlen. Deshalb sind wir ja auch so sehr darauf bedacht, zu wissen, wen wir beherbergen.«

Es arbeitete in seinem Kopf. Zwei Knoten bewegten sich. An jedem Kiefer einer.

»Sie wirkt so unfreundlich und verdrossen«, sagte er unverblümt.

»Das wollte ich nicht. Aber du versteckst dich vor mir.«

»Es ist nicht gerade einfach, an Dina heranzukommen. Außer wenn Sie spielt. Und da spricht man nicht mit Ihr.«

Sie überhörte die Ironie.

»Du hast gesagt... bevor du abgereist bist... daß du mir den Hof machst. War das nur dummes Zeug?«

»Nein.«

»Was hast du damit gemeint?«

»Das ist schwer zu erklären, so im Rahmen einer Befragung. Sie ist es gewohnt, von den Leuten die Antworten zu erhalten, die Sie haben will, nicht wahr? Konkrete Antworten auf konkrete Dinge. Aber einer Frau, der man begegnet, den Hof zu machen, ist nichts Konkretes. Es ist eine gefühlsmäßige Herausforderung. Die Takt und Zeit verlangt.«

»Verlangt es auch Takt und Zeit, wenn du mit Niels zusammen in seinem Kontor sitzt und schwatzt?«

Leo lachte. Entblößte seine ganze Zahnreihe.

»Das wollte ich ja nur wissen«, zischte sie und stand auf. »Du kannst gehen!« fügte sie hinzu.

Er senkte den Kopf, als ob er sein Gesicht verbergen wollte. Dann sah er plötzlich auf und sagte bittend: »Sei nicht so zornig. Spiel lieber für mich, Dina!«

Sie schüttelte den Kopf, erhob sich aber trotzdem und ging zu den Instrumenten. Ließ die Hand über Lorchs Cello gleiten, während sie den Mann ansah.

»Worüber sprichst du mit Niels?« fragte sie abrupt.

»Sie will alles über alle wissen? Volle Kontrolle haben?«

Sie antwortete nicht. Ließ nur die Hand in großen, langsamen Kreisen über das Instrument gleiten. Folgte den Linien des Klangkörpers. Er gab ein schwaches Geräusch von sich. Wie aus dem Jenseits.

»Wir sprechen über Reinsnes. Den Laden. Über Buchführung. Niels ist ein bescheidener Mann. Sehr einsam... Aber das weiß Sie wohl auch. Er erzählt, daß Frau Dina eigenmächtig ist und alles überwacht.«

Pause. Dina schwieg.

»Heute morgen sprachen wir darüber, daß man an den Laden gut anbauen könnte, damit die Räume zeitgemäßer würden. Heller. Man bekäme Platz für mehr Waren. Es wäre sicher möglich, Verbindungen zu Rußland aufzunehmen, um Waren heranzuschaffen, die hierzulande nicht so leicht zu erhalten sind.«

»Du sprichst mit einem meiner Leute über Reinsnes, aber nicht mit mir?«

»Ich habe geglaubt, Sie sei ein Frauenzimmer mit anderen Interessen.«

»Mit was für Interessen?«

»Kinder. Haushalt.«

»Da weiß Er nicht viel von den Pflichten, mit denen sich die Witwe eines Gastwirts herumschlagen muß! Es wäre mir lieber, wenn du über Reinsnes mit mir sprechen würdest und nicht mit meinen Angestellten! Was interessiert dich überhaupt so an Reinsnes?«

»Solche Gemeinschaften interessieren mich. Sie sind eine Welt für sich, im Guten wie im Bösen.«

»Habt ihr solche Gemeinschaften dort nicht, wo du herkommst?«

»Nein, nicht die gleichen. Die Menschen sind weniger frei, wenn sie keinen Grund und Boden besitzen. Die kleinen Leute haben keine Veranlassung, so loyal zu sein wie hier bei euch. Es sind schwierige Zeiten in Rußland.«

»Ist Er deshalb hierhergekommen?«

»Unter anderem. Aber ich habe einmal auf Reinsnes mitgeholfen, einen Brand zu löschen...«

Er kam näher. Das spärliche Tageslicht ließ das strenge Gesicht faltig erscheinen.

Sie standen einander gegenüber, das Cello zwischen sich. Er legte auch eine Hand auf das Instrument. Schwer wie ein sonnenwarmer Stein.

»Warum hat es so lange gedauert, bis du kamst?«

»Findest du, daß es lange war?«

»Das ist nicht nur etwas, was ich finde. Du hast gesagt, du würdest vor dem Winter kommen.«

Er schien sich zu amüsieren.

»Erinnerst du dich so genau an das, was ich sage?«

»Ja«, fauchte sie.

»Dann kannst du doch gut zu mir sein, wo ich jetzt hier bin«, flüsterte er. Dicht an ihrem Gesicht.

Sie sahen sich in die Augen. Lange. Maßen ihre Stärke. Forschten in großem Ernst.

»Wie gut muß man zu einem Barabbas sein?«

»Dazu gehört nicht viel...«

»Was denn?«

»Ein bißchen Freundlichkeit.«

Er nahm ihr das Cello aus der Hand und lehnte es gegen die Wand. Behutsam. Dann ergriff er ihre beiden Handgelenke.

Irgendwo im Haus zerbrach etwas. Kurz darauf hörte man Benjamin weinen.

Für einen Moment sah er eine gewisse Rührung in ihrem Blick. Dann glitten sie an der Wand zueinander. Er hätte nie geglaubt, daß sie so stark war. Der Mund, die offenen Augen, der Atem, die große, üppige Brust. Sie erinnerte ihn an die Frauen zu Hause. Aber sie war härter. Zielbewußter. Ungeduldig.

Sie waren ein Knoten an der dunklen Wand. Ein zäher, beweglicher Knoten in Jacobs Tableau.

Leo hielt sie ein wenig von sich ab und flüsterte: »Spiel, Dina! Dann kannst du uns retten!«

Ein leiser, tierischer Laut entschlüpfte ihr. Einen Augenblick vergrub sie sich in seinen Armen. Dann griff sie nach ihrem Instrument, hob es hinüber zum Stuhl und spreizte die Schenkel, um es entgegenzunehmen. Der Bogen zeichnete sich gegen das graue Tageslicht ab.

Die Töne kamen. Erst taumelnd und nicht besonders schön. Dann wurde der Arm sicher und weich. Sie hatte sich eingespielt. Und Jacob wich.

Leo stand mit hängenden Armen da und sah ihre Brust nahe bei dem Instrument. Die langen Finger, die manchmal zitterten, um dem Ton die ganze Fülle zu geben. Das Handgelenk. Die Lederhosen, die die freigebigen, festen Schenkel offenbarten. Die Wange. Dann fielen ihre Haare nach vorn und verdeckten das Gesicht.

Er ging durch das Zimmer und zur Tür hinaus. Er machte sie nicht hinter sich zu. Und seine eigene auch nicht. Ein unsichtbarer Strich war über die breiten Fußbodenbretter gezogen. Zwischen der Gästekammer und dem Saal.

15. Kapitel

Frau Karen hatte alle Kisten und Körbe gepackt, die zu den drei Häuslerstellen und zu den Bedürftigen, von denen sie wußte, gebracht werden sollten.

Sie hatte sie mit einer günstigen Fahrgelegenheit mitgegeben, oder sie hatte den Leuten sagen lassen, sie sollten die Sachen mitnehmen, wenn sie zum Laden kamen, um das Nötigste für Weihnachten einzukaufen.

Oline bewirtete in der Küche. Dort war es gemütlich und schön und ordentlich bis in den letzten Winkel.

Lappenschuhe, Winterstiefel und Mäntel wurden in der Nähe des großen, schwarzbauchigen Eisenherds untergebracht. Sie sollten für den Heimweg aufgetaut, getrocknet und gewärmt werden. In dem Schiff hinten im Herd war immer heißes Wasser. Frisch geputzt und glühend warf er seinen Schein auf die Töpfe und Gefäße, wenn die Ringe für den Kaffeekessel herausgenommen wurden.

Die ganze Woche war ein Kommen und Gehen gewesen. Die Leute hatten gegessen und getrunken. Waren zum Laden hinuntergegangen, hatten auf Hockern, Tonnen und Kisten gesessen und auf eine Fahrgelegenheit gewartet.

Es konnte keine Rede davon sein, die Öffnungszeiten einzuhalten. Der Laden war offen, wenn Leute da waren. Es ging nicht anders. Niels und der Gehilfe mußten sich tummeln.

Ständig mußten die Ringe aus dem untersten Absatz des Etagenofens herausgenommen werden. Und der Kaffeekessel kam darauf. Das Wasser blubberte, bis es aus der Tülle schwappte.

Es gab Dampf und Lärm, so daß irgend jemand sich die Zeit nehmen mußte, den Kessel vom Feuer zu ziehen und den Kaffee hineinzuschütten.

Auf dem Fußboden neben dem Ofen war ein flacher Stein, auf den man den Kessel stellen konnte. Der Kaffee setzte sich und schickte seinen Duft direkt in die Nase derer, die aus Dunkelheit, Kälte und Gischt kamen.

Die Tassen mit den blauen Blumen und dem Goldrand, sechs an der Zahl, wurden nach jedem Kunden schnell ausgespült und neu eingegossen. Die eine oder andere schlecht gemahlene Kaffeebohne legte sich wie ein braungebranntes Boot an den Tassenrand. Schaukelte mit, wenn ein durchfrorener Bursche nach der Tasse griff, um sich zu wärmen oder den bitteren Nektar zum Munde zu führen. Es gab braunen Zucker und Plätzchen dazu.

Einige bekamen einen Schnaps hinter verschlossener Tür. Aber die Kundenschnäpse saßen nicht so locker in Reinsnes. Das sei gut so, meinte Niels.

In der blauen Küche bei Oline gab es eine Bewirtung mit Schnaps nur für Oline selbst. Sie gönnte sich ab und zu einen starken Kaffee mit viel Schnaps, um das Blut zu verdünnen.

Nur sehr wenige gelangten ins Wohnzimmer zu Mutter Karens Sherry.

Dina selbst erhielt selten Besuch. Wenn Gäste auf den Hof kamen, ließ sie sie im Namen des Hauses in den Wohnräumen bewirten.

Niels mochte die Zeit vor Weihnachten. Der Umsatz erstklassiger Waren in einer reichen Auswahl war maximal. Er hatte die Angewohnheit, die Stirn um so tiefer zu runzeln, je besser das Geschäft lief.

Und an diesem Weihnachtsabend waren die Runzeln besonders tief, als er sich in den halbleeren Regalen umsah und die leeren Lagerräume neben dem Laden und in den Lagerhäusern inspizierte. Er bemühte sich, wie ein ruinierter Mann auszusehen.

Als Anders pfeifend hereinkam, im Sonntagshemd, bemerkte Niels mit betrübter Stimme, daß noch nie so wenig Mehl dagewesen sei, er mache sich wegen der Ausrüstung für die Lofot-Fahrer ernstlich Gedanken.

Aber Anders lachte. Er sah die gespielte Sorge des Bruders vor den leeren Regalen und Verschlägen mit großem Vergnügen. Mitunter wunderte er sich jedoch, daß der Überschuß aus dem Handel nicht wesentlich größer war. Denn sie hatten viele solide Kunden. Auch die, die zum Fischfang ausgerüstet wurden, waren fast ausnahmslos ordentliche Leute, die Fisch und Geld ablieferten, sobald der Fischfang vorüber war.

Als nach dem letzten Kunden alles verriegelt und verschlossen war, ging Niels zu einer einsamen Messe. Im Kontor hinter zugeschlossener Tür und zugezogenen Gardinen.

Er steckte seine Opfergaben sorgfältig in zwei feste Umschläge und legte sie auf den Tisch. Darauf schraubte er den Docht der Öllampe herunter und begab sich mit dem einen Umschlag zum Altar.

Der Waschtisch war ein solides Möbelstück aus Eiche mit einer schweren Marmorplatte, Emailschüssel und ebensolcher Seifenschale.

Feierlich schob er mit aller Kraft den Waschtisch beiseite. Das lose Fußbodenbrett lag treu an seiner Stelle und sah ihn mit seinen vielen Astlöchern und Kerben an.

Die Blechschachtel wurde in das gedämpfte Licht gehoben, geöffnet und mit dem letzten Opfer gefüttert.

Dann wurde alles wieder auf seinen Platz befördert.

Die verbuchten Scheine schloß er in dem Eisenschrank in der Ecke ein.

Zum Schluß stand Niels mit angezündeter Pfeife mitten im Kontor und sah sich um. Es war alles sehr gut. Es war der siebente Tag.

Nur eine Sache bekümmerte ihn. Er hatte sich eine Amerikakarte angeschafft, und die war verschwunden. Sie hatte auf dem Tisch gelegen. Und jetzt war sie nicht mehr da!

Er hatte gesucht und gesucht. Und den Gehilfen Peter gefragt, der behauptete, daß er nichts gesehen oder gehört habe.

Niels wußte, daß er niemals mit einer Frau nach Reinsnes kommen konnte, solange Stine und das Kind da waren. Diese traurige Einsicht hatte ihn zu einem ernsten Entschluß gebracht. Sich eine Amerikakarte anzuschaffen. Und jetzt war sie also weg.

Am Weihnachtsabend kam um fünf Uhr immer Mølje auf den Tisch: Flachbrot, in Fleischbrühe getunkt und mit Sirup beträufelt. Aquavit und Bier. Alle versuchten bis dahin mit ihrer Arbeit fertig zu sein.

Niels riß sich in diesem Jahr zusammen. Dank dieses Russen machte es ihm Freude, mit den anderen zu essen.

Wenn nur die Sache mit der Amerikakarte nicht gewesen wäre. Vielleicht konnte er es demjenigen ansehen, der sie genommen hatte.

Es war für alle im Eßzimmer gedeckt. Am Weihnachtsabend aß niemand in der Küche. Eine Sitte, die Mutter Karen eingeführt hatte, als sie auf den Hof kam.

Aber nicht alle fühlten sich wohl im Eßzimmer. Sie wagten kaum miteinander zu reden aus Angst, sich nicht gesittet zu benehmen oder etwas Falsches zu sagen.

Leo und Anders lockerten das Ganze auf, indem sie mit den Kindern ihre Späße trieben. Da bekam man etwas zu lachen. Etwas Gemeinsames.

Schüsseln wurden rein- und rausgetragen. Der Dampf des warmen Essens legte sich auf die Haut und mischte sich mit den Säften, die aus dem Inneren kamen.

Mutter Karen saß vor dem brennenden Weihnachtsbaum. Es duftete feierlich im ganzen Haus. In geflochtenen Papierkörbchen lagen Rosinen, Pfefferkuchen und Kandis. Es durfte nichts angerührt werden, ehe Mutter Karen das Zeichen gab.

Sie hatte im Lehnstuhl am Tischende gesessen und nach dem Essen das Weihnachtsevangelium gelesen. Erst auf norwegisch. Dann auf deutsch, um Herrn Leo zu erfreuen, wie sie sagte.

Aber Benjamin und Hanna platzten fast vor Verlangen nach den Päckchen und den Süßigkeiten. Für sie wurde das Weihnachtsevangelium nicht nur doppelt so lang, es wurde zu einer unangebrachten Strafe Gottes.

Später gebrauchten sie unter sich die Redensart: »Jetzt liest sie wohl auch noch auf deutsch!«

Dina war wie ein breiter, durch den Raum gleitender Fluß. In ihrem königsblauen Samtkleid mit einem Bruststück aus Damast. Sie blickte den Leuten offen ins Gesicht und sah fast freundlich aus. Sie spielte die Weihnachtslieder, als ob sie die Saiten liebkoste.

Leo war Vorsänger, in einem weißen Leinenhemd mit weiten Ärmeln und Spitzenmanschetten. Dazu eine schwarze Weste. Am Halsbündchen trug er eine silberne Brosche.

Die beiden dreiarmigen Dreikönigsleuchter, die am Weihnachtsabend immer auf dem Klavier standen, waren angezündet. Die Silberschalen unter den Leuchtern funkelten. Sie sollten das herunterlaufende Stearin auffangen. Im Laufe des Abends häufte sich das geschmolzene Stearin und bildete eine kleine Landschaft unter den Kerzen.

Die Dreikönigsleuchter waren Stines Werk. Einer für Hanna und einer für Benjamin. Auch wenn Mutter Karen ausdrücklich sagte, daß sie zu Ehren Christi dastanden.

Nachdem sie vor Weihnachten einen Schuhmacher auf dem Hof gehabt hatten, war es für die Leute nicht schwer zu erraten, was sich in den Paketen der Herrschaft befand. Bald saßen alle Dienstleute da und probierten Schuhe an.

Leo stand auf und sang auf russisch ein lustiges Volkslied über die eiligen Schuhe in aller Welt.

Benjamin und Hanna sangen mit. Ein russisches Kauderwelsch. Herzzerreißend falsch und mit großem Ernst.

Mutter Karen war allmählich ziemlich müde geworden, in dem frisch gestärkten Spitzenkragen und mit dem schön frisierten Haar. Hjertrud ging plötzlich durch das Zimmer und strich Mutter Karen über die runzlige weiße Wange. Und Mutter Karen schloß die Augen und nickte ein bißchen ein.

Oline ließ sich heute abend bedienen. Sie hatte am Knöchel eine offene Wunde, die bei der vielen Arbeit vor Weihnachten schlimmer geworden war.

Stine hatte aus Honig und Kräutern eine Salbe gekocht und aufgetragen. Aber es brachte keine Besserung.

Leo meinte, sie solle auf ihrem Hintern sitzen bleiben und sich bedienen lassen, bis sie wieder gesund sei. Seitdem war Olines Blick Leo gefolgt. So wie er seinerzeit Jacob gesegnet hatte.

Stine empfand eine große Ruhe. Gelegentlich sah sie Niels an, als ob sie einen frisch gescheuerten Fußboden betrachtete. Nachdenklich und sehr zufrieden. Ihre Augen waren dunkler, das Gesicht gelber als gewöhnlich. Die Haare waren stramm geflochten und am Hinterkopf zu einem Knoten zusammengedreht. Aber er vermochte nicht zu verbergen, daß Stine einen ungewöhnlich schönen Nacken hatte.

Johan hatte viele Weihnachtserinnerungen an Reinsnes, ausgenommen die Jahre, da er Theologie studierte. Er saß in seine Erinnerungen versunken. Ingeborg, die die Kerzen anzündete, und Mutter Karen, die aus der Bibel vorlas. Jacob, der immer einen roten Kopf bekam, wenn er vor den Feiertagen mit den Leuten trank.

Heute abend hatte er sich wie ein verlassenes Kind gefühlt, wenn Mutter Karen Benjamin oder Hanna auf den Schoß nahm. Er schämte sich und tat Buße, indem er besonders freundlich war, besonders zu den Kindern.

Im übrigen sah er, daß Dinas Geist während seiner Abwesenheit für immer nach Reinsnes gekommen war. Sie beeinflußte Anders und Niels. Sie wurden zu Marionetten unter ihrem Blick. Die alte Frau war das einzige, was er noch hatte.

Anders war an diesem Abend ein lächelnder Bruder. Er saß meistens still da und hörte Mutter Karen, Johan und Leo zu. Manchmal streifte er Dina mit einem Blick. Einmal nickte er ihr zu, als ob sie ein Geheimnis miteinander hätten. Dieser Mann wurde offensichtlich nicht von einem schlechten Gewissen geplagt.

Niels hielt sich immer nur kurz im Wohnzimmer auf. Zwischendurch hatte er andere Beschäftigungen, nach denen ihn niemand fragte. Hie und da bot er Zigarren an oder schenkte Gläser ein. Aber die Worte waren wie eingeschlossen und fort. Seine Augen waren friedlose Schatten über den Menschen im Raum.

Ich bin Dina. Hjertrud steht im Wohnzimmer auf dem Lehnsmannshof und weint heute abend. Sie hat Engel und Girlanden aufgehängt und aus dem schwarzen Buch vorgelesen. Trotzdem nützt es nichts. Es sind einige böse darüber, daß ein Fest gefeiert wird. Deshalb weint Hjertrud und verbirgt ihr zerstörtes Gesicht. Ich nehme sie in den Arm und zähle Schuhe.

Dina und Leo tauschten gelegentlich Blicke. Die Härte war verschwunden. Als ob sie es vergessen hätte, daß er zu spät gekommen war. Vergessen war das unausgegorene Gespräch im Saal vor ein paar Stunden.

Mutter Karen begab sich zur Ruhe. Die Kinder schliefen. Unruhig, mit einem schweißnassen Haaransatz nach den vielen Süßigkeiten und dem Kuchen – und mit dem süßen Schauer, acht und sechs Jahre alt zu sein und auf Reinsnes Weihnachten zu feiern. Die vielen Nisse-Geschichten*, die Hände. Von einem Schoß zum anderen. Die Stimmen, die Musik, die Geschenke.

Die Leute hatten für diesen Abend die Arbeit beendet und waren zu Bett gegangen. Die Mädchen in die Räume über der Küche und die Männer ins Gesindehaus. Oline bewachte den Kücheneingang vor nächtlichen Freiern. Sie schlief mit offener Tür zur Küche.

Olines Schlafgeräusche waren wie ein Nachtinstrument. Wenn es einmal verstummte, würde die wichtigste Uhr auf dem Hof fort sein.

Niels hatte das Haus verlassen. Ob er im Ausgedinge war, wo er zwei Zimmer bewohnte, oder im Kontor, das überlegte niemand.

Niemand außer Stine. Aber sie gab sich nicht zu erkennen. Trug ihre Gedanken unter dem glatten schwarzen Haar, ohne jemanden zu belästigen. Sie zog sich langsam vor dem Spiegel aus und betrachtete in dem kargen Schein der Kerze forschend ihren Körper.

Nachdem sie zuerst den Vorhang vor dem stabilen Holzbett, in dem die Kinder schliefen, zugezogen hatte.

Der Abend hatte nichts Neues in ihr Leben gebracht. Außer einer Sache: Sie hatte begonnen, das Erbe für ihr Kind zu fordern. Langsam, aber sicher. Deshalb hatte sie in der untersten Kommodenschublade eine Amerikakarte in Verwahrung.

Sie hatte Dina beobachtet und einiges von ihr gelernt: Was man tat, das tat man. Und fragte nicht um Rat, falls man es allein schaffen konnte.

Anders, Johan, Leo und Dina saßen noch im Rauchzimmer.

Dina hatte sich auf der Chaiselongue zurückgelehnt und spielte mit einer der schweren Seidenfransen, die an der Lehne befestigt

---

* Der Julenisse in diesen Geschichten ist ein Zwerg mit roter Zipfelmütze und bringt an Weihnachten die Geschenke. (Anm. d. Übs.)

waren. Sie rauchte milde Havannazigarren. Und blies unweiblich, aber sehr kunstfertig Ringe über die Köpfe der anderen.

Anders erzählte von der Ausrüstung für den Lofot-Fischfang. Er hatte gedacht, erst ein Schiff zu schicken und zu sehen, wie es mit dem Fang ging. Gab es einen guten Fang, hatte er noch genug Ausrüstung für das zweite Schiff. Er glaubte, daß er auch Leute bekäme. Wenn die Prophezeiungen stimmten, würde es ein märchenhafter Fang werden. Ob Leo mitkommen wollte?

Leo schien zu überlegen, dann sagte er langsam, daß er nicht glaubte, zu einer solchen Arbeit zu taugen. Außerdem hatte er einen Auftrag in Trondhjem.

Dina maß ihn von oben bis unten. Ob es erlaubt sei, nach diesem Auftrag zu fragen.

»Ich soll einen Gefangenen holen, den ich nach Vardø hoch oben im Norden bringen muß. Er ist zu einer Zuchthausstrafe begnadigt worden und soll die Strafe auf der Festung Vardøhus verbüßen.«

»Ist das dein Ernst, daß du mit Sträflingen fährst?«

»Ja«, sagte er schlicht, nahm einen Schluck Punsch und sah sie alle der Reihe nach herausfordernd an.

»Kann man sich mit so etwas wirklich abgeben?« fragte Anders ungläubig.

»Es kann ebenso anständig sein wie etwas anderes.«

»Aber die armen Leute?«

Dina fröstelte und richtete sich auf.

»Wir haben alle unsere Zuchthäuser«, sagte Leo.

»Da ist wohl ein Unterschied«, meinte Anders.

Er suchte zu verbergen, daß er entrüstet darüber war, was dieser Russe trieb.

»Fährst du oft mit Strafgefangenen?« fragte Dina.

»Nein«, sagte er kurz.

»Wie bist du nur zu einer solchen Aufgabe gekommen?« fragte Johan.

Er hatte bis jetzt stumm dagesessen und war nicht wenig bestürzt.

»Abenteuerlust und Faulheit!« lachte Leo.

»Aber daß du dich nicht lieber auf einen ordentlichen Handel verlegst... anstatt Handel mit Zuchthäuslern zu treiben«, sagte Anders.

»Das ist kein Handel. Handel interessiert mich nicht. Aber der Umgang mit Menschen in schwierigen Situationen. Die Menschen interessieren mich. Sie lehren mich manches über mich selbst.«

»Das verstehe ich nicht«, sagte Anders betreten.

»Und was lehren die Gefangenen dich?« mischte Dina sich ein.

»Daß die Dinge, die man tut, nicht immer offenbaren, wer man ist!«

»In der Bibel steht, daß es die Taten sind, an denen man uns erkennt. Nicht wahr, Johan?« sagte Dina.

Sie saß jetzt sehr aufrecht.

»Das stimmt«, hüstelte Johan, »aber selbstverständlich wissen wir vieles nicht von dem bedauernswerten Schicksal dieser Leute.«

»Niels zum Beispiel tut Dinge, die er eigentlich nicht will, weil er fremd ist auf diesem Hof. Würde er sich richtig zu Hause fühlen, dann hätte er manches anders gemacht«, sagte Leo.

Anders sah ihn mit offenem Mund an.

Dina beugte sich vor.

»Niels ist hier wohl nicht fremder als ich«, meinte Anders mit einem schnellen Blick auf Dina.

Dina lehnte sich in der Chaiselongue zurück.

»Erzähl uns davon, Leo Zjukovskij!«

»Ich habe gehört, wie Niels und Anders ins Haus gekommen sind. Habe ihre Geschichte gehört. Ihr Leben verläuft in parallelen Bahnen. Trotzdem ist etwas an diesem Haus, das Niels ausschließt und Anders in den Arm nimmt.«

»Und was ist das?« fragte sie sanft.

»Ich glaube, es ist Dinas Art, die alle anderen nachahmen müssen.«

Man konnte den Schnee an den Fenstern treiben hören. Ein sanftes, warnendes Knistern.

»Und warum sollte ich ihn ausschließen?«

»Das weiß ich nicht.«

»Du könntest ihn ja fragen oder irgendeinen anderen.«

»Ich habe Niels bereits gefragt.«

»Und was hat er gesagt?«

»Daß er nichts davon bemerkt hat.«

»Und das sagt dir vielleicht, daß da etwas in Niels' Gewissen spukt. Wie Ungeziefer in einem sonst sauberen Bett.«

»Das kann gut sein«, meinte Leo.

Anders wurde unruhig. Er fand das Gespräch beschämend.

»Er hat Stine das Kind angedreht und verweigert die Vater-schaft«, rief Dina voller Verachtung aus.

»Solche Schandtaten begehen Männer häufig. Sie kommen da-für nicht mehr so oft ins Zuchthaus.«

»Nein, aber man sollte sie mit Zuchthaus bestrafen, wenn sie ein Mädchen glauben machen, daß sie es heiraten wollen«, sagte Dina.

»Vielleicht. Aber da würden die Zuchthäuser voll werden. Und wohin dann mit den Mördern?«

»Mördern?«

»Ja. Diejenigen, die als gefährlich gelten. Die unbedingt einge-sperrt werden müssen.«

Irgendwo am Körper suchte ihre tastende Hand nach Hilfe. Hjertrud war nicht da! Lorch! Er war in der tiefsten Finsternis.

»Es ist spät«, sagte sie schnell und stand auf.

Johan zog an seinen Jackenaufschlägen. Ihm schien das Gespräch wenig mit Weihnachten zu tun zu haben.

»Ich kann nicht glauben, daß irgendwer hier auf Reinsnes sich so ungehörig ihm gegenüber benommen hat. Er hat unser Vertrauen – Arbeit, Wohnung, Essen. Zweifellos ist er etwas sonderbar. Aber dafür kann man Dina nicht tadeln«, sagte Johan, wie um die Sache abzuschließen.

Er hüstelte mehrmals.

»Ich glaube, er fühlt sich so ausgestoßen, daß er sich mit dem Gedanken trägt, nach Amerika auszuwandern«, sagte Leo geistes-abwesend. Als ob er Johans Worte nicht gehört hätte.

»Amerika?« fragte Anders ungläubig.

Dinas Gesicht war eine Maske.

»Er saß einen Tag vor Weihnachten über einer Amerikakarte. Ich kam zufällig herein und fragte ihn, ob er nach Amerika fahren wolle. Auf Grund seiner Antwort muß ich annehmen, daß er sich mit dem Gedanken trägt«, sagte Leo.

»Aber das hat er nie mit einem einzigen Wort erwähnt. Und was das kostet!« murmelte Anders.

»Er kann ja gespart haben«, sagte Leo.

In diesem Moment wurden Dinas Augen quicklebendig. Sie setzte sich wieder. Und der eine Schuh, den sie schon halb angezogen hatte, landete schräg unter dem Fuß.

Die Zahlen? Die Zahlen erhoben sich in Kolonnen über das brusthohe Paneel im Raum. Und krochen im Schatten an der Seidentapete entlang. Sie waren so deutlich.

Dina lauschte mit offenem Gesicht.

»Gespart? Wovon sollte er gespart haben?« fragte Anders. »Ich habe ein höheres Einkommen, da ich Prozente von dem Verdienst aus dem Frachtschiffhandel bekomme, und ich kann nichts sparen. Niels hat nur sein Gehalt...«

Er sah Dina und Johan entschuldigend an, falls sie meinten, er spreche zu freimütig.

»Er braucht nicht soviel für seinen Lebensunterhalt auszugeben wie du, Anders. Er kann jahrelang gespart haben«, sagte Dina hart.

Dann zog sie die Schuhe an, schnürte sie sorgfältig zu, denn sie wollte sich kein Bein brechen. Raffte die Röcke zusammen und erhob sich wieder.

Sie war Leo nicht näher als dem Großen Bären.

»Es ist spät«, wiederholte sie und ging zur Tür.

»Meiner Meinung nach solltet ihr Niels mehr in die Gemeinschaft einbeziehen, wenn ihr ihn im Laden braucht. Oder ihr verliert ihn«, sagte Leo langsam und deutlich hinter Dinas Rücken.

»Da kann etwas dran sein«, murmelte Johan. »Ich habe gemerkt, daß etwas nicht in Ordnung war. Er schrieb so merkwürdige Briefe... Aber ich habe doch studiert...«

Dina drehte sich so jäh um, daß die Röcke standen.

»Wer sich nicht anständig aufführt und keine Verantwortung übernimmt, findet keinen Frieden, egal wie man ihn behandelt«, sagte sie plötzlich atemlos.

»Aber es ist nicht Sache der Menschen zu verurteilen«, meinte Johan.

»Niemand verurteilt«, stellte sie fest.

»Das stimmt nicht ganz«, murmelte Anders. »Niels weiß nicht, wie er es wiedergutmachen soll. Es ist nicht mehr möglich. Und er kann Stine ja nicht heiraten – nur wegen des Kindes.«

»Warum nicht?« fauchte Dina.

»Nein, Herrgott...«, Anders zögerte.

»Es ist klar, daß er Unrecht getan hat, aber das tun wir früher oder später alle«, sagte Johan leise. »Und Stine hat es jetzt gut«, fügte er hinzu.

»Stine hat es nicht gut! Sie verkommt hier. Während er plant, nach Amerika zu fahren! Aber ich sage: Nur zu! Es ist besser für alle Beteiligten. Dann kann die Luft rein werden. Und wir können atmen.«

»Und der Laden?«

Johan wußte nicht, was er für Einwendungen machen sollte. Er spürte nur, daß er etwas sagen mußte.

»Du wirst sehen, da findet sich schon jemand«, sagte Dina zuversichtlich. »Aber er ist ja noch nicht fort!«

»Ich habe jemanden unten im Laden murmeln hören, daß Niels am liebsten Frau Dina haben würde«, sagte Leo.

Er gab anscheinend nicht auf. Dina hätte bereits aus der Tür sein sollen. Jetzt war es zu spät. Sie blieb stehen.

»Ach so! Und Leo Zjukovskij möchte, daß ich Niels heirate, damit er sich nicht mehr zurückgesetzt fühlt?«

Das kleine Lächeln umgab sie wie ein Zaun.

»Verzeih! Es war eine ungehörige Bemerkung von mir!« sagte Leo und erhob sich mit einer Verbeugung. Dann beeilte er sich, ihr die Tür aufzuhalten. Er sagte gute Nacht und machte hinter ihnen beiden die Tür zu.

Im Flur war die Kerze in dem Messingleuchter ganz heruntergebrannt. Es war dunkel. Der Mond zauberte Säulen durch das hohe Fenster herein und machte die Sprossen in den Scheiben zu einem Gitter.

Er hatte das Gitter auf dem Gesicht und den Schultern. Sie bewegten sich in dem gleichen Gitter.

Er legte den Arm um sie, als sie die Treppe hinaufgingen. Die knarrte ein wenig, wie immer. Ihre Hüften berührten sich. Die Worte, die er kurz zuvor gesagt hatte, und alle Probleme in deren Kielwasser schwammen fort. Waren einfach nicht mehr da.

Er war schwer. Weit, weit drinnen in ihrem Schoß.

»Begnadige Niels«, flüsterte er, als sie das obere Stockwerk erreichten.

»Das ist nicht meine Sache«, antwortete sie zornig, weil er das Thema wieder aufgriff.

»Sie würde Ihren Frieden bekommen.«

»Ich brauche keinen Frieden.«

»Was braucht Sie denn?«

Da faßte sie ihn mit beiden Händen um die Hüften und zwang ihn zu sich heran. Dann öffnete sie sein Hemd und legte die Hände auf seine Brust.

Die Brosche, die zuvor an seinem Halsbündchen gesteckt hatte, drückte sie in der Hand, so daß sie ihr lauter Löcher stach.

Dann machte sie sich los und schlüpfte in den Saal. Es ging so schnell. War so dunkel. Vielleicht hatten sie es nur geträumt. Jeder für sich.

16. Kapitel

JAUCHZET DEM HERRN, ALLE WELT!

DIENET DEM HERRN MIT FREUDEN, KOMMT VOR SEIN ANGE-
SICHT MIT FROHLOCKEN!

ERKENNET, DASS DER HERR GOTT IST! ER HAT UNS GEMACHT
UND NICHT WIR SELBST...
(Der Psalter, Psalm 100, Vers 1–3)

Sie fuhren am ersten Weihnachtstag zur Kirche. Im Fembøring.
Johan hatte kurz vorher erfahren, daß er die Predigt halten sollte,
denn der Pfarrer war krank.

Es war ein großes Ereignis, und Mutter Karen wurde nach allen
Regeln der Kunst eingehüllt und wie ein Paket an Bord gebracht.

Sie lächelte und nickte mehrmals allen zu und platzte fast vor
Stolz über Johan.

Der Pfarrer lag im Bett, aber die Pfarrersfrau war da.

Mutter Karen wurde zusammen mit ihr in die erste Bankreihe
gesetzt. Dina und die anderen Bewohner von Reinsnes saßen in der
zweiten Reihe.

Leo saß auf eigenen Wunsch ganz hinten in der Kirche.

Die mächtigen Steinwände. Die Lichter. Die Schatten, die in den
Ecken lebten, wo weder Tageslicht noch Kerzenlicht die Oberhand
gewannen. Der Gesang. Die Menschen wurden klein unter Gottes
gewaltigem Dach. Sie rückten auf den Holzbänken zusammen und
wärmten sich gegenseitig.

Johannes Evangelium: »Und das Licht scheint in der Finsternis,
aber die Finsternis hat's nicht begriffen.« – »Und er kam in sein
Eigentum; aber die Seinen nahmen ihn nicht auf.«

Johan hatte sich in den letzten Tagen vor Weihnachten gut vorbereitet. Er hatte sich bei Mutter Karen im Predigen geübt. Er war
sehr blaß, und die Augen baten um Nachsicht. Aber die Stimme war
Erz.

Er sprach von der Gnade, in Jesu Christo zu sein. Fähig zu sein,
die Offenbarung und die Erlösung anzunehmen. Von der Ohn-

macht der Sünde, wenn der Mensch das Licht in sich hineinließ. Jesus Christus und die Gnade waren das größte Wunder für den Menschen.

Mutter Karen nickte und lächelte. Sie kannte jedes Wort auswendig. So alt sie auch war, ihr Kopf war wie eine Kommode. Hatte sie erst etwas hineingelegt, dann war es da, wenn sie es brauchte.

Den Leuten gefiel die Predigt, und sie scharten sich nach dem Gottesdienst draußen auf dem Kirchenhügel um Johan.

»Das hat einem wirklich Frieden gegeben«, sagte die Pfarrersfrau und drückte Johan die Hand.

Der Atem stand den Leuten vor dem Mund. Er sammelte sich zu einer Wolke über ihren Köpfen. Langsam bewegte sich die Gemeinde zum Pfarrhof und zum Kirchenkaffee.

Dina nahm sich Zeit. Ging zuerst auf einen gewissen Ort. Allein.

Endlich wurde es ruhig auf dem Kirchenhügel. Sie ging den schmalen getretenen Pfad um die Kirche herum, bis sie an die Meeresseite kam. Dann kletterte sie auf den Schneewall bis zur Brustwehr. Es war eine Wehrkirche. Sie hatte einen freien Blick über die dicke Mauer hinweg aufs Meer.

Während Dina die Gebirgskette auf der anderen Seite des Fjords betrachtete, warf Hjertrud Millionen von Perlmuscheln herab. Es glänzte so stark, daß die Geräusche vom Pfarrhof verschwanden. Die Boote am Ufer waren verzauberte Seegespenster, die dort lagen und warteten.

Dina konnte von den anderen nicht gesehen werden. Die mächtige Steinkirche stand dazwischen.

Da brachen seine Schritte ein in Hjertruds Glanz.

Sie gingen durch die Sakristei in die leere Kirche. Die Tür war vom Pfarrhof aus nicht einzusehen. Drinnen war es sehr dunkel, nachdem die Lichter gelöscht waren.

Ihre Schritte hallten von den Steinwänden wider. Sie gingen durch die ganze Kirche, vom Chor bis zum Portal. Seite an Seite, ohne ein Wort zu wechseln. Die Treppe hinauf zur Orgel. Dort war es noch dunkler als unten. Die Orgel lehnte sich stumm und schwer über sie.

»Ich glaube, wir brauchen einen Segen«, sagte er.

»Ja, aber für das Licht müssen wir selbst sorgen«, antwortete sie mit dem Mund an seinem Hals.

Es hätten Seidenlaken und brennende Kerzen im Chor sein sollen. Es hätte Sommer sein sollen, mit Birkenlaub in den Vasen entlang des Mittelganges. Es hätte in jedem Fall sauber auf dem harten Holzfußboden in der Orgelempore sein sollen. Aber für Vorbereitungen war keine Zeit.

Sie sahen nicht viel voneinander. Aber das Blut wurde heftig in alle Venen und kleinen Gefäße gepumpt. Die Zeit war genau bemessen. Aber sie reichte für eine Weihe.

Seine Narbe war das Erkennungszeichen für sie, als es am meisten stürmte. Es gab keinen Weg zurück.

Leo hatte gesehen, bevor er an der Mauer auftauchte, daß der Kirchendiener die Kirche wirklich verlassen hatte. Zeugen waren diesmal nicht zur Stelle. Der Ort war nicht geplant. Aber wenn es schon so sein sollte, dann gab es keine bessere Kathedrale in ganz Norwegen.

Auf dem Pfarrhof wurde der Kirchenkaffee feierlich serviert.

Der Lehnsmann und Johan saßen zu beiden Seiten eines Kaufmanns aus Bergen, der sich im Kirchspiel niedergelassen und die Konzession zur Führung eines Gasthofes bekommen hatte. Was viele verunsicherte, weil er den Handel in Strandstedet bedrohte.

Das Gespräch drehte sich um Gletscher. Der Bergenser wunderte sich darüber, daß es im Norden nicht mehr Gletscher gab, da die Gebirge doch so hoch waren. Und zu allen Jahreszeiten soviel naßkalter Dunst vom Meer aufstieg. In Westnorwegen und besonders in Sogn war das Klima milder, und trotzdem waren dort große Gletscher.

Der Lehnsmann äußerte sich sachkundig. Das Meer war hier nicht so kalt, wie die Leute behaupteten. Und es hatte warme Strömungen.

Johan war der gleichen Meinung wie der Lehnsmann. Er fügte eigens noch hinzu, daß man im Süden des Landes weit über die Nadelbaumgrenze gehen mußte, um Zwergbirken und Multebeeren zu finden, während die Zwergbirke mit dichten Ästen und dicken

Blättern im Norden bis herunter ans Meer wuchs. Und die Multebeeren sogar draußen auf den Inseln und direkt am Meer reif wurden!

Aber eine richtige Erklärung für ein so kompliziertes Naturphä-
nomen hatte keiner.

Mutter Karen meinte, daß Gott in seiner Weisheit es unter-
schiedlich für die Menschen machte. Und daß er wohl sah, wie notwendig es war, die Multebeeren und das Birkengestrüpp hier im
Norden bis herunter ans Meer wachsen zu lassen. Und daß er den
Bewohnern der Nordländer die abscheulichen Gletscher ersparen
wollte, weil es genug anderes gab, womit sie sich herumschlagen
mußten. Die vielen kalten Jahreszeiten. Die Herbststürme und die
Unwetter! Die unergründlichen Züge der Fische im Meer. Alles in
allem: Gott war weise!

Dazu nickte die Pfarrersfrau freundlich. Weniger gebildete Leute von den Höfen der Umgegend nickten auch – nachdem die
Pfarrersfrau ihr Einverständnis zu erkennen gegeben hatte. So
mußte es sein.

Johan wollte sich nicht weiter auf Mutter Karens theologische
Auslegung von der Beschaffenheit und Ausbreitung der Gletscher
einlassen. Er sah sie nur zärtlich an und schwieg.

Der Kaufmann überhörte die alte Dame respektlos. Er meinte,
daß es mehr als sonderbar war, daß nicht immer die höchsten Berg-
gipfel die Gletscher hatten. Es war oft so planlos und ohne Ge-
setzmäßigkeit.

Dina kam still herein, und ein Mädchen mit einer hauchdünnen
weißen Schürze brachte ihr Kaffee und Lefse. Sie setzte sich auf einen hochlehnigen Stuhl neben der Tür, obwohl man am Tisch
Platz für sie machte.

Der Lehnsmann meinte, daß die Theorie von der feuchten Mee-
resluft zu verwerfen sei. Denn soviel er wußte, befand sich der
Jostedalsgletscher in einem der trockensten Gebiete in Sogn,
während die Berge im Romsdal und im Norden, die ganz nah am
Meer lagen, beinahe eisfrei waren.

Ungefähr zu dem Zeitpunkt geschah etwas. Eine einhellige Unruhe. Die nichts mit den norwegischen Gletschern zu tun hatte. Man

konnte nicht sagen, wo es anfing. Aber nach einer Weile breitete sich ein schwacher Geruch in dem Raum aus. Nur zaghaft zuerst. Ein eigenartig erdgebundener Dunst. Er machte die Allgemeinheit unruhig.

Ein paar Minuten später kam Leo und lobte die prachtvolle Kirche. Es minderte nicht den ausgeprägten Duft nach salzigem Meereswind und Erde. Aber da hatten ihn die Kirchenleute bereits eine Weile bemerkt.

Man wurde an etwas erinnert, das man irgendwann schon einmal wahrgenommen hatte. In grauer Vorzeit? In früher Jugend? Etwas, das längst wie Brachland in der Seele lag?

Trotzdem vibrierten etliche Nasenflügel, wenn der große Russe zu nahe kam. Oder wenn Dinas Haare oder Hände vorbeistreiften. Die Herren vermochten dem Gespräch nicht länger zu folgen. Sie beugten sich über ihre Kaffeetassen.

Der Lehnsmann fragte zerstreut, wie es dem Pfarrer ging.

Dem armen Kerl, der mit seinem Husten oben lag. Die Pfarrersfrau nickte verwirrt. Der Lehnsmann hatte schon einmal gefragt und zur Antwort bekommen, daß der Pfarrer immer noch mit Fieber und Husten im Bett lag. Und daß es nicht zu empfehlen war, zu ihm hinaufzugehen. Aber sie würde grüßen.

Diesmal sagte sie kurz: »Danke, gut!« und bürstete ein winziges Staubkorn von ihrem Ärmel.

Die Kuchenschüsseln wurden immer wieder angeboten. Kaffee wurde eingeschenkt. Eine schläfrige Zufriedenheit legte sich auf alle. Und die Nasenflügel vibrierten zwischen jedem Mundvoll in den Raum hinein.

Auch wenn die Phantasie der Leute ausgereicht hätte, den Dunst zu entlarven, so war sie doch nicht dreist genug, um nachzuforschen, wo er herkam. Einfach weil er in den Gedanken anständiger Leute nicht existieren *konnte*.

Aber er war da. Tat das Seinige mit Appetit. Brach überraschend in die Gespräche ein, so daß die Worte eine Weile stockten und die Blicke selig entrückt waren. Legte sich wie erregender Balsam auf die Gemeinde und löste sich gegen Ende des Kirchenkaffees langsam auf. Um dann später in der Erinnerung wieder aufzutauchen. Und man fragte sich verwundert, worauf die großartige Stimmung im Pfarrhof am ersten Weihnachtstag eigentlich beruht hatte.

Die Pfarrersfrau vernahm auch etwas. Sie schnüffelte ein bißchen, nachdem die Pfarrkinder gegangen waren.

Dann ging sie schnell hinauf zu ihrem kranken Mann und war ihm Seelenfrieden und Trost.

Dina saß im Boot und ließ sich den Wind um die Ohren blasen.

Leo! Seine Haut brannte sich in ihr ein, durch Mantel und Kleider. Ihr Körper war eine Wünschelrute, ein gespannter Bogen über einer verborgenen Quelle im Berg.

Sie zog das Fell dicht um sich zusammen und redete mit Johan und Mutter Karen. Johan dankte sie für die Predigt. Mutter Karen lobte sie, weil sie zur Kirche gefahren war, obgleich sie sich in letzter Zeit nicht wohl gefühlt hatte.

Dinas bleigraue Augen waren zwei helle Vertiefungen in der Luft. Leo begegnete ihrem Blick. Als ob er über blauschimmernde Bergrücken bis in die Ewigkeit schaute.

Dina saß zwischen Johans Aufmerksamkeit und Leo, der ihren Rücken vor der Gischt schützte.

17. Kapitel

ER FÜHRT MICH IN DEN WEINKELLER; UND DIE LIEBE IST SEIN ZEI-
CHEN ÜBER MIR.
(Das Hohelied Salomos, Kapitel 2, Vers 4)

Es konnte nicht verborgen bleiben, daß etwas im Gange war. Ebensowenig wie man die Jahreszeiten vor den Leuten, die sich draußen
bewegten, verbergen konnte.

Der erste, der Leos und Dinas Blicke mitbekam, war Johan. Er
erinnerte sich an Dinas Interesse für Leos Unternehmungen, als
dieser nach dem Brand Reinsnes wieder verlassen hatte.

Während seiner Studienzeit hatte die Erinnerung an Vaters Frau
in Johans Gedanken gekratzt. Wie ein frecher Käfer an einem
Bibelblatt. Sie war wie Olines Kuchenbüchse in seiner Kindheit.
Hoch oben im Regal und verboten. Eine Brutstätte für sündige Gedanken.

Er träumte von ihr, in wachem Zustand und wenn er schlief.
Nackt und weißschimmernd, im Mondschein und mit kalten Wassertropfen, die am Körper herunterrieselten. Bis zu den Hüften im
Wasser stehend, mit Gänsehaut und starren Brustwarzen. So hatte
er sie in jener Nacht gesehen, als sie zusammen badeten.

Bei seiner Rückkehr war sie neun Jahre älter. Und er hatte geglaubt, gut vorbereitet zu sein. Trotzdem quälte und erregte es ihn
jedesmal, wenn er sie sah. Aber Dina war Vaters Eigentum vor Gott
und den Menschen. Auch wenn Jacob schon lange tot war. Sie hatte seinen Halbbruder geboren und stand dem gemeinsamen Haushalt vor wie eine Art Mutter.

Mutter Karen wurde ein wenig traurig, als sie die Blicke zwischen
Leo und Dina bemerkte. Aber es rührte sie. Und sie rechnete
schnell mit den Erinnerungen an ihren Sohn ab. Und gewöhnte
sich daran, Dina einen lebenden Mann zu gönnen.

Allerdings bezweifelte sie, daß der Russe vermögend war. Sie
glaubte auch nicht, daß er ein Handelshaus und ein Gästehaus be-
treiben konnte.

Aber wenn sie überlegte, so war Jacob Seemann gewesen, als er nach Reinsnes kam... Ja, sie fing an, sich darüber zu freuen, daß ein Mensch ins Haus kommen würde, mit dem sie sich über Kunst und Literatur unterhalten konnte. Einer, der Deutsch und Französisch beherrschte und der bis zum Mittelmeer gereist war – bestimmt.

Niels war überrumpelt und verblüfft, als er diese offenkundige Anziehungskraft sah. Aus irgendeinem Grund wurde er unruhig. Als ob das Wesen der Liebe eine persönliche Bedrohung für ihn wäre.

Anders sah das Ganze mit Erstaunen. Aber es fiel ihm schwer zu glauben, daß etwas daraus würde.

Stine blieb ruhig und abwartend und verriet mit keiner Miene, was sie wußte oder glaubte. Für sie war Dinas gute Laune und glitzernde Rastlosigkeit nichts, worüber man sich beunruhigen mußte.

Oline indessen sprach laut von Jacobs Vortrefflichkeit, als Leo eines Tages in die Küche kam. Er hörte interessiert und höflich zu. Nickte und fragte nach Einzelheiten in bezug auf diesen Helden, der Herr auf Reinsnes gewesen war.

Oline verbreitete sich über Jacobs Tugenden. Sein schönes Gesicht, seine Ausdauer, eine ganze Nacht durchzutanzen, seine Fürsorge für die Dienstleute und die Armen. Und nicht minder sein lockiges Haar und seinen jugendlichen Sinn.

Ohne es zu wissen, ließ Oline sich von Leos Fähigkeit zuzuhören überlisten. Endlich konnte sie über eine dreißig Jahre alte Liebe sprechen. Es endete damit, daß sie vor Trauer und Unerfülltheit an Leos Brust weinte und sich ihm für immer verbunden fühlte.

Tomas kam am vierten Weihnachtstag zurück und fand Leo in der Küche vor, wo er gerade traurige russische Lieder sang, um eine aufgelöste Oline zu ermuntern. Das machte ihn heimatlos.

Er fing augenblicklich an zu spionieren. Er lauschte abends auf Dinas gurrendes Lachen, wenn die Türen zwischen Küche und Zimmern geöffnet wurden. Und er schaute vor dem Gartenhaus nach Spuren im Schnee, denn es war bald Vollmond. Er bekam eine herzzerreißende Gewißheit. Zwei große, geschmolzene Flecken auf der bereiften Bank im Gartenhaus. So dicht beisammen, daß sie ineinander übergingen zu einem einzigen großen Zeichen. Zwei pelzbekleidete Körper auf der Bank... Pelze, die sich vorne öffnen ließen.

Da hatte sie also den Russen mit dorthin genommen! Wo sie den alten Göttern im Mondschein opferte.

Er schlich sich mit dem nötigen Abstand zu der Vorderseite des Hauses, um festzustellen, wie viele Schatten sich auf den Gardinen des Saales abzeichneten. Aber die schweren, dunklen Samtgardinen verschluckten alle Geheimnisse. Da er keine Schatten entdecken konnte, quälte ihn der Gedanke, daß zu wenig Licht im Saal war.

Er sah Dinas weißen Körper in der Umarmung des anderen vor dem schwarzen Ofen, im Schein des Leuchters auf dem Spiegeltisch. Und die Vision des Himmelbettes peinigte ihn Tag und Nacht, so daß er das üppige und gut zubereitete Weihnachtsessen kaum anrührte.

Tomas mied die Küche, außer zu den Mahlzeiten, wenn er sicher sein konnte, daß der Russe im Eßzimmer saß.

Es geschah wirklich, daß zwei Schatten im Saal waren. Sie holte ihn in der siebenten Weihnachtsnacht. Auf die Gefahr hin, daß alles offenbar wurde. Für Johan. Für Mutter Karen! Die Brunst war ein Leitwolf. Er war vielleicht grau und unsichtbar für die anderen, aber für Dina war er ein rotes Maul mit scharfen, spitzen Zähnen und einem intensiven Geruch. Bis in den Tod, hungrig und wütend.

Deshalb stand sie auf und zog sich wieder an. Kämmte die Haare und schlich hinaus in den dunklen Gang, der keine Fenster hatte. Sie knebelte Jacob hinter dem Wäscheschrank und peilte die richtige Tür an. Drückte die kreischende Messingklinke vorsichtig herunter und schlüpfte hinein.

Er erwartete sie wie ein treuer Leibwächter. Allerdings ohne Stiefel und Hemd, nur in der Hose. Er hatte wohl gelesen, mit einem halben Ohr auf jedes kleinste Signal lauschend.

Die Gästekammer war nicht für zwei geeignet. Denn die dünnen Wände würden Anders und Johan alles verraten. Die Räume zu beiden Seiten des Saales waren indessen nicht bewohnt. Sie löschte die Kerze mit zwei Fingern. Blitzschnell und ohne erst an den Fingern zu lecken.

»Komm!« flüsterte sie.

Als ob alles geplant wäre, ging der Mann mit.

Glücklich im Saal angelangt, drehte sie mit einem Seufzer den Schlüssel um und bugsierte den großen Mann zum Bett. Er wollte etwas sagen, aber sie formte die Lippen zu einem lautlosen Pst, dicht neben seinem Mund.

Das Lachen blitzte in den grünen Augen. Ernst lächelnd wie ein Buddha im Gebet.

Er schloß ein paarmal die Augen und entblößte die Gurgel. Sie kam so nah, so nah. Aber er griff zunächst nicht nach ihr.

Es stellte sich heraus, daß Jacobs Himmelbett der Aufgabe nicht gewachsen war, deshalb mußten sie hinunter auf den Fußboden. Aber sie hatten Federbetten und Daunen mit den feinsten Laken und Damastbezügen.

Er bediente sich spielerisch, aber gierig. Lachte sich in sie hinein. Lautlos und lüstern. Wie ein alter Berg, der sein Echo erstickt, um die Sonne nicht zu erschrecken. Wie schwebende Wolken, die die Tautropfen im Preiselbeergebüsch und die Adlerjungen in den Felsspalten nicht verjagen wollen.

Sie war ein Strom, der ein Boot mit einem kräftig pflügenden Rumpf mit sich führte. Der Bug mußte Stromschnellen und Steine bezwingen. Ihre Ufer waren allesverschlingend und gierig und kratzten ihn an den Seiten auf.

Kurz vor der letzten Stromschnelle, wo der Wasserfall ihn erledigen würde, barst der Schiffsboden und ging mit ihm auf den Grund.

Die Sandbänke waren nur ein Flüstern. Aber das Wasser dröhnte und sauste, und ihre Ufer waren ebenso hungrig. Da gelang es ihm, das Boot wieder hochzubringen. Mit dem Kiel nach oben und ohne Ruder, aber voller Willen und Kraft. Ein großes Tier kam vom Ufer gesprungen und biß, tief und tödlich.

Dann war er im Wasserfall.

Das Himmelbett stand ruhig mitten im Zimmer, als ob es sein Alter und seine Schwäche eingesehen hätte.

Etwas Ähnliches hatte es noch nicht erlebt. Allem Anschein nach verzichtete es im Augenblick auf seine Schwere. Die vier Bettpfosten und das massive Kopfteil versuchten in aller Stille und mit ungewöhnlicher Umsicht alles zu dämpfen, was in dem Raum sang.

Aber eines machte das Bett nicht, es hielt Jacob nicht auf Armeslänge entfernt. Er kam dazwischen wie ein einsames Kind. Es nutzte nichts, ihn wegzujagen.

Und Jacob blieb nahebei, bis die Tiere im Stall sich meldeten und der Wintermorgen hinter der Blauwand stand.

Die Tage und Nächte wurden kalt. Der Himmel stülpte seine Därme um. Schneidend grünes Nordlicht mit blauen und roten Darmzotten an den Rändern. In einer wellenförmigen Bewegung vor dem schwarzen Sternenhimmel.

Die »Prinds Gustav« war ein unerwünschter Seeadler, als sie kam. Dina fing wieder an, auf den Dachboden zu gehen.

DRITTES BUCH

1. Kapitel

EINER TEILT REICHLICH AUS UND HAT IMMER MEHR, EIN ANDERER
KARGT, WO ER NICHT SOLL, UND WIRD IMMER ÄRMER.
(Die Sprüche Salomos, Kapitel 11, Vers 24)

Das junge Nähmädchen, das sie vor Weihnachten im Haus gehabt
hatten, blieb. Sie wußte nicht, wo sie hinsollte, als sie mit der Arbeit
fertig war.

Nachdem sie alle Fusseln und Garnrollen aufgelesen und die Gesindestube ausgefegt hatte, fand Stine sie weinend mit ihrer ver-
schnürten Schachtel und fertig angezogen. Die Arbeit war getan,
und sie sollte gehen.

Worin die betrübliche Geschichte eigentlich bestand, bekam
keiner aus Stine heraus. Aber man konnte das Mädchen einen Tag
vor Weihnachten nicht vom Hof jagen, soviel war sicher. Es würde
jedenfalls im ganzen Kirchspiel bekannt werden und Reinsnes nicht
zur Ehre gereichen.

Dem Mädchen wurde aufgetragen, nach Geschäftsschluß den
Laden und das Kontor zu putzen. Der mit Schnupftabak verdreck-
te Boden war grob und rauh. Aber sie jammerte nicht.

Eines Tages ging Dina an der Anrichte vorbei und hörte das
Nähmädchen mit Annette schwatzen. Niels' Name fiel.

»Er taucht immer auf, wenn ich im Kontor putze«, sagte das
Mädchen.

»Hab keine Angst, schimpf einfach mit ihm. Er ist kein Herr«,
sagte Annette.

Dina blieb hinter der offenen Tür stehen.

»Nein, Angst habe ich nicht. Aber es ist lästig. Und er ist auch
sicher nicht ganz richtig im Kopf«, sagte sie ernst. »Einmal hat er
den schweren Waschtisch vor- und zurückgeschoben wie ein Verrückter.«

»Den Waschtisch?«

»Ja, den im Kontor. Am Weihnachtsabend, als Oline mich gebeten hat, runterzugehen und nach dem Feuer zu sehen, falls niemand daran gedacht hätte, daß es jederzeit einen Brand geben

könnte auf einem Hof, wo der Blitz schon mal in den Stall einge-schlagen hat... Ja, da hab' ich ihn gesehen! Er hatte die Vorhänge vorgezogen, aber ich hab' ihn gesehen, als ich näher kam. Er zog an dem Waschtisch. Hat sich dann hingekauert und sich eine Zeitlang was in der Ecke angeguckt. Und dann hat er ihn mit viel Kraft wie-der auf seinen Platz gerückt und angefangen zu rauchen. So was macht doch kein vernünftiger Mensch!«

Es waren blauschimmernde Februartage.

Sie kam, ohne anzuklopfen, zu Niels ins Kontor. Er sah kaum von seinen Papieren auf und grüßte. Es war warm in dem Raum. Der Ofen gab zischende Seufzer von sich und thronte glühend in der Ecke.

»Niels arbeitet sonntags wie an anderen Tagen?« sagte sie zur Einleitung.

»Ja, ich dachte, ich sollte die Buchführung fertig haben, bis Anders mit dem Fang nach Hause kommt. Es ist viel Arbeit...«

»Das stimmt schon.«

Sie ging zu dem massiven Schreibtisch und blieb mit ver-schränkten Armen stehen. Er fing an zu schwitzen. Eine unange-nehme, feuchte Kälte lähmte Worte und Gedanken.

»Was wollte ich doch sagen...? Ach ja, richtig, ich habe gehört, daß du nach Amerika gehen willst.«

Er duckte sich unmerklich. Das leicht ergraute Haar an der Schläfe sträubte sich ein wenig. Er saß im Hemd und mit offener Weste. Hals und auch Hände waren sehnig und mager.

Er war kein häßlicher Mann. Der Oberkörper erstaunlich wen-dig und kräftig, dafür, daß er einem Ladenangestellten gehörte.

Die Gesichtszüge mit der geraden Nase hätten die eines Adligen sein können.

»Wer sagt das?« fragte er und befeuchtete die Lippen.

»Das ist unwesentlich. Aber ich möchte gerne wissen, ob es sich so verhält.«

»Hat Dina die Amerikakarte hier vom Schreibtisch weggenom-men?«

Er hatte sich zu einer Art Angriff ermannt. Und war damit einen Augenblick zufrieden.

»Nein. Du hast dir eine Karte besorgt? Ist es schon soweit? Wohin willst du gehen?«

Er sah sie mißtrauisch an. Sie standen zu beiden Seiten des Schreibtisches. Er stützte sich mit den flachen Händen auf die Tischplatte und sah zu ihr hoch.

Er richtete sich auf, so jäh, daß er beinahe das Tintenfaß umgeworfen hätte.

»Die Karte ist verschwunden! Spurlos! Einen Tag vor Weihnachten.«

Er machte eine Pause.

Dina beobachtete ihn, ohne etwas zu sagen.

»Nein, ich habe nur gedacht...«, antwortete er endlich.

»Es wird eine teure Reise«, sagte sie leise.

»Es ist ja nur eine Idee...«

»Hat Er einen Kredit auf der Bank bekommen? Vielleicht braucht Er einen Bürgen?«

»Daran habe ich nicht gedacht...«

Niels wechselte die Farbe und fuhr sich ein paarmal über die Haare.

»Du hast vielleicht selbst Geld?«

»Nein, ich verstehe nicht...«

Niels verfluchte sich, daß er sich auf eine solche Situation nicht vorbereitet hatte. Die Antworten nicht auswendig gelernt hatte.

So war es immer mit Dina. Sie kam wie ein Riesenheilbutt und schlug zu, wo man es am wenigsten erwartete.

»Da ist noch etwas, worüber ich schon lange mit dir sprechen wollte, Niels«, sagte sie und wechselte gleichsam das Thema.

»Ja?« sagte er erleichtert.

»Es betrifft die Zahlen... Die Zahlen, die da sind, aber nicht zu finden sind... Die übrigbleiben. Die nur erscheinen, wenn ich die Tonnen zähle und das Laden und Löschen und mit den Leuten über ihre Schulden und ihre Guthaben rede. Ich habe mir ein paar Notizen gemacht. Sie sind nicht für den Lehnsmann oder den Richter bestimmt, aber ich habe herausgefunden, wo die Zahlen geblieben sind, Niels.«

Er schluckte schwer. Dann mobilisierte er seinen Zorn und sah sie an.

»Du hast mich schon früher beschuldigt, in den Büchern gemogelt zu haben!« zischte er. Genau drei Sekunden zu schnell.

»Ja!« Sie flüsterte es beinahe und packte ihn fest am Arm. »Aber diesmal bin ich sicher!«

»Was für Beweise hast du denn?« fauchte er. Ahnte nur vage, daß es ernst war.

»Die möchte ich vorläufig für mich behalten, Niels!«

»Denn Sie hat keine. Es ist nur Bosheit. Bosheit und Lüge, alles zusammen! Die ganze Zeit, seit das mit Stines Kind passiert ist...«

»Mit Niels' Kind«, verbesserte sie ihn.

»Nenn es, wie du willst! Aber seitdem habe ich kein Zuhause mehr auf Reinsnes. Und jetzt wird Sie mich vor aller Welt zum Betrüger stempeln! Wo ist der Beweis?« schrie er.

Das Gesicht war im Lampenlicht bleich, und das Kinn zitterte.

»Du kannst vielleicht verstehen, daß ich meine Beweise nicht preisgeben werde, bevor ich weiß, ob du deine Schuld wiedergutmachen willst.«

»Was meinst du damit?«

»Zeige Dina, wo die Zahlen sind, in barer Münze! Dann können wir uns über den Rest und die Kaution für die Amerikareise einigen.«

»Ich habe kein Geld!«

»Du hast! Du hast sogar deinen Bruder um die zehn Prozent betrogen, die er von dem Gewinn aus der Bergenfahrt bekommen sollte. Du hast mit Zahlen kalkuliert, die in keiner Weise mit den Waren übereinstimmen, die Anders nach Süden mitgenommen hat. Da hast du den größten Fehler gemacht, indem du es auf deinen Bruder abgeschoben hast. Im schlimmsten Fall konnte es so aussehen, als ob es sein Schurkenstreich wäre. Aber du hast vergessen, daß ich euch kenne, alle beide!«

Er ballte die Faust gegen sie und wollte in rasender Wut um den Schreibtisch herumkommen.

»Setz dich, Mann!« sagte sie. »Wäre es besser gewesen, wenn ich Lehnsmann und Schreiber geholt und alles auf den Tisch gelegt hätte? Antworte!«

»Nein«, sagte er kaum hörbar. »Aber es ist nichts dran...«

»Du bringst die Zahlen ans Licht, am besten bar, und das ein bißchen schnell! Hast du sie verbraucht oder vergraben? Denn sie liegen nicht auf der Bank.«

»Wie kannst du das wissen?« fragte er.

Sie lächelte. Ein ungemütliches Zeichen. So daß er am ganzen Körper eine Gänsehaut bekam. Er verschloß alle Öffnungen. Als ob er Angst hätte, daß sie in die Poren kriechen und ihn von innen zerstören könnte.

Niels sank hinter dem Schreibtisch zusammen. Der Blick wanderte unfreiwillig zum Waschtisch. Er hatte die Augen eines kleinen Jungen, die verrieten, wo das Holzpferd versteckt war, das er seinem Kameraden geklaut hatte.

»Hast du es vergraben, oder hast du es unter der Matratze?«

»Ich habe nichts.«

Sie faßte ihn scharf ins Auge. Es durchfuhr ihn wie eine Pflugschar.

»Na schön. Du bekommst eine Frist bis heute abend. Dann benachrichtige ich den Lehnsmann!« sagte sie hart. Und wandte sich zum Gehen.

Wie durch eine Eingebung drehte sie sich noch einmal blitzschnell zu ihm um.

Sein Blick war auf den Waschtisch gerichtet!

Da wurde ihm klar, daß er beobachtet worden war.

»Ich bin übrigens gekommen, um die Bücher einzusehen. Du kannst verschwinden«, sagte sie langsam. Eine Katze. Die plötzlich noch einmal die Krallen ausstreckt.

Er stand auf und gab acht, daß der Rücken gerade war, als er hinausging.

Sie schloß die Tür hinter ihm ab, ohne sich darum zu kümmern, daß er es hörte. Dann krempelte sie die Ärmel hoch und machte sich gründlich ans Werk.

Der mächtige Waschtisch mit der schweren Marmorplatte rührte sich kaum von der Stelle. Eiche und Marmor. Sehr solide.

Sie stemmte den Körper dagegen.

Niels wanderte im Laden auf und ab, als sie mit der offenen Büchse unter der Lampe stand und das Geld zählte.

Am nächsten Morgen ritt Dina über das Gebirge. Mit Schneetellern für sich und das Pferd, sie hingen am Packsattel über den Reisetaschen.

Niels kam gerade aus dem Laden, als sie an der Schmiede vorbeiritt. Der Anblick der großen Frau zu Pferde, im Begriff, übers Gebirge zu reiten, traf ihn so sehr, daß es ihm schwarz vor Augen wurde. Er wußte, wohin sie wollte.

Seine Eingeweide hatten die Zusammenarbeit verweigert, als er sie im Kontor rumoren hörte. Auf beiden Wegen war es gekommen, so plötzlich, daß er sich kaum rechtzeitig bis zum Ladenabort geschleppt hatte. Er mußte sich über das eine Loch beugen, um sich zu übergeben, während er auf dem anderen saß und sich entleerte.

Am Abend war er mehrmals unterwegs zum Saal gewesen und hatte um Gnade bitten wollen. Aber er schaffte es nicht.

Die Nacht war eine leere Hölle mit Träumen von Geistern und Schiffsuntergängen.

Er stand am Morgen auf, seifte die grauen Bartstoppeln ein und schabte sie ab, als ob es die wichtigste Sache der Welt wäre.

Aber er konnte sich nicht entschließen. Verschob es von Minute zu Minute. Sogar als er sah, daß sie fortritt, hätte er noch etwas tun können. Hinter ihr herlaufen und das Pferd anhalten.

Er hatte früher ihre Stärke gespürt. Wußte, daß sie keine Gnade zeigen würde, solange er nicht zu Kreuze kroch.

Und das war ihm nicht möglich.

Er hätte wegfahren sollen, als noch Zeit dazu war! Nicht bis nach Weihnachten herumtrödeln, nur weil ein Mann auf den Hof gekommen war, mit dem man wie mit einem Menschen reden konnte.

Und die Karte! Warum hatte er sich in seiner Naivität eingebildet, daß er für eine Reise nach Amerika unbedingt eine Karte haben mußte? Jetzt hatte er weder Karte noch Geld.

Er machte sich in der Küche zu schaffen, um Oline sagen zu hören, daß Dina nach Fagernesset geritten war.

»Sie hat wahrhaftig noch etwas mit dem Lehnsmann zu besprechen«, sagte Oline mit einem trockenen Lachen.

Eine schwarze Hitze steigerte sich über seinem Kopf. Er sah nicht klar. Hörte bereits die Stimme des Richters über sich dröhnen.

Er lehnte den Kaffee ab, den Oline ihm vorsetzte. Es war hell und zu warm in der Küche. Er keuchte auf dem Weg zum Altenteil.

Später, als ein Mädchen nach ihm sah, weil er sich nicht blicken ließ, klagte er, daß er sich krank fühle, und zog sich wieder in seine Kammer zurück. Das Tablett mit dem Essen war unberührt, als das Mädchen die Schüsseln vor der Tür wieder abholte.

Das Mädchen zuckte mit den Achseln. Niels hatte sich schon öfter ein bißchen angestellt. In der Beziehung war er wie ein Kind.

Dina ritt über das Gebirge mit einer ansehnlichen Summe Bargeld, das auf der Sparkasse eingezahlt werden sollte.

Zeitweise mußten sie und das Pferd mit den Schneetellern gehen. Das Pferd bestimmte das Tempo, als sie die vereiste und zum Teil verwehte Straße hinaufstiegen.

Sie blieb auf der Höhe stehen, dort wo der Fluß sich während der meisten Zeit des Jahres über die Felswand stürzte und der Fall mit einem ewigen Dröhnen im Kolk endete. Heute war die Wassermenge gering. Grüne Eiszapfen hingen in einem ausgeklügelten Muster über dem Rand.

Sie sah auf den steilen Abhang, den der Schlitten einmal hinuntergestürzt war.

Ich bin Dina. Jacob ist nicht in dem Kolk. Er ist bei mir. Er ist nicht besonders schwer. Nur lästig. Er haucht mich immer an. Hjertrud ist nicht in dem Himbeergesträuch auf dem Platz, wo einmal die Schmiede in Fagernesset gestanden hat. Der Schrei existiert. Er rinnt zur Erde, wenn ich die Beeren in der Hand zerdrücke. Und Hjertruds Gesicht wird wieder heil. Wie Lorchs Cello. Ich zähle und entscheide für sie alle. Sie brauchen mich.

Sie schwang sich wieder auf den Pferderücken, ohne das Tier darauf vorzubereiten, wie sie es meist tat. Das Pferd zuckte zusammen und wieherte. Es war nicht gerne über dem steilen Abhang. Hatte Erinnerungen, die es nicht loswurde. Sie lachte laut und klapste es auf den Hals.

»Ho!« rief sie und zog die Zügel an.

Es wurde eine anstrengende Tour. Sie war erst spätnachmittags am Ziel. An manchen Stellen mußte sie vor dem Pferd herwaten, weil es in dem brüchigen Schnee so tief einsank.

Als sie die ersten Höfe erreichte, liefen die Leute heraus und gafften, wie immer, wenn in dieser Gegend jemand übers Gebirge kam.

Dina von Reinsnes wurde an dem schwarzen Pferd ohne Sattel schnell erkannt. Eine Madame in Hosen wie ein Mann. Die Frauen mißgönnten es ihr und mißbilligten den Anblick. Aber vor allem platzten sie vor Neugierde zu erfahren, was los war, weil sie im tiefsten Winter nach Fagernesset geritten kam.

Sie schickten die Kinder und Knechte wie zufällig in ihre Richtung. Aber sie wurden nicht klüger. Dina grüßte und ritt vorbei.

Kurz vor dem Lehnsmannshof hielt sie an und sah nach dem Schneehuhn, von dem sie wußte, daß es sich dort aufhielt.

Es flog nicht auf, als der Schwarze und sie herankeuchten. Duckte sich nur mit blinkenden Augen und hielt sich für unsichtbar.

Sie machte eine Kurve und brachte es dazu, ein Stück über den Schnee zu flattern. Da lachte sie ausgelassen wie ein Kind und tappte hinterher. Bis es girrte und fauchte, weil sie so nahe kam.

Dieses Spiel hatten Tomas und sie im Winter auf der Häuslerstelle getrieben. Sie hatten auch Fallen gestellt.

Im Winter waren die Schneehühner zahm wie Hühner in dem Gestrüpp rund um Fagernesset. Sie hatten keine Angst, wenn man sie verfolgte.

Anders war es im Frühling und im Sommer, wenn sie Junge hatten. Da drückten sie den kleinen Körper tief in das Heidekraut oder flogen dicht über die Köpfe der Leute, um sie auf sich zu locken, damit die Jungen sich davonmachen konnten.

Immerzu mit dem heiseren Schrei: »Ke-beu-ke-beu!« Daß ein so kleines Geschöpf so mutig sein konnte!

Der Lehnsmann bekam einen Schreck. Er starrte mit seinen kurzsichtigen Augen aus dem Kontorfenster, als er das Pferd hörte. Er ließ alles stehen und liegen und lief ihr mit ausgestreckten Armen entgegen.

Der Empfang war großzügig und vorwurfsvoll. Sie habe keinen Bescheid geschickt! Sie sei diese lange Tour bei den schlechten Straßenverhältnissen ohne Sattel geritten! Und sie sei Mutter und Witwe und habe nicht einmal soviel Verstand, sich wie eine Frau zu kleiden!

Er erwähnte mit keinem Wort, daß sie sich nicht als die besten Freunde getrennt hatten, als er das letzte Mal von Reinsnes wegge-fahren war.

Aber er machte viel Aufhebens davon, daß sie allein in der dunk-len Nacht gekommen war und die ganze Familie blamierte. Ob sie jemanden auf dem langen Weg getroffen habe und wen? Und ob man sie erkannt habe?

Dina zog den Pelz aus und ließ ihn auf den Fußboden neben der Treppe fallen. Sie antwortete auf die Fragen wie ein vorsichtiges Allerweltsorakel. Ohne viele Tatsachen. Damit nur der Wortstrom versiegte.

»Mir ist kalt! Habt ihr Punsch im Haus? Er muß heiß wie die Hölle sein«, rief sie, um dem Gespräch ein Ende zu machen.

Dann kamen Dagny und die Kinder dazu. Oscar war ein langer Schlaks geworden, und es war ihm deutlich anzumerken, daß er der ältere war, der strenger erzogen wurde und mehr Verantwortung übernehmen mußte. Sein Nacken war bereits gebeugt, und er sah den Leuten nicht in die Augen.

Dina faßte ihn unters Kinn und schaute ihn an. Sein Blick war unstet, und er wollte sich aus dem Griff befreien. Aber sie hielt ihn fest.

Dann nickte sie ihm ernst zu und sagte zum Lehnsmann: »Du bist zu hart zu dem Jungen. Er läuft dir eines Tages davon, du wirst sehen.« – »Komm nach Reinsnes, wenn es zu schwierig wird«, flü-sterte sie laut und deutlich zu dem Jungenkopf herunter.

Dann sank sie auf einen Stuhl neben der Tür.

Egil, der jüngere, schlich sich wie ein Hund zwischen Dina und den Bruder.

»Guten Tag, Herr Egil Holm, wie alt bist du denn jetzt?«

»Vor kurzem zehn geworden!« antwortete er strahlend.

»Dann steh nicht rum und glotze, zieh mir lieber die Stiefel aus, damit wir sehen können, ob Brand in die verfrorenen Füße gekommen ist!«

Und Egil zog wie ein Mann. Der Stiefel gab nach, und der Junge fiel gegen die Wand. Er war ebenso klein und dunkel, wie der Bruder groß und blond war. Er behauptete sich auf eine ganz andere Weise.

Er liebte Dina mit einer aufdringlichen Freimütigkeit, die alles in den Schatten stellte. Und die unweigerlich zu Schlägereien und Schimpfkanonaden mit Benjamin führte, wenn sie zusammen waren.

Dina mischte sich nie ein.

Dagny schätzte die Liebesbezeugungen ihres Sohnes gegenüber Dina nicht besonders. Aber sie bedauerte höflich, daß sie von Dinas Kommen ja nichts gewußt habe und deshalb kein festliches Essen habe vorbereiten können.

»Ich bin nicht wegen eines festlichen Essens gekommen, sondern in geschäftlichen Angelegenheiten!« sagte Dina.

Dagny spürte den höhnischen Hieb, sagte aber nichts. Sie hatte immer das unbehagliche Gefühl, daß Dina über sie lachte und sie für dumm hielt.

Dagny hatte vor lauter Demütigung rote Flecken auf den Wangen, als Dina mit dem Punsch und dem Lehnsmann im Kontor verschwand.

Hinter der geschlossenen Tür trug Dina ihr Anliegen vor. Daß er Geld für sie auf der Sparkasse einzahlen sollte.

Der Lehnsmann faltete die Hände und seufzte, als er die vielen Geldscheine sah, die sie ihm vorzählte.

»Und wo kommt das ganze Geld her?« fragte er atemlos und mit feierlicher Lehnsmannsstimme und machte große Augen. »Und das alles ohne Abrechnungen! Mitten im Lofot-Fischfang – und ohne daß ein Frachtschiff in Bergen gewesen ist? Versteckt die Tochter des Lehnsmanns in diesen modernen Zeiten das Bargeld in der Kommodenschublade?«

Dina lachte. Aber sie wollte mit der Sprache nicht heraus, wo sie das Geld herhatte. Nur soviel, daß es Reserven waren, von denen sie bis jetzt nicht gewußt hatte, wo sie sich befanden...

Sie wollte nicht selbst auf der Bank erscheinen. Es war unter ihrer Würde, mit einem Briefumschlag mit Geld zu kommen. Das sollte der Vater machen. Und er konnte den Einzahlungsbeleg aufheben, bis er wieder nach Reinsnes kam. Ein Drittel sollte auf Hannas Namen eingezahlt werden, ein Drittel auf Benjamins Namen und ein Drittel auf ihren eigenen.

Der Lehnsmann hatte etwas in seine Obhut genommen. Er ging die Aufgabe mit größtem Ernst an. Aber zunächst wollte er nichts davon hören, daß ein Lappenkind, das in Unzucht gezeugt war, soviel Geld geschenkt bekommen sollte. Genügte es nicht, daß Dina das Kind wohltätig aufgenommen hatte und daß sie dieses Kind und das Lappenmädchen, das seine Mutter war, mit Wohnung, Essen und dem Notdürftigsten versorgte? Ob sie das viele Geld nicht für einen anderen Zweck verwenden wollte?

Dina lächelte, während ihre Augen voller Wut seinen Schnurrbart abpflückten.

Dieses Manöver brachte den Lehnsmann zu der Erkenntnis, daß er ebensogut nachgeben konnte. Aber er wünschte sich brennend, wie ein Kind vor dem Weihnachtsabend, daß sie ihm verriet, wo das Geld herkam.

Als sie beim Abendessen saßen, kam es: »Du hast doch nicht etwa ein Schiff oder Grund und Boden verkauft?«

»Nein«, sagte sie kurz und sah ihn warnend an. Sie hatten sich geeinigt, daß die Angelegenheit unter ihnen bleiben sollte.

»Warum fragst du?« mischte Dagny sich ein.

»Ach, aus keinem besonderen Grund... man hat manchmal so seine Gedanken.«

»Ich habe ihn nur gefragt, wie viele Våg er für Reinsnes bezahlen würde«, antwortete Dina ruhig und wischte sich mit dem Handrücken den Mund ab. Das letztere, um die Jungen aufzumuntern und Dagny zu reizen.

Der Lehnsmann war direkt in gehobener Stimmung, weil Dina da war. Er sprach sich über einen Rechtsstreit aus, den er mit dem Stiftsamtmann von Tromsø hatte. Der Lehnsmann meinte, daß der Amtmann zuviel Rücksicht auf die Lehnsmänner nahm, die eine juristische Ausbildung hatten, diese Nulpen, die vom Süden

kamen und nichts über die Menschen und ihr Wirken in den Nordländern wußten. Während alte Arbeitstiere, die Land und Leute
kannten, für nicht mehr brauchbar gehalten wurden.

»Es ist doch kein Fehler, daß sie eine Ausbildung haben«, sagte
Dina scherzend, wohl wissend, daß genau dies der wunde Punkt
beim Lehnsmann war.

»Nein, aber daß sie nicht sehen, daß ein anderer auch Verstand
hat, kraft seiner Erfahrung und seiner Weisheit!« sagte der Lehnsmann gekränkt.

»Du redest vielleicht zuviel, so daß du alles zerredest«, sagte
Dina und blinzelte Dagny zu.

»Er hat wirklich eine Aussöhnung versucht«, sagte Dagny.

»Und was hat es gebracht?« fragte Dina.

»Ein unchristliches Urteil«, fauchte der Lehnsmann. »Eine
Häuslerwitwe bekam auf dem Thing zwei Monate Zuchthaus in
Trondhjem, weil sie ein geblümtes Kopftuch, drei Käse und etwas
Geld auf dem Hof genommen hatte, auf dem sie ihre Pflichtarbeit
leistete! Ich habe bei dem Amtsrichter in Ibestad wegen des Urteils
und wegen der Zeugen Einspruch erhoben. Aber sie hatten sich alle
mit dem Stiftsamtmann verbündet.«

»Paß auf, Vater, sie sind mächtige Feinde«, lachte Dina.

Der Lehnsmann sah sie beleidigt an.

»Sie behandeln die kleinen Leute wie Vieh! Und ehrliche alte
Lehnsmänner wie Läuse! Das ist eine Zeit, sage ich dir. Die Zeit
kennt keinen Respekt mehr.«

»Nein, die Zeit kennt keinen Respekt mehr«, bestätigte Dina
und gähnte ganz ungeniert. »Und mein Vater hat keine unredli-
chen Urteile auf dem Gewissen?«

»Nein, bei Gott und dem König!«

»Und das Urteil über Dina?«

»Das Urteil über Dina?«

»Ja.«

»Was für ein Urteil?«

»Hjertrud!«

Alle hörten auf zu kauen. Das Zimmermädchen zog sich rückwärts in die Küche zurück. Wände und Decke hielten einander
fest.

»Dina, Dina…«, sagte der Lehnsmann mit rostiger Stimme. »Du sagst die seltsamsten Dinge.«

»Nein, ich schweige über die seltsamsten Dinge.«

Dagny jagte die Jungen vom Tisch und folgte selbst nach. Der Lehnsmann und Dina aus Reinsnes saßen allein unter dem Kronleuchter. Die Türen blieben geschlossen, die Vergangenheit stocherte in entzündeten Wunden.

»Ein Kind kann man nicht beschuldigen«, sagte der Lehnsmann mühsam.

»Warum hast du es dann beschuldigt?«

»Keiner hat das getan.«

»Du hast es getan!«

»Nein, aber Dina…«

»Du hast mich weggeschickt. Ich war ein Nichts. Bis du mich an Jacob verkauft hast. Er war zum Glück ein Mensch. Während ich ein Wolfsjunges geworden war.«

»Wie lästerlich du sprichst! Verkauft! Wie kannst du…«

»Weil es die Wahrheit ist. Ich war im Wege. Hatte keine Erziehung. Wenn der Pfarrer dich nicht ermahnt hätte, dann würde ich heute noch die Kühe und Ziegen auf Helle melken! Glaubst du, daß ich das nicht weiß? Und dir tun fremde Leute leid, die geblümte Schürzen und Geld stehlen! Weißt du, was in Hjertruds schwarzem Buch über solche wie dich steht?«

»Dina!«

Der Lehnsmann erhob sich mit seiner ganzen Würde, so daß das Besteck klirrte und das Glas umfiel.

»Tobe nur! Aber du weißt nicht, was in Hjertruds Buch steht. Du bist Lehnsmann und weißt nichts! Du tust Gutes für die kleinen Leute, die dich nicht kennen. Damit du es an die große Glocke hängen kannst. Damit alle sehen, daß Lehnsmann Holm auf Fagernesset ein gerechter Mann ist.«

»Dina…«

Der Lehnsmann beugte sich plötzlich über den Tisch und wurde weiß hinter seinem Bart. Dann sank er über seinem Stuhl zusammen, bevor er auf den Boden klatschte. Die Beine und der Körper waren ein Taschenmesser mit einer lockeren Verschraubung.

Dagny schoß zur Tür herein. Sie weinte und umarmte den Mann

auf dem Boden. Dina setzte ihn auf einen Stuhl, gab ihm Wasser aus ihrem Glas und verließ die Tafel.

Der Lehnsmann erholte sich schnell wieder. Das Herz sei durchgegangen, erklärte er beschämt.

Sie aßen das Dessert, vollzählig, mit fast einer Stunde Verspätung, in Frieden und Eintracht.

Der Lehnsmann hatte Dina mit lauter, bittender Stimme vom oberen Stockwerk heruntergerufen, während er sich am Treppenpfosten festhielt und sich elend fühlte.

Die Jungen starrten Dina mit einer Mischung aus Angst und Bewunderung an, als sie sich an den Tisch setzte.

Jungen sollten nichts hören, nichts sehen. Aber heute hatten sie wieder einmal gesehen, wie Dina es mit Vaters Wut aufnahm. Sie lernten, daß sie davon nicht starb. Der Lehnsmann war umgefallen.

Dagnys Gesichtsausdruck wechselte ständig, solange Dina zugegen war. Wenn sie den Lehnsmann ansah, war sie eine frühe Butterblume an einem Bach. Wenn sie sich Dina zuwandte, hatte sie den Anschein von verfaultem Tang.

Ich bin Dina. Meine Füße wachsen in den Fußboden, während ich im Nachthemd stehe und den Mond über Hjertruds Himmel rollen sehe. Er hat ein Gesicht. Augen, Mund und Nase. Die eine Backe ist leicht eingesunken. Hjertrud steht noch über mein Bett gebeugt und weint, denn sie glaubt, daß ich schlafe. Aber ich schlafe nicht. Ich gehe über den Himmel und zähle Sterne, damit sie mich sieht.

Dina machte sich ein Vergnügen daraus, bestimmte Dinge an einen anderen Platz zu bringen, wenn sie zu Besuch war. Sie auf ihren alten Platz zu bringen. Wo sie sich vor Dagnys Zeit befunden hatten.

Dagny schluckte es. Sie kannte Dinas Art seit Jahren. Wollte ihr nicht den Triumph gönnen, daß sie sich ärgerte. Sie wartete mit zusammengebissenen Zähnen, bis der Gast abgereist war.

Diesmal brauchte sie nur bis zum nächsten Morgen zu warten. Dann flog sie fauchend durch die Räume und brachte alles wieder zurück. Den Nähkasten vom Rauchzimmer ins Kabinett. Das Bild von Hjertruds Familie vom Eßzimmer in den Flur des oberen

Stockwerks. Dina hatte es gegen eine Porzellanschale mit Goldrand und einen in Blautönen gemalten Prinz Oscar ausgetauscht.

Und gnade dem, der Dina in den Weg kam oder Bemerkungen über ihr Tun machte!

Später, als der Lehnsmann friedlich seine Nachmittagszigarre rauchte und keine Gefahr witterte, konnte sie es nicht lassen zu sagen: »Es gehört schon ein besonderer Scharfsinn dazu, so taktlos und unverschämt zu sein wie Dina.«

»Na, na... was ist denn jetzt wieder los?«

Die Art der Frauen ermüdete ihn. Er verstand sie nicht. Wollte nichts wissen, keine Partei ergreifen. Trotzdem war er genötigt zu fragen.

»Sie beschimpft dich! Verdirbt uns das Mittagessen! Sie stellt Dinge um, als ob sie immer noch hier wohnt. Sie hebt Hjertruds Familie in den Himmel, um mich zu verhöhnen«, sagte Dagny mit schriller Stimme.

»Dina hat einen schwierigen Charakter... Es ist sicher nicht böse gemeint...?«

»Und wie ist es dann gemeint?«

Er seufzte, ohne zu antworten.

»Ich bin heilfroh, daß ich nur *eine* Tochter habe«, murmelte er dann.

»Ich auch!« schnaubte sie.

»Jetzt ist es genug, Dagny!«

»Ja, bis sie das nächste Mal wieder durch die ganze Gemeinde angeritten kommt, wie ein Stallknecht rittlings und ohne Sattel, und so eigenmächtig handelt, als ob der Lehnsmannshof ihr gehörte! Und obendrein dein Herz durcheinanderbringt!«

»Es kommt ja nur noch selten vor...«

»Ja, Gott sei Dank, und ich bedanke mich wirklich!«

Er kratzte sich am Kopf und nahm die Pfeife mit ins Kontor. Er vermochte keine Zucht und Ordnung mehr im Haus zu halten. Schämte sich, weil er seine Frau nicht nachdrücklich zurechtgewiesen hatte, so daß es Ruhe gab. Spürte, daß er anfing, alt zu werden und weniger vertrug. Gleichzeitig mußte er einsehen, daß Dinas Kommen wie ein frischer Luftzug gewesen war. Er erwies ihr einen Dienst! Den kein anderer übernehmen konnte. Und sie war trotz allem die Tochter des Lehnsmanns. Das wäre ja noch schöner! Außerdem war es nett, einen Menschen zu haben, mit dem man richtig streiten und bei dem man auch mal losschreien konnte. Die meisten Leute waren so verdammt zartbesaitet.

Er seufzte, sank in den großen Ohrensessel, legte die Pfeife auf den Tisch und griff statt dessen zur Schnupftabaksdose.

Der Lehnsmann konnte bei einer Prise Schnupftabak so gut denken. Und gerade jetzt hatte er Gedanken, die er zu Ende denken wollte. Aber er wußte nicht recht, wo er anfangen sollte.

Es hatte etwas mit der armen Hjertrud zu tun... Was hatte Dina gesagt? Was stand in dem schwarzen Buch?

2. Kapitel

SIEHE, ER GEHT AN MIR VORÜBER, OHNE DASS ICH'S GEWAHR WERDE, UND WANDELT VORBEI, OHNE DASS ICH'S MERKE.
SIEHE, WENN ER WEGRAFFT, WER WILL IHM WEHREN? WER WILL ZU IHM SAGEN, WAS MACHST DU?
(Das Buch Hiob, Kapitel 9, Vers 11 und 12)

Die Stille war eine Wand, als Dina auf den Hof ritt.

Kerzen flackerten unruhig im Ausgedinge. Ein weißer Schein auf dem bläulichen Schnee. Vor den Fenstern hingen Laken. Der Tod war auf Reinsnes. Ein Schatten durch das bereifte Fenster. Tomas hatte ihn abgeschnitten. Der Rest von dem Strick hing noch. Er baumelte lange im Takt hin und her.

Niels hatte einen Spalt zwischen den Deckenbalken und dem Fußboden im Stockwerk darüber gefunden. Er mußte sich ziemlich abgemüht haben, um das Seil durchzuzwängen, denn der Spalt war sehr eng.

Dann hatte er sich erhängt.

Er hatte nicht die Unannehmlichkeit auf sich genommen, das warme Ausgedinge zu verlassen, wie die Leute es gewöhnlich machten, wenn sie so etwas vorhatten. Sie hängten sich im Bootshaus auf. Dort war es leicht, geeignete Balken zu finden.

Für seinen letzten Augenblick hatte Niels die Ofenwärme vorgezogen. Es war zu einsam und zu hoch unter dem Dach in den Lagerhäusern. Dachsparren unter der Wölbung boten reichlich Platz für jede Menge Körper.

Aber Niels erhängte sich in der Nähe des Ofens. An seiner Zimmerdecke, die so niedrig war, daß ein erwachsener Mann kaum frei baumeln konnte.

Er war kein erschreckender Anblick gewesen, trotz der besonderen Umstände. Er hatte weder verdrehte Augen, noch hing die Zunge heraus. Aber die Farbe war nicht schön.

Man konnte deutlich sehen, daß der Kopf nur wenig Kontakt mit dem Rest des Mannes hatte. Das Kinn zeigte zum Boden. Er schwankte leicht von einer Seite zur anderen. Mußte lange geschwankt haben.

Tomas war hereingepoltert, mit einem Herz wie eine Dampfmaschine.

Das alte Haus begann sich zu rühren, und Niels mußte mitschwingen. Die dunkle Tolle fiel in die Stirn. Als ob er etwas zuviel Punsch getrunken hätte. Die Arme hingen ein wenig unbeholfen herunter.

Erst jetzt gab er zu erkennen, wer er war. Ein sehr einsamer Verkäufer in einem Gemischtwarenladen, mit vielen unsichtbaren Träumen. Der aber endlich eine Entscheidung getroffen hatte.

Niels lag ausgestreckt auf einem Fensterladen auf dem Eßtisch, bis man einen standesgemäßen Sarg beschafft hatte.

Anders war auf den Lofoten. Aber sie hatten ihn bereits benachrichtigt.

Johan hielt zusammen mit Stine die Totenwache. Sie kümmerten sich die ganze Nacht um die Kerzen.

Stine deckte Niels' Körper immer wieder auf und zu. Beachtete es nicht, wenn jemand hereinkam. Nicht einmal, als Mutter Karen hinkend hereinkam und ihr die magere Hand auf die Schulter legte und weinte. Oder wenn Johan in regelmäßigen Abständen kam und aus der Bibel las.

Stine hatte ihre dunklen Eiderentenaugen zum Meer gewandt. Die Wangen waren nicht so gelb wie sonst. Sie teilte ihre Gedanken mit keinem. Die wenigen Worte, die sie gesagt hatte, als sie Hannas Vater abschnitten, waren an Johan gerichtet: »Du und ich, wir stehen ihm wohl am nächsten, um ihn zu waschen.«

Als Dina in den Raum kam, betrachtete sie nachdenklich Niels' Gesicht, beinahe so wie man ein Tier begutachtet, das zu kaufen man sich gerade aus dem Kopf geschlagen hat. Aber der Blick war nicht unwillig.

Die Leute auf dem Hof hatten sich eingefunden. Die Gesichter spiegelten Unglauben und Ohnmacht wider, gemischt mit Entsetzen und einer Messerspitze schlechten Gewissens.

Dina nickte stumm zu Niels' letzten Gedanken, die noch hilflos durch den Raum schwebten. In dem Nicken lag endlich eine Anerkennung.

Johan mußte seine ganze Klugheit aufbringen, um Mutter Karen zu versichern, daß er Niels in geweihte Erde bekommen würde. Trotz der Sünde, die er vor Gott und den Menschen begangen hatte.

»Wenn sie Niels auf dem Friedhof nicht haben wollen, dann begraben wir ihn im Garten«, sagte Dina kurz.

Johan schauderte bei solcher Rede, und Mutter Karen weinte still und aufrichtig.

Wenn Niels doch in geweihte Erde kam, dann hatte das mehrere Gründe. Zunächst einmal dauerte es sechs Wochen, ehe man daran denken konnte, ihn unter die Erde zu bringen, ob sie nun Gott oder den Menschen gehörte. Denn es setzte der schlimmste Frost seit Menschengedenken ein. Jeder Erdklumpen war wie Granit, wenn man mit dem Spaten hineinstechen wollte.

Zum anderen hieß es, daß Niels einfach gestorben war. Des Pfarrers und Johans Gespräche miteinander und mit Gott waren der Sache sehr dienlich.

Und da es so lange dauerte, bis man das Grab ausheben konnte, hatte sich das Gerede der Leute gelegt. Niels bekam seinen Platz hinter der Kirche. In aller Stille.

Jeder wußte, daß er sich an einer winzigen, engen Spalte im Ausgedinge auf Reinsnes aufgehängt hatte. Mit dem nagelneuen Hanfseil, das Anders aus Rußland bekommen hatte oder aus Trondhjem, oder woher es nun war. Aber man wußte auch, daß die Leute auf Reinsnes ihre Macht und ihre besondere Art hatten.

Stine fing an, zu Hanna zu sagen: »Es sind nun drei Wochen her, daß dein Vater gestorben ist.« Oder: »Es war im Winter nach dem Tod deines Vaters.«

Sie, die zu Niels' Lebzeiten seine Vaterschaft nie erwähnt hatte, benutzte nun jede Gelegenheit, um allen einzuhämmern, wer Hannas Vater war. Das hatte eine verblüffende Wirkung.

Es dauerte nicht lange, bis die Leute akzeptierten, daß Hannas Vater leider tot und Stine eine Frau mit einem vaterlosen Kind war.

Niels gab ihr im Tod die Genugtuung, die zu geben er nicht imstande gewesen war, solange er noch unter den Lebenden weilte.

Dina ließ hie und da ein paar Worte fallen. Die Leute auf dem Hof hörten sie und setzten die Worte zur Wahrheit zusammen.

Niels hatte sich zuletzt noch besonnen. Er hatte Dina gebeten, sein gespartes Geld als Leibrente für Hanna auf die Bank zu bringen. Diese Neuigkeit verbreitete sich schneller als der Grasbrand im Mai. Nach dem Lofot-Fischfang gab es keine Seele mehr, die nicht orientiert war.

Die Leute verstanden, daß Niels gar nicht so verrückt gewesen war. Und daß er seinen Platz beim Herrgott durchaus haben konnte, obwohl er den Löffel in die eigene Hand genommen hatte.

Eines Tages kam das Frachtschiff mit einem schönen Verdienst von den Lofoten heim. Aber Anders sah grau und mitgenommen aus.

Er kam gleich zu Dina in den Saal und wollte hören, wie es passiert war.

»Er konnte so etwas doch nicht machen, Dina!«

»Das konnte er wohl«, sagte Dina.

»Aber warum? Was hätte ich für ihn tun können?«

Er umarmte Dina und verbarg sein Gesicht bei ihr. Lange standen sie so. Es war vorher noch nie geschehen.

»Ich glaube, er mußte es machen«, sagte Dina mit dunkler Stimme.

»Keiner muß das!«

Er legte den Lauf eines Baches zwischen ihre Gesichter.

»Einige müssen«, sagte Dina.

Sie faßte ihn um den Kopf. Sah ihm lange in die Augen.

»Ich hätte ...« begann er.

»Pst! *Er* hätte! Jeder muß die Verantwortung für sein eigenes Leben übernehmen.«

»Du bist hart, Dina.«

»Einige müssen sich aufhängen, und einige müssen hart sein«, antwortete sie und zog sich zurück.

3. Kapitel

WER REICHLICH GIBT, WIRD GELABT, UND WER REICHLICH TRÄNKT,
DER WIRD AUCH GETRÄNKT WERDEN.
(Die Sprüche Salomos, Kapitel 11, Vers 25)

Mutter Karen hatte ein spezielles Buch in ihrem Bücherschrank. Geschrieben von einem hohen Beamten in Drammen, Gustav Peter Blom, mit dem ehrenvollen Titel »Hauptgrundbucheintragungskommissar«. Er berichtete über seine Reise in die Nordländer. Es standen lehrreiche Dinge in dem Buch über die Bewohner im allgemeinen und die Lappen im besonderen.

»Die Lappen empfinden kein Leiden und keinen Mangel«, und: »Der Bewohner der Nordländer ist abergläubisch, sicher auf Grund seiner Abhängigkeit von den Naturkräften.« Behauptete Herr Blom.

Mutter Karen begriff nicht, wieso ein Volk abergläubisch sein sollte, das sein Schicksal in Gottes Hände legte und das auf die Natur mehr vertraute als auf falsche Versprechungen. Aber da sie keine Gelegenheit hatte, mit jemandem darüber zu diskutieren, ließ sie die Sache auf sich beruhen.

Herr Blom meinte, daß hier oben unter dem Pol nur wenige aufgeklärte und kultivierte Wesen zu finden seien. Und er war sehr unzufrieden mit dem Aussehen der Lappen.

Er hat Stine auf Reinsnes nicht gesehen, dachte Mutter Karen. Aber sie sagte nichts. Stellte nur das Buch quer hinter die anderen. Falls Stine einmal Staub wischte.

Mutter Karen war mit ihrem Mann draußen in der Welt gewesen. Am Mittelmeer und in Paris und in Bremen. Sie wußte, daß die Menschen mit ihren Sünden immer wieder nackt vor Gott stehen, aus welcher Familie sie auch kommen.

Mutter Karen hatte persönlich dafür gesorgt, daß Stine lesen und schreiben lernte, als sich eines Tages herausstellte, daß sie es nicht konnte.

Sie lernte schnell. Es war, als ob sie ein Glas an den Mund setzte und das Wissen trank. Mutter Karen hatte auch den Krieg mit

Oline aufgenommen. Und brachte sie nach langer Belehrung zu der Einsicht, daß Stine ein Naturtalent in bezug auf Haushaltsführung war.

Nach und nach wurde Stine ebenso unentbehrlich wie Oline und Tomas, und man respektierte sie.

Aber außerhalb des Hofes war sie das Lappenmädchen, dessen Dina sich angenommen hatte. Daß sie Benjamin über die Taufe halten durfte, konnte die Meinung der Leute über Lappenmädchen nicht ändern.

Jetzt hieß es, daß Niels in den Tod gelockt worden war. Und während Tiere und Schillinge auf Reinsnes gediehen, starb die Hausfrau, die Stine von Tjeldsund weggejagt hatte. Die Lappenmagd zahlte zurück, was man ihr angetan hatte.

Stine verließ Reinsnes selten für längere Zeit. Lautlos und energisch ging sie ihrer Arbeit nach.

Sie schien so voller Trauer zu sein, daß sie den Körper ununterbrochen beschäftigen mußte, damit er keine Zeit bekam zu zerbrechen.

Das Erbe der Väter steckte in den Muskeln. Ihre ruhige, gleitende Art übertrug sich auf die Mädchen, die sie anlernte.

Sie zeigte selten, was sie dachte. Das Gesicht und die Augen hatten eine dunkle Ausstrahlung, die besagte: Ich ertrage es, im gleichen Raum mit dir zu sein, aber ich habe nichts, was ich dir sagen will.

Die hohen Backenknochen und die singende Sprache verrieten ihre Herkunft. Sie hatte die unendliche Weite und den Rhythmus der Flüsse im Blut.

Sie ging nicht mehr in der Leinenjacke im Sommer und in der Lederjacke im Winter. Aber Messer und Schere in einer Scheide aus gegerbtem Leder und ein Nadelgehäuse in einer Messinghülse und baumelnde Messingringe hingen noch am Gürtel wie an dem Tag, als sie nach Reinsnes gekommen war, um Benjamin zu stillen.

Einmal hatte Dina sie gefragt, wo sie herkomme. Sie hatte kurz ihre Geschichte erzählt. Daß sie aus einer schwedischen Lappenfamilie stamme, die alle Rentiere durch eine Lawine verloren hatte, noch ehe sie geboren wurde. Lange zogen sie auf der schwedischen Seite umher. Fingen wilde Rentiere ein, jagten und fischten.

Aber dann waren Vater und Großvater ins Gerede gekommen. Daß sie anderer Leute Herden stahlen.

Die ganze Familie mußte über die Grenze flüchten.

Endlich wurden sie seßhaft in einer Torfhütte in Skånland, schafften sich Boote an und begannen mit dem Fischfang. Aber Lappen ohne Rentiere, die Fischfang im kleinen betrieben, hatten keine Selbstachtung.

Für die Norweger waren sie einfach arme »Markefinner«* und standen nicht einmal auf der Namensliste.

Stine mußte aus dem Haus und sich von ihrem dreizehnten Lebensjahr an selbst ihr Brot verdienen. Sie war Stallmagd auf einem Hof weiter südlich in Tjeldsund. Als sie eines Tages ein totes Kind gebar, war Schluß. Sie konnten sie der Kindstötung nicht bezichtigen. Es war nur die Rede von einem sündigen Beischlaf.

Der Bauer setzte sich für sie ein. Aber die Frau wollte die Lappenmagd nicht mehr vor Augen haben. Sie mußte vom Hof. Mit schmerzender Brust, wegen der vielen Milch, und mit blutigen Lumpen zwischen den Beinen.

»Frauen reißen andere Leute oft in winzig kleine Fetzen, die sie in alle Winde streuen. Und dann gehen sie in die Kirche!« war Dinas Kommentar.

»Wo hast du das her?« fragte Stine zögernd.

»Vom Lehnsmann.«

»Auf Reinsnes ist niemand so«, sagte Stine.

»Nein, aber hier gibt es auch keine Mannsleute wie den Lehnsmann«, stellte Dina fest.

»War Dinas Mutter so?«

»Nein«, sagte Dina und ging schnell aus dem Raum.

Jede Jahreszeit hatte ihre bestimmten Rituale für Stine. Körbchen flechten, Deckchen weben, Heilkräuter sammeln und Garn färben. In ihrer Kammer roch es nach Birkenrinde, aus der sie die Körbchen flocht, und nach Wolle und gesunden Kinderkörpern.

---

* Markefinner bedeutet: seßhafte Lappen. (Anm. d. Übs.)

Sie hatte ihre eigenen Regale in der Speisekammer. Abgekochtes stand dort zum Abkühlen. Oder etwas sollte sich setzen, bevor sie es in Flaschen füllte. Für alle möglichen Zwecke.

Nachdem man Niels im Ausgedinge abgeschnitten hatte, war sie nichts anderes als zwei Arbeitshände. Lange.

Eines Abends schickte Dina nach ihr. Spät, als die anderen schon zur Ruhe gegangen waren, klopfte Stine bei Dina an und reichte ihr die Amerikakarte.

»Ich hätte dir seine Karte eigentlich schon längst bringen sollen«, sagte sie.

Dina faltete sie auf dem Bett auseinander, beugte sich darüber und betrachtete sie eingehend.

»Ich habe übrigens nicht gewußt, daß du die Karte hattest. Und ich wollte auch aus einem anderen Grund mit dir reden... Solltest du mitfahren?«

»Nein!« sagte Stine hart.

»Warum hast du dann die Karte?«

»Ich habe sie genommen. Er konnte ohne Karte nicht fahren.«

Dina richtete sich auf und fing Stine mit den Augen ein.

»Du hast nicht gewollt, daß er fährt?«

»Nein.«

»Warum wolltest du ihn denn hier haben?«

»Wegen Hanna...«, flüsterte sie.

»Aber wenn er dich gefragt hätte, wärst du dann mit nach Amerika gefahren?«

Es wurde still im Raum. Die Geräusche aus dem übrigen Haus legten sich auf sie wie ein Deckel, der lose auf einer Blechkanne sitzt. Sie waren in der Blechkanne. Zusammen eingesperrt. Jeder mit sich allein.

Stine fing an zu ahnen, daß dieses Verhör sich nicht nur in ein paar Fragen erschöpfte.

»Nein«, antwortete sie endlich.

»Warum nicht?«

»Weil ich auf Reinsnes bleiben will.«

»Aber ihr hättet doch ein schönes Leben haben können.«

»Nein.«

»Glaubst du, daß es deshalb so gekommen ist, wie es kam?« fragte Dina.

»Nein.«

»Was glaubst du, warum er es gemacht hat? Sich aufgehängt hat?«

»Ich weiß nicht... Deshalb bringe ich dir ja auch die Karte.«

»Ich weiß, warum er es gemacht hat, Stine. Und es hat nichts mit dir zu tun!«

»Die Leute sagen, ich hätte ihn in den Tod gelockt.«

»Die Leute reden mit dem Arsch«, knurrte Dina.

»Es kann sein... daß die Leute recht haben...«

»Nein.«

»Wie kannst du das so sicher wissen?«

»Es war ein anderer Grund, den nur ich weiß. Er konnte nicht hierbleiben.«

»War es deshalb, weil er Dina haben wollte?« fragte Stine plötzlich.

»Er wollte Reinsnes haben. Es war das einzige, was wir beide gemeinsam hatten, Stine.«

Ihre Augen trafen sich. Dina nickte.

»Kannst du verwünschen, Stine?«

»Ich weiß nicht«, antwortete sie kaum hörbar.

»Da sind wir vielleicht mehrere«, sagte Dina. »Aber die Leute sollen selbst auf sich aufpassen, nicht wahr?«

Stine starrte.

»Meint Dina das?«

»Ja.«

»Verstehst du... daß es Kräfte geben kann...?«

»Es gibt Kräfte! Wie sollten wir sonst bestehen?«

»Ich habe Angst davor.«

»Angst... Warum?«

»Weil es... der Teufel...«

»Der Teufel gibt sich nicht mit Kleinigkeiten ab. Frag Mutter Karen.«

»Es ist keine Kleinigkeit, daß Niels sich aufgehängt hat.«

»Hast du Niels gern gehabt?«

»Das weiß ich nicht.«

»Man hört nicht auf, jemanden gern zu haben, auch wenn er sich aufhängt.«

»Nein, das tut man wohl nicht.«

»Ich glaube, es kann Niels vor allem und vor sich selbst retten, wenn du ihn gern hast. Dann war es nicht vergebens, daß er sich aufgehängt hat.«

»Glaubt Dina das wirklich?«

»Ja. Und Niels hat jedenfalls eine Sache geregelt. Deshalb habe ich nach dir geschickt. Er hat eine kleine Leibrente für Hanna auf der Bank hinterlegt. Du bist ihr Vormund. Es ist ungefähr so viel, daß man davon nach Amerika fahren kann.«

»Herrgott«, murmelte Stine und studierte die Karos auf ihrer Schürze. »Ich habe gehört, daß die Leute darüber geredet haben, aber ich habe es für eine Lüge gehalten, wie alles, was sie über mich sagen.« – »Was soll ich mit dem Geld machen?« flüsterte sie noch.

»Ihr braucht nicht zu betteln, wenn der Teufel auf Reinsnes einziehen sollte«, antwortete Dina mit Nachdruck.

»Der Teufel war noch nie auf Reinsnes«, sagte Stine ernst. Dann verschloß sie sich wieder. Stand ruhig auf, um zu gehen. »Er muß an Hanna gedacht haben – bevor er es tat…«

»Er dachte wohl auch an dich.«

»Er hätte es nicht tun sollen«, sagte Stine mit unerwarteter Stärke.

»Euch das Geld geben?«

»Nein, sich aufhängen.«

»Es war vielleicht die einzige Art, euch etwas zu geben«, antwortete Dina trocken.

Die andere schluckte. Dann hellte sich ihr Gesicht auf. Die große Tür mit der ehrwürdigen Rokokofüllung und dem schweren Messingknauf schloß sich behutsam zwischen ihnen.

Es gab etwas, das Mutter Karen das »Frühlingswunder« nannte.

Es hatte sich seit dem ersten Frühling, als bei Stine die Milch weggeblieben war, wiederholt. Und es hatte damit angefangen, daß Stine die Heerscharen von Eiderenten beobachtete, die sich auf den Inseln und Schären draußen in der Schiffsroute aufhielten. Und sie erfuhr, daß es früher ein guter Nebenverdienst gewesen war, Eiderdaunen zu sammeln.

Stine verstand sich auf die Natur. Eigenhändig baute sie ein Schutzdach für die Eiderenten. Sie band Wacholderzweige zusammen, so daß ein natürliches Zelt entstand. Sie fütterte die Enten und redete mit ihnen.

Vor allem gab sie acht, daß niemand sie störte oder ihnen die Eier raubte.

Die Vögel kamen in jedem Frühjahr zu Hunderten zu den heimischen Stränden und Häusern. Sie zupften sich die Daunen aus der Brust und polsterten damit ihre Nester.

Im ganzen Kirchspiel wurde darüber getuschelt, wie das Lappenmädchen die Eiderenten hütete. Und die Summen, die sie mit dem Einsammeln der Daunen in den verlassenen Nestern verdiente, nachdem die Eier ausgebrütet waren, nahmen gewaltige Dimensionen an.

Nun war es so viel geworden, daß sie das Geld auf die Bank gebracht hatte. Und sie würde wohl nach Amerika fahren, um etwas zu werden.

Es blieb nicht aus, daß einige Frauen, wenn sie die Gelegenheit dazu hatten, es Stine nachzumachen versuchten. Aber es war nicht von Erfolg gekrönt. Denn die Lappenmagd verzauberte alle Eiderenten im Umkreis von Reinsnes. Sie verstehe ihr Handwerk, meinten diejenigen, die sich auskannten.

An allen denkbaren und undenkbaren Stellen tauchte ein Vogelkopf während der Brutzeit auf. Einmal kam eine Eiderentenmutter durch die offene Tür ins Backhaus und richtete sich in dem großen Backofen ein.

Es gab ein Tauziehen zwischen Oline und Stine, was während des Brütens wichtiger war, den Backofen zu benutzen oder die Vögel in Ruhe zu lassen.

Oline verlor den Kampf, ohne zu schimpfen.

Als sie den Knecht ins Backhaus geschickt hatte, um das Nest zu entfernen und den Ofen zu heizen, kam Stine angerast. Sie packte den Knecht fest am Arm und sagte ein paar Worte in der Lappensprache, indes ihre Augen einen Blitz nach dem anderen auf ihn schleuderten.

Das genügte. Der Knecht erschien blaß und kopfschüttelnd in der Küche.

»Von einem Zauberspruch möchte ich nicht getroffen werden«, verkündete er.

Dabei blieb es.

Und die Türen des Backhauses und des Backofens standen auf, so daß die Eiderentenmutter aus- und einfliegen konnte, um Futter herbeizuschaffen.

Hinter jedem kleinen Erdhaufen und unter jedem kleinen Dach bewegte sich etwas.

Stine sammelte die Daunen, sobald die Vögel fertig gelegt hatten und anfingen zu brüten. Ihre Röcke fegten von einem Nest zum anderen.

Sie nahm nicht alle Daunen auf einmal. Zupfte nur ein wenig hier und ein wenig da.

Manchmal trafen sich zwei dunkle Blicke. Ihre dunkelbraunen Augen und die schwarzen runden Vogelaugen. Der Vogel blieb ruhig sitzen, während sie von dem Nestrand ein paar Daunen wegnahm.

Wenn sie ging, wiegte sich der Vogel ein bißchen, streckte die Flügel ein bißchen und legte die Eier unter sich wieder zurecht. Dann zupfte er schnell und gewohnheitsmäßig ein paar Daunen aus der Brust, um auszubessern, was Stine genommen hatte.

Sie hatte Hunderte von Haustieren in ihrer Obhut in diesen Wochen im April und Mai. Jahr für Jahr kamen sie wieder. Die auf Reinsnes ausgebrütet wurden, kamen auch wieder. So wurde das Frühlingswunder immer größer.

Sobald die Eier ausgebrütet waren, trug Stine die verstrubbelten Knäuel in ihrer Sackleinenschürze zum Wasser. Um dem Vogel zu helfen, die Jungen vor den Krähen zu schützen.

Die Eiderenten verhielten sich ruhig bei dem Geleit. Sie watschelten hinter Stine her und schnatterten laut. Als ob sie sie wegen der Aufzucht um Rat fragten.

Sie blieb auf einem Felsen am Ufer sitzen und bewachte die kleine Familie, bis sie wiedervereint und wohlbehalten im Wasser war. Die Männchen hatten sich längst davongemacht. Zum Meer und in die Freiheit. Die Weibchen waren wieder allein. Stine nahm deren Einsamkeit auf sich.

Und die kleinen Daunenbälle bekamen Federn und andere Farben und lernten, Futter zu finden. Im Herbst waren sie weg.

Aber die Körbe mit den Daunen wurden ausgeleert, die Daunen gereinigt und in Leinen eingenäht, um nach Bergen verfrachtet zu werden.

Eiderdaunen waren eine begehrte Ware. Besonders wenn man Kontakt mit den Händlern in Hamburg und Kopenhagen bekommen konnte.

Anders nahm es mit den Prozenten nicht so genau, sofern es Stine betraf. Ehrlich gesagt, er nahm nichts für die Fracht und die Vermittlung.

Stines Augen glichen immer mehr den runden, feuchten Augen der verlassenen Entenmutter, wenn das Männchen zum Meer geflogen war.

Sie hatte Angst, daß die Krähen plötzlich herabstoßen und dem kleinen Leben, für das sie die Verantwortung trug, ein Ende bereiten würden.

Stine wußte nicht, daß in Mutter Karens Buch stand, daß »die Lappen kein Leiden und keinen Mangel empfinden«.

4. Kapitel

DENN SIEHE, DER WINTER IST VERGANGEN, DER REGEN IST VOR-
BEI UND DAHIN.

DIE BLUMEN SIND AUFGEGANGEN IM LANDE, DER LENZ IST
HERBEIGEKOMMEN, UND DIE TURTELTAUBE LÄSST SICH HÖREN
IN UNSEREM LANDE.

(Das Hohelied Salomos, Kapitel 2, Vers 11 und 12)

Dina hatte das lose Fußbodenbrett im Kontor wieder festnageln
lassen. Und sicherheitshalber ermahnte sie das Mädchen, den
Waschtisch jeden Mittwoch, wenn sie putzte, wegzurücken.

Niels belästigte sie nur selten. Meistens, wenn sie überlegte,
ob die Warenlisten vollständig waren oder ob sie etwas vergessen
hatte. Oder wenn sie Hanna barfuß über den Hofplatz gehen sah,
Benjamin dicht hinter ihr.

Niels konnte plötzlich vor ihr stehen und sich weigern, von der
Stelle zu weichen. Dann mußte sie die Listen von neuem durch-
schauen. Bis sie ganz sicher war, daß die Details und Zahlenreihen
stimmten.

Ein paarmal bekam er sie dazu, daß sie das vaterlose Mädchen
statt seiner auf den Schoß nahm.

Niels war von mancherlei praktischem Nutzen gewesen, als er auf
seinem Drehstuhl im Kontor saß. Aber unentbehrlich war er nicht.

Dina machte sich vertraut mit den Bestellungen und der täglichen Abrechnung. Sie räumte den alten Schrott auf, der sich im
Laufe der Jahre angesammelt hatte. Schuf Ordnung in den Regalen, den Schränken. Klarheit in den Außenständen.

Sie mahnte alle, von denen sie wußte, daß sie bezahlen konnten,
und verwarnte diejenigen, die sich über eine alte Schuld schämten,
so daß sie nicht mehr nach Reinsnes kamen, um bei der Heuernte
oder dem Fischfang zu helfen. Sondern lieber nach Tjeldsund oder
sonstwohin fuhren.

Die Warnung war unmißverständlich: Solange sie nach Reinsnes
kamen und etwas anzubieten hatten, wollte Dina auch für sie sor-

gen, wenn sie einmal nichts hatten. Aber sobald sie die Felle von gewilderten Tieren und die Fische irgendwo anders hinbrachten, würden ihre Schulden unweigerlich eingetrieben werden.

Das wirkte schnell.

Im Hauptgebäude war immer viel Betrieb. Es kribbelte und krabbelte hinter jeder Wand und in jedem Bett. Zu welcher Tages- oder Nachtzeit Dina auch durchs Haus ging, sie traf immer irgendeinen, der in dem kleinen Häuschen oder in der Küche, oder wo es sonst noch sein mochte, etwas zu erledigen hatte.

Am schlimmsten waren die vielen Frauen. Sie flimmerten zu allen Zeiten herum. Diese geschäftigen, strickenden, schwatzenden, rotierenden Frauen machten überall Durcheinander. Gleichzeitig waren sie unentbehrlich.

Dina wurde ganz verdrießlich.

Sie wollte das Altenteil instand setzen lassen und dorthin ziehen.

»Dann kann Johan mit all seinen Büchern in den Saal ziehen«, sagte sie zu Anders.

Er war der erste, der in den Plan eingeweiht wurde. Und eine wichtige Stütze.

Anders fuhr nach Namsos, um Material für die Kajüte zu holen, die er auf den Fembøring setzen wollte.

Zum Entsetzen aller kam er mit einem ganzen Materialfloß im Schlepptau nach Hause. Er hatte Beziehungen, so war der Preis nicht hoch gewesen, und das Holz war bestens.

Zunächst war nur er in Dinas Pläne eingeweiht worden, deshalb war es für den Hof ein Schock, als man erfuhr, daß Dina das unselige Ausgedinge, in dem Niels sich erhängt hatte, instand setzen wollte.

Oline fing an zu weinen. Ihrer Meinung nach sollte das Ausgedinge abgerissen und vergessen werden. Sie hatte sich nur noch nicht entschlossen, es zu sagen. Bis jetzt.

»Glaubt ihr wirklich, daß ein lebendes Wesen in dieses unselige Haus zieht? Mutter Karen jedenfalls nicht! Es gibt doch so viele Räume in dem Hauptgebäude«, schimpfte sie.

Dina und Anders erklärten und zeigten ihr die Zeichnungen. Erzählten ausführlich von der Glasveranda, die sie auf der Seeseite an-

bauen wollten. Da konnte man in Ruhe sitzen und dem Austernfischer zusehen, wenn er an einem Frühlingsmorgen den Acker
heraufspazierte, um Jagd auf den Regenwurm zu machen. Sie erzählten von dem Schornstein, der neu aufgesetzt werden sollte. Von
den Fenstern, die im Südwesten ausgewechselt werden mußten.

Zuletzt stellten sie klar, daß Dina dort einziehen würde.

Aber Oline war noch nicht beruhigt. Sie weinte um Dinas willen.
Und wegen Benjamin, der mit seiner Mutter in einem Haus des Todes leben sollte.

»Wenn doch der Blitz in so ein Haus einschlagen würde! Daß
nichts mehr davon übrigbleibt!« sagte sie inbrünstig.

Da nahm Mutter Karen sich der Sache an. Niemand durfte mit
solchen Verwünschungen kommen. Und Oline sollte sich ihre unchristlichen Wünsche vergegenwärtigen und Besserung für ihre
häßliche Zunge geloben. Wenn Dina meinte, daß sie im Ausgedinge wohnen könnte, dann habe das wohl einen Sinn. Junge Menschen brauchten manchmal Zeit und Raum für sich selbst. Dina
habe ja so viel Verantwortung und mache sich so viele verzwickte
Gedanken. Um den Hof, den Handel und die Zahlen.

Mutter Karen hatte eine Menge Entschuldigungen.

Oline muckte immer noch auf. Meinte, daß Dina an Zahlen und
Verantwortung unten im Kontor denken könne. Basta!

Dina verlor allmählich die Geduld und sagte frei heraus, daß sie
nicht die Absicht habe, sich mit ihren Dienstleuten über den Haus-
bau zu beraten. Das saß wie ein Giftpfeil in Olines Brust. Sie beugte augenblicklich den Kopf. Aber sie vergaß es nie!

Dina hatte schon vor längerer Zeit bunte Glasscheiben für die
Glasveranda in Trondhjem und einen weißen Kachelofen in Hamburg bestellt.

Sie nahm von Niels' gespartem Geld, das ihr der Lehnsmann je
nach Bedarf von der Bank holte.

Auf diese Weise setzte sie das Ausgedinge auch für ihn instand.
Er brauchte sich über nichts zu beklagen.

Den Spalt zwischen den Deckenbalken und dem Fußboden im
Obergeschoß ließ Dina dichtmachen. Auf Mutter Karens aus-
drücklichen Befehl. Sie ertrug es nicht, jedesmal an des armen

Niels' letzte Tat erinnert zu werden, wenn sie in das Ausgedinge kam.

Die Arbeitsleute und die Erntehelfer brauchten Essen und Betreuung. Die Essenspausen waren anstrengend für Oline.

Aber sie nahm sich Zeit mit allem. Übereilte sich nicht. Die Leute sollten lieber eine halbe Stunde hungrig auf ein gutes Essen warten, als sich mit Resten und Matsch abspeisen lassen, meinte sie.

Das führte dazu, daß es auf Olines Wunsch hin schon in aller Frühe um fünf Uhr Frühstück gab.

Und wer nicht da war, wenn die Glocke auf dem Vorratshaus drei kurze Schläge tat, bekam keine Extrabedienung.

»Ist die Schüssel vom Tisch, ist das Essen vom Tisch«, psalmodierte sie und sah den armen Kerl streng an, der mit leerem Magen zur Arbeit gehen mußte.

Weder Mutter Karen noch Dina fiel es ein, sich in Olines eiserne Disziplin einzumischen. Denn sie bewirkte, daß die meiste Arbeit beizeiten vor dem Abend gemacht war.

Gelegentlich bekamen sie Leute, die so harte Methoden nicht gewohnt waren und darum baten, von der Arbeit freigestellt zu werden, und wieder verschwanden.

Da sagte Oline trocken: »Es ist nur gut, wenn der Wind verfaultes Heu mitnimmt.«

Als Dina eines Tages auf dem Fahnenhügel stand und mit Hanna und Benjamin die Bergspitzen zählte, kam die »Prinds Gustav« angeglitten. Der neue Verwalter war hinausgerudert, um Post und Waren an Land zu holen.

Da war er! Angezogen wie ein Seemann. Mit Sack und Reisetasche. Sein Gesicht lag in der Lichtspiegelung.

Das kleine Boot glitt zur Anlegestelle, während der Dampfer tutete – und nach Norden fuhr.

Dina zog Benjamin an den Haaren und zählte die Gipfel, die im Norden lagen, daß es schallte. Sie nannte sie alle beim Namen. Rasend schnell, während sie die Kinder auf dem steinigen Pfad zum Haus mit sich zerrte. Dann entledigte sie sich ihrer mit einer Miene, als ob sie sie noch nie gesehen hätte.

Sie ging in den Saal. Fand kein Kleid. Keine Haarbürste. Kein Gesicht. Stolperte über den Teppich.

Und das Ausgedinge war noch nicht fertig, um Gäste zu empfangen, die sie für sich allein haben wollte!

Inzwischen war er in Olines Küche gegangen. Seine Stimme kam die Treppe herauf, durch die offenen Türen. Legte sich in die Gehörgänge. Wie Myrrhen aus Hjertruds Buch.

Sie begrüßte ihn vor aller Augen wie einen Freund des Hauses. Aber Oline und die Mädchen wußten es besser. Es gab nicht viele, die Dina zum Willkommen umarmte. Sie wandten sich ab und suchten sich eine Beschäftigung, während sie doch die ganze Zeit dafür sorgten, in der Nähe zu bleiben.

Stine begrüßte den Gast und begann mit den Vorbereitungen für eine große Mittagstafel. Johan und Anders kamen mit Leos Seesack in den Flur. Sie ließen ihn bei der Treppe fallen und gingen ins Wohnzimmer.

Anders steckte den Kopf bei Oline herein und fragte, ob ein Willkommenstrunk serviert werden könnte.

Johan rief vom Flur und fragte nach dem Reisewetter und der Gesundheit, indes er die Sachen, die er draußen übergezogen hatte, ablegte.

Die Kinder hatten den Fremden wiedererkannt und kamen herein. Zwei kleine Mäuse, die um ihr Loch witschten, immer auf der Hut vor der Katze, die plötzlich auftauchen und Jagd auf sie machen konnte.

Das Gespräch war lebhaft.

»Wo ist der Strafgefangene?« fragte Dina plötzlich.

Zwei grüne und zwei kristallklare Augen begegneten sich.

»Die Begnadigung wurde zurückgezogen«, sagte er und sah sie forschend an. Als ob er erstaunt wäre, daß sie sich an die Sache mit dem Strafgefangenen erinnerte.

Er saß nahe. Roch nach Teer und salzigem Wind.

»Warum?« fragte sie.

»Weil er sich verrückt benommen hat und mit einem Holzklotz auf einen Wärter losgegangen ist.«

»Hat er den Wärter getroffen?«

»Ja, aber nur wenig«, antwortete er und blinzelte Benjamin zu, der mit offenem Mund lauschte.

»Was für ein Strafgefangener?« fragte Benjamin unbekümmert und schlich zu Leos Knie.

»Pst!« sagte Dina sanft.

»Einer, den ich nach Vardø mitnehmen sollte, weil ich sowieso nach Norden fuhr«, antwortete Leo.

»Was hat er gemacht?«

»Fürchterliche Sachen«, sagte Leo.

»Was denn?« Benjamin war hartnäckig. Trotz Dinas Blick, den er kannte, wenn er unverhofft zu nahe an den Ofen kam.

»Er hat seine Frau mit dem Beil erschlagen.«

»Mit einem Beil?«

»Mit einem Beil.«

»Verdammt!« sagte Benjamin. »Warum denn?«

»Er war vielleicht wütend. Oder sie stand ihm im Weg. Wer weiß?« Leo wußte nicht recht, wie er dieser jungen Neugierde begegnen sollte.

»Hättest du ihn mit zu uns gebracht, wenn er das Holzscheit nicht auf den Wärter geknallt hätte?« fragte Benjamin.

»Nein«, sagte Leo ernst. »Solche Gäste bringt man nicht hierher. Da hätte ich wohl vorbeifahren müssen.«

»Dann war es gar nicht so schlecht, daß er geschlagen hat.«

»Nein, für mich nicht. Für ihn war es schlimm.«

»Sieht er aus wie andere Leute?« wollte der Junge wissen.

»Ja, wenn er sich wäscht und rasiert.«

»Was hat er gemacht, bevor er seine Frau totgeschlagen hat?«

»Das weiß ich nicht.«

»Was geschieht jetzt mit ihm?« wollte Benjamin wissen.

»Er muß nun lange Zeit dort bleiben, wo er ist.«

»Ist es da schlimmer als in Vardø?«

»Man sagt es«, erwiderte Leo.

»Glaubst du, daß er wieder so was macht? Jemanden totschlagen?«

»Nein«, sagte Leo, noch immer tiefernst.

»Niels hat sich aufgehängt«, sagte Benjamin plötzlich und sah dem großen Mann ins Gesicht.

Die Narbe leuchtete bläulich auf graubrauner Haut.

»Aber Tomas sagt, daß es jetzt fast zehn Jahre her ist, daß zuletzt jemand auf Reinsnes gestorben ist«, fuhr Benjamin fort. »Es war Jacob«, fügte er sachkundig hinzu.

Der Junge stand mitten im Zimmer und sah die Erwachsenen der Reihe nach an. Als ob er nach einer Erklärung suchte. Die Stille wurde ein Ohrenschnüffeln.

Dinas Augen waren nicht gut. Ihre Röcke raschelten gefährlich, und sie kam auf ihn zu wie ein Frachtschiff in voller Fahrt.

»Geh mit Hanna raus spielen!« sagte sie mit unheimlich sanfter Stimme.

Benjamin griff nach Hannas Hand. Und weg waren sie.

»Nein, Niels ist nicht mehr«, sagte Mutter Karen, die unbemerkt aus ihrer Kammer gekommen war. Sie umklammerte den Silberknauf ihres Stockes, während sie die Tür hinter sich vorsichtig wieder zuschob. Dann drehte sie sich um, ging mühsam durch das Zimmer und ergriff Leos Hand.

Er war ein Schlafwandler, der aufstand und ihr seinen Stuhl anbot.

»Aber wir anderen müssen trotzdem weiterleben. Willkommen auf Reinsnes!«

Die Geschichte stand im Raum. Sie wurde in einfachen Worten erzählt. Aber legte sich wie eine Staubschicht auf ihre Gesichter.

Mutter Karen übernahm die Aufgabe. Einmal hörte man einen Seufzer zwischen den Sätzen. Ein anderes Mal: »Mein Gott...!«

»Aber warum...?« fragte Leo ungläubig. Er sah Dina an.

Stine ging still ein und aus. Anders legte zwei braune rissige Hände wie leere Kiele von gekenterten Booten vor sein Gesicht. Johan saß mit zusammengepreßtem Mund und heimatlosen Augen da. Mutter Karen segnete den armen Niels.

»Warum hat er das getan?« wiederholte Leo.

»Die Wege des Herrn sind unerforschlich«, sagte Mutter Karen.

»Es war nicht der Herr, Mutter Karen. Es war Niels' freier Wille. Das dürfen wir nicht vergessen«, sagte Johan leise.

»Aber der Herr läßt keinen Vogel zur Erde fallen, ohne daß er es weiß«, sagte Mutter Karen eigensinnig.

»Ja, damit hast du recht, liebe Mutter Karen«, lenkte Johan ein.

»Aber warum hat er es getan? Was war so schrecklich für den Mann? Warum wollte er denn nicht mehr leben?« fragte Leo noch einmal.

»Vielleicht hat ihm etwas gefehlt, für das er leben konnte«, sagte Anders. Die Stimme war rostig.

»Man hat sicher das, was man fähig ist zu sehen, und irgend etwas muß Niels den Blick verstellt haben«, sagte Johan.

Leo schaute von einem zum anderen. Und er suchte nicht zu verbergen, daß er bewegt war. Plötzlich stand er auf, stützte sich auf die Tischkante, räusperte sich, als ob er eine Rede halten wollte. Dann begann er zu singen.

Eine fremde Melodie in Moll. Die Trauer floß aus ihm wie bei einem Kind. Er warf den Kopf zurück und schlürfte sie wieder in sich hinein. Der Refrain lautete:

Erloschen sind des Tages Gluten,
im Abendhimmel schwand der blaue Meeresplan.

Gehorsam Segel, rausche ob den Fluten,
erbrande unter mir, du finsterer Ozean.*

Sie hatten noch nie etwas Ähnliches gesehen oder gehört. Er war gesandt worden, um ihnen bei der Frage zu helfen, die sie wochenlang voreinander verborgen hatten. Die verfluchte, einsame Frage: Habe ich Schuld?

Nach dem Essen ritten Dina und Leo fort, Tomas' verlorenen Blick im Rücken.

Das Frühlingslicht war ein geschliffenes Messer bis weit in den Abend.

»Ihr reitet zusammen, du und Tomas?« fragte Leo.

»Ja, wenn es gerade paßt.«

Hie und da lagen noch Schneereste.

---

* Gedicht (ohne Titel) von Alexander Puschkin in der Übersetzung von Friedrich Fiedler (1895) aus: Puschkin, *Gesammelte Werke*, Berlin und Weimar 1949.

Sie ritt voran auf dem Weg übers Gebirge.

»Ist er schon lange hier, der Tomas?«

»Ja. Warum?«

»Er hat Augen wie ein Hund.«

»Ach so«, sagte sie und lachte. »Sie sind etwas Besonderes – eins ist braun, und eins ist blau... Er ist tüchtig. Man kann sich auf ihn verlassen.«

»Das glaube ich gern. Aber er hat die gleichen Augen wie Niels, wenn er Dina ansieht...«

»Hör auf mit Niels!« keuchte sie und ließ das Pferd den steil ansteigenden Weg im Galopp laufen.

»Du treibst die Männer weit!« rief er ihr nach.

Er erreichte sie wieder und packte ihre Zügel. Der Schwarze bäumte sich mit einem wütenden Wiehern auf.

»Laß los! Das Pferd mag das nicht!« sagte sie. Die Stimme hörte sich an, als ob sie stundenlang eingeschlossen gewesen wäre.

»Du weißt, was Niels in den Tod getrieben hat?« fragte er eindringlich.

»Ja, er hat sich aufgehängt!« schrie sie und riß sich los.

»Du bist hart!«

»Was willst du von mir hören? Daß ich ihn dazu trieb, weil ich ihn nicht haben wollte? Glaubst du wirklich, daß das der Grund war, Leo Zjukovskij?«

Er antwortete nicht.

Sie schwiegen und versteckten sich.

Ich bin Dina. Warum nehme ich Hjertruds Boten mit hierher? Soll er Zeit und Ort sehen? Den Schlitten im Kolk sehen? Und wenn er gesehen hat, wird er dann stumm?

Als sie hinauf an den oberen Rand des Steilabfalls kamen, wo Jacob und der Schlitten heruntergekracht waren, hielt Dina das Pferd an und sagte: »Bist du die ganze Zeit in Trondhjem gewesen?«

»Nein.«

»Wo noch? Du hast kein Wort von dir hören lassen.«

Sie sprang vom Pferd und ließ es laufen, wohin es wollte. Leo folgte ihrem Beispiel, ehe er antwortete.

»Ich hatte geglaubt, ich würde schon viel früher nach Norden kommen.«

»Von wo?«

»Bergen.«

»Was hast du da gemacht, Leo? Hast du da auch eine Witwe?«

»Nein. Keine Witwen in Bergen. Keine Witwen in Trondhjem. Keine Witwen in Archangelsk, nur eine in Reinsnes...«

Sie sagte nichts.

Der Schwarze wieherte unruhig, suchte Dinas Nähe. Steckte das Maul in ihre Haare.

»Warum ist er so unruhig?« fragte Leo.

»Er mag den Ort nicht sehr.«

»So? Warum nicht? Hat er Angst vor dem dröhnenden Wasserfall?«

»Jacob ist hier heruntergestürzt. Das Pferd und ich blieben am Rand zurück.«

Leo wandte sich um und sah sie forschend an.

»Und das ist fast zehn Jahre her, wie Benjamin gesagt hat?«

»Ja, das Pferd ist alt geworden. Ich muß bald ein neues haben.«

»Es muß – schrecklich gewesen sein...«

»Es war kein Spaß«, sagte sie kurz und beugte sich über den Rand.

»Du hast Jacob geliebt?« fragte er nach einer Weile.

»Geliebt?«

»Ja, ich habe mitbekommen, daß er viel älter war als du?«

»Älter als mein Vater.« Er betrachtete sie mit einem Ausdruck von Neugierde und Erstaunen, bis sie endlich fragte: »Wen von denen, die man trifft, liebt man? Du weißt das sicher, wo du soviel herumgekommen bist?«

»Es sind wohl nur wenige...«

»Da du so freimütig bist und mich fragst, ob ich Jacob geliebt habe, kannst du mir sicher eine Antwort auf die Frage geben, wen von denen, die dir begegnet sind, du geliebt hast.«

»Ich habe meine Mutter geliebt. Aber sie lebt nicht mehr. Sie fand sich in Rußland nicht zurecht. Sehnte sich zurück nach Bergen. Nach dem Meer, glaube ich... Und ich hatte eine Frau, als ich zwanzig war. Sie starb, als ich dreiundzwanzig war.«

»Siehst du sie jetzt noch?«

»Falls du meinst, ob ich an sie denke... Ja, gelegentlich. Wie jetzt... da du mich fragst. Aber ich habe sie nicht so geliebt, wie ich hätte sollen. Unsere Familien meinten, wir würden zusammenpassen. Ich war ein verantwortungsloser Medizinstudent, der gerne radikal sein wollte, und schmeichelte mich bei Künstlern und reichen Scharlatanen am Zarenhof ein. Ich las und trank Wein... Hielt politische Reden und...«

»Wie alt bist du?«

»Neunundreißig«, sagte er lächelnd. »Findest du das alt?«

»Auf das Alter kommt es nicht an.«

Er lachte laut.

»Stammst du aus einer vornehmen Familie? Hattet ihr Zugang zum Hof?« fragte sie.

»Ich habe es versucht.«

»Warum hast du kein Glück gehabt?«

»Weil Puschkin starb.«

»Der mit den Gedichten?«

»Ja.«

»Woran starb er?«

»In einem Duell. Wegen Eifersucht, hieß es. Aber er wurde eigentlich ein Opfer politischer Intrigen. Rußland verfault von innen heraus. Es trifft uns alle. Puschkin war ein großer Künstler, der von kleinen Menschen umgeben war.«

»Es hört sich auch jetzt etwas klein an«, stellte sie fest.

»Alle sind klein, wenn es um die Liebe geht.«

Sie sah ihn schnell an und sagte: »Könntest du dir vorstellen, jemanden aus Eifersucht zu erschießen?«

»Das weiß ich nicht. Vielleicht...«

»Wo wurde er getroffen?«

»In den Unterleib...«

»Eine schlechte Stelle«, sagte sie trocken.

»Empfindest du gar kein Mitleid, Dina?« fragte er plötzlich gereizt.

»Wieso?«

»Dafür daß du eine Frau bist, macht es dir wenig aus, von Leid und Tod zu hören. Wie du von deinem toten Mann sprichst... Von Niels... Und jetzt von Puschkin. Das ist ungewöhnlich.«

»Ich kenne diesen Puschkin nicht.«

»Nein, aber die anderen...«

»Was erwartest du?«

»Etwas mehr Mitleid in einer Frauenstimme.«

»Es sind ja die Frauen, die sich um die Toten kümmern. Männer legen sich nur hin und sterben. Man kann nicht über eine dumme Duellwunde im Unterleib weinen. Männer kommen übrigens bei uns nicht auf diese Weise ums Leben. Sie ertrinken.«

»Oder hängen sich auf. Frauen weinen auch in den Nordländern.«

»Das ist nicht meine Sache.«

Nicht nur die Worte waren so abweisend.

»Deine Mutter ist auch tot? Starb sie einen gewaltsamen Tod?« fuhr er fort, als ob er ihre letzten Worte nicht gehört hätte.

Dina bückte sich und hob einen entsprechend großen Stein auf. Holte weit aus und warf den Stein mit aller Kraft in den Abgrund.

»Sie bekam mehrere Liter kochende Lauge über sich«, sagte Dina, ohne ihn anzusehen. »Deshalb hat der Lehnsmann das Waschhaus auf Fagernesset abgerissen und sähe es am liebsten, daß ich mein ganzes Leben auf Reinsnes verbringe.«

Dann pfiff sie dem Pferd mit zwei Fingern zwischen den Zähnen.

Leo stand mit hängenden Armen da. Irgendwo in seinen grünen Augen wurde plötzlich eine grenzenlose Zärtlichkeit geboren.

»Ich habe gemerkt, daß da etwas war... Weihnachten, die Szene mit deinem Vater. Du verstehst dich nicht gut mit deinem Vater, Dina?«

»Er ist es, der nicht auf freundschaftlichem Fuß mit Dina steht.«

»Es ist kindisch von dir, so etwas zu sagen.«

»Es stimmt aber.«

»Erzähl mir deine Geschichte.«

»Du mußt mir deine zuerst erzählen«, sagte sie schroff. Aber kurz darauf kam es: »Was hättest du gemacht, wenn dein Kind den Handgriff angefaßt hätte, so daß der Kessel kippte und die Lauge ausleerte? Und was hättest du gemacht, wenn du deine Frau verloren hättest, ehe du ihr nach jahrelangen Schikanen ein wenig Liebe geben konntest?«

Leo ging zu ihr hin. Nahm sie in die Arme. Drückte sie an sich. Und küßte sie blind und hart.

Der Wasserfall war eine Orgel. Der Himmel versteckte das Pferd. Jacob war nur ein Engel. Denn Hjertruds neuer Sendbote stand bei ihr.

»Du machst Striche in deinen Büchern, das sieht nicht schön aus«, sagte sie plötzlich, als sie den steilen Hang hinunterritten.

Er verbarg blitzschnell sein Erstaunen und antwortete: »Du spionierst den Leuten nach. Du untersuchst Reisetaschen und Bücher.«

»Ja, wenn sie mir nicht erzählen, wer sie sind.«

»Ich habe erzählt…«

»Von diesem Puschkin, den du bewunderst wie einen Gott. Du hast mir eine Übersetzung versprochen.«

»Die sollst du haben.«

»Du mußt genau das Buch übersetzen, das ich von dir bekommen habe.«

»Du hast es nicht bekommen. Du hast es dir genommen! Das andere hast du bekommen.«

»Du hattest zwei ähnliche Bücher. Eins mit Strichen und eins ohne. Ich mochte das mit Strichen lieber.«

»Sie ist gut informiert«, sagte er, als ob er zu sich selbst spräche.

Sie drehte sich auf dem Pferderücken um und sah ihn neckend an. »Du mußt besser aufpassen!«

»Ja, von nun an. Das Buch ist wirklich wichtig…«, sagte er und schwieg jäh.

»Wem gibst du russische Bücher hierzulande?«

»Dir zum Beispiel!«

»Ich mußte das Buch nehmen, das ich haben wollte.«

»Du genierst dich nicht«, sagte er trocken.

»Nein.«

»Warum hast du das Buch mit den Strichen genommen?«

»Weil es dir soviel bedeutet.«

Er sagte nichts mehr. Sie hatte ihn schachmatt gesetzt.

»Hast du das andere Buch bei dir?«

»Nein.«

»Wo ist es jetzt?«

»Eine Witwe hat es mir gestohlen.«

»In Bergen?«

»In Bergen.«

»Bist du böse?«

»Ja, ich bin böse.«

»Kommst du heute abend in den Saal und übersetzt das, was du am meisten in Puschkins Buch liebst?«

»Geht das?«

Da lachte sie, während der Körper auf dem Pferderücken den steilen Weg hinunter auf- und niederwippte. Sie saß rittlings. Ihre Schenkel umklammerten energisch und weich die Pferdeflanken, und die Hüften schaukelten im Takt mit dem arbeitenden Tier.

Der Mann wünschte, es wäre Sommer. Schluß mit der Kälte. Da hätte er das Pferd an einen Baum gebunden.

Am dritten Tag fuhr er. Dina fing an, nachts umherzugehen. Und der Frühling plagte sich.

5. Kapitel

D<small>U SOLLST MIT DER</small> F<small>RAU DEINES</small> V<small>ATERS NICHT</small> U<small>MGANG HABEN</small>;
<small>DENN DAMIT SCHÄNDEST DU DEINEN</small> V<small>ATER</small>.
(Das dritte Buch Mose, Kapitel 18, Vers 8)

Die Frauen auf Reinsnes waren wie die Frachtschiffe auf Reinsnes.
Hochgezogen auf denselben Strand. Aber mit ungleicher Bestim-
mung, sobald es nach draußen ging. Mit ungleicher Last. Ungleichen Segeleigenschaften.

Während die Frachtschiffe einen Schiffer hatten, setzten die
Frauen selbst das Segel vor dem Wind. Anscheinend eigenmächtig
und mit großer individueller Macht.

Einige glaubten, daß Stine den Wind verzaubern konnte. Andere meinten, daß Dina gemeinsame Sache mit dem Bösen machte. Warum sollte sie sonst in Winternächten bei Mondschein im
Wolfspelz in einem zugewehten Gartenhaus sitzen und Wein trinken.

Wieder andere meinten, daß die guten und die bösen Mächte
sich auf Reinsnes die Waage hielten. Wenn eines Tages Mutter Karen nicht mehr da war, würde es eine Katastrophe geben.

Die alte Frau hing am Leben. Sie war wie eine leuchtende, weiche
Birkenrinde anzusehen. Weiß mit dunklen Flecken auf der Haut.
Die Haare wurden jeden Tag von Stine sorgfältig frisiert. Nach der
wöchentlichen Wäsche in Wacholderlauge hatten sie immer einen
goldenen Schimmer. Und wurden beim Auskämmen weich wie
Seide.

Die markante, gebogene Nase hielt das Monokel auf seinem
Platz. Sie las täglich ihre drei Stunden. Zeitungen, Bücher, alte und
neue Briefe. Es sei wichtig im Alter, meinte sie, den Geist nicht ver-
kümmern zu lassen.

Sie hielt ihr Mittagsschläfchen im Ohrensessel, das aufgerauhte
Plaid auf dem Schoß. Sie ging zu Bett mit den Dienstleuten und
stand auf mit den Hühnern. Daß sie so schlecht auf den Beinen war,
bekümmerte sie. Aber sie machte kein Wesens darum, jetzt wo sie

die Kammer hinter dem Wohnzimmer hatte und die Treppen nicht mehr zu gehen brauchte.

Mutter Karen war dagegen gewesen, daß Dina das Ausgedinge ausbaute und renovierte. Aber als Dina nicht nachgab und die Handwerker auf den Hof kamen, änderte sie ihre Meinung.

Das Ausgedinge wurde repariert und instand gesetzt, bis es am Ende ein aufpoliertes Schmuckstück war.

An dem Tag, als die Arbeit beendet war und Dinas Sachen hinübergebracht wurden, kam Mutter Karen über den Hof, um das Ganze in Augenschein zu nehmen.

Sie hatte entschieden, daß das Haus ockergelb gestrichen werden sollte, Fensterrahmen und Ornamente weiß.

Dina war einverstanden gewesen. Das Ausgedinge wurde ockergelb gestrichen! Ein großes weißes Haus auf dem Hof genügte. Und andererseits sollte das Ausgedinge nicht wie ein rotes Wirtschaftsgebäude aussehen.

Das Beste an dem Haus war die neue Glasveranda an der Seeseite. Mit Drachenspitze und bunten Scheiben. Mit doppelseitiger Tür und breiter Treppe. Dort konnte man sitzen oder ein- und ausgehen, ohne von den übrigen Häusern aus beobachtet zu werden.

»Eine Glasveranda mit zweiflügliger Tür nach Südwesten! Das bedeutet viel Heizen und Zug!« bemerkte Oline. »Und Piedestale mit Farnen und Rosenstöcken werden nicht einen Wintertag überleben!«

»Ein Anfall von Großmannssucht«, sagte der Lehnsmann, als er kam. »Die Glasveranda paßt nicht zu dem Torfdach«, fand er. Aber er lächelte.

Anders stand auf Dinas Seite. Meinte, daß es ein schönes Haus sei.

»In einer Glasveranda sitzt man im Winter jedenfalls besser als in einem Gartenhaus«, sagte er und blinzelte Dina zu. Auf diese Weise faßte er Dinas Laster ein wenig dreist in Worte.

Mutter Karen stiftete ihre kräftigsten Geranienableger für die neuen Wohnzimmerfenster.

Am Einzugstag saß sie im Schaukelstuhl und betrachtete lächelnd die ganze Herrlichkeit. Sie erwähnte nicht, daß Niels im Ausgedinge gestorben war.

»Das hätte Jacob sehen sollen, Dina! Du meine Güte!« rief sie aus und schlug die Hände zusammen.

»Jacob sieht, was er sieht«, sagte Dina und schenkte Sherry in zwei Gläser ein.

Die Männer waren nach beendeter Arbeit gegangen und hatten die beiden allein gelassen. Annette hatte den Ofen geheizt. Der Rauch legte sich sanft auf das Dach und schwebte zart zum Sund hinaus. Wie ein bißchen Rentiermoos auf der gewaltigen Himmelsfläche.

»Nein, jetzt müssen wir Oline und Stine holen!« sagte die alte Frau.

Dina öffnete das neue Schwenkfenster und rief über den Platz. Schnell waren sie zur Stelle. Vier Frauen unter den Balken im Ausgedinge.

Oline starrte auf die Decke, von der Niels abgeschnitten worden war.

»Es ist ein anderer Geruch in dem Haus als vorher«, sagte sie und drehte das kleine Glas zwischen den kräftigen Fingern.

»Es riecht nach neuem Holz – und ein wenig scharf nach dem neuen Ofen«, meinte Stine.

»Es ist wirklich ein Wunder! Ein weißer Ofen! Bestimmt hat niemand im ganzen Kirchspiel einen weißen Ofen!« sagte Oline voller Stolz.

Dina hatte sich gehütet, den Saal seines Inventars zu berauben. Hatte sich für das Himmelbett bedankt. Das sollte Johan haben. Nur der ovale Tisch und die Stühle, die Mutter Karen auf den Hof mitgebracht hatte, bekamen im Wohnzimmer einen Ehrenplatz. Sie paßten zu der hellen Leinentapete und dem blattgrünen Paneel. Ebenso der Spiegeltisch mit dem silbernen Leuchter.

Im Sommer wollte sie ein paar neue Möbel in Bergen bestellen.

Sie hatte Hanna und Benjamin ausführlich erzählt, daß sie einen Schreibschrank mit einem Geheimfach für Gold, Silber und Edelsteine kaufen wollte.

Außerdem wollte sie sich ein breites, gutes Witwenbett anschaffen.

Die Küche war mit dem Nötigsten ausgestattet. Niemand glaubte, daß Dina jemals darin arbeiten würde, aber sie sagten nichts.

Die Celli hatten ihren Platz im Wohnzimmer. Alle beide. Dina hatte sie eigenhändig und mit grimmiger Miene an diesem sonnigen Tag über den Hof getragen.

Als das Glas leer war, öffnete sie die Verandatür und nahm Lorchs Cello zwischen die Schenkel.

Mit dem Rücken zu den anderen und dem Gesicht zum Meer spielte sie Polonaisen. Hinter bunten Fensterscheiben in der neuen Glasveranda. Während das Meer blutrot oder golden, hellblau oder grünlich vor ihr lag, je nachdem, durch welche Scheibe sie schaute. Die Welt wechselte ständig die Farbe.

Im Wohnzimmer saßen die Frauen von Reinsnes mit gefalteten Händen auf den Stühlen und lauschten. Es war das erste Mal, daß sie sich frei nahmen, alle zusammen, um aus einem bestimmten Anlaß zusammenzusein.

Ich bin Dina. Er geht durch meine frisch gestrichenen Räume. Er beugt den Kopf über den Tisch und lauscht dem Lorch-Cello. Seine Haare haben auf der linken Seite einen Wirbel, so kräftig, daß es aussieht, als ob die Kopfhaare an einem einzigen Punkt herausgespritzt würden, um in einem braunen Wasserfall über den ganzen Kopf zu fallen. Sein Haar ist Gletscherwasser, das auf dem Weg zum Meer zu Seidenfäden geworden ist. Es sprüht mir ins Gesicht.

Leo!

Er ist wie die alten Gedanken, die jederzeit auftauchen. In Helle vor der Torfhütte stehen und im Spätherbst die nackten Füße in den Kuhfladen wärmen. Wenn er durch den Raum geht, kommt die Verwunderung über mich, daß ich mich bewege, Laute ausstoßen, den Wind in den Haaren spüren kann. Oder das eine Bein vor das andere setzen. Wo kommt die Kraft her? Wo kommt der Saft in den Bäumen her, die Feuchtigkeit? Alles, was frisch beginnt, aber sich zu ekelhaften, klebrigen, stinkenden, feuchten Flecken verwandelt. Und der Stein? Wer hat dem Stein eine so unbändige Stärke gegeben? Immer dazuliegen? Und die Wiederholungen. Wer hat alle diese Wiederholungen bestimmt? Töne, die sich ständig in ihrem Muster wiederholen. Endlose und gesetzmäßige Reihen von Zahlen. Und das Jagen des Nordlichts über den Himmel? Immer in Bahnen, die ich nicht verstehe. Aber es hat sein System. Das ein Rätsel ist.

Diese Verwunderung kommt zu mir und ist leichter zu ertragen, wenn er mit dem großen Haarwirbel durch mein Zimmer geht. Er jagt sie alle fort. Denn er hat den Abgrund gesehen. Er hat von Hjertrud gehört. Und trotzdem hat er geredet.

Kommt er wieder?

Wer bin ich? Die diese Gedanken denkt? Bin ich Dina? Die tut, was ich will?

Sie hörten nachts Lorchs Cello aus dem Ausgedinge. Dina fing an zu schrumpfen wie eine Winterkartoffel, die Frost abbekommen hatte.

Oline sah es mit ihren Habichtsaugen als erste. Und sie sagte es frei heraus: Das war der Fluch, weil sie in einem Totenhaus lebte. Niemand konnte sich ungestraft unter solche Balken begeben. Mit etwas Leinen, Tapete und Farbe ließ sich eine so schmähliche Sünde nicht zudecken. Die saß fest bis in alle Ewigkeit. Amen.

Aber man sah, daß der Fluch auch eine andere Wirkung auf Dina hatte. Sie schuftete wie ein Tagelöhner. Stand im Morgengrauen auf. Und bis weit über Mitternacht hinaus konnte man ihren Schatten hinter den Fenstern sehen und Musik aus der Glasveranda hören.

Tomas war an den Werktagen auf Reinsnes fest angebunden. Er hatte Witterung von Dina durch die Heringstonnen, das Tranbrennen und Olines Brotgeruch hindurch. Er segnete den Tag, an dem der Russe davonfuhr und Dina anfing zu arbeiten wie ein Tier.

Tomas roch sie, sah ihre Hüften, wunderte sich darüber, daß ihre Handgelenke schmaler geworden waren. Daß die Haare allmählich ihre Spannkraft verloren.

Sie wollte ihn nicht einmal dabeihaben, wenn sie ritt. Hatte aufgehört zu spielen. Der Blick war ebenso scharf geworden wie bei dem Baas eines Fischerbootes. Die Stimme selten, aber unabwendbar wie ein Donnerschlag.

Als sie in das Ausgedinge zog, wartete er unablässig auf ein Zeichen von ihr.

Die Verandatür konnte man nur von der Seeseite sehen.

Eines Tages kam ein Brief mit einem Lacksiegel. Für Johan.

Es war ein Frühlingstag voller Möwengeschrei und Spektakel, weil die Leute erschienen waren, die das Frachtschiff für die Fahrt nach Bergen zu Wasser lassen sollten.

Bei all dem Lärm stand Johan mit dem Brief in der Hand im Laden. Es war im Augenblick keiner da. Dann öffnete er den Brief. Endlich hatte er eine Stelle bekommen. In einem kleinen Ort an der Küste von Helgeland.

Er ging hinaus zu den Lagerhäusern. Sah über die Kais, die Wirtschaftsgebäude, das Haupthaus, das Ausgedinge, das die Leute inzwischen schon »Dinahaus« nannten. Er hörte den Trubel vom Strand, wo die Leute mit dem Stapellauf beschäftigt waren.

Häusler, Kinder und zufällig Vorbeikommende. Als Zuschauer und Helfer. Anders und der Steuermann leiteten das Ganze. Mit gebieterischen Stimmen.

Die Erde war grün geworden, so weit man den niedrigen Wald und die Berge hinaufschauen konnte. Die blaugrüne Bucht und die Berge lagen hinter milchweißem Gutwetterdunst.

Sollte er das alles verlassen?

Als er sich zum Haupthaus umdrehte, in dessen Mitte die Saalfenster wie leuchtende Augen standen, kam Dina in einem blutroten Mieder und mit im Winde flatternden Haaren die Allee herunter auf ihn zu.

Die Augen füllten sich plötzlich mit Tränen, und er mußte sich abwenden, um es zu verbergen.

Den Brief, auf den zu warten er schon beinahe aufgegeben hatte, empfand er jetzt als ein Urteil.

»Was starrst du in die Gegend?« fragte sie und trat heran.

»Ich habe eine Pfarrstelle bekommen«, antwortete er tonlos und versuchte ihrem Blick zu begegnen.

»Wo?«

Er nannte den Ort und reichte ihr den Brief. Sie las ihn langsam durch, dann faltete sie ihn zusammen und sah Johan an.

»Du mußt das nicht annehmen«, sagte sie und gab ihm den Brief zurück.

Sie hatte ihn beobachtet. Die Zeichen gesehen, die er ihr gab. Zeichen, von denen er selbst kaum wußte.

»Aber ich kann doch nicht hierbleiben?«

»Wir brauchen dich«, sagte sie kurz.

Ihre Augen trafen sich. Ihre: fordernd. Seine: suchend. Voller Fragen, auf die sie nicht antwortete.

»Die Kinder brauchen einen Lehrer«, fuhr sie fort.

»Aber das hat Mutter doch nicht gewollt...«

»Deine Mutter hat nicht in die Zukunft gesehen. Sie wußte nicht, wer dich brauchte. Sie sah nur, daß etwas aus dir werden sollte.«

»Glaubst du, daß sie sich grämen würde?«

»Nein.«

»Und du, Dina? Ein Pfarrer ohne Stelle?«

»Es ist gut, einen Pfarrer im Haus zu haben«, sagte sie mit einem trockenen Lachen. »Außerdem ist die Stelle, die du bekommen hast, so klein, daß es eine Beleidigung ist«, fügte sie hinzu.

Später am Tage kontrollierte Dina die Ausrüstungsliste für die Bergen-Fahrer. Sie ging auf die Kais und sah nach, was noch fehlte.

Da kam Jacob ohne Kleider aus der Wand. Sein großes Glied stand wie ein Spieß ab.

Sie lachte ihn aus, weil er sich anbot. Aber er blieb trotzig stehen und führte sie in Versuchung.

Hatte sie vergessen, wer er war, der alte Jacob? Erinnerte sie sich nicht, daß er so schön und tief in sie eindringen konnte? Daß er sie dazu bringen konnte, in das Laken zu beißen, weil Luft und Laut in höchster Lust aus ihr herausgepreßt wurden? Erinnerte sie sich nicht daran, wie er sie liebkost hatte? Was war ein einsamer, geschwätziger Russe, der hin- und herfuhr wie ein schnurloser Netzstein, gegen Jacobs steifes Glied? Konnte sie ihm das erzählen? Konnte sie beweisen, daß dieser Russe besser ausgerüstet war? Oder mehr Daunen in der Hand hatte als Jacob?

Es wallte auf in ihrem Körper.

»Wer bist du, daß du auf einen Wechselbalg wartest, der nicht einmal weiß, ob er nach Archangelsk oder nach Bergen fahren soll?« fragte Jacob höhnisch.

Das Glied war so groß geworden, daß es in die Warenlisten hineinwuchs. Die Papiere zitterten in ihren Händen.

Ich bin Dina. Johan geht mit mir hinaus ins Meer. Wir treiben. Aber er weiß es nicht. Ich schwimme. Denn Hjertrud hält mich. So bestrafen wir Jacob. So bestrafen wir Barabbas.

Unter dem Vorwand, Reinsnes' und Johans Zukunft besprechen zu wollen, holte sie am gleichen Abend eine Flasche Wein und lud Johan zur Mitternachtssonne in die Glasveranda ein.

Sie wollte ihm alles zeigen, damit er sah, wie sie sich eingerichtet hatte.

Die Kammer zur Seeseite, in der sie schlief, mußte er auch sehen.

Er folgte ihr. Er wußte nicht, wie er hätte ablehnen können, ohne sie zu verletzen. Denn er war nicht sicher, daß sie so dachte, wie er dachte... Dina war so geradeheraus. Sie machte die ungehörigsten Dinge bei hellem Tageslicht. Wie zum Beispiel ihrem Stiefsohn ihre Schlafkammer zu zeigen. Allein. Ihm so nahe zu kommen, daß er ganz aus der Fassung geriet. Vergaß, wie er die einfachsten Worte aussprechen sollte.

Sie fing ihn wie eine Katze, die einen Vogel halb bewußtlos geschlagen hat, um mit ihm zu spielen. Hielt ihn ein paar Minuten in den Krallen. Warf ihn hin und her zwischen der Spitzengardine und dem Bett. Dann kam sie ständig näher. Zuletzt packte sie ihn.

»Dina! Nein, Dina!« sagte er mit fester Stimme.

Sie antwortete nicht. Lauschte nur einen Augenblick nach draußen. Dann schloß sie seinen Mund mit einer großen Begierde.

Jacob kam aus der Wand und versuchte seinen Sohn zu schützen. Aber es war zu spät.

Er hatte Jacobs Werkzeug geerbt. Auch wenn er sonst kleiner und schmächtiger war.

Das Glied erhob sich mit erstaunlicher Stärke und Größe. Schön geformt mit kräftigen blauen Adern. Wie ein Netz, um alles zusammenzuhalten, was brach.

Sie leitete ihn an.

Er hatte ihr nicht soviel zu geben. Nichts anderes als ein großgewachsenes Glied. Schon als sie ihn auszog, hatte er ein großes Loch in der Seele. Das er versuchte, vor ihnen beiden zu verbergen. Geniert. Aber er war lernwillig. Er war nicht nur mit Jacob verwandt, sondern auch mit dem alten Adam. Wenn er sich erst einmal nehmen ließ.

Nachher lag er in dem flimmernden Licht hinter vorgezogenen weißen Gardinen und atmete schwer und wußte, daß er seinen Gott, seinen Beruf und seinen Vater verraten hatte. Und er fühlte sich schwerelos schwebend wie ein Adler hoch über dem Meer.

Erst hatte er sich von der Scham überwältigen lassen, weil er sich so gründlich bloßgestellt hatte. Er hatte sich nicht nur in ihr ausgeleert und außerhalb ihrer, er war halbnackt und in einer erbärmlichen Verfassung. Und er wußte nicht, wie er wieder Luft bekommen sollte.

Er sah ihr an, daß dies eine Sünde war, die er auf sich nehmen und allein tragen mußte. Und endlich verstand er sein grenzenloses Heimweh in all den Jahren, in denen er wie ein Fremder durch Kopenhagen gegangen war und nicht gewagt hatte, nach Hause zu fahren.

Sie saß mit nackten Schenkeln im Bett und rauchte eine große Zigarre, während sie ihn lächelnd betrachtete. Dann fing sie in aller Ruhe an, von ihrem ersten Beischlaf mit Jacob zu erzählen.

Johan fühlte sich zunächst ganz übel und elend. Es war so unwirklich für ihn. Die Worte, die sie benutzte. Und daß es der Vater war, von dem sie sprach. Allmählich erregte ihn die Geschichte. Er sah seinen Vater sozusagen durch das Schlüsselloch.

»Es ist weggeworfene Zeit für dich, Pfarrer zu werden«, sagte sie und lehnte sich im Bett zurück.

Wütend packte er sie. Zog sie an den Haaren. Kratzte an der Bettwäsche. Kratzte ihr den Arm auf.

Da zog sie ihn an sich – verbarg sein Gesicht zwischen ihren Brüsten und wiegte ihn sacht. Sie sagte nichts mehr. Er war zu Hause. Dennoch konnte es nicht schlimmer werden.

Das Schlimmste war geschehen – und konnte nicht rückgängig gemacht werden.

Er benutzte nicht die Hintertür, als er ging. Obwohl die Leute wach waren und ihn sehen konnten. Dina war sehr bestimmt.

»Wer hinten rausgeht, hat etwas zu verbergen. Du hast nichts zu verbergen. Du hast das Recht, zu kommen und zu gehen, wenn es mir paßt. Wir besitzen Reinsnes mit allem Drum und Dran.«

Er war ein nackter Schiffbrüchiger, der sich auf spitzen Steinen an Land gerettet hatte.

Die Sonne hatte bereits im Meer gebadet. Jetzt lief sie herauf über Äcker und Wiesen.

Johan verstand sich nicht auf Kinder. Er hatte keine Kinder gekannt.

Daß er keine Erfahrung hatte, war eine Sache. Die andere, daß er Benjamin und Hanna nicht rechtzeitig zu Gesicht bekommen hatte, um Zugang zu ihnen zu finden.

Sie waren immer in Bewegung. Ehe man wußte, wie einem geschah, waren sie körperlich und seelisch bereits auf und davon. Und nicht mehr zu erreichen.

Johan hatte den Eindruck, daß nicht sehr viel bei den Schulstunden herauskam.

Benjamin entdeckte schnell Methoden, den Lehrer abzulenken und Hanna zu stören. Oder sie zum Lachen zu bringen.

Sie saßen im Wohnzimmer am Tisch und kriegten wenig Bücherweisheit mit, aber lernten, zu intrigieren und sich heimliche Zeichen zu geben.

Es wurde ein Ghetto von geheimnisvollen Blicken, Frechheiten und Aufwiegelei.

Sie mühten sich mit dem Katechismus und den zehn Geboten ab.

»Du sollst nicht begehren deines Nächsten Haus. Du sollst nicht begehren deines Nächsten Weib, Knecht, Magd, Rind, Esel, noch alles, was dein Nächster hat!« leierte Hanna mit leiser Stimme – und der Zeigefinger glitt an den Buchstabenreihen entlang.

»Warum hast du keine Frau und keinen Besitz, Johan?« fragte Benjamin in dem Augenblick, als Hanna Luft holte.

»Ich habe keine Frau, aber ich habe Besitz«, erwiderte er kurz.

»Was besitzt du denn, Johan?«

»Ich besitze Reinsnes«, sagte Johan geistesabwesend und nickte, daß Benjamin weiterlesen sollte.

367

»Nein, Reinsnes gehört Dina«, behauptete der Junge.

»Reinsnes gehört Dina und mir«, verbesserte Johan barsch.

»Ihr seid aber nicht verheiratet!«

»Nein, sie war mit Jacob verheiratet, er war mein Vater und dein Vater.«

»Aber Dina ist doch nicht deine Mutter?«

»Nein, aber wir besitzen und bewirtschaften Reinsnes zusammen.«

»Ich habe noch nie gesehen, daß du dich auf Reinsnes um irgend etwas gekümmert hast«, sagte der Junge lakonisch und schlug den Katechismus mit einem Knall zu.

Johan hatte dem Jungen eine runtergehauen, ehe er wußte, wie.

Ein roter Streifen zog sich über Benjamins Backe. Die Augen des Jungen waren schwarze Knöpfe.

»Das geb' ich dir zurück!« fauchte er und rannte aus dem Zimmer. Hanna glitt von ihrem Stuhl und lief wie ein Schatten hinterher.

Johan stand mit der halb erhobenen rechten Hand neben dem Stuhl und spürte den Schlag brennen.

Johan sah ein, daß es so nicht weitergehen konnte. Er holte den Brief mit dem königlichen Siegel heraus und dachte mit Gram an seine Situation.

Man hatte ihn mit Blicken und Worten gefragt, ob er noch immer keine Pfarrstelle gefunden hätte oder ob er seine Tage hier draußen auf Reinsnes verbringen wollte. Er mit seinem Pfarrerexamen und seinem hellen Kopf.

Der Lehnsmann hatte es geradeheraus gesagt, daß es nichts für einen erwachsenen Mann aus guter Familie war, sich bei seiner Stiefmutter als Hauslehrer niederzulassen. Und Johan hatte sich gekrümmt, ohne Widerrede. Ingeborgs und Jacobs Sohn hatte nicht gelernt, sich zu verteidigen.

Johan schrieb eine Zusage für die Pfarrstelle. Er sorgte dafür, daß er nichts im Kontor zu erledigen hatte oder irgendwo sonst mit Dina allein war.

In den letzten Tagen und am Abend vor dem Abschied waren Dina und Johan sich fremd. Er öffnete die Tür und murmelte in das

Zimmer, daß er am nächsten Morgen abreisen werde. Anders und Mutter Karen saßen wie gelähmt. Der Entschluß, die Stelle anzunehmen, war zu plötzlich gekommen. Die Luft war dick.

Stine stand auf und ging zu dem schwarzgekleideten, bleichen Mann, nahm mit beiden Händen seine Hand und verneigte sich tief.

Johan drehte sich bewegt um und ging hinaus.

Dina erhob sich schnell und ging ihm nach, ohne jemandem gute Nacht zu sagen. Sie erreichte ihn auf der Treppe. Sie war wie ein Blitz hinter ihm her und hielt ihn an den Kleidern fest.

»Johan!«

»Ja.«

»Ich glaube, wir haben noch nicht alles gesagt.«

»Das kann sein.«

»Komm! Geh mit mir...«

»Nein«, flüsterte er und sah sich um, als ob die Wände sehen und hören könnten.

»Johan...«, rief sie.

»Dina, es war eine große Sünde...«

Er setzte einen Fuß vor den anderen. Die Treppe hinauf. Oben angelangt, wandte er sich um und sah sie an. Er war schweißgebadet. Aber gerettet.

Später wurde sie eine heilige Hure für ihn. Ein Symbol seiner Lüste. Sie sollte auf Reinsnes wohnen und alles leiten, während er auszog, um dem Herrn zu dienen, wie seine Mutter es gewollt hatte. Die Sünde nahm er mit und büßte dafür. Aber weil Dina so derb in ihrer Sinnlichkeit war, so liederlich und nicht daran dachte, daß sie die Mutterstelle bei ihm vertrat, vergab er sich. Vielleicht verstand der Allmächtige, daß die Widerstandskraft eines Mannes ihre Grenzen hatte.

Sie sahen ihn am nächsten Morgen mit dem Dampfschiff abfahren. Dina ging auch mit zum Strand. Das tat sie nur in Ausnahmefällen. Irgendwie brachte sie es fertig, so auszusehen, als ob er ein abreisender Gast wäre.

Johan stieg ins Boot und lüftete zum Abschied den Hut. Dann stieß der Ladengehilfe Peter ab.

Benjamin mußte anklopfen, wenn er Dina besuchen wollte. Das hatte Stine gesagt. An den ersten Abenden, nachdem Dina mit ihren ganzen Sachen ins Dinahaus umgezogen war, weinte er und wollte nicht schlafen. Dann ging er zu einer listigen Strategie über. Er wandte alle seine Tricks und seinen ganzen Charme an, um die Frauen, die noch auf dem Hof waren, der Reihe nach auszunutzen. Fing bei Stine an, die ihn durchschaute und ihn mit ruhigen Augen zum Gehorsam zwang.

Dann hängte er sich an den mageren Schoß von Mutter Karen. Sie war seine Großmutter. Nicht wahr? Sie war nur seine Großmutter. Nicht Hannas. Nur seine. So brachte er Hanna auch zum Weinen, weil Mutter Karen nur ihm gehörte. Mit silbernem Griff am Stock, Haarknoten, Spitzenkragen und Brosche und allem. Und Hanna verstand wieder einmal, daß ihr Status im Haus davon abhing, daß die anderen sich wohlfühlten und nicht darüber wachten, wer sie war und welche Rechte sie hatte.

Mutter Karen tadelte Benjamin, aber darin mußte sie ihm recht geben, daß sie nur zum Schein Hannas Großmutter war.

Dann war da noch Oline. Sie ließ sich nicht beeinflussen von Mitteilungen über Verwandtschaft oder Status, aber sie ließ sich bezaubern, bis sie ihre Vorsätze vergaß. Und das gab den Ausschlag, daß man in der Küche sitzen und Tee mit Honig trinken durfte, wenn man schon längst im Bett liegen sollte. Man mußte nur auf bloßen Füßen leise genug durchs Haus schleichen und an der Küchentür lauschen und sich vergewissern, daß Oline mit ihrer Arbeit allein war, dann konnte man jederzeit zuschlagen.

Tomas war auch eine Möglichkeit. Aber nur wenn er die Tiere fütterte. Denn Tomas war viel unterwegs, und man bekam ihn nicht leicht zu fassen. Er konnte Tomas mit großen, ernsten Augen ansehen und betteln, auf einem Pferd sitzen zu dürfen, wenn Tomas es anspannte oder hinausführte. Falls das nicht genügte, konnte er seine Hand in die große Faust von Tomas stecken und einfach dasein.

Benjamin gewöhnte sich an, auf einen Stuhl zu klettern, das Fenster der Kammer zu öffnen, von dem aus man das Ausgedinge sehen konnte. Er stieg aufs Fensterbrett und stand ganz ruhig hinter dem Fensterkreuz und schaute hinunter zu Dinas Fenster.

Aber es führte nur dazu, daß Stine kam, ihn wieder auf den Boden stellte und das Fenster schloß. Ohne ein Wort.

»Ich möchte bloß mit Dina reden«, sagte er mit kläglicher Stimme und wollte wieder hinauf.

»Dina redet so spät abends nicht mit Kindern«, sagte Stine und brachte ihn ins Bett.

Und plötzlich fühlte er sich zu müde, um seine Wut hervorzuholen. Er schluchzte noch ein bißchen auf, blieb ganz ruhig liegen, bis sie das Abendgebet gesprochen und ihn gut zugedeckt hatte.

Dann war die Nacht ein Nest aus Licht und Möwenkrach. Und er war allein mit den Unterirdischen. Er mußte sich selbst in den Schlaf zwingen, um dem ein Ende zu machen.

6. Kapitel

D ES N ACHTS AUF MEINEM L AGER SUCHTE ICH, DEN MEINE S EELE
LIEBT; ICH SUCHTE, ABER ICH FAND IHN NICHT.

I CH WILL AUFSTEHEN UND IN DER S TADT UMHERGEHEN AUF
DEN G ASSEN UND S TRASSEN UND SUCHEN, DEN MEINE S EELE
LIEBT; ICH SUCHTE, ABER ICH FAND IHN NICHT.
(Das Hohelied Salomos, Kapitel 3, Vers 1 und 2)

Das Licht plagte Dina in diesem Jahr mehr als sonst. Man hörte sie
drinnen und draußen herumlaufen. Wie ein Tier.

Es fing an, nachdem Leo weggefahren war. Hatte sich verfestigt
durch ein Ereignis, bei dem klar wurde, daß Leo in diesem Sommer
nicht kommen würde. Denn unerwartet war eine russische Lodje
im Sund vor Anker gegangen. Und Kapitän und Steuermann waren
an Land gesetzt worden, um ein paar Waren loszuwerden. Sie hatten Kisten bei sich, von denen alle zunächst glaubten, daß sie für
Tausch oder Verkauf bestimmt waren. Aber es waren Geschenke
von einem namenlosen Freund.

Dina zweifelte nicht daran, wer der Absender war und daß er die
Geschenke schickte, weil er selbst nicht kommen konnte.

Es waren die schönsten Taue für Anders und eine stabile Holz-
kiste mit Büchern in deutsch für Mutter Karen. Oline bekam einen
Spitzenkragen aus vornehmster französischer Klöppelspitze. In
einer Lederrolle mit Dinas Namen lagen Noten für Cello und Klavier. Russische Volkslieder und Beethoven.

Dina schloß sich ein und überließ die russischen Seeleute Mutter
Karen und Anders.

Aber den Russen gefiel es gut, und sie blieben. Der Steuermann
sprach eine Art Norwegisch und unterhielt die anderen mit Geschichten und Fragen.

Er wußte, was in Politik und Handel im Norden und Osten der
Welt passierte. Zwischen Rußland und England herrschten Span-
nungen. Wegen der Türkei vermutlich. Es hatte schon lange Un-
ruhen mit diesen Türken gegeben. Aber er konnte sich nicht erklären, worauf sie beruhten.

Anders hatte gehört, daß der Zar den Türken gegenüber sehr selbstherrlich war.

»Man kann sich doch nicht einfach Rechte nehmen, auch wenn man der Zar ist«, meinte er.

Am nächsten Abend saß Dina mit ihnen zusammen. Sie spielte Klavier nach den neuen Noten. Die Russen sangen, daß es zwischen den Balken schallte. Und dem Punsch wurde tüchtig zugesprochen.

Der Steuermann hatte ein bärtiges rosiges Gesicht mit lebendigen Augen. Er war über seine erste Jugend hinaus, aber gesund und rüstig. Die Ohren waren ungewöhnlich groß und schlüpften mit verblüffendem Eigensinn aus der Haar- und Bartpracht heraus. Die Hände gingen mit Besteck und Gläsern um, als ob es Puppengeschirr wäre.

Es wurde allmählich eine lebhafte Gesellschaft. Dichter Zigarrenrauch lag in dem Raum, lange nachdem Mutter Karen sich zurückgezogen hatte.

Die Möwen schrien durch das offene Fenster zu ihnen herein. Und das Licht setzte sich federleicht auf die grobe Lodenkleidung. Offenbarte braungegerbte Seemannshaut, spielte mit Stines gelben Wangen und dunklen Augen. Sprang hinüber zu Dinas Händen, wenn sie über die Tasten liefen. Und liebkoste Jacobs Goldring, den Dina am linken Mittelfinger trug.

Stines Eiderenten legten die Köpfe zur Seite und lauschten den Stimmen und dem Gläserklirren da drinnen mit glänzenden Augen und zitterndem Brustflaum. Es war Mai, und der Himmel im Süden war neugeboren.

Dina versuchte die Russen auszufragen, wo sie Leos Geschenke an Bord bekommen hätten. Aber das konnte keiner von ihnen so richtig verstehen. Sie versuchte es immer wieder.

Schließlich sagte der Steuermann, daß sie die Geschenke in Hammerfest übernommen hätten. Von einer anderen Lodje, die auf der Fahrt nach Osten war. Über den Absender konnte keiner irgendwelche Angaben machen. Aber sie hatten genauen Bescheid bekommen, wo sie die Waren abladen sollten. Und es war ihnen

auch gesagt worden, daß sie herrschaftlich und gastfreundlich aufgenommen würden.

Der neue Ladenverwalter auf Reinsnes nickte eifrig. Er war ein
magerer Mann mit schütterem Haar und etwa dreißig Jahre alt.
Gebeugter Rücken und Silberblick. Er trug ein Monokel und eine
Uhrkette ohne Uhr. Jetzt, nach einem guten Essen und drei
Punsch, zeigte dieser Halunke Seiten, die sie bisher nicht gesehen
hatten. Er lachte! Und ehe sie wußten, wie ihnen geschah, erzählte
er eine Geschichte von einem Kaufmann aus Bremen, der bemerkt
hatte, daß die Russen eine Menge einfache Kruzifixe aus gebeiztem
Holz und Bilder aus getriebenem, vergoldetem Messingblech mit
sich führten, wenn sie mit ihren Lodjen kamen.

Im nächsten Jahr hatte er eine Kiste voll ähnlicher Kruzifixe und
Bilder, mit dem Ziel, ein großes Geschäft zu machen. Aber die Russen wollten sie nicht haben. Als er nach dem Grund fragte, bekam er
zu hören, daß Christus sein Haupt zur linken Seite neige und bart-
los wie ein Kind sei! Die Russen verbäten sich einen so lästerlichen
deutschen Christus! Sie glaubten nicht, daß er eine große Hilfe für
einen russischen Seemann sein könne. Der Kaufmann war indessen
nicht um einen Ausweg verlegen. Er wandte sich augenblicklich an
die Norweger, die meinten, ein Riesengeschäft zu machen, wenn sie
die Kruzifixe für den halben Preis erwarben. Sie waren so gute Lu-
theraner, daß sie keinen Christus mit Bart brauchten. Und das Chri-
stusbild fand sich bald in allen Häusern entlang der Küste.

Sie lachten alle herzlich. Und Anders sagte, er habe das eine oder
andere Bild dort gesehen, wo er gewesen war. So daß die Geschichte wohl wahr sein könne.

Der russische Kapitän hatte in bezug auf Norweger und Geschäfte andere Erfahrungen gemacht. Mit oder ohne Bart.

Es wurde angestoßen auf den gemeinsamen Handel und die
Gastfreiheit. Später stießen sie auf die Gerste aus Kola an, die von
ungewöhnlich guter Qualität war und schneller reif wurde als in anderen Gegenden.

Nach und nach begab sich die Gesellschaft nach draußen, um sich
die nächtliche Sonne anzusehen. Sie hatte bereits den Steilhang erreicht – an dem Jacob verschwunden war.

Dina versuchte noch einmal, den Steuermann, der ein wenig Norwegisch sprach, über Leo auszufragen.

Der Mann schüttelte bedauernd den Kopf.

Sie trat im Vorbeigehen nach einem Stein, glättete ihren Rock mit einer ärgerlichen Bewegung und bat den Mann, Leo zu grüßen und ihm auszurichten, daß er vor Weihnachten erwartet würde. Falls er nicht käme, brauchte er auch keine Geschenke zu schicken.

Der Steuermann blieb stehen und nahm ihre Hand.

»Geduld, Dina zu Reinsnes, Geduld!«

Dina sagte kurz darauf gute Nacht. Sie ging in den Stall und band den Schwarzen los. Er war schlecht gelaunt.

Sie fand ein Stück Seil, mit dem sie die Röcke hochband, schwang sich auf das Pferd und trottete das Birkenwäldchen hinauf. Sie stieß das Pferd ein wenig mit den Stiefelspitzen. Der Schwarze streckte den Hals und wieherte. Dann faßte der Wind seine Mähne. Sie flogen.

Auf den nackten Felsen bei der Anlegestelle standen die russischen Seeleute und starrten der Herrin von Reinsnes nach. Sie sei mehr Russin als ihre eigenen Frauen, meinte der Steuermann und strich sich über den Bart. »Sie ist zu männlich«, meinte der Kapitän. »Sie raucht Zigarren und sitzt wie ein Mann!«

»Aber sie hat hübsche rosa Fingernägel«, sagte der zweite Steuermann und rülpste laut.

Dann stiegen sie ins Boot und ruderten hinaus zu der schweren Lodje. Das Schiff fühlte sich wohl auf dem ruhigen Meer.

Mehrstimmiger Gesang erfüllte die Luft und wurde weit hinausgetragen. Rhythmisch, klagend, fremd. Beinahe zärtlich. Als ob sie für ein Kind sängen.

In dieser Mainacht entschloß sie sich. Sie würde mit dem Frachtschiff nach Bergen fahren. Mit diesem Entschluß wurde die Nacht es wert, sich schlafen zu legen.

Sie wendete das Pferd und ritt nach Hause.

Die Moore bereiteten sich auf das Blühen vor. Die Birken standen mit Mäuseohren am Fluß.

Es stieg ein dünner Rauch aus dem Küchentrakt des Haupthauses auf. Da war Oline also schon auf den Beinen und richtete das Frühstück für die Tagelöhner.

Jacob kam, als sie sich die Stiefel auszog. Erinnerte an ihre gemeinsame Tour nach Bergen. An den Ritt im Gästebett in Helgeland während der Heimfahrt.

Aber Jacob hatte offensichtlich Angst, daß sie fahren wollte. Denn es gab Männer in Bergen. Männer auf der ganzen Schiffsroute. Männer und immer wieder Männer.

Als das Frachtschiff fast vollständig für die Fahrt nach Bergen ausgerüstet war, erklärte Dina, daß sie mitfahren werde.

Mutter Karen drückte ihr Entsetzen über diese Neuigkeit aus, drei Tage vor der geplanten Abreise.

»Es ist unverantwortlich, so Hals über Kopf wegzufahren, liebe Dina! Der Ladenverwalter ist noch nicht genügend eingearbeitet, um die Verantwortung für die Buchhaltung und die Waren zu übernehmen. Wer soll die Oberaufsicht über den Stall und die Heuernte haben, wenn Tomas mitfährt?«

»Ein Mann, der jeden Samstag über das Gebirge geht, um seinen Vater zu besuchen, und jeden Sonntag zurückkommt, bei jedem Wetter und bei jeder Art Wegverhältnisse, ist wohl imstande, sich toter Dinge in den Regalen und Schränken anzunehmen. Und Tomas... wird nicht mitfahren.«

»Aber Dina, er hat in der letzten Zeit von nichts anderem gesprochen.«

»Es bleibt bei dem, was ich gesagt habe. Wenn ich fahre, wird Tomas hier um so mehr gebraucht. Er bleibt zu Hause!«

»Warum hast du plötzlich eine solche Eile, nach Bergen zu kommen? Warum hast du es nicht vorher gesagt?«

»Ich ersticke hier!« sagte Dina und wollte gehen.

Dina war in Mutter Karens Kammer gerufen worden. Die alte Frau saß im milden Abendlicht am Fenster. Aber es färbte nicht auf sie ab.

»Du hast zu viel zu tun gehabt. Du brauchst etwas geruhsamere Tage. Das kann ich verstehen... Aber nach Bergen zu fahren ist keine Vergnügungsreise. Das weißt du ja.«

»Ich kann nicht dauernd hier auf Reinsnes sitzen und verfaulen! Jahr für Jahr! Ich muß etwas anderes sehen!«

Die Worte waren kleine, stoßweise Rufe. Als ob sie sich jetzt erst klar darüber wurde, warum sie den Entschluß gefaßt hatte.

»Ich habe dir angesehen, daß etwas nicht stimmt... aber daß es so schlimm ist... Das habe ich nicht gewußt.«

Dina drängte es, aus dem Zimmer zu kommen. Sie stand wie auf glühenden Kohlen.

»Du bist in deiner Jugend viel gereist, Mutter Karen?«

»Ja.«

»Ist das richtig, daß ich dazu verurteilt bin, mein ganzes Leben hier angebunden zu sein? Ich muß tun, was ich will, sonst werde ich gefährlich. Verstehst du das?«

»Ich verstehe, daß du das Gefühl hast, zu wenig vom Leben zu bekommen. Vielleicht solltest du dir einen Mann suchen. Besuch andere Leute in Strandstedet. Den Lehnsmann. Bekannte in Tjeldsund.«

»Da gibt es nichts, wonach es mich gelüstet. Die Mannsleute, die zu gebrauchen sind und die man mit nach Hause nehmen könnte, wachsen nicht im Birkengestrüpp am Tjeldsund oder am Kvæfjord«, sagte Dina trocken. »Mutter Karen ist die ganze Zeit Witwe gewesen, seit Sie hierhergekommen ist.«

»Ja, aber ich mußte mich nicht um einen Hof, die Gästeunterbringung und Frachtfahrt kümmern. Hatte keine Verantwortung für Menschen, Tiere und Geschäfte.«

»Ich fahre ja nicht in der Gegend herum, um jemanden zu finden, mit dem ich darüber streiten kann, wie alles sein soll, solange es hier genug Leute gibt. Da fahre ich lieber zu meinem Vergnügen...«

»Aber daß du dich so plötzlich entschlossen hast, Dina?«

»Man muß das tun, was man tun muß, bevor man anfängt zu zweifeln«, sagte sie.

Dann war sie weg.

Tomas hatte seine Kiste gepackt. Er war noch nie außerhalb des Kirchspiels gewesen. Die Erwartung saß in seinem ganzen Körper. Ein Gefühl, als ob er im Wacholdergestrüpp läge.

Er hatte allen Leuten, die in den Laden kamen, ausführlich von der Reise erzählt. Er war zu Hause in Helle gewesen und hatte den Segen der Eltern und die Ausrüstung der Schwestern bekommen. Oline und Stine hatten, jede auf ihre Art, dafür gesorgt, daß seine Reisekiste voller Herrlichkeiten war. Er striegelte gerade die Pferde, während er dem Stalljungen alle Gepflogenheiten und Vorschriften eintrichterte.

Da kam Dina in den Stall.

Sie sah eine Weile zu, dann sagte sie freundlich: »Du kannst in die Glasveranda kommen und ein Glas Himbeersaft trinken, wenn du fertig bist, Tomas.«

»Ja, danke«, sagte Tomas und ließ den Striegel sinken. Der Stalljunge schaute ihn blinzelnd an. Voller Ehrfurcht, daß man in Dinas Glasveranda gebeten werden konnte.

Tomas glaubte, er ginge zu einer Anerkennung. Zu einem Beisammensein. Aber es waren nur ein paar nüchterne Worte, daß er nicht mitfahren könne, weil er gebraucht würde.

»Aber Dina! Wie ist das möglich, wo ich jetzt alles geplant habe und die Arbeiten verteilt habe und einen neuen Stallknecht in Dienst genommen habe, der mit Kühen und Pferden umgehen kann? Und mein Vater kommt bei der Heuernte helfen, und Karl Olsa kommt von der Häuslerstelle auf Nesset mit beiden Söhnen und arbeitet über seine Pflichttage hinaus. Ich verstehe dich nicht.«

»Da ist nichts zu verstehen«, sagte sie kurz. »Ich werde selbst fahren,und da kannst du nicht mitkommen!«

Tomas saß auf einem Stuhl in der Glasveranda neben der offenen Tür, ein halb ausgetrunkenes Glas Himbeersaft vor sich auf dem Tisch.

Die Sonne schien ihm mitten ins Gesicht. Er spürte, wie ihm der Schweiß unter dem groben Hemd ausbrach.

Da stand er auf. Nahm seine Mütze und schob das Glas in die Mitte des Tisches.

»Ach so, Dina will reisen! Und deshalb kann Tomas nicht mit. Seit wann ist Tomas unentbehrlich? Ist es erlaubt zu fragen?«

»Tomas ist weit davon entfernt, unentbehrlich zu sein«, sagte Dina leise. Sie stand auch auf. Überragte ihn um einen halben Kopf.

»Wie meinst du das? Warum soll ich dann...?«

»Nur Leute, die tun, was sie sollen, sind unentbehrlich«, stellte sie fest.

Tomas wandte sich von ihr ab. Er ging. Zur Tür hinaus. Die Verandatreppe hinunter. Aber er hielt sich an dem weißen Geländer mit den ockergelben Stäben fest. Als ob das Geländer ein Feind wäre, dem er das Leben abzwicken wollte. Dann ging er geradewegs in das Gesindehaus, setzte sich auf sein Bett und überdachte seine Lage. Er dachte daran, seinen Sack und die Kiste und den ganzen Kram zu nehmen, nach Strandstedet zu fahren und sich eine neue Arbeit zu suchen. Aber wer würde schon einen Knecht einstellen, der ohne jeglichen Grund von Reinsnes davongelaufen war.

Er ging zu einem kurzen Besuch zu Oline in die Küche. Sie war bereits informiert. Stellte keine Fragen. Machte nur einen starken Kaffee mit Schuß mitten an einem hellichten Sonnentag. Der Mann mit einem braunen und einem blauen Auge sah nicht gut aus.

Als er so lange dagesessen hatte, wie Oline brauchte, um einen Hefeteig zu schlagen, ohne daß er ein Wort gesagt hatte, kam es endlich von Oline: »Dafür, daß du rote Haare hast, muß ich dir sagen, bist du ein geduldiger und kluger Mensch!«

Er sah zu ihr auf. In äußerster Not. Trotzdem mußte er grinsen. Ein böses Lachen, das ganz unten zwischen den Schenkeln begann und sich herausfraß.

»Dina hat es für gut befunden, nach Bergen zu fahren, und da kann ich nicht mitfahren! Hat Oline schon davon gehört?«

»Ja, Oline hört zur Zeit alles mögliche...«

»Kannst du mir sagen, was da los ist?« fragte er mühsam.

»Dina hat angefangen, Tomas zu quälen, jetzt wo Niels nicht mehr da ist.«

Tomas wurde plötzlich blaß. Die Küche war kein Ort mehr für ihn. Er bedankte sich und ging. Aber nicht nach Strandstedet.

An dem Tag, als das Frachtschiff fuhr, war Tomas im Wald.

7. Kapitel

ABER DA ICH MEINEN FREUND AUFGETAN HATTE, WAR ER WEG UND
FORTGEGANGEN. MEINE SEELE WAR AUSSER SICH, DASS ER SICH AB-
GEWANDT HATTE. ICH SUCHTE IHN, ABER ICH FAND IHN NICHT; ICH
RIEF, ABER ER ANTWORTETE MIR NICHT.
(Das Hohelied Salomos, Kapitel 5, Vers 6)

Die Leute redeten über den Krieg. Er kroch plötzlich in den Back-
trögen hoch.

Das Weiße Meer war in diesem Sommer blockiert, und die Rus-
senschiffe mit dem Mehl kamen nicht durch. Es kursierten schon
lange Gerüchte, daß die Situation sehr ernst sei, und die Kaufleute
in Tromsø überlegten, ob sie nicht nach Osten segeln sollten, um
Mehl zu holen. Die Leute konnten beim besten Willen nicht verstehen, daß ein Krieg auf der Krim die Menschen in den Nordländern bestrafen sollte.

Indessen war das Frachtschiff »Mor Karen« aus Reinsnes klar für
die Fahrt nach Bergen. Das Schiff hatte Jacob gut und gerne drei-
tausend Speziestaler gekostet. Er hatte es in dem Jahr gekauft, als
Dina auf Fagernesset Cello spielte.

Es hatte eine Kiellänge von vierundzwanzig Ellen und trug seine
viertausend Våg Fisch.

Jacob hatte geglaubt, mit einem neuen Frachtschiff aus Salten
einen guten Kauf zu machen, und war äußerst zufrieden gewesen.

Meistens waren zehn Mann auf dem Schiff.

Die Jahre waren vergangen. Das Schiff war braungebrannt, aber
noch immer konnte es vollbeladen und tragfähig vor Anker liegen
und auf den letzten Proviant und die Leute warten. Es war gut gebaut und robust, um seine Last bei jedem Wetter befördern zu können. Breitbauchig, mit geklinkerten Spanten und soliden Eisen-
nägeln.

An dem geraden Achtersteven befand sich eine weiße Kajüte mit
runden Fenstern. Jacob hatte einen Mann aus Rana bekommen, der
Rokokoornamente und Verzierungen nach alten Mustern aufgesetzt hatte. Denn Jacob hatte die neue Mode mit den viereckigen

Fenstern nicht gemocht. Quadrate gehörten nicht in ein Schiff, behauptete er. Sie seien dem Gespenster- und Gottesglauben zuwider.

Anders hatte nicht widersprochen. Er war vor allem an der Segelführung, dem Ruder und der Frachtkapazität interessiert. So war es immer noch. In der Kajüte gab es zwei Kojen und einen Tisch. Jede Koje hatte einen Vorhang und war notfalls breit genug für zwei.

Hier sollten Dina und Anders wohnen. Kurzfristig mußte der Steuermann in die enge Mannschaftskabine im vorderen Teil des Schiffes umziehen. Steuermann Anton nahm es nicht tragisch.

Über der Kajüte und der Kabine war jeweils ein festes Deck mit einer kleinen Schanze. Im übrigen war das Schiff offen, mehr dazu gebaut, Lasten zu tragen, als komfortabel zu sein.

Jetzt war es sorgfältig von Männern beladen worden, die solche Arbeit schon früher getan hatten.

Die schweren Trantonnen und die Felle lagen zuunterst im Lastraum. Der Stockfisch war am Mast aufgestapelt. Er reichte über die Reling hinaus und mußte gegen Regen und Gischt zugedeckt werden.

Ein starker Plankengang entlang dem Schiffsrand, zwischen Kajüte und Kabine, schützte die Ladung zusätzlich vor Wind und Wetter.

Der Mast war Jacobs Stolz gewesen. Ein einziger Stamm, der hoch über die Reling aufragte. Jacob hatte ihn selbst in Namsos ausgesucht. Er wurde von sechs Wanten gestützt, außerdem von Backstag und Stag. Der Mast war ganz unten im Kielschwein in einem mächtigen Holzblock verankert.

Das Rahsegel war zwölf Meter breit und fünfzehn Meter hoch. Wollte man die Segelfläche verkleinern, wurden die Beisegel je nach Bedarf eingeholt.

Aber wenn es nötig war, konnte man auch das Toppsegel setzen. Da mußte die ganze Mannschaft ran und mit Hilfe einer Talje das Segel hochziehen.

Die Fahnenstange am Achterende trug noch den alten Danebrog mit dem norwegischen Löwen. Zu Ehren von Mutter Karen. Sie konnte sich nicht mit diesem schwedischen Oscar aussöhnen. Er sei zu leicht, meinte sie, ohne näher darauf einzugehen. Anders und sie hatten öfter darüber gesprochen. Aber der Danebrog blieb an dem Frachtschiff »Mor Karen« hängen, auch wenn auf der ganzen Schiffsroute nach Bergen viel darüber gelächelt wurde. Es wurde respektiert, daß Mutter Karen diese Fahne haben wollte, denn es konnte Unglück bringen, sich mit der Patin anzulegen.

Der Steuermann hieß Anton Dons. Ein untersetzter, kleiner Mann mit viel Verstand und noch mehr Humor. Aber keiner wagte ihm zu nahe zu treten. Denn sein Gemüt hatte zwei Seiten. Einmal im Jahr bekam er einen Wutanfall und das meistens auf der Bergen-Fahrt. Besonders wenn einer der Männer sich Gaunereien und Betrügereien erlaubte.

Schnaps auf dem Meer war eine Todsünde. Er verprügelte das Gesindel eigenhändig, wenn es sein mußte. Wartete nie, bis der arme Kerl nüchtern genug war, um zurückzuschlagen. So wurde ein blauer Montag auf der »Mor Karen« unter Anton Dons' Kommando ebenso schlimm wie sieben blaue Montage an Land bei Pferd und Weib.

Tüchtige Steuermänner wuchsen nicht auf den Bäumen, deshalb lohnte es sich, gut für Anton Dons zu sorgen. Er kenne seine Schiffsroute genauso gut wie der Pfarrer seine Bibel, hieß es.

Er war schweigsam und zuverlässig bei starkem Wind, aber bei Sturm steckte er mit guten und bösen Mächten unter einer Decke.

Man erzählte sich, daß er in seiner Jugend einmal so gründlich auf eine Schäre gesegelt war, daß er drei Tage und Nächte dort saß, bis man ihn fand. Das reichte für den Rest seines Lebens.

Das große Frachtschiff mit der großzügigen Fasson und Takelage war schwer zu manövrieren. Besonders wenn ein heftiger Wind auf die Segel drückte. Da war es nicht damit getan, in Jesu Namen vor dem Wind zu wenden, wenn man nicht einen mit allen Wassern gewaschenen Steuermann hatte. Einen, der etwas von Riffen und Schären wußte und Verstand genug hatte, die Windrichtung zu deuten.

Es ging das Gerücht, daß Anton einmal ein Frachtschiff in sechs Tagen und Nächten von Bergen nach Tromsø gefahren hatte. Da müsse man mehr als nur einen günstigen Fahrwind haben, lachte Anders.

Benjamin stand am Fenster im Ausgedinge und schaute auf das Gewühle rund um die »Mor Karen«. Er war wütend und untröstlich.

Dinas Reisekiste war bereits hinausgerudert und in die Kajüte gebracht worden. Sie wollte weit weg über das Meer bis nach Bergen fahren! Es war nicht auszuhalten.

Dina sollte auf Reinsnes sein. Sonst ging alles drunter und drüber.

Er hatte sie auf verschiedene Weise angegriffen. Geweint und geflucht. Der kleine Jungenkörper war ganz durcheinandergeraten, seit Benjamin erfahren hatte, daß sie weg wollte.

Sie lachte nicht über seine Wut. Packte ihn nur fest mit der rechten Hand am Nacken und drückte zu, ohne etwas zu sagen.

Er wußte zunächst nicht, was das bedeuten sollte. Aber dann ging ihm auf, daß es eine Art Trost sein sollte.

Sie sagte nicht, daß sie etwas für ihn kaufen würde, sagte nicht, daß sie bald wieder zurück sein würde. Sagte nicht, daß sie unbedingt fahren mußte.

Und als er schrie, daß keine Frau nach Bergen fuhr, da sagte sie nur: »Nein, Benjamin, keine Frau fährt nach Bergen.«

»Aber warum muß Dina dann fahren?«

»Weil sie sich dazu entschlossen hat, Benjamin. Du kannst in meinem Zimmer wohnen und auf die Celli aufpassen und auf alles andere, während ich fort bin.«

»Nein, es sind Tote in Dinas Haus.«

»Wer sagt das?«

»Oline.«

»Du kannst Oline einen schönen Gruß ausrichten und ihr sagen, daß nicht mehr Tote hier sind, als sie in ihrem Fingerhut unterbringen kann.«

»Niels hat sich am Deckenbalken aufgehängt.«

»Ja.«

»Dann ist doch ein Toter da.«

»Nein. Sie haben ihn abgeschnitten, in einen Sarg gelegt und auf den Friedhof gebracht.«

»Ist das sicher?«

»Ja. Erinnerst du dich nicht mehr daran?«

»Woher weiß Dina, daß die Toten nicht wiederkommen?«

»Sie wohnt in dem Zimmer und sieht den Balken Tag und Nacht.«

»Aber du sagst doch, daß Jacob hier ist, immer, obwohl er tot ist...«

»Das ist etwas anderes.«

»Warum?«

»Jacob ist dein Vater, Junge. Er kann sich nicht darauf verlassen, daß die Engel es allein schaffen, auf dich aufzupassen, so wild wie du bist.«

»Ich will Jacob nicht hier haben! Er ist auch ein Toter! Sag ihm, daß er mit dir nach Bergen fahren soll!«

»Das könnte lästig für mich werden. Aber ich werde es tun – deinetwegen. Ich nehme ihn mit!«

Der Junge wischte Rotz und Tränen an dem sauberen Hemdsärmel ab – ohne daran zu denken, daß Dina so etwas nicht störte. Es war Stine, die sich darüber ärgerte.

»Aber Dina kann es sich doch noch anders überlegen und zu Hause bleiben«, brüllte er, als er merkte, daß das Gespräch eine Wendung nahm, die er nicht beabsichtigt hatte.

»Nein.«

»Dann fahre ich zum Lehnsmann und sage ihm, daß du wegfährst«, trumpfte er auf.

»Der Lehnsmann kümmert sich um dergleichen nicht. Krempel die Ärmel hoch und hilf mir lieber die Hutschachtel tragen, Benjamin.«

»Ich werf' sie ins Wasser!«

»Es lohnt sich nicht.«

»Ich mach' das!«

»Ich hab' gehört, was du gesagt hast.«

Er griff mit beiden Händen nach der Hutschachtel und schleifte sie mit verbissener Wut über den Boden und zur Tür hinaus.

»Ich bin nicht da, wenn du nach Hause kommst«, sagte er triumphierend.

»Wo bist du denn?«

»Das sag' ich nicht.«

»Da wird es schwierig für mich, dich zu finden.«

»Es kann sein, daß ich tot und verschwunden bin.«

»Das ist dann ein kurzes Leben.«

»Darauf scheiß' ich.«

»Niemand scheißt auf sein Leben.«

»Doch, ich! Ich werde spuken! Daß du es nur weißt!«

»Dann kann ich bloß hoffen, daß du nicht für mich verschwindest.«

Er zog den Rest des Weines in sich hinein, während sie hinunter zu der Anlegestelle und den Kais gingen.

Als sie fast bei den Menschen angelangt waren, die sich dort unten versammelt hatten, um zum Abschied zu winken, sagte er jämmerlich: »Wann kommst du denn wieder nach Hause, Dina?«

Sie beugte sich zu ihm hinunter, packte ihn hart am Nacken und zog ihn mit der anderen Hand an den Haaren: »Ehe der August vergangen ist, wenn du um guten Fahrtwind für uns betest«, sagte sie freundlich.

»Ich werde Dina nicht zum Abschied winken!«

»Nein, das wäre zuviel verlangt«, sagte Dina ernst und wandte ihm das Gesicht zu. »Du kannst gehen und Steine schubsen, das hilft.«

So trennten sie sich. Er umarmte sie nicht. Lief nur den Hang hinauf. Die Hemdzipfel flatterten wie Flügel hinter ihm her.

Er wollte Hanna an diesem Tag nicht sehen.

Am Abend benahm er sich unmöglich und war verschwunden, so daß sie ihn suchen mußten. Er bekam viel Schimpfe und Aufmerksamkeit. Schließlich ließ er sich in Stines Schoß trösten.

»Sie ist ein Dreck, die Dina. Ich mag sie überhaupt nicht mehr!« zeterte er, bis er einschlief.

Anders war schon zeitiger im Jahr mit der »Mor Karen« bei den Lofoten gewesen. Er war dem Fischfang gefolgt und hatte die Fischer aus Helgeland und Salten ausgerüstet.

Er hatte zwanzig Bootsmannschaften beliefert und eine schwere Last Fisch, Rogen und Leber mit nach Hause gebracht. Einigen Bootsmannschaften hatte er auch Netze geliehen und dafür einen Teil von dem Fang bekommen.

Dina hatte ihn zufrieden in die Seite geknufft, als er heimkam. Sie verstanden derlei Zeichen.

Anders nahm es sehr genau, daß der Befrachter einen richtigen Vertrag für die Waren bekam, die er mit dem Schiff mitschickte. Falls Anders nicht genügend Platz hatte und somit nicht garantieren konnte, daß die Ware wohlbehalten ankam, suchte er einen anderen Frachtschiffer, der die Fracht übernahm.

Mit Dinas Hilfe wurde auch dafür gesorgt, daß die Befrachter sich ihrerseits an die Abmachung hielten und nicht zu anderen mit ihren Waren gingen.

Einmal hatte Dina ein Bußgeld eingetrieben, weil sie mit einer versprochenen Fracht hereingelegt worden war. Ein Befrachter aus Strandstedet hatte Anders genarrt und war mit seinem Trockenfisch zu einem Schiffer aus Kvæfjord gegangen.

Es wurde gemunkelt, daß ein solches Eintreiben für die Tochter des Lehnsmanns einfacher war als für andere.

Sie stießen zu einer Bootsgemeinschaft von vier Fahrzeugen, die auf Bergen zusteuerten. Zwei kamen weiter von Norden und erreichten sie, weil sie besseren Wind gehabt hatten. Und noch drei gesellten sich im Vestfjord zu der Gruppe. Das Wetter war leidlich, mit Wind aus Nordost.

Die Stimmung war gut. Alle hatten ihre Aufgaben, und alle hatten ihren Anteil an der Ladung, die sie heil nach Bergen bringen wollten. Die Helligkeit erlaubte es ihnen, Tag und Nacht zu segeln. Die Mannschaft ging rund um die Uhr auf Wache.

Die Erträge aus Reinsnes lagen schwer zwischen den Spanten. Zehn Fässer mit Federn und Daunen. Gereinigt, gepackt und fertig gemacht von Stine. Fünf Anker* eingemachte Multebeeren, gepflückt von den Leuten, gekocht und gezuckert von Oline. Immer wieder kontrolliert, während sie den Winter über im Keller standen. Damit kein Schimmel oder irgendwelches Ungeziefer den Wert der Ware minderte. Fünfzig Rentierfelle und zwei Anker Rentierfleisch, getauscht und gekauft von den Lappen, die vorbeigezogen waren und Lebensmittel haben wollten. Dann gab es noch

---

* Anker war in Norwegen ein Flüssigkeitsmaß für Wein und Bier. 1 Anker = 38,60 l. (Anm. d. Übs.)

fünfundsiebzig Tonnen Tran und zweitausend Våg Stockfisch. Tomas schickte Schneehühner und Fuchsfelle mit.

Dina stand oft an Deck und ließ Berge und Inseln vorüberziehen. Sie hatte sich von Grund auf verändert. Der Wind lachte sie an, und alles, was sie in Reinsnes gereizt und geärgert hatte, war nur noch eine ertränkte Katze im Kielwasser.

»Man sollte leben wie du, Anders! Das ist ein Leben, bei dem man gute Laune hat«, rief sie ihm von der Kajütentür zu, als der Vestfjord sich weitete und für kurze Zeit zu einem Meer wurde.

Anders wandte sich um und sah sie in dem grellen Sonnenlicht blinzelnd an. Das große, eigensinnige Kinn war vorgeschoben. Dann fuhr er in seiner Arbeit fort.

Er und Dina teilten Kajüte und Tisch, und sie leerten zusammen manchen Krug. Es lag eine verpflichtende Entspanntheit in der Luft zwischen ihnen. Er war bemerkenswert unbefangen, dafür, daß er eine Frau in der Kajüte hatte. Machte kein Aufhebens davon. Aber er hatte ein Gespür für die Art der Frauen. Er klopfte immer an und wartete, bis er eine Antwort bekam. Und er hängte das Ölzeug und die Seemannskleider draußen unter dem Kajütendach auf.

Als Dina das erste Mal mit Anders gesegelt war, mußte er in der Mannschaftskabine schlafen. Jacob und sie waren in der Kajüte über das Meer gerollt. In ihrer Verfassung hatten sie nicht einmal gemerkt, daß mehr als eine frische Brise im Vestfjord wehte. Diesmal mußte Jacob sich auf dem Deck aufhalten. Während Dina mit den scharfen Sinnen einer Wölfin Anders' eigensinnigen Unterkiefer und den weichen Mund beobachtete.

8. Kapitel

Aber den Elenden wird Er durch sein Elend erretten und ihm das Ohr öffnen durch Trübsal.
(Das Buch Hiob, Kapitel 36, Vers 15)

Die sieben Bergspitzen waren vom Nebel wie mit Schaffellmützen bedeckt. Der Steuermann wußte, an welchem Kai sie am besten anlegten. Die Geräusche und die Bilder schlugen ihnen entgegen, altbekannt und verlockend. Sie hatten sie vor ein paar Monaten von sich wegschieben müssen, bis auf weiteres. Nun kamen sie wieder. Eine Springflut von alter Erwartung – und Dank für das vorige Mal.

Die Männer taten ihre Arbeit, während sie den Anblick des gelobten Landes genossen. Die Kais! Die Stadt! Die Frachtschiffe und andere Schiffe lagen dicht nebeneinander. Fröhliche Kommandorufe schallten über den Vågen. Wagenräder ratterten über das Pflaster.

Ab und zu kreischte es feierlich in den Flaschenzügen über den offenen Speichertüren. Die Häuser lagen Seite an Seite. Majestätisch und selbstverständlich, wie eine uralte Landschaft, lehnten sie sich längs des Hafens aneinander. Die graue Festung Bergenhus war ein Riese, der sich für den Rest seines Lebens niedergelassen hatte. Im Blickfeld von hoch und niedrig. Ein unbeweglicher Verwandter des Gebirges.

Bereits ehe sie einen Liegeplatz fanden, kamen kleine Boote an ihre Seite geglitten.

Muntere Bergenserinnen boten den Seeleuten ihre Kringel an. Man half ihnen unter Lachen und Zurufen an Bord.

Sie hielten ihre Körbe mit beiden Händen fest. Und es sah fast so aus, als ob sie sich lieber ins Meer werfen ließen, als einen einzigen Kringel ohne Bezahlung herzugeben. Aber wenn der Handel abgeschlossen war, wurde unter Kopftüchern und Hauben breit gelächelt. Und es gab reichlich Kuchen, um den Handel zu besiegeln, und einen ehrbaren Flirt.

Eine sehr junge Bergenserin stieg über die Reling, mit einer grellen blauen Seidenhaube, geschmückt mit einer purpurfarbenen Hahnenfeder, und in einem hellgrünen seidendurchwirkten Baumwollkleid. Sie stellte alle eleganten Bergenserinnen in den Schatten.

Dina schauderte bei dem Anblick. Und Anders und sie wechselten lachende Blicke, als Anton der Jungfrau und ihren Kringeln schöntat.

Der Sonnenschein war wie eine neugeprägte Münze in einem schillernden Geldbeutel. Die Männer hatten sich weiße Hemden angezogen. Sie hatten die Haare mit Wasser glatt gekämmt, und sie setzten zur Feier des Tages keine Mütze auf.

Sie waren an einem Sonntag angekommen.

Dina trug ein grünes Reisekostüm und einen breitkrempigen Hut. Zur Abwechslung hatte sie die Haare aufgesteckt. Sie fielen schwer und etwas zufällig unter dem Hut heraus.

Anders neckte sie mit den Staatskleidern und der Frisur.

»Jetzt bist du eine richtige Schifferswitwe«, sagte er anerkennend, als sie an Deck kam. »Du wirst den Preis für unseren Fisch mächtig in die Höhe treiben«, fügte er hinzu.

Sie sah ihn strahlend an und ging vorsichtig über den Balken, der zum Nachbarschiff gelegt worden war, an Land. Und als sie an den Kais entlangspazierten, hatte sie sich bei ihm eingehakt.

Ungewohnte Gerüche peitschten an der Nase vorbei. Auch der Meeresgeruch war hier anders. Mischte sich mit Fäulnis und stinkenden Rinnsteinen, geteerten Schiffen und Fisch. Die Buden längs des Hafens bogen sich vor Waren jeder Art. Und alles sonderte diesen hemmungslosen, vielfältigen Gestank der Stadt ab.

Bei einer Werkstatt, in der offensichtlich Wagen repariert und verkauft wurden, stand ein untadelig gekleideter Herr mitten in der glühenden Sonne.

Er stützte sich auf einen zusammengefalteten Regenschirm, während er den Stellmacher ausschimpfte. Zeigte wütend auf das Pferd, das angespannt vor seinem Wagen stand und aus einem Heubeutel fraß. Er beschuldigte den Stellmacher, einen morschen Deichselpflock geliefert zu haben.

Dina zog Anders am Arm und blieb stehen, um der Schimpfkanonade zu lauschen. Der Stellmacher fing an, sich zu wehren. Aber er war nicht so gerissen wie der andere.

Plötzlich ging Dina zu ihnen hin.

»Ihr solltet einen Deichselpflock aus Salweide nehmen«, unterbrach sie.

Die Männer hoben wie auf Kommando den Kopf und starrten sie an. Der Herr war so verdutzt, daß er vergaß, wo er in seiner langen Rede stehengeblieben war.

Der Stellmacher dagegen räusperte sich, verbeugte sich und sagte höflich, daß das zutreffen mochte...

»Sie ist zäh, die Salweide«, fuhr Dina fort und ging zu der Deichsel und untersuchte den Pflock.

Die Männer glotzten. Aber äußerten sich nicht. Die Schimpferei war in der Sonne verdampft.

»Der Pflock ist an einem Astansatz geknickt«, sagte sie. Pulte die Stücke heraus und reichte sie ihnen hin.

Der Stellmacher nahm sie mit teerverschmierten Händen. Dina nickte und ging zu Anders, ohne sich noch einmal umzudrehen.

Es blieb still hinter ihnen.

Die Bierstuben lagen nahe beieinander. Hotels und Logierhäuser ebenfalls.

Ein Nachtwächter drehte seine Runden und rief aus, daß er wisse, wo man am besten wohne. Er nannte ein paar Namen mit großen Gesten und herrischer Stimme. Offenbar wurde er für diese Arbeit bezahlt.

Der Fischmarkt war ein Ameisenhaufen. Hier waren die Gerüche noch strenger als vor dem Mistkeller, wenn bei der Frühjahrssonne die Türen aufgemacht wurden. Die Fischverkäuferinnen riefen ihre Preise aus. Durchdringende Stimmen aus rotbackigen Gesichtern. Kräftige Busen, ein Wolltuch über der Brust gekreuzt, trotz der Hitze.

Hier waren die Standesunterschiede größer, als man sie zu Hause in der Kirche sah. Die farbenprächtigen Trachten der Marktfrauen und der Mädchen stachen alles aus. Hie und da schwebte ein weißes Spitzenkleid unter einem breiten Strohhut daher. Mit

Schleifen, Rosetten und Krimskrams. Kleine, hübsche Seiden- und Lederschuhe mischten sich in das Klappern der Holzschuhe und das Schlürfen der Bellinger* auf den Steinen.

Eine Stimme wiederholte ununterbrochen, daß man am Abend Räucherlachs und Zunge essen sollte.

Weiter oben in der Stadt kamen sie zu den Alleen und den herrschaftlichen Villen. Mit den breiten Einfahrten und den geschnittenen Hecken.

Dina strahlte für irgend etwas Verachtung aus, während sie so dahingingen. Anders kam nicht dahinter, was es war. Aber er wurde verlegen, wenn sie jemanden trafen.

Plötzlich fing Dina lachend an zu erzählen, wie Jacob und sie sich in einem Hotel eingemietet hatten, das erstklassig sein sollte.

Sie hatten sich köstlich darüber amüsiert, daß die Waschschüssel nicht größer war als eine Kartoffelschüssel. Und daß die Sahne mit einem Löffel in den Kaffee geschöpft und nicht aus einem Sahnekännchen gegossen wurde.

Von einem Eierbecher hatte der Wirt noch nicht einmal etwas gehört.

Auf Grund ihrer höflichen, aber arroganten Klagen hatte sich in der Küche das Gerücht verbreitet, daß sie Engländer wären.

Das wollte Jacob auf keinen Fall auf sich sitzen lassen, deshalb ging er zu der Kaltmamsell und klärte sie über den Sachverhalt auf.

Das Hotelpersonal wurde sofort umgänglicher. Und am letzten Morgen stand die Kaffeesahne in einem Kännchen auf dem Tisch.

Mitten in der Geschichte hielt ein Kutscher seinen Wagen an und wollte sie, gegen Bezahlung natürlich, ein Stück fahren. Dina schüttelte den Kopf, und auch Anders lehnte dankend ab.

Sie stiegen die steilen Straßen hinauf, die allmählich schmäler wurden. Dinas Schuhe waren unbequem und warm, und als sie eine Bank unter einem Baum fanden, setzten sie sich. Sie hatten Aussicht auf die Stadt. Anders erklärte und zeigte. Die Festung Bergenhus mit dem Königshof und dem Turm. Der Vågen mit allen Fracht-

---

* Bellinger sind Schaftstiefel, bei denen man den Schaft abgeschnitten hat, um besser in den Schuh zu kommen. (Anm. d. Übs.)

schiffen und den Laufstegen dazwischen. Eine Unzahl von Fahrzeugen lag weiter draußen vor Anker. Ein paar Dampfschiffe bewegten sich mit ihren Schaufelrädern vorwärts und stießen schwarzen Rauch in den hellen Himmel. Ein Frachtschiff kam mit fallenden Segeln herein und glitt lautlos auf einen freien Platz in der Reihe.

Langsam gingen sie den Hang hinunter, fanden einen Wagen und ließen sich zu den Kais fahren. Sie mußten pünktlich sein, denn sie sollten in der Speisestube des Kaufmanns bewirtet werden. Das war eine Geste, die man nicht versäumen durfte.

»Man muß sich an die Etikette halten«, sagte Anders.

Als sie zum Hafen kamen, machte Anders die Frachtschiffe von Kjerringøy, Husby und Grøttøy ausfindig.

Gleich hinter den Kais lag eine Kirche mit zwei Türmen, die sich scharf gegen den Himmel abhoben.

»Das ist die Marienkirche«, sagte er.

Ihre Blicke trafen sich. Als ob sie sich noch nie gesehen hätten.

»Ich bin bisher noch nie mit jemandem zusammen gereist«, rief er verwirrt aus.

»Du meinst, daß du noch nie mit einer Frau gereist bist?«

»Ja. Es ist anders.«

»Wie denn?«

»Du siehst Dinge, bei denen ich mir nicht klar darüber war, daß sie etwas bedeuten. Du fragst mich nach Dingen, von denen ich nicht wußte, daß ich darauf antworten kann.«

»Du bist ein seltsamer Mann«, stellte sie fest. »Niels hatte Glück, daß er einen solchen Bruder hatte.«

Die Handelsleute und Gastwirte waren Mittelsmänner zwischen den Bergenser Kaufleuten und den Befrachtern.

Auch wenn die Preise in Bergen selten dramatisch stiegen oder fielen, so war es doch immer sehr spannend, mit welchen Nachrichten die Schiffe zurückkehrten. Für die Befrachter war es ein Vorteil, wenn sie der Verantwortung um das Feilschen der Preise enthoben waren.

Es war sicher mehr als einmal vorgekommen, daß die Fischer gründlich übers Ohr gehauen wurden, sowohl in bezug auf den Preis als auch auf das Gewicht.

Kaufmann und Frachtschiffer indessen lernten die Kniffe. Sie hatten Zeit und Erfahrung genug, um auf den günstigsten Zuschlag zu warten. Und der Frachtschiffer wußte, mit welchem Bergenser Bürger es sich auf die Dauer lohnte, Handel zu treiben.

Die Fahrensleute wurden in der Speisestube bewirtet. Grießbrei mit Sirup. Es wurde ihnen eine Tonpfeife angeboten, und sie redeten vergnügt über dieses und jenes.

Der Kaufmann hatte einen Bauch, und außerdem hatte ihn der Herrgott mit einem Extrahals ausstaffiert. Er schwankte über dem Jabot hin und her, wenn der Mann gestikulierte oder lachte.

Dina erinnerte sich an ihn von ihrer Tour mit Jacob. Sein Name war oft in Reinsnes erwähnt worden. Herr Rasch! Sie hatte seine Zahlen jahrelang verbucht.

Damals hatte er eine energische, hochbusige Frau an seiner Seite gehabt.

Sie war an einer mysteriösen Krankheit gestorben, über die niemand Bescheid wußte, erzählte er. War einfach eingeschrumpft wie ein vergessener Sommerapfel. Einige behaupteten, es gebe Nerven- und Geisteskrankheiten in der Familie. Aber dem Kaufmann war nichts davon bekannt, und er sprach offen darüber, daß Verleumdung und Klatsch die Leute solche Schlüsse ziehen ließen... Er seinerseits glaubte, daß es etwas mit der Galle zu tun hatte... Jedenfalls war er Witwer geworden und war es nun schon im vierten Jahr. Madame hatte einflußreiche Verwandte in Hardanger gehabt, von denen sie ein beträchtliches Vermögen geerbt hatte. Aber der Kaufmann beteuerte, daß die Erbschaft übertrieben worden war.

Dina, Anton und Anders hatten von dem Erbe nie etwas gehört, aber sie waren ganz Ohr bei all dem Klatsch, der einem armen Bergenser Bürger heutzutage widerfahren konnte.

Man hatte sozusagen vor nichts mehr Respekt in dieser Welt. Man redete über die Trauer und das Elend anderer Leute, als ob es ein Dreck wäre! Es war eine Unsitte!

Der Kaufmann bekam einen roten Kopf während dieser langen Rede. Der Extrahals breitete sich betrübt auf dem Jabot aus. Bald nach der einen, bald nach der anderen Seite.

Dina starrte ungeniert. Aber es sah so aus, als ob sie sich ent-schlossen hätte, ihn zu mögen.

Er erinnerte sich auch an die junge Frau Dina Grønelv.

»Das ist ja auch kein Wunder!« krächzte er und sah sie mit schmachtenden Blicken an.

Später wurden Anders, Anton und Dina von den übrigen Gästen getrennt und in sein »Privatzimmer«, wie er es nannte, eingeladen.

Anders hatte es vorausgesehen, daß jetzt der Punsch sofort auf den Tisch kam. Der Kaufmann beorderte für die Dame einen Ma-deira, aber Dina lehnte ab. Sie wollte auch einen kleinen Punsch haben und eine Pfeife.

Der Kaufmann war entsetzt, aber er trug es mit Würde. Er stopf-te ihr selbst die Pfeife, während er von einer dänischen Adligen erzählte, die er in seiner frühen Jugend gekannt hatte. Sie hatte Pfeife geraucht und Männerhüte getragen.

»Das soll übrigens kein Vergleich sein«, sagte er gutmütig und nickte Dina zu. »Den hat Sie sich aber nicht dort oben im hohen Norden angeschafft?« fragte er dann.

»Nein, der ist nach einer genauen Zeichnung gekauft – über einen Kunden in Bremen. Wir kaufen Hüte und Kachelöfen in Bremen und Noten in Hamburg. Und Gemälde in Paris. – Nach Mutter Karens Geschmack!« fügte sie hinzu und lächelte.

Anders wurde unruhig und warf ihr einen warnenden Blick zu. Aber sie näherte sich dem Kaufmann vertraulich und hakte sich bei ihm ein.

Er lächelte unsicher und zündete die Pfeife für sie an. Dann bat er sie alle, im Salon Platz zu nehmen, damit sie »die zeitlichen Din-ge«, wie er es nannte, besprechen könnten.

Dina verfolgte aufmerksam, wie Anders über Preise und Gewichte verhandelte. Er präsentierte Quantum und Qualität von Fisch und Rogen, Fellen und Daunen.

Aber sie mischte sich in das Gespräch nicht ein.

Anders' Blick war so ehrlich, daß jeder Kaufmann mißtrauisch werden mußte. Aber es war deutlich zu merken, daß die beiden schon Geschäfte miteinander gemacht hatten.

Anders' Gesicht war glatt wie der Mondschein, wenn er den Preis erhöhte. Wenn er den Kopf schüttelte, weil der Preis zu schlecht war, wirkte sein Bedauern ebenso ehrlich. Ehrerbietig, als ob er mit dem Pfarrer spräche. Bestimmt, als ob er der Mannschaft lebensnotwendige Befehle erteilte.

Der Kaufmann seufzte vielsagend und meinte, man würde sehen... bis die Richtpreise festgesetzt waren. Es war stets das gleiche Ritual. Jahr für Jahr. So war es immer gewesen. Der Kaufmann schlug Anders auf die Schulter, verbeugte sich vor Dina und sagte wohlwollend: »Vielleicht ist Dina Grønelv aus Reinsnes die reichere von uns beiden, wenn man alles zusammenrechnet.«

»Wir reden doch nicht über Reichtum, sondern über Geschäfte«, erinnerte ihn Dina.

Anders wand sich unruhig auf seinem Stuhl.

»Reichtum ist eine schillernde Angelegenheit. Es gibt sogar Leute, die Liebe kostenlos geschenkt bekommen«, sagte sie und sah dem Kaufmann tief in die Augen.

Sein Blick wich aus. Der Mann wußte absolut nicht, wie er die Situation meistern sollte. Frauen im Geschäftsleben war er nicht gewohnt. Die Sache hatte auch eine Seite, die ihm ganz gut gefiel. Aber klug wurde er aus dieser Gastwirtswitwe aus dem hohen Norden nicht. Er hatte das unbehagliche, schweißtreibende Gefühl, daß sie ihn zum Narren hielt. Ohne daß er es auf irgendeine Weise ergründen konnte. Aber der Handel ließ sich gut an. Besonders mit dem Stockfisch. Genau wie Anders es prophezeit hatte.

Die Nähmaschine für Stine wurde über Bekannte des Kaufmanns geordert, zu einem ansehnlichen Rabatt.

Als Gegenleistung wurde eine ganze Tonne Multebeerkompott zum privaten Verbrauch für den Kaufmann an Land gerollt. »Frei Haus«, wie Anders sagte.

Dina wanderte auf eigene Faust in der Stadt herum, während sie darauf wartete, daß die Ladung gelöscht und neue wieder aufgenommen wurde.

Sie wollte das Krankenhaus für die Aussätzigen sehen, von dem Mutter Karen mehrmals gesprochen hatte.

Dreimal ging sie bis zum Eingang und wieder zurück. Um sich zu überwinden. Um Mutter Karen zu erzählen, daß sie ihr Versprechen gehalten hatte, Gebete für die Kranken zu Gottvater zu senden.

Es war nicht viel aus den Gebeten geworden.

Ich bin Dina. In Hjertruds Buch steht, daß Hiob sich darüber wundert, daß Gott so streng zu den Menschen sein kann, die ein so kurzes und unruhiges Leben haben. Hiob hat viel gelitten. Er begreift nicht, daß Gott die Gerechten straft und es unterläßt, die Gottlosen zu strafen. Hiob braucht viel Zeit und Kräfte, sich über sein Schicksal zu wundern. Hier gehen sie mit ihren Wunden von einer Wand zur anderen. Nicht alle machen gleichviel Wesens von sich wie Hiob.

Vor dem Eingang eines jeden Hauses in Bergen stand ein Wasserfaß. Schließlich fragte Dina eine Verkäuferin, was das zu bedeuten habe.

Das sei wegen dem Brand im Frühjahr, war die Antwort. Alle hätten Angst vor einer Feuersbrunst.

»Sie ist wohl nicht aus Bergen?« fügte das Mädchen hinzu.

Dina lächelte. Nein, das war sie wohl nicht.

»O Gott, ihr seid aber naiv, wenn ihr glaubt, daß ein paar Tropfen Wasser aus einem Faß euch retten können, wenn ein Brand ausbricht.«

Das Mädchen spitzte den Mund und sagte nichts.

Dina erstand Bindeband, Spitzen und Knöpfe und was sonst noch auf der Liste stand, die Stine ihr mitgegeben hatte.

Sie mietete einen Wagen und fuhr zu der großen Brandstätte. Am 30. Mai waren hundertzwanzig Häuser in Flammen aufgegangen. Es war eine abrasierte, spannende Welt.

Mitten in dem überall pulsierenden Leben der Stadt wirkten die Brandplätze wie die Wunden eines Aussätzigen. Bettler trieben sich herum und suchten nach Schätzen. Sie waren in Lumpen gehüllt, beugten sich hinunter und stocherten eilig mit einem Stock in den Trümmern. Ab und zu richteten sie sich auf und steckten etwas in ihren Beutel.

»Hier gibt es unheimlich viele arme Leute und Bettler! Abgesehen von den Aussätzigen!« sagte Dina zu Anders, als sie sich abends in der Kajüte trafen. »Und Huren!« fügte sie hinzu. »Sie hängen sich direkt an die Mannsleute, die an Land kommen, oder sie gehen an Bord.«

»Es muß ein mühsames Geschäft sein. Nichts, um davon reich zu werden, so wie es aussieht«, sagte Anders.

»Hiob brauchte jedenfalls keine Hure zu werden!« sagte Dina.

Anders sah sie seltsam an.

»Wo bist du heute gewesen?« fragte er.

Sie erzählte von den Gebeten vor dem Leprahospital und von den Brandstätten.

»Du solltest nicht in Brandstätten herumlaufen. Das kann gefährlich werden«, sagte er.

»Gefährlich für wen?«

»Für eine einzelne Frau«, antwortete er.

»Für Männer nicht?«

»Für Männer auch«, sagte er gleichmütig.

»Wer sind sie?« fing sie an.

»Wer?«

»Die zu den Huren gehen?«

Anders reckte verlegen den Hals.

»Das sind Männer, die irgendwie nicht das haben, was sie brauchen«, antwortete er langsam. Als ob er bis jetzt noch nicht darüber nachgedacht hätte.

»Du meinst, daß es für einen, der niemanden hat, leichter ist, viele zu haben?«

»Ja«, sagte er verschämt.

»Und sonst? Worauf sind die Männer aus?«

Er rieb sich den Nacken und raufte sich die Haare.

»Das ist wohl verschieden«, sagte er endlich.

»Worauf bist du aus?«

Er sah sie an. So wie er auch den Bergenser Kaufmann ansah. Mit klarem Blick.

»Ich bin auf nichts aus«, sagte er ruhig.

»Nie?«

Er wurde langsam rot unter ihren Blicken.

»Was willst du?«

»Ich weiß nicht, Anders. Ich glaube, ich will wissen, aus was Männer gemacht sind... was sie denken...«

Er antwortete nicht. Schaute sie nur an.

»Gehst du zu Huren?« fragte sie.

Die Frage brannte in seinem Gesicht. Aber er wich nicht aus.

»Es ist wohl schon vorgekommen...«, sagte er endlich.

»Wie war es?«

»Man braucht darüber kein Wort zu verlieren«, sagte er leise. »Ich bin gewiß nicht so«, sagte er noch leiser.

Anton klopfte an die Kajütentür und wollte Anders kurz sprechen. Der Sprühregen fiel sachte auf das Deck. Dina saß mit noch einer Frage im Schoß da.

Das Laden war einfach gewesen und der Preis für den Stockfisch besser als seit vielen Jahren. Der größte Teil war als erste Wahl verkauft worden, prima Ware.

Die Männer waren zufrieden, und sie unterhielten sich lebhaft, als sie an Bord kamen. In der letzten Nacht schliefen auch Dina, Anders und Anton auf dem Schiff. Sie hatten sich für die Zeit ihres Aufenthaltes in Bergen ein Logis gesucht. Allein schon um auszuprobieren, wie es sich in der Stadt wohne, hatte Anders gemeint.

Der Lärm der Stadt hörte sich im Schiff anders an. Mit den schmatzenden, kleinen Wellen und dem Knirschen der schlafenden Schiffe als Zugabe zu allem anderen. Man bekam den Lärm ins Blut. Hatte ihn dort wie ein schleichendes Fieber, bis man das nächste Mal auf den Vågen zusteuerte.

9. Kapitel

ICH HEBE MEINE AUGEN AUF ZU DEN BERGEN. WOHER KOMMT MIR
HILFE?
(Der Psalter, Psalm 121, Vers 1)

Sie hatten guten Wind auf der Fahrt nach Norden. Alle waren
friedlich und verträglich.

Der Stolz und das Schmuckstück des Schiffes, »der Rudergänger«, stand mit Helmbusch und in voller Montur auf der Spitze des
Ruderschaftes und »starrte« tiefsinnig vor sich hin. Die Fahnenstange trug den alten Danebrog wie eine gebügelte Tischdecke direkt nach Nordwesten.

Nachdem sie Stadlandet umrundet hatten, ließ Dina die Bombe
platzen. Daß sie eine Stippvisite in Trondhjem machen wollte. Anton und Anders standen unter dem Kajütendach, als sie mit ihrem
Plan herausrückte.

»Trondhjem!« rief Anders und schaute sie ungläubig an. »Und
was sollen wir in Trondhjem?«

Sie habe dort etwas zu erledigen, meinte Dina. Außerdem wolle
sie die Domkirche sehen. Sie habe sich den kleinen Abstecher aus-
gedacht, ja.

Anders und Anton redeten gleichzeitig. Anton immer lauter.
Anders mit tiefer, eindringlicher Stimme. Ob sie wüßte, was sie
ihnen damit antäte? In den verdammt langen Trondhjemsfjord
hineinzukreuzen, während alle anderen Frachtschiffe bei gutem
Wind nach Hause führen? Gegen die Strömung im Fjord an-
zukämpfen und nicht das geringste dagegen tun zu können, weder
mit Segel noch Wind! Ob sie sich überlegt habe, daß es zehn Tage
zusätzlich bedeuten könne, mindestens?

»Und wir haben bereits Ende August!« sagte Anders.

»Nein, ich habe die Tage nicht gezählt. Aber wir versäumen ja
nichts. Wir kommen schon noch nach Hause.«

Anton vergaß, daß er ein gemütlicher Bursche war. Er schäumte.
Der Wind packte seinen steifen Schnurrbart und drohte, ihm die
Borsten samt der Haut abzureißen.

Anders nahm es gelassener. Er hatte Dina zähere Äste brechen sehen als Anton.

»Wir segeln nach Trondhjem!« sagte Dina nur. Raffte ihre Röcke und kletterte wieder in die Kajüte.

Die ganze Nacht stand Anton in wildem Zorn am Ruder. Er war so böse, daß er kaum in die Koje gehen wollte, als Anders kam, um ihn in der Hundewacht abzulösen.

»Wir brauchen doch nicht alle den Verstand zu verlieren«, sagte Anders trocken.

»Du warst so scharf darauf, das Frauenzimmer mitzunehmen!« brüllte Anton. Er stand barhäuptig in seiner dunkelblauen Joppe da, die er sich in Bergen angeschafft hatte. Die Messingknöpfe blendeten so sehr, daß es in den Augen wehtat, als die Morgensonne aufging. Der Kragen war hochgeschlagen, und die Schultern waren gepolstert und breit wie Scheunentore.

»Dina besitzt das Schiff und uns«, sagte Anders kurz und griff nach dem Ruder.

Anton fluchte, daß es zischte wie Wasser auf einem heißen Amboß. Aber er legte sich in die Koje und schnarchte den ganzen Morgen, so daß die Mannschaftskabine knackte und sich vor Schmerz und Grauen wand.

Als sie nach Trondhjem kamen, wurden sie als erstes mit der Nachricht konfrontiert, daß die russische Marinebasis Bomarsund auf Åland von englischen und französischen Kriegsschiffen überfallen worden war. Schiffswerften und Holzlager an der finnischen Küste waren abgebrannt.

Die Finnen stünden loyal auf der Seite Rußlands, hieß es. Sie verteidigten eigene und russische Interessen wie wütende Tiere. Jetzt meinten die, welche sich auskannten, daß der König Schweden-Norwegen in die kriegerische Auseinandersetzung mit hineinziehen würde.

Anders interessierte sich sehr für die Finnen. Denn in seiner Familie gab es finnische Einwanderer. Er glaubte nicht, daß die Finnen wirklich mit den Russen sympathisierten. Aber er glaubte, daß sie sehr zornig waren, weil die Flotte der Westmächte finnisches Land verwüstete und finnische Schiffe beschlagnahmte.

»Wer verteidigt sich nicht, wenn Verrückte zu Hause auf der Treppe Feuer legen?« sagte Dina böse.

Sie konnte nicht begreifen, was die Engländer und Franzosen mit ihrem Pulver in der Ostsee wollten.

Anton hatte sich von seiner Überraschung erholt und konnte wieder reden. Aber er engagierte sich nicht besonders in dieser Sache. Er rede nur über Dinge, die er begreifen könne, sagte er. Es sei nichts für Frauenzimmer und Seeleute, über Weltpolitik zu diskutieren. Sie sollten sehen, daß sie fertig würden und nach Hause kämen.

»Leo hat etwas gesagt«, meinte Dina nachdenklich, ohne Anton zu beachten. »Er hat gesagt, daß die Franzosen und die Engländer in dem endlosen russisch-türkischen Krieg Partei für die Türken ergriffen hätten und daß es gefährlich für die ganze Welt sei... Er hat gesagt, daß die Finnen nie auf der gleichen Seite wie die Schweden stehen würden. Daß der König dumm sei, daß er das nicht verstehe. Er hat gesagt, daß Zar Nikolaus auch nicht das Pulver erfunden habe. Daß der Beginn des Krieges ein verrückter Streit zwischen zwei Mönchen gewesen sei. Der eine griechisch-orthodox, der andere katholisch.«

»Worüber haben sie denn gestritten?« fragte Anders.

»Sie haben darüber gestritten, wem die heiligen Stätten gehören«, lachte Dina.

»Aber was hat das mit einem Krieg zu tun«, sagte Anton irritiert.

»Die Heiligkeit hat immer etwas mit einem Krieg zu tun«, sagte Dina ruhig. »Die Bibel, Christus, die Jungfrau Maria, die Heiligtümer im Judenland...«

Plötzlich krümmte sie sich, als ob ihr jemand einen Schlag in den Magen versetzt hätte.

»Ist dir schlecht?« fragte Anders.

»Nein!« sagte sie kurz. »Aber daß sie König und Zar dazu gebracht haben!« fuhr sie fort und richtete sich auf.

»Es gibt immer einige, die Grenzen verschieben und viele Vorteile haben oder Dreck loswerden, wenn Krieg ist«, sagte Anton.

»Wo hat Leo das über den Kriegsbeginn wohl her, was glaubst du?« fragte Dina. Sie wandte sich an Anders.

»Er fährt viel in der Welt herum. Da hört er bestimmt allerlei.«

Dina schwamm für sie fort. Und der Krieg war ihnen näher gekommen, als ihnen lieb sein konnte.

Zwischen Kongens Gate und Erling Skakes Gate war vor langer Zeit ein ganzes Viertel vom König zur Verfügung gestellt worden. Um alle an einer Stelle sammeln zu können, die sonst in Gassen und Hinterhöfen herumlungerten.

Es waren die Aussätzigen, die Armen, die Verrückten, die Alten und die Waisen. Es gab zweifellos gute Bürger in der Stadt Trondhjem, die in ihrem Testament einen Teil ihres Vermögens für die Armen bestimmt hatten, damit endlich Ordnung in das Elend kam.

Ein angemessener Komplex mit Mauern und Bäumen. Viele Gebäude voll menschlichen Schmutzes und Leids. Es sah sehr anständig aus. Von außen.

Dina fand die Schanzenwache in der Vollgate. Mit offenen Arkaden und imponierend verputztem Mauerwerk. Zwischen der Schanzenwache und der »Sklaverei« war ein großer Platz. Aber die Zäune waren hoch und die Eingänge bewacht.

Sie wurde hereingelassen, als sie ihr Anliegen vorbrachte. Es war eine Welt für sich. Verborgen vor der Allgemeinheit. Verborgen vor denen, die nicht aus irgendeinem Grund hierher mußten.

Zweistöckige Holzhäuser. Ein paar Steinhäuser befanden sich dazwischen. Die roten Ziegeldächer preßten die Häuser wie zu einem äußeren gemeinsamen Schicksal zusammen.

Das Kriminalasyl oder die »Sklaverei« war ein großes zweistöckiges Haus mit Empireeinfassungen an Fenstern und Türen.

Dina kam in einen ovalen Saal im Erdgeschoß. Man hörte vielfachen Lärm aus den angrenzenden Räumen. Sie atmete heftig, als ob eine Erwartung oder eine Katastrophe in der Luft läge.

Der erste Mensch, den sie außer dem Wärter sah, war eine riesige, einem Mann ähnelnde Gestalt, die mit einigen Lumpen in einer Kiste herumfuhrwerkte. Dauernd zeigte er auf die Wand und fragte sich selbst, ob es nötig wäre, in die Stadt zu fahren oder nicht. Er fragte und antwortete mit zwei verschiedenen Stimmen. Er schien ganz in den beiden ungleichen Rollen aufzugehen. Die eine kummervoll und derb, die andere weich und schleppend. Gelegentlich holte er mit gewaltiger Kraft aus und rief: »Juchhe! Juchhe!«, womit er wohl illustrieren wollte, daß er etwas getroffen hatte.

Er war kahlgeschoren, als ob er gerade Opfer einer brutalen Entlausung gewesen wäre. Aber auf den grauen, eingefallenen Wangen wuchs ein zwei, drei Tage alter Bart.

Dina blieb stehen. Eine Art heiteres Unbehagen breitete sich aus. Sie spannte den Körper, vielleicht um sich auf das vorzubereiten, was geschehen würde, wenn der Mann sie erblickte. Aber es geschah nichts.

Der Wärter kam zurück und sagte, daß der Direktor auf dem Weg nach draußen sei und daß sie hier mit ihm sprechen könne. Er werde gleich kommen. Das war eine offenkundige Zurückweisung. Er wußte nicht, wer Dina Grønelv war. Und er hatte wahrscheinlich keinen Sinn dafür, daß sie gesagt hatte, sie wolle wissen, wann Leo Zjukovskij erwartet wurde.

Sie erkundigte sich nach der »Sklaverei«, während sie wartete. Der Wärter erzählte bereitwillig. Im Erdgeschoß waren Eßraum, Arbeitsraum und Andachtsraum. »Die da« oder »die armen Kerle« waren im ersten Stock eingesperrt. Einige Zellen seien ganz dunkel, erfuhr sie.

»Die Dunkelzellen sind dunkel wie das Grab«, sagte der Wärter mit einem Lächeln, das eine spärliche Zahnreihe entblößte, die ansonsten aber glatt und ohne Fehl war. »Mit denen im Obergeschoß ist nicht viel los!« sagte er. »Aber jeder hat seinen eigenen Eisenofen. Daran mangelt es nicht!«

Die Geräusche kamen polternd zu ihnen herunter. Scharren, Klopfen und eine laute, wütende Stimme.

»Es ist nicht alles gut, was von oben kommt«, grinste der Wärter.

Der arme Teufel mit den Lumpen war immer noch mit seiner Arbeit beschäftigt, ohne Dina zu beachten.

Der Wärter folgte ihrem Blick und sagte: »Bendik ist heute verrückt. Aber er ist nicht gefährlich, ganz gleich ob er normal oder verrückt ist.«

»Was macht er da?« fragte sie.

»Dummes Zeug! Aber er ist nicht gefährlich. Es heißt, daß er eine schlimme Geschichte in den Nordländern erlebt hat. Irgend etwas mit einer Dame, die sich zu Tode verbrüht hat. Da fing es an.

Er hat hier bei uns noch keiner Katze was zuleide getan. Er beschäftigt sich nur mit seinem Kram. Nein, da ist es mit denen da oben im Dunkeln eine andere Sache. Denen möchte ich nicht in die Augen sehen, ohne daß ein Schutz dazwischen ist.«

Dina suchte etwas in ihrem Pompadur. Er war wie das Moor. Schwarz, tief und grundlos.

»Sie muß einen wichtigen Auftrag haben, daß Sie an einen solchen Ort kommt. Und das von hoch oben aus den Nordländern!«

Dina richtete sich auf. Und erzählte wahrheitsgetreu, daß sie mit einem Frachtschiff auf einer Bergen-Fahrt war. Da war es keine große Sache, nach Trondhjem zu segeln, um etwas zu erledigen.

»Die Dame besitzt ein Frachtschiff!« rief er entzückt aus und sah sie respektvoll an. Ja, er kannte eine Dame, die einen Raddampfer besaß. Er warf ihr einen schrägen, fragenden Blick zu. Als Dina sich zu letzterem nicht äußerte, fügte er hinzu: »Und jetzt ist sie die reichste Witwe in der Stadt!«

Dina sah sich in dem Raum um und gab zu erkennen, daß sie nicht die Absicht hatte, über reiche Witwen und deren Dampfschiffe zu reden. Statt dessen fragte sie trocken: »Was ist Seine Aufgabe hier?«

»Ich passe auf, daß das Gesindel nicht ausreißt«, erwiderte er schlagfertig.

»Und was haben die so gemacht? Die hier sind?«

»Mord und Brandstiftung, Verrücktes und Diebstahl«, sagte er, als ob er einen Psalmenvers auswendig herunterleierte.

»Wo kommen sie her?«

»Meistens aus der Nähe der Stadt. Sonst: von überall her.«

Genau in dem Augenblick kam der arme Teufel mit seinen Lumpen im Schlepptau auf sie zu.

Es ging sehr schnell. Ehe der Wärter es hindern konnte, hatte er Dina am Arm gepackt und starrte sie an. Der Wärter zerrte ihn fort. Der Riese stand mit ausgestreckten Händen da. In seinen Augen trieben grauen Wolkenbänke vorbei. Und tief drinnen war Dinas Spiegelbild.

Sie schien eine plötzliche Eingebung zu haben. Hob die behandschuhte Hand und legte sie dem Mann auf die Schulter.

Er blinzelte, als ob ihm etwas Wichtiges einfiele. Das Gesicht leuchtete auf, und er lächelte sie mit zahnlosem Mund an. Der mächtige Rücken war gebeugt von einer unsichtbaren Last, die er jahrelang getreulich mit sich herumgetragen hatte.

»Sie – Sie kommt endlich...«, murmelte er und griff wieder nach ihr. Schnell wie der Blitz.

Der Wärter zog an dem armen Teufel und sagte etwas mit harter Stimme.

Dina blieb stehen. Es arbeitete in ihren Kiefern, und das Gesicht wurde langsam weiß. Sie befreite sich aus dem Griff des Mannes, aber sie schaffte es nicht, sich von seinem Blick zu befreien.

Der Wärter beförderte den Verrückten hinaus in den Garten.

Ich bin Dina. Es gibt einen Herd im Waschhaus mit einem kochenden Kessel darüber! Ich bin in dem Dampf. Deshalb schwitze ich. Meine Haut wird die ganze Zeit abgeschabt. Ich werde zu einem Nichts gewaschen. Aber Hjertrud schreit ununterbrochen.

Der Direktor tauchte von nirgendwo auf. Als ob er nur mal hier, mal da erschiene. Er schritt würdig durch den Raum und reichte ihr die Hand.

Ein großer, dünner Mann mit einem sehr gut geschnittenen Bart, in einer strengen Form. Er sah aus wie aufgeklebt.

Keine Andeutung von Freundlichkeit oder Lächeln. Der Händedruck war trocken und korrekt wie die übrige Erscheinung.

Dichtes schwarzes Haar lag mit Wasser angeklatscht auf dem kugelrunden Kopf. Insgesamt war das ein Mann, der für seine Haare lebte.

Er nickte galant und nahm den Stock wieder in die rechte Hand, nachdem er ihre Hand losgelassen hatte. Womit er ihr zu Diensten stehen könne? Der Blick nahm alle Reste des Wasserdampfes mit fort, als er sie ansah. Seine Stimme war ruhig und dunkel. Wie Späne im Ofen, bevor man Feuer macht.

Dina leerte eine Spur von Widerwillen gegen ihn durch zwei wassergraue Augen aus. Er hatte ihr nichts getan. Außer daß er sie vom Wasserdampf befreit hatte.

Sie trug ihr Anliegen vor. Hatte das Päckchen mit Puschkins Buch und dem Brief an Leo versiegelt. Aber sie zögerte ein wenig, es herauszuholen.

Der Direktor war etwas zu schnell mit seinem Erstaunen. Er kannte keinen, der Leo Zjukovskij hieß und in ihrem Auftrag Gefangenentransporte übernahm. Überhaupt nicht. Zu seiner Zeit waren solche Transporte auch nur ein paarmal durchgeführt worden. Und Russe? Nein.

Dina überhörte die Frage und wollte wissen, wie lange er schon Direktor »dieses Ortes« sei.

»Drei Monate«, antwortete er ungerührt.

»Das ist ja nicht gerade lange ...«

Der Mann räusperte sich, als ob er beim Mogeln erwischt worden wäre.

»Man merkt Leo Zjukovskij nicht an, daß er Russe ist«, sagte sie. »Er spricht Norwegisch!«

Ihre Stimme blieb wie Frost im Raum liegen.

Ich bin Dina. Die großen Birken rauschen allzusehr da draußen. Sie umklammern meinen Kopf mit ihren Zweigen, so daß ich nicht denken kann. Kirchenglocken dröhnen. Nahebei. Ich zähle alle Türen, die aus dem Raum herausführen. Aber die Zahl verschwindet bei den vielen Geräuschen und Stimmen von oben aus den Zellen. Ein Irrenhausdirektor, ist das ein Mensch? Warum will er nichts von Leo wissen?

Der Direktor meinte, daß sie sich im Gefängnis umhören sollte oder bei dem Direktor des Zuchthauses. Er könne sie persönlich dorthin führen. Es sei gleich hier hinten. Es sei am besten, er begleite sie über den Hof und durch das Portal.

Dina ging mit dem Mann. Eine nutzlose Wanderung durch die schweren Pforten und die düsteren Türen. Vorbei an Wärtern mit leerem Blick. Es brachte sie Leo nicht näher. Niemand kannte einen Russen, der Leo Zjukovskij hieß, Norwegisch sprach und Gefangene zu oder von der Festung Vardø brachte.

Als sie wieder in dem ovalen Raum standen, holte sie das Päckchen heraus, drückte es dem Direktor in die schlaffe Hand, bis er genötigt war, es entgegenzunehmen.

Sie sah ihn an, als ob er ein Knecht auf Reinsnes wäre. Bestimmt erteilte sie ihren Befehl. Den er nicht verweigern konnte, ohne besonders unhöflich zu einer Dame zu sein.

»Wenn Herr Leo Zjukovskij kommt, kann Er ihm das Päckchen geben. Es ist versiegelt, wie Er sieht...«

Der Direktor schüttelte den Kopf, klemmte aber die Finger um das Päckchen, damit es nicht auf den Boden fiel.

Sie rückte ihren Hut zurecht, hängte den Pompadur über den Arm. Zog den rechten Handschuh an und dankte. Dann grüßte sie und ging schnell zum Ausgang.

Ein Stück weiter die Straße hinauf fuhr der Wagen an einem kreuzförmigen Haus vorbei, mit großen Fenstern und einem Ziegeldach. Das Portal über dem Eingang war herrschaftlich. Und der Mittelteil des Hauses hatte drei Etagen mit einem großen halbmondförmigen Fenster ganz oben.

Dina beugte sich vor und fragte den Kutscher, was das für ein Haus sei.

»›Tronka‹. Hospital für Geisteskranke«, antwortete er stumpf.

»Warum heißt es ›Tronka‹?«

»Man sagt, es hat etwas damit zu tun, daß einmal ein Almosenstock vor dem Eingang gestanden hat. Auf französisch heißt ein Almosenstock ›tronc‹, sagen die Leute.«

Der Kutscher wurde lebhafter, während er erzählte.

»Warum hatte das Hospital einen französischen Almosenstock?«

»Die Leute wollen ja unbedingt die feinen Worte haben. Der Stock war sicher hier aus der Gegend. Und drinnen sitzen jetzt Verrückte und Pöbel, wenn das Wort auch noch so französisch ist.«

Er schnalzte mit der Zunge, um die Pferde anzutreiben, die angefangen hatten zu bummeln. Irgendwo rauschte es intensiv. Der Kutscher drehte sich ein paarmal um. Denn die Frau sagte nichts mehr. Sie saß zusammengekauert und bewegte den Oberkörper vor und zurück.

Kurz darauf hielt er den Wagen an und fragte, ob sie sich nicht wohl fühle.

Sie antwortete mit zwei glasklaren, leeren Augen. Aber sie bezahlte reichlich, als sie ausstieg.

Bin ich Dina? Sind Alpträume wirklich? Der Schmied Bendik? Warum finde ich alles mögliche andere, aber nicht Leo? Bin ich Dina? Die mir einen Teil des Herzens abschneidet und ihn in die Hände eines Irrenhausdirektors legt? Warum bin ich hier, da ich doch eine Wunde habe, die nicht bluten will? Wo ist Hjertrud jetzt?

Dina blieb für den Rest des Tages in der Kajüte.

Nachts wachte Anders mehrmals davon auf, daß Dina hinter dem Vorhang stöhnte. Er sprach sie an.

Aber sie antwortete nicht.

Am nächsten Morgen war sie grau und verschlossen. Sie mieteten dennoch einen Wagen und fuhren zu der Fabrik am Nidelv, um eine neue Glocke für das Vorratshaus zu kaufen.

Die alte hatte schon lange einen Sprung gehabt. Während der Heuernte war die eine Hälfte heruntergefallen und hatte großen Schaden auf dem Dach angerichtet.

Sie fanden eine Glocke in der richtigen Größe, mit Jahreszahl und gutem Klang.

Der Fabrikbesitzer war seinerzeit ein alter Freund von Jacob gewesen.

Dina hatte ihren Besuch vorher angemeldet. Die Aufnahme war deshalb untadelig, mit Bewirtung und Besichtigung. Huitfeldt bedauerte, daß sein Kompagnon, der Herr Ingenieur, zu einem Kurzbesuch nach England gefahren war und ihr daher seine Aufwartung nicht machen konnte.

Der Mann übersah Anders. Es war deutlich, daß für die Bürger in Trondhjem nicht die gleichen Anstandsregeln galten wie für die Kaufleute in Bergen.

Anders trug es mit Fassung. Er war schon früher Menschen begegnet, die nicht begriffen, daß man Schiffe nicht mit an Land nehmen konnte, um vorzuweisen, wer man war.

Der Fabrikbesitzer ging gründlich zu Werk und erzählte ausführlich von dem sagenhaften Fortschritt des Betriebs in bezug auf Öfen, Hofglocken und Maschinenteile.

Die neue Zeit sei gut für ihn gewesen, lachte er. Und als ob das noch nicht genug sei, habe er den verantwortungsvollen und herausfordernden Auftrag bekommen, die maschinelle Ausrüstung für den Raddampfer »Nidelven« zu gießen.

Anders und Dina wechselten vielsagende Blicke, als sie wieder im Wagen saßen.

»Ich weiß nicht, ob man ein Wort darüber verlieren sollte. Aber die Leute in Trondhjem sind in mancherlei Hinsicht ein merkwürdiges Völkchen.«

»Davon abgesehen, daß nicht alle Trondhjemer auch Trondhjemer sind«, sagte sie trocken.

Sie lachten.

Dina trat ihm plötzlich mit ihrem spitzen Schuh ins Bein.

»Warum läßt du dich von soviel Größenwahn überfahren?«

»Tja, warum... Es kann sich lohnen. Auf die Dauer.«

»Du, Anders, du bist eigentlich ein Kaufmann.«

»Vielleicht... Jedenfalls einer ohne Kapital.«

»Hättest du das gerne? Kapital?«

»Nein, du siehst ja, wie die werden. Die mit dem Kapital.«

»Bin ich auch so?« fragte sie unversehens.

»Nein. Aber du hast auch nicht nur gute Seiten«, sagte er ehrlich. »Da du mich fragst.«

»Was für schlechte Seiten? Geizig?«

»Nein. Aber knauserig. Und stur. Nimm nur mal diesen Abstecher nach Trondhjem.«

Sie antwortete nicht.

Die Räder ratterten auf dem Pflaster. Die Stadt um sie herum lärmte.

»Du bist gestern auf eigene Faust losgefahren... Darf man fragen wohin?«

»Ich war mal kurz in der ›Sklaverei‹.«

Anders drehte sich zu ihr um, nicht nur mit dem Gesicht, sondern mit dem ganzen Körper: »Mach keine Witze! Was wolltest du denn da?«

»Ich habe ein Päckchen für Leo abgegeben. Ein Buch, das er vergessen hat... Er pflegt Bücher zu vergessen...«

»War er denn da?«

»Nein, aber er kommt wahrscheinlich.«

»Woher weißt du das?«

»Weil sie gesagt haben, daß er nicht kommt...«, meinte sie nachdenklich.

»Sie haben gesagt, daß er nicht kommt... Und deshalb glaubst du, daß er dorthin kommt? Wie soll ich das verstehen, Dina?«

»Da stimmt etwas nicht. Dem Direktor hat es nicht gepaßt, daß ich auftauchte. Daß ich wußte, daß Leo kommen würde.«

»Du bist so seltsam geworden auf dieser Fahrt.«

»Kannst du dich erinnern, daß Leo gesagt hat, er würde einen Strafgefangenen nach Vardø bringen?«

»Ja... jetzt, wo du fragst... Aber das hat er wohl nur so gesagt.«

»Wie dem auch sei, er pflegte sich in der ›Sklaverei‹ in Trondhjem aufzuhalten.«

»Woher weißt du das?«

»Ich weiß es!« sagte sie bestimmt.

Sie schwiegen, während der Kutscher mit einer Prozession verhandelte, die keinen Platz machen wollte.

Anders beobachtete eingehend alles, was sich um sie herum bewegte. Nach einer Weile sagte er: »Hat Dina sich für den Russen entschieden?«

»Du bist sehr direkt, mein lieber Anders.«

»Ja. Und was antwortest du?«

»Daß ich meine Entscheidungen nicht öffentlich zu jedermanns Besitz aushänge.«

»Aber du willst ihn haben. Das habe ich gesehen.«

»Wenn du es gesehen hast, brauchst du nicht danach zu fragen«, erwiderte sie.

Er kreuzte die Arme vor der Brust und sagte nichts mehr.

»Wir hatten doch angefangen, über Kapital zu reden...«, sagte sie nach einer Weile.

»Ja«, sagte Anders bereitwillig.

»Weißt du, was dein Bruder gemacht hat?«

»Niels? Meinst du, wie er... ums Leben kam?«

Er sah sie völlig überrascht an.

»Wir wissen beide, wie er ums Leben kam«, antwortete sie fest. »Ich meine etwas anderes.«

»Was denn?«

»Er hat jahrelang Geld unterschlagen, dein Bruder!«

Sie starrte vor sich hin.

»Was... was sagst du da?« Er sah sie mit großen Augen an.

Sie antwortete nicht.

Nach einer Weile ergriff er ihre Hände. Die Halsader pochte heftig, aber sein Gesicht war blaß.

»Warum sagst du so was, Dina?«

»Weil es wahr ist«, erwiderte sie kurz und erzählte Anders von dem Loch im Fußboden.

Er drückte ihre Hände. »Wieviel war es?« fragte er heiser.

»Genug, um damit nach Amerika zu fahren.«

»Und wo ist das Geld jetzt?«

»Auf der Bank.«

»Warum, zum Teufel, hat er das gemacht?«

»Er wollte Kapital haben.«

Anders starrte vor sich hin.

»Es ist nicht zu fassen.«

»Er hatte vielleicht ein gewisses Recht dazu«, fuhr sie fort. Die Worte fielen einfach heraus.

»Recht?«

»Er war ja so in Verruf gekommen. Wegen der Sache mit Hanna.«

»Aber, mein Gott!«

»Er mußte wohl fort. Weit fort. Brachte es nicht über sich, wie ein Vagabund zu reisen. Leo hat gesagt, daß er nach Amerika wollte. Stine hat eine Karte gefunden... Es war sicher so, ja. Ins Zuchthaus hätte er nicht gehen können. Hjertrud hätte es nicht zugelassen.«

»Hjertrud? Ich bitte dich... Aber warum ist er nicht gefahren? Warum...?«

»Er hat sich aufgehängt, weil er wußte, daß ich es wußte.«

»Daß du es wußtest?«

»Ich habe ihm eine Frist gegeben, mir das Geld zu bringen.«

»Meinst du, daß er sich das Leben genommen hat, weil...?«

»Wegen der Schande.«

»Hat er geglaubt, daß du ihn anzeigen würdest?«

»Er hatte keinen Grund, etwas anderes zu glauben.«

»Dina! Du hast ihn in den Tod getrieben?«

Er stockte. Seine Hände drückten immer härter. Die Nägel schnitten in die Haut.

Sie lehnte sich zurück. Als ob sie aufgeben würde.

»Ich weiß nicht«, sagte sie böse und machte die Augen fest zu.

Da legte er beide Arme um sie und zog sie an sich.

»Vergib mir!« flehte er. »Natürlich ist es nicht deine Schuld. Leute, die etwas so Schändliches tun, müssen selbst die Verantwortung tragen, finde ich. Aber daß Niels... daß er das machen konnte! Ohne mir ein Wort...«

Er seufzte. Aber er ließ sie nicht los.

Zwei Kinder, zusammen in einem alten Unglück.

Lange waren sie nur Gedanken.

»Die Straßen in Trondhjem sind breiter als in Bergen«, sagte Dina vor sich hin.

»Das Löschen der Ladung ist desto schwieriger, und in den Fjord rein- und rauszukommen ist eine Strafe!«

Anders war dankbar für die Unterbrechung.

»Der Hafen ist zu flach«, fügte er mit Nachdruck hinzu.

Sie starrten beide auf die schwarze Rauchsäule, die aus dem Dampfschiff aufstieg, das gerade hereinkam.

Sie bogen in eine schmale Seitengasse mit erbärmlichen, kleinen Häusern ein. Direkt vor den Pferden torkelte ein Matrose über die Straße, und ein hysterisches Frauenzimmer rief einem dicken Herrn in zu enger Jacke zu, er solle sich beeilen, der Dampfer fahre bereits. Er fauchte wie ein Blasebalg und verlor immer wieder eine Hutschachtel. Sie liefen vor die Pferde, als ob sie geradezu darum bäten, überfahren zu werden.

Der Wagen hielt, und der Kutscher bekam sein Geld. Sie gingen das letzte Stück zu Fuß.

Unten bei den Kais tauchte das streitbare Paar wieder auf. Die Frau verlangte drohend von dem Fährmann, daß er sie zu dem Dampfschiff übersetzte. Sie stolperten über die Ruderbänke. Einen Augenblick sah es so aus, als ob sie das schmale Gefährt zum Kippen bringen würden. Immer noch stritten die beiden und beschimpften sich gegenseitig.

Die dreißig Ellen lange Landungsbrücke mit dem Abfertigungsraum war schwarz von Menschen. Allmählich gab es noch mehr Leute, die einen Fährmann baten, zu dem Dampfer übergesetzt zu werden. Das Schiff konnte am Kai nicht anlegen, wegen der Brandgefahr, hieß es.

Anders war froh, daß er etwas hatte, an dem er seine Verzweiflung auslassen konnte.

»Eine Untertasse von einem Hafen, das da!« schimpfte er, ohne daß ihn jemand gefragt hatte.

Dina beobachtete ihn von der Seite, sagte aber nichts.

Ein Mann mit einem erhobenen Schlachtmesser lief barfuß über die Kaiplanken hinter einem jungen Burschen her, der mit beiden Händen eine Flasche Rum festhielt. Die Polizei kam dazu und nahm beide unter Geschrei und Spektakel fest. Die Leute wichen zur Seite, um nicht in die Sache hineingezogen zu werden. Einige waren nahe dran, vom Kai heruntergedrückt zu werden.

Anders trug seinen Kummer. Dinas Wunde wollte nicht bluten. Der Himmel hatte tiefe Risse, aber keine Sonne. Gedanken fielen herunter wie Regen.

Sie segelten am nächsten Morgen.

Der Wind war gut. Trotzdem war Anton nicht in Form.

»Ein Unwetter sitzt in meiner Hüfte«, sagte er. Er war ein bewußtlos geschlagener Stier, der am Ruder stand.

Sie ließen ihn weitermuffeln, ohne ihm zuviel Aufmerksamkeit zu schenken.

Anders und Dina hatten andere Schwierigkeiten. Eine Spannung im Guten wie im Bösen lag zwischen ihnen. Neu und unerprobt. Das Gespräch im Wagen war nicht zu Ende geführt worden. Hatte zu etwas den Auftakt gegeben, das schwer zu bewältigen war, wenn sie in einer Kajüte zusammen wohnen mußten.

Anders Augen waren ein Bibeltext unter einem Vergrößerungsglas. Sie sagten: Wir sind Bruder und Schwester! Etwas hat unsere Rollen gestört. Wir sollten wissen, wie wir zueinander stehen.

Er gestand sich selbst einiges ein. Sich jahrelang danach gesehnt zu haben, daß Dina ihm Dinge anvertraute. Ihn um Rat fragte.

Nun hatte sie ihm anvertraut, daß Niels ein Betrüger gewesen war. Es verwirrte ihn und erfüllte ihn mit Scham, daß er sich mehr über Dinas Vertrauen freute, als daß er an Niels' letzte Tage dachte.

Dina war eine Eule, die in ihrem Baum saß und das Tageslicht nicht mochte.

10. Kapitel

Und der Herr antwortete Hiob aus dem Wettersturm und sprach:

Wer ist's, der den Ratschluss verdunkelt mit Worten ohne Verstand?

Wo warst du, als ich die Erde gründete? Sage mir's, wenn du so klug bist!

Weisst du, wer ihr das Mass gesetzt hat oder wer über sie die Richtschnur gezogen hat?

Worauf sind ihre Pfeiler eingesenkt, oder wer hat ihren Eckstein gelegt,

Als mich die Morgensterne miteinander lobten und jauchzten alle Gottessöhne?

Wer hat das Meer mit Toren verschlossen, als es herausbrach aus dem Mutterschoss,

Als ich's mit Wolken kleidete und in Dunkel einwickelte wie in Windeln,

Als ich ihm seine Grenze bestimmte mit meinem Damm und setzte ihm Riegel und Tore

Und sprach: »Bis hierher sollst du kommen und nicht weiter; hier sollen sich legen deine stolzen Wellen!«

Hast du zu deiner Zeit dem Morgen geboten und der Morgenröte ihren Ort gezeigt...?

(Das Buch Hiob, Kapitel 38, Vers 1, 2 und 4–12)

Sie kamen aus dem Trondhjemsfjord und richteten den Bug nach Norden. Anders sah, daß Regen und Unwetter sich vor ihnen zusammenzogen. Es war beinahe eine Erleichterung.

Als sie weder das flache Ørland zur Rechten noch Agdenes zur Linken mehr sehen konnten und sich selbst und den Mächten überlassen waren, herrschte leichter Nebel, und der Wind war rauh.

Aber der Wind wollte sich nicht legen. Kam als blaugraues Gespenst von Nordwesten und mit Regen.

Die »Mor Karen« bekam den hohen Vordersteven gespült. Und der große Schiffskörper wurde in die Wellentäler geschleudert, als ob er eine henkellose Kaffeetasse wäre. Kostbare Last wurde noch einmal besonders festgezurrt und abgedeckt, so gut es ging.

Ein Junge von einer der Häuslerstellen von Reinsnes lag bereits in der Koje. Der arme Kerl hatte sich in die Bettwäsche übergeben. Mit großem Krach und viel Geschimpfe von dem, der neben ihm lag. Aber niemand ergriff Partei. Alle hatten genug mit sich selbst zu tun.

Es knackte und rumorte in dem Bauch des stabilen Schiffs. Weinte und klagte in Segel und Rahe.

Die Stunden vergingen. Mehr unter als über dem Wasser. Trotzdem wollte Anton keinen Hafen aufsuchen. Er drückte das Schiff in das Foldmeer hinein, als ob es um eine persönliche Kraftprobe ginge.

Da brach es los.

Dina saß allein in der Kajüte und klammerte sich an die Tischkante.

Die Wände änderten dauernd die Richtung.

Sie preßte das Kopfkissen zwischen die Schenkel, als sie das Blut auf den Fußboden tropfen sah. Dann schlug sie heftig gegen den Tisch.

Eine zu Tode erschrockene Blutlache änderte ständig den Weg auf dem unruhigen Fußboden. Lief nach Osten und Westen, Norden und Süden, je nachdem, wie das Schiff krängte. Allmählich wurde sie zu einem zähen bräunlichen Bach in den Ritzen der Deckplanken.

Bin ich Dina? Die gestern abend eine Orgel war? Mit vielen Korallen auf dem Weg aus dem Körper! Weil ich es so wollte! Heute schneiden Messer einen Spalt nach dem anderen. Ich bin ein Fluß, der nicht weiß, wohin er fließt. Ich fließe so schrecklich leise. Wo ist Hjertrud jetzt?

Mutter Karens Portrait, aus Holz geschnitzt als eine stattliche, hochbusige Frau, die üppigen Haare zu einem losen Knoten gewunden, verschwand in den tobenden Wellen.

Aber es richtete sich stolz wieder auf. Schüttelte die schäumenden Sturzseen ab. Immer wieder. Die Augen waren mit scharfem Messer von einem heimischen Künstler in Vefsn herausgearbeitet worden. Sie starrten mit leerem Blick abwechselnd in die Tiefe des Meeres oder in den Himmel.

Das war das Foldmeer mit seinem wahren, bösartigen Charakter. Mindestens zwei Monate zu früh im Jahr.

Anton befahl, die Beisegel wegzunehmen und das Rahsegel zu fieren. Anders paßte durch die Gischt wie ein Habicht auf die Böen auf.

Das Wetter war nicht gnädig. Aber es hatte keinen Sinn, nahe am Land zu segeln. Dort waren Felsen und Schären überall.

Anton bemühte sich, ins offene Meer zu kommen. Es gab keine andere Möglichkeit.

Der Wind war unregelmäßig und launisch, mußte aber nachgeben, weil Anton und Anders jahrelang seine Launen entlarvt hatten.

Jedesmal, wenn sie das Schiff hochbekamen und Anders spürte, daß sie es unter Kontrolle hatten, schien ihn jemand in den Nacken zu beißen. Dina! Biß ihn in den Nacken.

Immer wieder erfüllte ihn der Kampf gegen die Sturmböen mit Lust. Stundenlang empfand er dieses Glücksgefühl. Sie bezwangen die Wellen, sie bezwangen den Wind. Das Schiff und das Segel.

Er hatte nie ähnlich hart am Wind gesegelt. Die Unterlippe schob sich vor. Die Augenbrauen buschten sich in der salzigen Gischt. Äußerlich war er ein Fausthandschuh an einer Leine im Kielwasser. Innerlich war er ein Eisenpfahl. Auch wenn alles verrückt war. Segeln konnte er!

Dina lag hinter dem Vorhang und konnte durch die bespritzten Fenster nicht nach draußen sehen.

Alles, was lose war, tanzte seinen eigenen Tanz. Sie hatte sich in der Koje eine Öljacke untergelegt, und zwischen den Wehen hielt sie sich mit beiden Händen fest.

Alexander Puschkin kam durch das Fenster zu ihr herein und sprach vom Tod. Wie der Tod einen armen Kerl in den Unterleib traf! Er hatte seinen Gedichtband bei sich. Als ein Geschenk von Leo. Er lachte, daß es im Schiffskörper dröhnte. Dann stieß er das Buch mit aller Kraft in ihren Bauch. Ging durch das runde Kajütfenster ein und aus und hatte jedesmal ein anderes Buch dabei. Die Bücher wurden immer schwerer und hatten immer spitzere Ecken.

Zuletzt war ihr Schoß nur noch eine blutige Masse, die in dünnen Hautfetzen von der Kojenkante herunterhing.

Sie versuchte sie zusammenzuhalten, aber es nützte nichts. Er war so schnell, dieser dunkle Mann mit den spitzen Büchern.

Er schrie seinen Haß auf die Frauen mit lauter, verzweifelter Stimme heraus oder nannte sie mit zusammengebissenen Zähnen »des ehernen Reiters« Hure und »meine liebe Natascha«.

Er hatte Leos Stimme und kam mit lautem Ton direkt aus den Windböen. Als ob er einen Schalltrichter benutzte. Sprengte ihren Kopf in tausend Fetzen.

Er war ein Seegespenst! Mit den Händen des Schmieds und Leos Narbe im Gesicht. Zuletzt zog er Tomas' Finnenbüchse aus dem Mantel und zielte auf sie. Peng!

Aber er traf Hjertrud! Sie stand in der Ecke, mit einem Gesicht wie ein großes Loch! Wie hatte das geschehen können?

Es rann warm zwischen Dinas Schenkeln. Die Wärme wurde mit der Zeit zu einem eisigen Leinentuch.

Der Wind hatte etwas abgeflaut.

Dina richtete sich so weit auf, daß sie das Laken zusammenraffen und zwischen den Beinen halten konnte. Dann schwankte sie zur Kajütentür und rief nach Anders. Die Lunge sprang ihr bis in den Hals hinauf. Die Rufe waren Hexen auf dem Ritt zum Blocksberg. Schnitten durch Gischt und Wind.

Ein Irrtum war nicht möglich. Es war etwas passiert.

Anders war durchfroren und müde, und die Augen waren gerötet. Aber er bekam Ablösung. Und kämpfte sich hinauf in die Kajüte, wo Dina seinen Namen lauthals brüllte.

Bei der Tür blieb er stehen und rang nach Luft. Es tropfte gleichmäßig von seiner Lederkleidung.

Der Südwest hatte seit vielen Stunden mit den schlimmsten Sturmböen über das Meer geblasen. Von den hellen, salzverschmierten Haaren liefen Bäche über Gesicht und Hals. Die Haare klebten am Scheitel, so daß der Mann einem geplagten Seehund ähnelte. Das Kinn war mehr als sonst vorgeschoben.

Er starrte auf die Frau in der Koje. Zuerst glaubte er, nicht richtig zu sehen.

Das Tageslicht trotzte sich durch die salzverschmierten Fenster herein und offenbarte Dinas nackte Schenkel. Das weiße Laken blutdurchtränkt. Ihr Stöhnen erinnerte an lose Fender bei schwerem Unwetter. Sie streckte ihm die Arme entgegen. Die Augen flehten um Hilfe.

»O Gott!« Er glitt vor ihr auf die Knie.

»Hilf mir, Anders!«

Sie versuchte nicht, sich vor seinen Blicken zu bedecken. Er griff leicht benommen nach ihr, während er verzweifelte Laute ausstieß.

»Ich bin verletzt. Hier drinnen bin ich verletzt...«, flüsterte sie, und die Augen fielen ihr zu.

Anders kam auf die Beine und wollte hinausstürzen, um Hilfe zu holen. Denn das war mehr, als er allein schaffen konnte.

Da öffnete sie die Augen, sah ihn scharf an und flüsterte zwischen den Zähnen: »Schweig! Sei still! Kein Wort! Hilf mir!«

Er drehte sich um und starrte sie ratlos an. Dann begriff er den Befehl. Die eine oder andere Geschichte dämmerte ihm. Von der Beschaffenheit der Frauen. Von den Plagen der Frauen. Den Schicksalen der Frauen. Der Schande der Frauen.

Das machte ihn für einen langen Augenblick sprachlos. Dann nickte er blaß. Öffnete die Kajütentür und reinigte die Kehle von dem sechsstündigen Sturm auf dem Foldmeer und brüllte die Befehle zu Anton hinunter.

»Dina ist krank. Tollef soll meinen Platz einnehmen. Bitte den Jungen, daß er etwas Wasser heiß macht!«

Anton war wütend da unten in dem Wind. Verdammte Weiber auf dem Meer! Schwach und seekrank waren sie, aber Abstecher nach Trondhjem machen, das konnten sie. Unwetter und Teufelswerk! Verhängnis und Strafe!

Der seekranke Häuslerjunge kam mit dem dampfenden Wasser in einem Holzeimer, aber er hatte die Hälfte auf dem Weg nach oben verloren. Anders empfing ihn an der Tür. Beide zitterten und waren blaß. Aus verschiedenartigen Gründen.

Der Junge durfte hereinkommen, Anders hatte den Vorhang vor Dinas Koje vorgezogen. Er hatte seine Lederbekleidung abgelegt und stand mit bloßem Oberkörper da und nahm den Eimer entgegen. Beorderte kurz noch mehr Wasser.

Der Junge war erschöpft. Schlapp von der Seekrankheit, ängstlich und niedergeschlagen. Sein Gesicht war wie eine nackte Hand, die bei starkem Frost mit Eisen hantiert.

»Beeil dich, du Hund!« peitschte Anders. Ihm ganz unähnlich, so daß der Junge Hals über Kopf wieder hinauslief.

Sie war jetzt still geworden. Ließ sich von ihm umdrehen, damit er die blutige Bettwäsche entfernen konnte. Es war durch alles durchgegangen, glaubte er. Es roch süßlich und widerlich. Einen Augenblick fühlte er sich krank. Dann schluckte er die Übelkeit hinunter.

Wer, zum Teufel, hatte das in Dina gepflanzt? Wer hatte das gemacht? Der Russe?

Die Gedanken wirbelten durch Anders' Kopf, während er Dina wusch und versorgte. Er war noch nie einer Frau so nahe gewesen. Nicht auf diese Weise... War unbeholfen, verlegen und wütend.

Er legte einen alten Ledermantel unter das saubere Laken, das er in Dinas Kiste gefunden hatte, und schob sie darauf. Sie war schwer und wie leblos. Machte die Augen nicht auf, atmete nur heftig und umklammerte seine Handgelenke. Er mußte sich gewaltsam aus dem Griff lösen, um ihr helfen zu können.

Das Blut kam nicht mehr gestürzt. Aber es floß gleichmäßig. Er schubste die versaute Bettwäsche mit dem Stiefel in eine Ecke.

Plötzlich sah er etwas Bläuliches, Häutchenartiges in all dem Roten. Er fröstelte. Wem, zum Teufel, hatte sie das zu verdanken? Er biß die Zähne zusammen, um es nicht laut herauszuschreien.

Sie war bereits über die Grenze. Mußte schon lange geblutet haben. Wenn sie nur nicht... Er dachte den Gedanken nicht zu Ende. Schob die Unterlippe vor und drückte eine dicke Wolljacke zwischen ihre Beine. Die Wolle saugte alles Mögliche auf. Er drückte sie gegen ihren Unterleib. Mit allen Gebeten, die er gelernt hatte.

Sie kam mitunter wieder zu sich und sah ihn mit glasigem Blick an. Ein unheimliches Gefühl kroch über den Fußboden und herauf in das Bett zu ihnen.

Da sprach er die Gebete mit leiser Stimme.

Der Wind ließ nach, und das Schiff stürzte sich mit Vergnügen in die schwere See.

Anders merkte, daß sie mit den Segeln auch ohne ihn zurechtkamen. Das minderte den Druck ein wenig. Denn sie blutete immer noch.

Sie kamen und wollten herein. Einer nach dem anderen von der Mannschaft. Aber er fertigte sie an der Kajütentür ab. Befahl nur heiße Suppe und heißes Wasser.

Schließlich brüllte Anton, daß er die gnädige Frau von Reinsnes an Deck sehen wolle, sie könne ins Meer kotzen wie andere Leute auch.

Anders riß die Tür auf und schwang die Faust an Antons Wange vorbei. Dann knallte er die Tür zu, daß die große Steuermannsnase einen Augenblick in Gefahr war, eingeklemmt zu werden.

Es wurde still da draußen. Das Schiff pflügte die Wellen. Die Kanne mit der Suppe kam herauf. Ebenso das Wasser. Die Männer beherrschten die Lage. Sie begriffen wohl allmählich, daß es etwas Ernsteres war als die Seekrankheit. Sie verfielen wieder in ihre Routine.

Stunden wurden zu Tagen und Nächten. Die Sonne erschien am Himmel, und der Wind hatte sich nach Süden begeben.

In der Kajüte schlief Dina immer wieder ein. Die Blutungen hatten endlich aufgehört.

Anders, der es inzwischen aufgegeben hatte, sie sauber zu machen, konnte sie endlich zur Seite heben und die Koje wieder ordentlich herrichten. Sie legte die Arme um seinen Hals, während er sie hochhob. Ständig behielt er sie im Auge, ob sie etwa wieder anfinge zu bluten.

Sie versuchte nicht, sich zu verstecken. Nach mehreren Stunden in einer Blutlache war das nicht mehr nötig.

Dinas Würde schien von derlei nicht abhängig zu sein. Sie legte alles in die Hände des Mannes. Ab und zu schwanden ihr die Sinne. Wenn sie wieder zu sich kam, rief sie leise nach ihm. Einmal murmelte sie etwas, was er nicht verstehen konnte. Es hörte sich so an, als ob sie den Mörder aus der Bibel anrief. Vermutlich. Barabbas!

Er flößte ihr ein wenig Suppe ein. Wasser trank sie in großen, gierigen Schlucken. Es rann an den Mundwinkeln herunter und hinterließ nasse Flecken auf der Bettwäsche. Ihre Haare waren verschwitzt und klebten. Aber er wußte nicht, wie er das in Ordnung bringen sollte, also ließ er es sein.

Manchmal schüttelte er sie behutsam, um festzustellen, ob sie noch lebte. Und als er merkte, daß das Licht sie quälte, zog er die Vorhänge vor die Fenster. In dem Halbdunkel konnte er trotzdem sehen, daß sie wachsbleich war. Sie hatte dunkle Ringe um die Augen bis herunter auf die Wangen. Die Nase stach heraus. Eigensinnig und um die Nasenflügel weiß.

Anders konnte niemanden gesund zaubern. Er war auch nicht besonders gut im Beten. Aber an diesem Sonntag vormittag saß er in einem Dunst von altem Blut und betete um ihr Leben.

Indessen richteten die Männer die Lasten auf, und das Frachtschiff »Mor Karen« passierte die Insel Vega auf dem Weg nach Hause.

Ob es an dem Gebet lag oder an etwas anderem, ihr Atem wurde gleichmäßig. Die schmalen weißen Hände lagen auf der Bettdecke, und er konnte sehen, wie die Adern sich verzweigten.

Er berührte vorsichtig ihre Augenbraue, um zu sehen, ob das Lid sich bewegte. Da schlug sie die Augen auf und sah ihn an. Dicht, dicht neben ihm. Als ob sie aus einem Nebel aufgetaucht wäre.

Er glaubte, daß sie anfangen würde zu weinen. Aber sie holte nur ganz tief Luft und schloß wieder die Augen.

Er fragte sich, ob sie überhaupt jemals weinte, wenn sie es jetzt nicht tat.

Es war ein bißchen unheimlich, in das Leben der Frauen eingeweiht zu werden. Aber eigentlich war er auch dankbar, daß sie nicht weinte.

»Was für eine verdammte Seuche ist das da oben in der Kajüte?« wollte Anton wissen. Er hatte sich zusammen mit dem Wind beruhigt. Jetzt wollte er hören, wie es stand.

Anders machte die Tür zu und ging mit ihm auf Deck.

»Sie ist krank. Ernstlich. Übergibt sich und blutet ganz schrecklich. Es ist der Magen. Etwas Böses hat sich da festgesetzt im... im Magen. Sie ist ganz von Kräften. Die Arme...«

Anton räusperte sich und entschuldigte sich damit, daß er nicht gewußt habe, daß es so ernst sei. Aber er habe ja die ganze Zeit gesagt: daß Weibsleute auf einem Schiff...

»Sie hätte dabei draufgehen können«, sagte Anders und trat gegen eine Vierteltonne, die hin- und herrollte. »Sieh zu, daß der Junge hier alles vertäut, damit es nicht ins Meer geht. Schluck deine Galle runter! Es betrifft dich ja nicht!«

»Ich habe nicht gewußt, daß es so schlimm ist... Daß es so...«

»Aber jetzt weißt du es!«

Anders ging wieder in die Kajüte. Als ob es keinen Sinn hätte, daß er noch seine tägliche Arbeit auf dem Schiff tat.

Anders hatte die am übelsten zugerichtete Bettwäsche über Bord geworfen. Hatte gewartet, bis das Unwetter sich einigermaßen beruhigt hatte, so daß nicht mehr alle an Deck waren, um aufzupassen, daß alles gutging. Er nahm die günstige Gelegenheit in einem Augenblick wahr, als niemand sehen konnte, was er vorhatte.

Spitzeneinsatz, Stickereien. Er ließ alles zusammen hinunterfallen. Der bläuliche Klumpen war für immer verschwunden.

Sie hatten ihn nicht erwähnt. Mit keinem einzigen Wort. Aber sie hatten ihn beide gesehen.

Sie richtete zwei wasserblaue Augen auf ihn. Er setzte sich zu ihr. Die Bettkante war hoch. Er saß schlecht. Die Takelage über ihren Köpfen jammerte.

Er hatte das eine der beiden runden Fenster geöffnet, um frische Seeluft zu ihr hereinzulassen.

Der Schweiß tropfte von dem schwarzen Haaransatz und lief an ihrem Hals herunter. Sie hatte bräunliche Ringe um die Augen, und die Pupillen flimmerten.

Auf den gelben Wangen brannten hoch oben zwei intensive rote Flecken. Es sah nicht gut aus.

Anders hatte einiges gesehen. Skorbut, Pocken und Aussatz. Er wußte, daß solche Backen ein Zeichen für Fieber waren. Aber er sagte es nicht. Wrang nur einen Lappen mit Wasser aus und fuhr ihr damit über Gesicht und Hals.

Ein Ausdruck, der Dankbarkeit bedeuten konnte, zitterte einen Augenblick in ihren Augen. Aber Anders war sich nicht sicher. Bei Dina konnte man nie sicher sein. Trotzdem wagte er, ihre Hand zu nehmen.

»Du fragst mich nichts«, flüsterte sie.

»Nein. Es ist wohl nicht der geeignete Zeitpunkt«, meinte er und schaute weg.

»Aber du bist nicht so dumm, daß du es nicht verstehst?«

»Nein, ich bin nicht so dumm ...«

»Was wirst du mit deinem Wissen anfangen, wenn wir an Land kommen?«

»Dina an Land bringen und dafür sorgen, daß man sich um die Waren und das Schiff kümmert.«

Er gab seiner Stimme einen sicheren Klang.

»Und dann?«

»Was dann?«

»Wenn sie fragen, was Dina fehlt?«

»Dann sage ich, daß ihr etwas auf den Magen geschlagen ist und sie Blut gespuckt hat. Und daß das Blut auf beiden Wegen kam. Aber daß es jetzt vorbei ist und ich sicher bin, daß es nicht ansteckend ist.«

Er räusperte sich nach der für ihn langen Rede und nahm auch noch ihre andere Hand.

Es ging ein Beben durch die ganze Koje. Das sich bis zu ihm fortpflanzte. Groß und warm. Es ähnelte einem Weinen. Mehr mit dem Körper als mit den Augen. Wie bei einem Tier. Stumm.

Anders hatte das Gefühl, als ob er zum Abendmahl gegangen wäre. Als ob ihm jemand ein Geschenk gemacht hätte.

Jahrelang hatte er im gleichen Haus mit einem Menschen gewohnt, der nie etwas anderes als Zorn und Eigensinn gezeigt hatte. Der nie warme Gefühle zu erkennen gegeben hatte. Sie waren offenbar so daran gewöhnt, daß sie es nicht einmal seltsam fanden, sie so schlecht zu kennen.

Er hielt sie umschlungen und erkannte sich selbst wieder. Das machte ihn stark.

Er würde fahren über welches Meer auch immer und in welchem Wetter es dem Herrn behagte. Denn er hatte etwas gesehen, das es wert war, darüber Bescheid zu wissen.

Er hätte am liebsten geweint. Über seine toten Eltern. Über Niels. Über seine eigene Sturheit. Die ihn zum Schiffer auf dem Reinsnes-Schiff gemacht hatte. Obgleich er das verdammte Meer haßte. Das seine Eltern genommen und ihm lebenslange Alpträume von Riesenwellen, die am Ende sie alle verschlangen, verursacht hatte. Er hätte am liebsten über Gott geweint. Der auf jedem umgekippten Boot saß und nur sich selbst rettete.

Aber er hielt sie im Arm, bis sie aufhörte zu zittern. Die Geräusche vom Deck erreichten sie nur als fernes Echo ohne Sinn. Die Möwen waren zahm in der großen, tiefstehenden Augustsonne, die endlich das Kajütendach wärmte.

»Du ersparst mir einen Canossagang in die Kirche und eine Aussage über diese Hurerei«, sagte sie bitter.

»Du hast ja den größten Teil selbst geschafft.«

»Stine ist knapp Wasser und Brot entgangen. Weil es das zweite Mal war.«

»Wer zählt, wie oft es geschieht? Kannst du mir in des Herren Namen sagen, wer rein genug ist, um das zu zählen?« sagte Anders.

»Niels hat geleugnet. So konnten sie ihm nichts anhaben.«

»Niels ist jetzt tot, Dina.«

»Stine lebt in Schande.«

»Niemand erinnert sich mehr daran. Vergiß es! Es ist vorbei.«

»Viele kommen deswegen ins Zuchthaus«, fuhr sie fort.

»Jetzt nicht mehr.«

»Doch. Kirsten Nilsdatter Gram bekam drei Jahre Zuchthaus in Trondhjem, weil sie neunzehn Schafe, die dem Nachbarn gehörten, geschoren hat und weil sie im Vorratshaus war und sich mit Salzfleisch und Mehl versorgt hat... Niels hatte ein Vermögen versteckt. Und ließ Stine in der Schande sitzen...«

Anders merkte, daß sie nicht ganz klar war.

»Niels war der einzige, den ich hatte...«, murmelte er mehr zu sich selbst.

Da war sie plötzlich wieder da.

»Du hast mich«, sagte sie und drückte ihm die Hand mit erstaunlicher Kraft. »Du sollst nichts bereuen... gar nichts, Anders!«
Sie wechselten einen Blick. Besiegelten einen Pakt.

Als sie in den Tjeldsund hineinfuhren, hatte noch keiner gewagt, sie zu stören. Anders hatte ihnen begreiflich gemacht, daß der Tod einen kurzen Besuch abgestattet hatte. Aber er war in der Tür umgedreht.
Und der Koch, der als einziger mit der Suppenschüssel und dem Wasser hereingekommen war, bestätigte bereitwillig, daß Dina so krank und elend war, daß sie nicht mit den Leuten reden konnte.
Die Männer schlichen, wenn sie in die Nähe der Kajüte kamen. Das grobe Geschwätz und die Freude darüber, wieder in den heimischen Gewässern zu sein, waren beträchtlich gedämpft. Sie überlegten, wie sie die Frau an Land bekommen sollten.
Anders hatte ihr geholfen, sich im Bett aufzusetzen, damit sie einen Zipfel von der Welt sehen konnte.
Die Landschaft war voll von spätsommerlicher Fruchtbarkeit. Dina war leer.
Ein Lagerhaus balancierte plötzlich auf Stützpfosten irgendwo draußen im Meer.
»Das ist Kaufmann Christensens Laden und Kai. Er hat einen Packen Wintergerste zur Weltausstellung nach Paris geschickt. Er weiß sich zu helfen, der Bursche. ›Wintergerste von 68 1/2 Grad nördlicher Breite‹ hat er auf einen Zettel geschrieben«, erzählte Anders.
Dina lächelte matt.
Als sie nach Sandtorv kamen, wollte Anders an Land und einen Doktor holen. Aber Dina fauchte.
»Er hat wohl was anderes zu tun, als in die Welt hinauszuposaunen, was mir fehlt«, sagte sie.
»Aber wenn du draufgehst, Dina? Wenn du wieder einen neuen Blutsturz bekommst?«
»Dann soll es eben so sein«, sagte sie.
»Sprich nicht so lästerlich! Er darf es ja nicht rumerzählen, der Doktor, oder?«
»Die Leute reden über so vieles, ob sie dürfen oder nicht.«

»Du bist hart, Dina. Hast du keine Angst um deine Gesundheit? Fürchtest du dich nicht vor dem Tod?«

»Das ist zur Zeit eine dumme Frage, Anders...«

Er stand mitten in der Kajüte und sah sie eine Weile an. Falls sie ihre Meinung noch ändern sollte. Aber sie öffnete nicht einmal die Augen. Schließlich ging er hinaus und machte die Tür hinter sich zu.

Während der Fahrt durch den Vågsfjord erholte sie sich. Wollte immer noch aufrecht sitzen. Aber die Fieberflecken gingen nicht fort. Und die Augen wirkten wie trübes Glas.

Die Birkenhänge waren von weißen, sonnenverbrannten Stränden eingezäunt. Die Holme und Felsspitzen flogen sorglos vorbei. Die kleinen Wellen schmatzten an den Schiffswänden.

Ein paarmal döste sie weg. Aber Hjertruds Kopf mit dem großen, dunklen Schrei stand über ihr, und der Dampf lag dicht und drückend in der Kajüte, als sie zu sich kam. Da versuchte sie sich wachzuhalten.

Ich bin Dina, die die Nerven in einem neugeborenen Birkenblatt sieht. Aber es ist Herbst. Oline macht Saft aus meinem Blut und gießt es in Flaschen. Sie versiegelt die Öffnungen gut und sagt, daß sie in den Keller kommen sollen. Die grünen Flaschen sind schwer und satt. Die Mädchen schaffen nicht mehr als jedesmal eine Flasche.

Die Männer waren gutgelaunt. Es war schönes Heimkehrwetter. Alle hatten ihre eigenen Gedanken. Das Meer war leicht gekräuselt und der Himmel mit dicker Sahne bespritzt. Die Sahne trieb weiß und gut um die Berge und war für keinen einzigen Sonnenstrahl ein Hindernis. Entlang der Buchten und Halbinseln stand der Wald. Glitzernd grün nach dem Regen. Strandstedet auf der Landzunge regte sich verschlafen, und die Kirche war ein sicherer weißer Riese in all dem Grün und Blau.

Die Fahne flatterte würdig, als sie die Landspitze umrundeten und Reinsnes liegen sahen. Jemand hatte Wache gehalten und sie in den Sund hineinfahren sehen.

Anders hatte Dina geholfen, die Haare auszukämmen. Aber sie mußten aufgeben. Dina steckte die Haare unter den Hut.

Die Männer wollten sie auf ein Fischbrett heben. Damit sie sie an Land tragen konnten. Aber sie weigerte sich.

Als sie Dina schwankend aus der Kajüte kommen sahen, einen Arm schwer um Anders' Hals gelegt, begriffen sie, daß es ernst gewesen war. Denn niemand hatte Dina jemals so gesehen.

Sie glich einem Seevogel, der sich in einem Netz verfangen hatte – lange, der sich jetzt aber losgerissen hatte. Der Hut saß schief. War zu groß und zu elegant, um anders die Demütigung hinzunehmen, daß die Besitzerin fast ins Boot getragen werden mußte und an Land gesetzt wurde wie ein toter Gegenstand.

Sie versuchte, ihre ganze Würde, die sie besaß, zu wahren. Aber es wurde nur Ohnmacht daraus. Die Männer wandten sich ab, um es ihr leichter zu machen.

Anders half ihr über die mit glitschigem Tang bedeckten Steine. Sie blieb einen Augenblick bei den starrenden, stummen Menschen stehen. Eigensinnig wie eine Ziege, die drei grüne Halme weiter oben im Geröll entdeckt hat. Dann ging sie weiter.

Mutter Karen winkte von einer Bank im Garten. Stine stand mit dem Gesicht gegen die Sonne. Benjamins braune Hand suchte Dinas Rockfalten. Anders stand dabei.

Aber Tomas blieb im Stall.

Die Mannschaft kam an Land. Willkommensrufe ertönten. Aber es lag ein Dämpfer auf dem Ganzen. Aller Blicke hingen nur an Dina.

»Was ist los?«

Anders gab Erklärungen ab. Mit fester Stimme. Als ob er vorher auf jedem Meter in der Bucht geübt hätte. Sein Arm, mit dem er Dina stützte, zitterte.

Da streckten sie die Arme aus und umfingen sie. Stine. Die Mädchen. Es schien sie noch mehr zu schwächen. Die Beine wollten sie nicht tragen. Kleine Seufzer sickerten durch den Tang, der die Steine bedeckte, als sie fiel.

Sie war heimgekommen.

Dina wurde unter Stines Aufsicht ins Bett gebracht. Endlich konnten die Männer die Heimkehr feiern.

Anders spürte, wie eine Last von seinen Schultern glitt. Sie war schwer gewesen. Er hatte Sturm erlebt und andere vor dem Ertrinken und dem Tod gerettet. Aber so etwas wie auf dieser Fahrt hatte er noch nicht gehabt.

Anders erzählte nie von seinen Heldentaten, deshalb kostete es ihn auch nicht viel, von dieser zu schweigen. Er war damit zufrieden, Handelsmann und Frachtschiffer in Dinas Auftrag zu sein. Sie lag ja im Ausgedinge und konnte niemanden bewirten.

Kostbare Geschenke wurden vom Ufer heraufgebracht. Sie waren gut durch das Unwetter gekommen. Aus Bergen und Trondhjem. Pakete und Kisten.

Stines Nähmaschine wurde bewundert. Verschnörkeltes Gußeisen von der Firma Willcox & Gibbs, die Nähplatte aus feinstem Nußbaumholz. So etwas hatte Stine bisher nur in Zeitungsannoncen gesehen, zu einem Preis von vierzehn Speziestalern. Sie war fassungslos. Lief von einem Zimmer zum anderen und schlug die Hände zusammen. Das Gesicht glühte, und sie ging viermal zu Dina, um sich zu bedanken und zu sagen, daß es viel zuviel war.

Die Zimmer in Reinsnes waren ein fröhlich summendes Willkommen. Die Gläser funkelten und klirrten. Seidenpapier raschelte, Schlösser schnappten zu, und zarte Gewänder rauschten.

Brauner Zucker und Kaffee wurden gebührend probiert. Schultertücher und Umschlagtücher mit langen Fransen und roten Rosen wurden umgehängt, bewundert und gestreichelt. Ringe und Broschen wurden angesteckt, abgenommen, an anderer Stelle aufs neue angesteckt.

Der Häuslerjunge, der auf seiner ersten Fahrt gewesen war, machte einiges durch, weil er wahrhaftig einen Bart bekommen hatte, während er in Bergen war. Er errötete und wollte davonlaufen, aber die Mädchen hielten ihn zurück und drehten seine Taschen nach Bergener Kringeln um.

Hanna drückte eine Puppe mit einem traurigen weißen Gesicht an sich. Sie hatte ein rotes Samtkleid an, Cape und Häubchen. Kopf und Glieder waren aus Holz und beweglich. Es krachte ganz munter unter den Puppenkleidern, wenn Hanna sie bewegte.

Benjamin bekam eine Dampfmaschine, die auf einer Holzplatte befestigt war. Mit Anders' kundiger Hilfe spuckte sie Dampf und

Rauch ins Wohnzimmer. Aber Benjamin mochte keine Dampfmaschine, wenn sie nicht von Dina gefeuert wurde.

Die Büchse mit den Bergener Kringeln wurde herumgereicht, bis sie leer war. Draußen auf dem Hof packte man die neue Glocke aus der Kiste und den Holzspänen aus und hängte sie an die Schleifsteinachse, um den Klang auszuprobieren.

Benjamin schlug fest drauflos. Immer wieder. Die Leute standen im Kreis darum und lächelten. Mutter Karen war eine Klöppeldecke im Wohnzimmerfenster. Sie flatterte mit bei dem ganzen Treiben.

»Sie hat einen ziemlich harten Klang«, meinte Oline und war skeptisch wegen der Glocke.

Anders meinte, daß der Klang sich ändern werde, wenn sie auf ihren Platz auf dem Dach des Vorratshauses komme. Sie klinge besser, wenn sie an einem Holzbalken hänge, sagte er.

Er blickte zugleich verstohlen zu Dinas Kammer. Das Fenster stand auf, und der Luftzug bewegte sachte eine weiße Spitzengardine. Sie hatte sich an dem groben Holz der Außenwand festgehakt. Strebte wohl danach, freizukommen.

Ein sonderbarer Gedanke fuhr Anders durch den Kopf: Daß es schade um die Gardine wäre, wenn der Wind sie zerrisse...

Heute war Tomas unsichtbar. Er hatte sich wochenlang auf die Rückkehr vorbereitet. Deshalb schmerzte es nicht mehr. Es war eigentlich immer so für ihn gewesen, wenn das Schiff von einer langen Fahrt nach Hause kam.

Ein großer Hof mußte während der Heuernte Männer haben, wenn das Frachtschiff mit der Mannschaft davonfuhr. Nach Bergen und Trondhjem. Sie waren tolle Kerle, wenn sie nach Hause kamen.

Tomas machte sich tüchtig zu schaffen in den Ställen. Er sagte mit keinem Ton, wie es auf dem Hof stand, bevor er nicht gefragt wurde. Und das dauerte seine Zeit.

Er hatte sie gesehen, als sie zu sich hineinging. So völlig fremd. Ohne Gesicht und ohne Blick. Ein gekrümmtes Bündel von einem Menschen. Eiserne Klauen und scharfe Angelhaken krallten sich in ihm fest.

Während der Willkommensfeier suchte Tomas sich eine Beschäftigung in Stines Nähe. Um sie zu fragen, wie es stand. Was passiert war. Ob es stimmte, daß sie seekrank gewesen war und gekotzt hatte und der Magen beim Sturm im Foldmeer in Fetzen gerissen worden war.

Und Stine nickte. Es stimmte wohl. Aber das Schlimmste war jetzt vorüber. Sie würde für Dina ein paar Wurzeln kochen, die sie gerade gesammelt hatte. Es würde sicher wieder gut werden – allmählich.

Schwarze und feuchte Augen starrten durch ihn hindurch und sahen ihn nicht. Verbargen alles, was sie dachte, hinter sieben Siegeln und vielen Meeren.

Siehe, dem Gerechten wird vergolten auf Erden, wieviel mehr dem Gottlosen und Sünder.
(Die Sprüche Salomos, Kapitel 11, Vers 31)

In den nächsten Tagen gab es viel Arbeit. Die Waren mußten an Land gebracht und an die richtigen Empfänger verteilt oder weggepackt oder auf ihren Platz gestellt werden.

Anton blieb noch ein paar Tage, um zu helfen. Er sollte außerdem mithelfen, das Schiff an Land zu holen. Es wurde vor dem Lofot-Fischfang nicht mehr gebraucht. Und es war besser, es aufs Trockene zu setzen, wenn man reichlich Mannsleute zur Verfügung hatte. Das Schiff im Wasser liegen zu lassen, entsprach keinem guten Brauch. Es kamen schnell Würmer in ein wasserdurchtränktes Schiff. Zudem ging das Wetter nicht gnädig mit Schiffen um, die dem Spott der Leute ausgeliefert waren und um die sich niemand kümmerte.

Es dauerte in diesem Herbst zwei Tage, das Schiff an Land zu bringen. Sie hatten genügend Männer und Schnaps. Daß der Schiffer mehr Schnaps haben sollte als die anderen, gerade bei dieser wichtigen Arbeit, war bereits 1778 durch eine Erklärung des seligen Amtmanns Knagenhielm bestimmt worden. Doch Anders teilte brüderlich alle guten Gaben.

Sie bekamen keine Springflut zu Hilfe, aber es ging auch so. Mit vorsichtigem Manövrieren, mit Flüchen und frommen Sprüchen. Und mit solch praktischen Einrichtungen wie Flaschenzügen, Seilen und Ankerwinden. Zug um Zug.

Für die Bewirtung sorgte Oline. Sie ließ sie nicht verschmachten bei Schiffszwieback und inzwischen ziemlich drögen Bergener Kringeln. Sie setzte einen Topf mit Salzfleisch auf und heizte im Backhaus, um Brot zu backen. Und damit die Männer sich waschen konnten.

Daß Salzfleisch durstig macht, wußte sie. Aber das war nicht ihre Sache. Sie war großzügig mit Sirup und Kaffee.

Sie kamen gerudert, geritten oder gegangen. Alle, die Waren nach Bergen geschickt hatten oder die das Gefühl hatten, es könnte nützlich sein, ein Tagwerk auf Reinsnes zu leisten.

Es lohnte sich meist, wenn man kam, und es wirkte sich früher oder später nachteilig aus, wenn man ohne Grund fernblieb. So war das. Uralte, einfache Regel.

Jetzt konnte man richtig ausgelassen sein. Es gab auch ein Fest. In der Andreasbrygge war Tanz nach getaner Arbeit.

Und dann die reichlichen Mahlzeiten! Lachen. Leben.

Die Dienstmädchen auf Reinsnes waren etwas Besonderes. Es wurde besser auf sie aufgepaßt als anderswo. Aber sanft und freundlich wie Butter in der Sonne waren sie. Hieß es.

Anders lief hin und her und war Schiffsführer. Dina lag in dem neugekauften Witwenbett.

Es breitete sich eine seltsame Stimmung auf dem Hof aus, als klar wurde, daß sie nicht dabeisein würde. Nicht am Spill stehen, nicht kommandieren, wenn die Flaschenzüge in Aktion waren, oder die Stirn runzeln wie ein alter Schuhmacher, wenn etwas kaputtging.

Es war übrigens etwas Einmaliges, das man Leuten aus anderen Gegenden erzählen konnte. Daß die große Frau die Hände in die Seiten stemmte und dabei war. Das gab es sonst nicht auf den Höfen.

Dinas schwere Krankheit traf Mutter Karen hart. Sie ging mühsam über den Hof und saß bei ihr, las ihr vor oder machte jeden Tag ein paar Stunden Konversation.

Dina fand sich mit einer gewissen Heiterkeit in den Augen damit ab. Sie beklagte sich bei Mutter Karen oder Stine, daß sie keinen Wein vertrug. Es wurde ihr schlecht davon.

Stine meinte, es sei ein gutes Zeichen, wenn sie an so etwas dachte. Aber Mutter Karen sagte, es sei eine Gotteslästerung, darüber zu jammern, wenn man so krank gewesen war.

Oline fütterte sie mit Leber, Sahne und frisch gepflückten Blaubeeren. Das sollte das Fieber herunterdrücken und dem Körper mehr Blut geben.

Mutter Karen wollte den Doktor holen, aber Dina lachte. Sie sei ja über den Berg. Sie brauche nur noch ein wenig Zeit.

Stine half ihr, die Haare zweimal am Tag zu bürsten, wie sie auch Mutter Karen immer half. Sie verstand mehr von Dinas Krankheit, als sie zu erkennen gab. Es wäre einer Strafe gleichgekommen, die Worte zu deutlich auszusprechen. Der Raum und alle Dinge hatten Ohren.

Stine wußte, wem sie es zu verdanken hatte, daß sie auf Reinsnes war. Sie warf Dina kurze Blicke unter den dichten dunklen Augenwimpern zu. Blicke wie reife Multebeeren in den Hochmooren im September.

Wenn Dina sie bat, ihr alle Seifenstücke zu bringen, die sie von Jacobs Reisen in die Stadt aufgehoben hatte, dann holte Stine den Karton und nahm den Deckel ab.

Der Seifenduft schlüpfte heraus und verwandelte das ganze Dasein in eine Blumenwiese, und Stine glättete die Kissen und holte Heidelbeersaft in dem alten Kristallkrug.

Sie überredete Oline, das Tablett mit glasierten, wilden Himbeerzweigen zu schmücken. Und sie schickte Hanna in die Pferdekoppel nach Walderdbeeren. Sie wurden auf einen Halm gezogen und Dina auf einem Teller mit Goldrand gebracht, dazu eine weiße Serviette und ein Glas Madeira.

Dina hatte einmal unterwegs ein Mädchen getroffen und sie mit nach Hause genommen, weil sie eine großartige Singstimme hatte. Sie war geblieben, um Dina im Ausgedinge zur Hand zu gehen.

Jetzt wurde das Mädchen Olines Aufsicht anvertraut. Intuitiv verstand Stine, daß ein frisches, kräftiges Weibsbild, das mit all seinen Reizen durch die Räume strich, Dina zuviel wurde. Des Mädchens Gerüche und Bewegungen und die schwere Fraulichkeit ließen den Raum die Luft anhalten. Gerade davor mußte Dina bewahrt werden, so wie sie jetzt daniederlag. Stine lüftete den Duft des Mädchens gründlich aus.

Nun erfüllten nur noch Jacobs Seifenstücke und Stine mit sicheren Gerüchen den Raum. Stine roch nach Heidekraut und in der Luft getrockneten Laken, Schmierseife und allerlei getrockneten Kräutern. Gerüche, die man erst dann wahrnimmt, wenn sie nicht mehr da sind.

Nach ein paar Tagen schickte Dina nach Anders. Er kam auf Strümpfen in die Kammer und war vollständig fremd. Als ob er sie nie in einer anderen Verfassung gesehen hätte als jetzt in dem großen Bett mit dem Vorhang aus deutscher Spitze und einer ebensolchen Bettdecke. Als ob er sie nie von einem Blutklumpen befreit hätte, nie versucht hätte, sie nach einer Sündflut während der Heimfahrt über das Foldmeer sauber zu machen.

Er stand barhäuptig mit den Händen auf dem Rücken da und fühlte sich nicht ganz wohl in seiner Haut.

»Geht es aufwärts mit der Gesundheit?« fragte er.

»Es geht gut«, sagte sie und winkte ihn zum Bett. »Setz dich. Ich muß über das Geschäft mit dir reden.«

Die Schultern fielen leicht herunter, und er griff eifrig nach einem Stuhl und setzte sich, in gebührendem Abstand vom Bett. Dann seufzte er und lächelte breit.

»Ich habe seit der Bergen-Fahrt die Buchführung im Laden nicht mehr verfolgen können.«

Er nickte energisch und verstand.

»Kannst du mir helfen, das Ganze durchzusehen? Ich schaffe noch nicht soviel, weißt du.«

Er nickte wieder. Gleich dem armen Mann in Mutter Karens Wetterhäuschen, der heraussprang und mit dem ganzen Oberkörper nickte, wenn das Wetter schlecht wurde.

»Ich bin bald wieder auf den Beinen und kann selbst alles übernehmen. Aber die Bestellungen für den Winter müssen raus, und wir müssen die Mahnungen an alle verschicken, die keine neue Ausrüstung bekommen können, ehe sie nicht ihre Schulden bezahlt haben. Es betrifft nicht viele. Aber du weißt ja...«

Sie lehnte sich in das Kissen zurück und sah ihm forschend in die Augen.

»Du kannst den Häuslerleuten alles erlassen, oder sie sollen mit Pflichtarbeit bei den Weihnachtsvorbereitungen bezahlen...«

Der Mund wurde weich, und die Augen flackerten einen Augenblick. Sie streckte ihm die Hand hin.

Er blieb untätig sitzen, als ob der veränderten Situation nicht zu trauen wäre. Dann zog er den Stuhl näher zum Bett und ergriff ihre Hand.

»Anders?« flüsterte sie plötzlich.

»Ja?« flüsterte er zurück.

»Ich brauche dich, Anders!«

Er schluckte und sah zur Seite. War ein kleiner Junge mit eigensinnigem Kinn, vorstehendem Unterkiefer und ernsten blauen Augen. Die zum ersten Mal nach vorne zum Altar kamen und die vielen großen Wachskerzen brennen sahen.

»Ich bin da«, sagte er und drückte ihre Hand mit seinen beiden Händen.

»Du mußt Bescheid zum Lehnsmann schicken. Ich möchte mein Testament machen.«

»Aber Dina, woran denkst du denn? Du denkst doch wohl nicht daran zu... Du wirst doch wieder gesund, nicht wahr?«

»Der Tod hat in dieser Gegend nie nach Alter und Würde gefragt«, sagte sie.

»Sprich nicht so vermessen.«

»Sei ganz beruhigt. Ich möchte nur festlegen, was nach meinem Willen mit meinem Besitz geschehen soll.«

»Ja, ja...«

»Du sollst die ›Mor Karen‹ bekommen, Anders. Das Schiff gehört dir! Es überlebt uns beide, dich und mich.«

Er holte ein paarmal tief Luft.

»Willst du das wirklich?« brachte er nach einiger Zeit mühsam heraus.

»Es ist doch klar, daß ich das will, da ich es gesagt habe.«

Das Licht spiegelte sich in der Waschschüssel wider und ließ die gemalten Rosen am Rand im Dunst verschwimmen. Es kletterte in Anders' struppiges blondes Haar. Und offenbarte weiße Haare an den Schläfen.

Er war kein Schlechtwettermann mehr in Mutter Karens Wetterhäuschen. Er war der Cherub mit der Fackel auf Mutter Karens Lesezeichen.

»Du hast nichts gehört?« fragte sie nach einer langen Pause.

»Gehört? Was denn?«

»Hat sich jemand gewundert«, sagte sie hart, »sich darüber gewundert, was Dina fehlt?«

Seine Unterlippe kräuselte sich.

»Nein. Niemand! Ich habe gesagt, wie es war. Wie es sich verschlimmert hat. Und wie lange es gedauert hat.«

»Und wenn trotzdem jemand dahinterkommen sollte«, flüsterte sie und versuchte ihn mit ihrem Blick zu bannen.

»Dann wird Anders schwören«, sagte er bestimmt.

Sie richtete sich plötzlich mit großer Energie auf. Beugte sich vor und umfaßte seinen Kopf mit beiden Händen. Hielt ihn hart umklammert. Wie in einem Schraubstock, indes sie ihm in die Augen starrte.

Einen wilden Augenblick zitterte es zwischen ihnen. Zum zweiten Mal besiegelten sie einen Pakt. Verstanden sich.

Dann war es vorüber.

Er zog sich im Flur die Stiefel an und ging hinaus in die Dämmerung.

Die Unterlippe war heute weich. Er hatte den Bart abrasiert wie immer, wenn er von einer großen Fahrt zurückkam. Und er errötete leicht in dem Teil des Gesichts, der nicht von der Sonne braungebrannt war.

Seine Schultern waren ungewöhnlich gerade, als er über den Hof ging.

12. Kapitel

Die fleissige Hand wird herrschen; die aber lässig ist, muss Frondienst leisten.
(Die Sprüche Salomos, Kapitel 12, Vers 24)

Ende Oktober war nur noch wenig Birkenlaub auf den Bäumen. Der Schnee wurde über das Meer geweht, bevor er sich niederlassen konnte, und der Frost machte es sich in der großen Wanne vor dem Backhaus bequem. Die Öfen wurden vom frühen Morgen bis die Leute ins Bett gingen geheizt. Die Jagdsaison war zu Ende, und die Preiselbeeren erfroren am Strauch.

Aber Dina kam endlich auf die Beine.

Mutter Karen erhielt einen Brief von Johan. Einen Jammerbrief. Johan gefiel es nicht in Helgeland. Der Pfarrhof war in einem schlechten Zustand. Das Dach war nicht dicht, und es fehlte ihm am Notwendigsten. Dienstmädchen waren nicht aufzutreiben, wenn man sie nicht mit Gold bezahlte. Und die Pfarrkinder waren geizig und wenig hilfsbereit. Ob Mutter Karen eine größere oder kleinere Summe, zusätzlich zu der Leibrente, die er jährlich aus seinem mütterlichen Erbe bekam, erübrigen könne, damit er sich ein neues Meßgewand und neue Bettwäsche kaufen konnte.

Mutter Karen kam zu Dina und las ihr den Brief mit trauriger Stimme vor. Sie rang die Hände und setzte sich, das Umschlagtuch um die Schultern, an den weißen Kachelofen.

»Mutter Karen verliert Ihren Knoten«, sagte Dina ruhig und setzte sich auch.

Verwirrt versuchte Mutter Karen den Haarknoten in Ordnung zu bringen.

Das Feuer züngelte hinter den offenen Ofentüren. Auf der ewigen Jagd nach etwas, das es verzehren konnte.

»Er hat Pech mit dieser Pfarrstelle«, sagte Mutter Karen betrübt und sah Dina bittend an.

»Zweifellos«, sagte Dina. »Und jetzt will er ein wenig von Mutter Karens Leibrente haben«, fügte sie hinzu und schielte zu der alten Frau hinüber.

»Ich habe nicht viel zu geben«, sagte sie beschämt, »er hat das meiste während der Ausbildung bekommen. Es war so teuer in Kopenhagen. So enorm teuer...«

Sie wiegte den Oberkörper vor und zurück und seufzte.

»Wissen ist wohl leicht zu tragen, aber es ist ein teuer erkaufter Freund«, sagte sie noch.

»Vielleicht will Johan mehr von seinem Erbe haben«, sagte Dina gutmütig.

»Ja, das wäre das Beste«, sagte Mutter Karen, erleichtert, daß Dina so schnell zur Sache kam und es ihr ersparte, für Johan zu betteln.

»Ich werde mit dem Lehnsmann sprechen und ihn bitten, eine Summe festzulegen und die Übertragungsurkunde zusammen mit glaubwürdigen Zeugen aufzusetzen.«

»Ist es nötig, solche Umstände zu machen?«

»Ja. Wenn es um Erbangelegenheiten geht, kann nichts umständlich genug sein, Mutter Karen. Es gibt mehrere Erben auf Reinsnes.«

Mutter Karen sah sie schnell an und sagte unsicher: »Ich habe geglaubt, es wäre mit einer kleinen Handreichung möglich... ohne daß man es schriftlich machen müßte.«

Dina schlug mit dem Blick zu und drängte die alte Frau in die Ecke.

»Will Mutter Karen wirklich, daß Benjamin seinem erwachsenen, zum Pfarrer ausgebildeten Halbbruder von seinem Erbe abgibt?« sagte sie leise, aber sehr deutlich.

Mutter Karen duckte sich. Der weiße Haarknoten zeigte sanft nach oben. Silberweiße Löckchen zitterten neben den Ohren.

Sie fingerte an dem Kreuz, das sie immer um den Hals trug.

»Nein, nein, so war es nicht gemeint«, sagte sie und seufzte.

»Ich habe es auch nur als ein Mißverständnis aufgefaßt«, sagte Dina schnell. »Der Lehnsmann soll die Sache mit den Zeugen und den Unterschriften regeln, dann kann Johann einen Vorschuß auf sein Erbe bekommen, zusätzlich zu dem, was er schon bekommen hat.«

»Es wird nicht leicht für ihn sein, den väterlichen Grund und Boden und das Erbe auf diese Weise zu zerstückeln«, sagte die alte Frau traurig.

»Es ist noch nie leicht gewesen, über seine Verhältnisse zu leben. Jedenfalls nicht hinterher«, sagte Dina kurz.

»Aber liebe Dina, Johan hat doch nicht...«

»Doch, das hat er!« unterbrach Dina. »Er hatte seine feste Rendite, während er studierte, zusätzlich zu deiner Leibrente, die du ihm verehrt hast!«

Es wurde still. Die alte Frau saß da, als ob man sie geschlagen hätte. Sie hob die Hände gegen Dina. Wollte sich schützen. Dann ließ sie die Hände in den Schoß sinken. Sie zitterten, als sie sie krampfhaft faltete.

»Liebe, liebe Dina«, sagte sie heiser.

»Liebe, liebe Mutter Karen«, sagte Dina. »Johan muß sehen, daß er etwas leistet, bevor er stirbt. Das sage ich ganz offen, auch wenn ich ihn noch so sehr mag.«

»Aber er ist ja tätig als Pfarrer.«

»Und ich hatte die Verantwortung für Reinsnes, während er hier herumlief und nur auf sein Seelenheil und seinen Appetit bedacht war. Und keinen Finger rührte.«

»Du bist hart geworden, Dina. Ich kenne dich fast nicht mehr wieder.«

»Wieder von welcher Zeit?«

»Als du jung verheiratet warst und am liebsten den ganzen Vormittag geschlafen hast, ohne etwas zu leisten.«

»Das ist eine Ewigkeit her!«

Mutter Karen stand plötzlich auf und ging mit unsicheren Schritten zu Dina. Beugte sich über sie und strich der großen Frau über die Haare.

»Du mußt an so vieles denken, Dina. Du hast zuviel Verantwortung. Es ist wahr, so wahr. Ich kann das wohl am ehesten verstehen, ich, die ich dich damals gekannt habe... Du solltest wieder heiraten. Es ist nicht gut, so allein zu sein, wie du es bist. Du bist noch jung...«

Dina lachte hart, aber zog sich nicht zurück.

»Weißt du vielleicht einen passenden Mann für mich?« sagte sie und sah zur Seite.

»Der reisende Russe hätte gepaßt«, sagte die Alte.

Dina errötete heftig.

»Warum sagt Mutter Karen das?«

»Weil ich sehe, daß du auf den Fahnenhügel läufst und auf das Meer und die Schiffsroute schaust, als ob du auf jemanden wartest. Und weil ich gesehen habe, daß der Russe letztes Weihnachten Dinas Augen um die Wette mit einem brennenden Weihnachtsbaum zum Leuchten brachte. Weil ich gesehen habe, wie schroff du wurdest, wenn ich es freiheraus sagen darf, als der Russe sich im Frühjahr auf den Weg machte.«

Dina fing an zu zittern.

»Ja, ja... ja, ja«, murmelte Mutter Karen und strich ihr unablässig über die Haare. »Liebe ist der reine Wahnsinn. Das ist sie immer gewesen. Sie geht nicht vorüber. Sie geht nicht einmal vorüber, wenn sie im Alltag und im Unwetter auf die Probe gestellt wird. Sie tut weh. Zeitweise...«

Sie schien zu sich selbst zu sprechen oder zum Kachelofen. Ihr Blick wanderte langsam durch den Raum, während sie das Gewicht auf den einen Fuß legte, um den anderen zu entlasten.

Zuletzt sank sie auf die Armlehne nieder.

Dina schlang plötzlich die Arme um sie, zog sie auf ihren Schoß und wiegte sie.

Die Alte saß in dem großen Schoß wie ein kleines Mädchen.

Sie wiegten einander. Ihre Schatten tanzten über die Wand, und das Feuer erlosch allmählich.

Mutter Karen hatte das Gefühl, daß sie wieder jung war und auf ihrer ersten Fahrt nach Deutschland zusammen mit ihrem lieben Mann in einem Beiboot saß und zu der Galeasse gebracht wurde. Sie spürte den Geruch des Meeres und der Gischt, während sie in Kapuze und Reisekostüm durch den Trondhjemsfjord hinausfuhr.

»Er hatte einen so empfindsamen Mund, mein Mann«, sagte sie träumend und ließ sich wiegen.

Sie hatte die Augen geschlossen und baumelte ein wenig mit den Beinen.

»Und er hatte blonde Locken«, fügte sie hinzu und lächelte den Adern auf der Innenseite der Augenlider zu. Sie gaben den Träumen einen rötlichen Pulsschlag.

»Als ich zum ersten Mal mit nach Hamburg fuhr, war ich im zweiten Monat schwanger. Aber ich hatte niemandem etwas gesagt, aus Angst, daß ich nicht mitfahren dürfte. Man hielt die Symptome für Seekrankheit«, sagte sie, sprudelnd vor Erinnerungen und Lachen.

Dina lehnte sich an Mutter Karens Hals. Wippte sie noch höher und schaukelte sie im Takt in ihren starken Armen.

»Erzähl, Mutter Karen! Erzähl!« sagte sie.

Da jagte ein heftiger Wind um die Hausecken. Der Winter war bereits da. Die Schatten der beiden Gestalten auf dem breiten Holzstuhl waren allmählich auf der dunklen Wand zu einem verschmolzen. Jacob saß geduldig dabei und stiftete keinen Unfrieden.

Indessen war die Liebe auf den russischen Landstraßen, in den russischen Wäldern und Großstädten auf der ewigen Suche.

»Aber ich kann doch nicht um ihn freien, Mutter Karen!« sagte sie auf einmal verzweifelt mitten in die Geschichte hinein, wie Mutter Karen nach Hamburg gefahren und die Schwangerschaft an den Tag gekommen war und Jacobs Vater sie wie einen Heusack hoch in die Luft geschwenkt und wieder in Empfang genommen hatte, als ob sie ein zerbrechliches Glas wäre.

Mutter Karen war in ihren Erinnerungen und blinzelte mehrmals.

»Freien?«

»Ja, wenn Leo wiederkommt!«

»Natürlich kann Jacobs Witwe um den freien, mit dem sie zusammenleben möchte. Das wäre ja noch schöner! Natürlich kann sie freien!«

Jacob wurde unruhig von dem Ausbruch der Alten und zog sich in die Wand zurück.

»Und wenn er nein sagt?«

»Er sagt nicht nein!«

»Aber wenn er es doch tut?«

»Dann hat der Mann seine Gründe, die ich nicht sehen kann«, sagte sie.

Dina neigte den Kopf zu der Alten.

»Du meinst, ich soll ihn mir nehmen?«

»Ja, man kann die Liebe nicht aus dem Leben gehen lassen, ohne einen Finger zu rühren.«

»Aber ich habe ihn ja gesucht.«

»Wo? Ich habe geglaubt, du würdest auf ein Lebenszeichen warten. Daß du deshalb wie ein Tier im Käfig warst.«

»Ich habe in Bergen und in Trondhjem nach ihm geschaut«, sagte Dina mit kläglicher Stimme.

»Das wäre ein Glückstreffer gewesen, wenn du ihn gefunden hättest.«

»Ja…«

»Hast du eine Ahnung, wo er sein kann?«

»Vielleicht auf der Festung Vardø oder weiter östlich…«

»Was macht er da?«

»Das weiß ich nicht.«

Es wurde einen Augenblick still. Dann sagte Mutter Karen, sich ihrer Sache ganz sicher: »Der Russe mit der schönen Stimme und dem entstellten Gesicht kommt zurück! Ich möchte nur wissen, wo er die Narbe herhat?«

Johan erhielt einen größeren Betrag. Als Vorschuß auf das Erbe. In Anwesenheit von Zeugen schriftlich festgelegt.

Mutter Karen schrieb Briefe. In aller Heimlichkeit. Um womöglich Leo Zjukovskij zu finden. Aber er war nirgends aufzuspüren.

Diese Detektivarbeit für Dina und Reinsnes bewirkte, daß sie sich gesund und bedeutend fühlte. Sie nahm es sogar auf sich, Benjamin und Hanna im Lesen und Schreiben zu unterrichten, und sie überredete Dina dazu, mit den Kindern zu rechnen.

So ging der Winter dahin mit Schneeverwehungen und brennenden Kerzen, Weihnachtsvorbereitungen und Ausrüstung für die Lofot-Fahrer.

Dina ging eines Tages in den Stall. Sie paßte Tomas ab.

»Du kannst dir frei nehmen und in diesem Jahr mit Anders zu den Lofoten fahren«, sagte sie unverhofft.

Reif lag auf den Fenstern. Die Stalltür war an der Innenseite mit Reif geklöppelt. Eine steife Brise wehte um die Häuser.

Aber Tomas wollte nirgendwohin. Er bohrte ein braunes und ein blaues Auge in Dina und gab den Pferden zu fressen.

»Tomas!« sagte sie sanft, als ob sie Mutter Karen wäre. »Du kannst nicht nur auf Reinsnes herumlaufen und dich wegwerfen!«

»Findet Dina, daß ich mich wegwerfe?«

»Du gehst nirgends hin. Siehst nichts...«

»Ich wollte ja im Sommer nach Bergen. Es wurde nichts daraus...«

»Und deshalb willst du nicht zu den Lofoten?«

»Ich bin kein Lofot-Kerl.«

»Wer sagt das?«

»Ich!«

»Wie lange willst du noch böse sein, daß du nicht mit nach Bergen fahren konntest?«

»Ich bin nicht böse. Ich will nur nicht weggeschickt werden, wenn du meinst, daß ich dir lästig bin«, sagte er kaum vernehmlich.

Sie verließ den Stall mit gerunzelter Stirn.

Dina war sehr rastlos, nachdem Anders zu den Lofoten gefahren war. Unruhig ging sie im Ausgedinge auf und ab und hatte keinen, mit dem sie eine Karaffe Wein und eine Zigarrenlaune teilen konnte.

Sie fing an, in aller Frühe aufzustehen und zu arbeiten. Oder sie setzte sich mit Hjertruds Buch unter die Lampe. Sie las es schubweise. Wie man im Herbst die Schafe vom Gebirge heruntertreibt oder steile Hänge hinaufsteigt, nur um es hinter sich zu bringen.

Hjertrud kam selten. Und wenn sie kam, dann mit dem großen Schrei. Er fuhr quer durch das Zimmer. Die Gardinen standen in den Raum hinein, und die Scheiben zitterten. Da zog Dina sich an und ging zur Andreasbrygge, um zu trösten und getröstet zu werden.

Sie nahm die kleine perlmuttschimmernde Muschel mit. Ließ sie langsam durch die Finger gleiten, während die Lampe Hjertrud aus der Ostecke herauszog. Heringsnetze hingen dicht an dicht von der Decke herunter. Unbeweglich wie Trauergedanken. Die Wellen leckten kräftig und in gleichmäßigem Rhythmus an den Fußbodenbrettern.

Manchmal saß sie in der Glasveranda und trank Wein. Bis der Mond voll war und sie taumelte.

Als das Licht zurückkehrte, kam auch Johan. Er wollte lieber auf Reinsnes sein und Kinder unterrichten, als sich unter fremden Menschen zu Tode frieren, die ohne Bildung und Glauben waren, wie er sagte. Aber der Mund zitterte, und der Blick streifte Dina.

Mutter Karen war entsetzt, daß er seine Pfarrstelle so ohne weiteres verlassen hatte.

Johan meinte, daß er einen legitimen Grund habe. Er sei krank. Habe mehrere Monate gehustet und könne nicht in einem zugigen Pfarrhof wohnen. Es gebe dort nur einen brauchbaren Ofen, und der stehe in der Küche. Sollte er vielleicht in der Küche bei dem Dienstmädchen sitzen und die Predigt schreiben und die Dienstpost erledigen?

Und Mutter Karen verstand das. Sie schrieb einen Brief in dieser Angelegenheit an den Bischof, und Johan unterschrieb.

Benjamin zog sich von den Erwachsenen zurück. Er hatte sich eine mürrische Ausdrucksweise zugelegt. Und eine verdrossene Allwissenheit, die Johan maßlos störte. Aber er war lernfähig und aufgeweckt, wenn er wollte. Mit drei Menschen teilte er seine Freude. Stine, Oline und Hanna. Sie gehörten drei Generationen an, und Benjamin gebrauchte sie zu seinen verschiedenen, aber sich gut ergänzenden Zwecken.

Eines Tages kam Stine dazu, wie er Hannas untere Körperpartie mit kurzatmiger Intensität untersuchte, während Hanna ganz ruhig mit geschlossenen Augen auf dem gemeinsamen Bett lag.

Sie bestimmte augenblicklich, daß Benjamin in einer eigenen Kammer schlafen sollte. Er weinte bitterlich über die Trennung, mehr als über die Schande, die man ihm aufschwatzen wollte.

Stine erklärte nichts. Aber sie bestand auf ihrer Anordnung. Benjamin sollte allein schlafen.

Dina hörte anscheinend den Lärm nicht und ließ Stines Wort gelten.

Am gleichen Abend kam Dina spät aus dem Kontor. Im Mondschein sah sie den Jungen nackt hinter dem Fensterkreuz in der oberen Etage stehen.

Das Fenster war auf, und die Gardinen wehten wie Fahnen um ihn. Sie ging zu ihm hinauf, stellte sich hinter ihn und rief seinen Namen. Er wollte nicht ins Bett gebracht werden, nicht getröstet werden, nicht angesprochen werden. Und zur Abwechslung weinte er nicht vor Wut, wie sonst.

Er hatte die Sohlen von seinen besten Schuhen abgerissen und die Rosenblätter und Sterne in der gehäkelten Bettdecke auseinandergeschnitten.

»Warum bist du so zornig, Benjamin?«

»Ich will bei Hanna schlafen, das habe ich immer gemacht.«

»Aber du treibst es mit Hanna.«

»Was treib' ich?«

»Du ziehst sie aus.«

»Aber ich muß sie ausziehen, wenn sie ins Bett gehen soll, das habe ich immer gemacht. Sie ist doch so klein!«

»Aber dafür bist du jetzt zu groß.«

»Nein!«

»Benjamin, du bist zu groß geworden, um bei Hanna zu schlafen. Burschen schlafen nicht zusammen mit Weibsleuten.«

»Johan schläft bei Dina!«

Dina wich zurück.

»Was sagst du da?« fragte sie heiser.

»Ich weiß das doch. Er mag auch nicht allein sein.«

»Jetzt redest du Unsinn!« sagte sie streng. Und packte ihn an den äußersten und empfindlichsten Nackenhaaren, bis sie ihn vom Fenster heruntergezogen hatte.

»Nein! Ich hab' es selbst gesehen!«

»Schweig! Und mach, daß du ins Bett kommst, bevor ich dich schüttele!«

Als er diesen Ton hörte, blieb er erschrocken mitten im Raum stehen und starrte sie an. Blitzschnell hob er beide Hände über den Kopf, als ob er einen Schlag erwartete.

Sie ließ ihn los und ging rasch aus dem Zimmer.

Den ganzen Abend stand er unbeweglich hinter dem Fensterkreuz und schaute hinüber zum Ausgedinge.

Schließlich ging sie wieder hinauf. Holte den zitternden Körper vom Fenster herunter und brachte ihn ins Bett. Dann raffte sie ihre Röcke zusammen und legte sich neben ihn.

Das Bett war notfalls für zwei berechnet. Es mußte schrecklich groß aussehen für einen, der es gewohnt war, neben Hannas warmem Körper zu liegen.

Seit Jahren hatte Dina Benjamin nicht mehr einschlafen sehen. Sie strich ihm über die feuchte Stirn und schlich die Treppe hinunter, über den Hof und zu sich hinein.

Hjertrud brauchte sie nachts, deshalb ging sie unruhig im Zimmer auf und ab, bis der Morgen ein graues Segel am Fenster war.

13. Kapitel

TOBET, IHR VÖLKER! IHR MÜSST DOCH FLIEHEN! HÖRET'S ALLE,
DIE IHR IN FERNEN LANDEN SEID! RÜSTET EUCH, IHR MÜSST DOCH
FLIEHEN; RÜSTET EUCH, IHR MÜSST DOCH FLIEHEN!
(Der Prophet Jesaja, Kapitel 8, Vers 9)

Der Krimkrieg hatte zu einer Hochkonjunktur für die Schiffahrt,
den Handel und den Fischfang geführt. Aber er hatte auch den nor-
malen Handel mit den Russen zum Erliegen gebracht. Und es sah
so aus, als ob sich das in diesem Jahr wiederholen würde. Die russischen Schiffe kamen nicht heraus.

Im vergangenen Herbst hatten die Frachtschiffe aus Tromsø bis
nach Archangelsk fahren müssen, um Korn zu holen.

Anders sollte eigentlich auch mit einem Schiff in Richtung Osten
fahren, nachdem er und Dina aus Bergen zurückgekommen waren.
Aber er bereitete statt dessen den Lofot-Fischfang vor und tat im
übrigen das, »wofür er geschaffen war«, wie er sich ausdrückte.

Dina studierte während des ganzen Frühjahrs die Zeitungen, um zu
ergründen, ob der Krieg die Tromsø-Schiffer wieder zwingen würde, das Korn selbst in Rußland zu holen. Sie versuchte, Verbindung
zu den Schiffern in Tromsø zu bekommen, die gewillt waren,
Vorräte herbeizuschaffen. Aber es war, als ob man einen lebenden
Aal abziehen wollte.

»Ich sollte persönlich dort oben sein und verhandeln«, sagte
sie eines Tages zu Tomas, und sie besprach die Sache mit Mutter
Karen.

Auch wenn die vorige Kornernte in vielen Orten des Kirchspiels
den zwanzig- bis fünfundzwanzigfachen Ertrag gebracht hatte, was
eine Rekordernte war, so nützte es doch wenig.

Auf Reinsnes bauten sie kein Korn an. Sie hatten nur einen bescheidenen, kleinen Acker, weil Mutter Karen meinte, daß es dazugehörte. Tomas fand, daß trotz aller Mühe nicht viel dabei herauskam. Er schimpfte jedes Jahr im stillen über Mutter Karens
Kornacker.

Aber die gute Kornernte machte Mutter Karen Mut, die anderen davon zu überzeugen, daß der Kornacker eigentlich vergrößert werden müßte. Vor allem, weil die Blockade eine bedrohliche Tatsache war.

Eines Tages las sie Dina und Tomas triumphierend aus der Zeitung vor, daß der Stiftsamtmann Motzfeldt schrieb, der Krieg habe die Leute aufgeweckt und sie daran erinnert, wie unsicher es war, die Äcker nur auf dem Meer zu haben. Er ermahnte sie, etwas zu unternehmen, wenn sie ohne die russischen Mehlsäcke überleben wollten, und erinnerte sie an die Notwendigkeit, sparsam mit dem Brot umzugehen und in größerem Maße Korn aus der eigenen Erde zu holen und es im Schweiße des Angesichts zu verzehren.

»Das habe ich ja die ganze Zeit gesagt, daß wir einen größeren Kornacker brauchen«, sagte Mutter Karen.

»Es ist nicht sehr sinnvoll, auf Reinsnes Korn anzubauen«, meinte Tomas kleinlaut.

»Aber man soll soweit wie möglich Selbstversorger sein. Das sagt der Stiftsamtmann.«

Oline war hereingekommen. Sie blinzelte zu der Zeitung und sagte trocken: »Herr Motzfeldt schwitzt sicher nicht soviel fürs Essen wie wir auf Reinsnes!«

»Keiner von uns versteht sich auf den Kornanbau«, sagte Dina, »aber wir können uns Rat bei der landwirtschaftlichen Gesellschaft holen, falls Mutter Karen meint, wir müßten unbedingt größere Äcker haben. Mal sehen! Aber die Häusler müßten mehr Pflichtarbeit leisten. Findet Mutter Karen das zumutbar?«

»Wir können ja Leute einstellen«, antwortete Mutter Karen, die nicht soviel über die praktische Seite nachgedacht hatte.

»Wir müssen überlegen, ob es sich lohnt. Wir können nicht das Futter für ebenso viele Tiere, wie wir jetzt haben, ernten und gleichzeitig Korn anbauen. Wir wissen, daß nur jedes zweite Jahr ein gutes Kornjahr ist hier oben im Norden. Aber einen etwas größeren Acker könnten wir schon gebrauchen. Wir könnten beim Südacker mehr Land urbar machen, obwohl es dann ziemlich frei dem Meereswind ausgesetzt ist.«

»Es ist viel Arbeit, die Erde in dem Birkengestrüpp fruchtbar zu machen«, sagte Tomas entmutigt.

»Reinsnes ist ein Handelshaus. Alle Zahlen belegen, daß das Geld dort verdient wird«, sagte Dina. »Mutter Karen meint es sicher gut, aber sie ist kein Kornbauer, auch wenn sie den Stiftsamtmann kennt und ihn schätzt.«

»Der Stiftsamtmann hat keine Ahnung, daß die ersten Nachtfröste oft schon sehr früh kommen!« sagte Oline.

Mutter Karen blieb die Antwort schuldig, ohne böse zu werden.

Als Anders mit Mannschaft und Fang, sowohl im Fembøring als auch im Frachtschiff, von den Lofoten kam, hatte Dina beschlossen, in geschäftlichen Angelegenheiten nach Tromsø zu fahren.

Es sehe so aus, als ob dieser Krieg noch lange dauern würde, deshalb müsse man sich darauf gefaßt machen, das Mehl in Archangelsk zu holen, verkündete sie.

Es sollte nicht so werden wie im Jahr zuvor, als sie ein sündhaftes Geld für das Russenmehl, das die Tromsø-Kaufleute geholt hatten, bezahlen mußten. In diesem Jahr wollte sie den Bären aufsuchen, ihn aus der Höhle locken und sehen, ob sie ihren Anteil von der Haut bekommen konnte.

Sie wollte es vermeiden, noch einen Winter vier bis sechs Speziestaler für Roggen und drei bis sechs Speziestaler für Gerste zu bezahlen. Anders pflichtete ihr bei.

Dann gingen sie die Geschäfte mit Bergen durch und berechneten den Verdienst aus dem Lofot-Fang. Zuletzt machten sie einen Überschlag, wieviel Mehl in Archangelsk zu kaufen akzeptabel war. Platz zum Lagern hatten sie genug.

Dina hatte vor, mehr zu kaufen, als sie für die Ausrüstung und den Verkauf im Laden benötigten. Sie wollte eine Reserve haben, wenn gegen Ende des Frühlings magere Zeiten kamen. Es war nicht sicher, daß die Leute in Strandstedet und am Tjeldsund genügend Mehl hatten.

Anders meinte, wenn sie Kapital zur Verfügung stellte, falls die Tromsø-Kaufleute es zur Ausrüstung brauchten, dann würden die Verhandlungen um den Mehlpreis glatter verlaufen.

Es gab viele, die Korn in Archangelsk holten und gute Geschäfte dabei machten. Es war von Vorteil, bei den alten Handelsverbindungen anzufangen. Man mußte nur ins Gespräch kommen.

Anders war sicher, daß Dina es besser schaffte als er. Sie mußte nur auf ihre scharfe Zunge achtgeben. Die Tromsø-Kaufleute verstanden ihre Sprache schneller als die Leute in Bergen. Daran sollte sie denken.

Die Mission kam wie bestellt. Daß sie noch nach Vardø wollte, darüber sprach sie nicht. Nur Mutter Karen wußte es. Wie sie allerdings von Hammerfest nach Vardø kommen sollte, davon hatte sie keine Ahnung. Aber es ging immer irgendein Schiff in Richtung Osten.

Daß Dina Anders von der Fracht nach Bergen Prozente gab und ihn obendrein seinen eigenen Handel mit dem Langholz treiben ließ, das er von Namsos als Floß mitnahm, war Gegenstand für viele Spekulationen und viel Mißgunst.

War etwas zwischen den beiden, das niemand wußte? Das kein Tageslicht duldete?

Die Gerüchte griffen um sich. Besonders nachdem Anders von einem Holzhändler in Namsos betrogen worden war und Dina seine Schulden bezahlte. Er hatte das Holz, das er im vergangenen Frühjahr nach Hause geflößt hatte, bezahlt, ohne zu wissen, daß der Holzhändler in Konkurs gegangen war und Holz verkaufte, das ihm nicht mehr gehörte. Anders bekam eine Forderung von dem neuen Besitzer des Holzes. Da er keine Zeugen für die Begleichung der Rechnung hatte, blieb ihm nichts anderes übrig, als noch einmal zu zahlen.

Die Geschichte war wie ein warmer Kuhfladen im Frühling. Die Fliegen schwirrten drum herum. Die Leute legten alles hinein, was sie an Phantasie besaßen.

Es mußte etwas Besonderes vorliegen, wenn Dina Grønelv, die bei ihren Geschäften so sparsam war, den Verlust mit ihrem Schiffer teilte. Und nicht genug damit, sie setzte auch ein Testament auf und vermachte ihm das beste Frachtschiff.

Unfeine Gerüchte kamen Mutter Karen zu Ohren. Sie schickte nach Dina und fragte, ob an den Gerüchten etwas dran sei.

»Und wenn es so ist? Daß etwas Besonderes vorliegt. Wer hat genügend Macht und Verstand, um sich einzumischen?«

Aber Mutter Karen war nicht zufrieden.

»Hat Dina die Absicht, Anders zu heiraten?«

Dina ging sichtlich hoch.

»Will Mutter Karen, daß ich zwei Männer heirate? Du hast mir deinen Segen gegeben, zu reisen und Leo zu suchen.«

»Du mußt verstehen, daß das Gerede nicht schön ist, deshalb frage ich.«

»Man muß den Leuten gestatten zu reden, wenn sie nichts anderes zu tun haben.«

Aber der Gedanke war ausgesprochen worden. Der Gedanke an Anders als Hausherrn auf Reinsnes.

Dina ging unter den Balken, an dem Niels gebaumelt hatte, und beschwor ihn herauf.

Er war unterwürfig und voller Erklärungen. Aber sie akzeptierte sie nicht. Hängte ihn bloß auf seinen Platz in dem Strick und schubste ihn, daß er hin- und herschwang wie ein Pendel ohne Uhr.

Sie erinnerte ihn daran, daß er sich nicht sicher fühlen konnte, auch wenn er auf Reinsnes nicht mehr in Kost war. Denn sie hatte seinen Nachruf in ihrer hohlen Hand. Sie machte ihm klar, bevor sie ins Bett ging, daß sie ihn beim Wort nehmen würde, wenn er nicht alle Gerüchte zum Schweigen brächte. Sie würde Anders heiraten. In aller Öffentlichkeit und mit einem großen Fest.

Und Niels wurde schlapp und abwesend und verschwand mit allem Drum und Dran.

Auch wenn Anders die Gerüchte zu Ohren gekommen waren, so beschäftigte er sich doch mit seinen Dingen und war anzusehen wie ein strahlender Tag.

Er gab ihr Ratschläge, wen sie aufsuchen sollte, um Mehl zu kaufen, und gab ihr die Namen derer, mit denen sie unter keinen Umständen Geschäfte machen sollte. Beugte sich mit ihr zusammen über Waren- und Preislisten. Streifte ihre Hand, ließ sich aber nichts anmerken.

Sie besprachen, wie hoch die Preise für das Russenmehl sein durften, ohne daß sie im Laden einen Wucherpreis nehmen mußten, um keinen Verlust zu haben. Oder welche Menge sich lohnte auf Lager zu nehmen, bis sich die schwierige Situation im Frühjahr einstellte.

Hände fuhren durch dichtes dunkelblondes Haar, und er nickte ab und zu energisch, um das zu bekräftigen, was er sagte. Die Augen glänzten und waren weit aufgerissen. Er sah aus, als ob er gerade zum Abendmahl gegangen wäre und volle Vergebung bekommen hätte.

Als sie fertig waren und Dina für jeden einen Schluck Rum holte, fragte sie ganz offen, ob er von den Gerüchten, die umliefen, gehört habe.

Er lächelte breit.

»Es ist mir zu Ohren gekommen, daß die Leute von Strandstedet den Junggesellen auf Reinsnes verheiraten möchten. Aber das ist nichts Neues.«

»Und was sagst du dazu?«

»Ich passe auf, daß ich nicht in die Lage komme, etwas sagen zu müssen.«

»Du hast es einstweilen nur zum Trocknen aufgehängt?« warf sie ein.

Er sah sie erstaunt an. Dann schloß er das Geschäftsbuch, ohne sich zu äußern.

»Findest du derlei Gerüchte komisch?« fragte sie nach einer Weile.

»Nein«, sagte er endlich. »Aber auch nicht gerade traurig.«

Er sah sie scherzend an. Da gab sie nach. Sie lachten. Stießen mit dem Rum an und lachten. Aber es wurde schwierig, das Gespräch ungeschehen zu machen.

»Prinds Gustav sieht wie eine Frau aus«, erklärte Benjamin verbissen und faßte mit den Händen um die Hosenträger, wie er es bei Anders gesehen hatte.

»Das ist doch nur eine Gallionsfigur und nicht der richtige Gustav«, erklärte Hanna und reckte neugierig wie ein großes Wiesel den Hals, um ja nichts zu verpassen von dem, was geschah.

Sie wollte den Arm um Benjamin legen, aber er riß sich los und lief zu Dina, die in Reisekleidern an der Anlegestelle für die Boote stand.

»Prinds Gustav ist eine Frau! Willst du mit einer Frau fahren?«
rief er Dina wütend zu und trat gegen einen Stein, der knapp an
Stines Kopf vorbeisauste.

Dina sagte nichts.

Er beruhigte sich nicht, obwohl viele Leute da waren, die sie abreisen sehen wollten.

»Wirst du diesmal auch wieder wie eine Krähe nach Hause
kommen?« fragte er bissig.

»Sei jetzt still!« sagte sie leise und gefährlich freundlich.

»Das letzte Mal hast du ein paar Wochen im Bett gelegen, als du
heimgekommen bist.«

Er weinte jetzt ganz offensichtlich.

»Diesmal nicht.«

»Woher weißt du das?«

»Daher!«

Er stürzte sich auf sie und weinte hemmungslos.

»Benjamin macht viel Wirbel!« stellte sie fest und packte ihn
am Nacken.

»Warum fährst du dahin?« tobte er. »Mutter Karen sagt, da ist
das ganze Jahr Winter. Und nur Möwendreck und Spektakel«, sagte er triumphierend.

»Weil ich will! Und muß!«

»Ich will nicht!«

»Ich höre es.«

Er riß und zerrte an ihr, weinte und machte einen großen Aufstand, bis sie ins Boot ging und Tomas mit den Rudern an den Felsen abstieß.

»Der Bursche scheut sich nicht, seine Gefühle zu zeigen«, sagte
sie zu Tomas.

»Er will seine Mutter zu Hause haben«, sagte Tomas und sah fort.

»Das stimmt schon.«

Dina hielt den Hut fest, während Tomas gegen den Wind ruderte und sich mit langen, starken Ruderschlägen dem Dampfschiff
näherte.

»Du gibst auf alles acht?« fragte sie freundlich. Als ob er ein ent-
fernter Bekannter wäre, den um einen Dienst zu bitten sie sich
genötigt sah.

»Es wird schon gutgehen. Aber es ist hart, wenn Anders auf Bergen-Fahrt ist und du auch weg bist. Wir müssen viele Leute einstellen... bei der Heuernte und...«

»Du hast es ja vorher auch geschafft«, bemerkte sie.

»Ja«, sagte er kurz.

»Ich verlasse mich auf dich. Paß gut auf das Pferd auf!« fügte sie plötzlich hinzu. »Reite es gelegentlich.«

»Der Bursche läßt sich ja nur von Dina reiten.«

Sie antwortete nicht.

»Ist das nicht Mutter Karen, die da oben am Saalfenster sitzt?« fragte sie und winkte hinauf.

Das lärmende, rauchspuckende Schiff hatte den Namen »Prinds Gustav« nach Kronprinz Oscars jüngstem Sohn bekommen. Deshalb schmückte die pausbäckige Gallionsfigur den Vordersteven. Nicht besonders prächtig, aber gut sichtbar. Der Name des Prinzen war auf die Schaufelräder gemalt. Mit schwungvollen Buchstaben und einer Krone darüber.

Die Räder wurden in Gang gesetzt. An Land flogen wie auf Kommando Mützen und Taschentücher in die Höhe. Überall schwirrten Stimmen. Dina hob eine Hand in weißem Handschuh.

Der große Traubenkirschbaum schwankte, obwohl kaum ein Lüftchen sich bewegte.

Benjamin saß dort und heulte. Heulte und schüttelte den Baum. Mißhandelte und zerrte an ihm. Trat Äste ab und riß Zweige ab. Damit sie es sehen und sich ärgern sollte.

Dina lächelte. Ein sanfter Südwind liebkoste das leicht gekräuselte Meer. Der Dampfer war auf dem Weg nach Norden. Mutter Karen hatte ihren Segen gegeben. Würde es helfen?

Sie begrüßte den Kapitän, kurz bevor sie nach Havnviken kamen. Sie hatte erwartet, den Mann mit dem enormen graumelierten Backenbart anzutreffen, den man Kapitän Lous nannte.

Statt dessen traf sie einen hochgewachsenen Mann, der sie in Bewegungen und Aussehen an ein Arbeitspferd erinnerte. Die Nase ragte kühn aus dem großen, langgestreckten Gesicht. Die Lippen erinnerten an ein Maul. Üppig und immer in Bewegung, mit einer dunklen Schlucht dazwischen wie bei einer alten Frauenbrust. Zwei runde, gutmütige Augen waren hinter buschigen Brauen versteckt.

Er trat sehr höflich auf und bedauerte, als sie nach dem alten Kapitän fragte. Schlug die Hacken zusammen und gab ihr eine Hand, die in keiner Weise zu dem übrigen Mann paßte. Schmal und schön geformt.

»David Christian Lysholm«, sagte er und verschlang ihre Gestalt mit einem blauen Blick.

Er zeigte ihr das Schiff mit einer Miene, als ob es ihm gehörte. Und er lobte diesen Landesteil, als ob er ihr Eigentum wäre, in dem er zu Besuch weilte.

Die Zeiten seien noch die guten alten hier oben. Die Privilegierten könnten hier im Norden standesgemäß reisen. Das könne man auf den elenden Straßen im Süden wahrhaftig nicht, meinte er.

Er strich über die blankgeputzten Messinggeländer und nickte zu seiner eigenen Rede. Fragte, ob es erlaubt sei, in Gegenwart einer Dame eine Pfeife zu rauchen.

Dina antwortete, daß er das gewiß könne. Sie selbst wolle auch eine rauchen. Er schaute drein wie ein Neumond und stockte. Da ließ Dina es sein, ihre Pfeife zu holen, die in der Kajüte lag. Es hatte keinen Wert, zuviel Wesens von sich zu machen.

Sie standen immer noch innerhalb des Messinggeländers, das die Grenze zwischen der ersten Klasse und »den anderen Reisenden« bildete.

Man bekomme den Platz nach seinem Stand und nicht nach dem Geldbeutel, sagte er. Und führte sie mit der größten Selbstverständlichkeit am Arm.

In Havnviken wurden sie von mehreren kleinen Booten voll junger Menschen empfangen.

Der Kapitän stand kerzengerade und begrüßte den einzigen Passagier, der mitfahren wollte. Der Vogt. Er kam mit Schweinsledermappe und großer Würde an Bord.

Die Männer begrüßten sich wie alte Bekannte, und Dina wurde vorgestellt.

Der Postmeister stand auf dem Fallreep und verhandelte mit dem Kaufmann des Ortes über zwei Briefe, die nicht vorschriftsmäßig frankiert waren. Er bestand auf vier Schilling Porto.

Es läutete zum dritten Mal, und die Schaufeln fingen an zu arbeiten. Das Schiff glitt durch das salzige Meer. Die Menschen an Land waren Ameisen und Kroppzeug. Die Berge flogen vorbei.

Die Reisenden glotzten sich verstohlen an, wenn sie glaubten, daß es niemand sah. Einige mit verschlossener Miene, die anderen neugierig oder suchend. Alle hatten irgendeinen Grund, den Ort zu wechseln.

»Was führt den Vogt nach Norden?« wollte der Kapitän wissen.

Es hatte sich herausgestellt, daß die Russen die Grenze zwischen dem russischen Lappland und Norwegen an zwei, drei Stellen überschritten hatten. Es waren Klagen von den Pächtern da oben gekommen, daß die Fremden sich ein Recht auf norwegisches Territorium anmaßten. Ja, daß sie behaupteten, das Gebiet wäre russisch. Jetzt waren sie bis Tana vorgedrungen. Und lokale Befehle, daß sie verschwinden sollten, hatten bisher keinen Erfolg gehabt. Deshalb war der Vogt auf dem Weg nach Norden.

»Sind sie gewalttätig oder friedlich?« wollte Dina wissen.

»Sie sitzen jedenfalls fest wie die Kletten, was sie ja auch sind!« sagte der Vogt.

Der Postmeister war dazugekommen, saugte nachdenklich an seinem Bart und schob die Mütze hoch. Er hatte mit eigenen Ohren gehört, daß die Russen sich aufführten, als ob das Land da oben dem Zaren gehörte, und daß es viele Leute gab, die es gerne sähen, wenn es so wäre. Denn die Verantwortlichen in Christiania machten keine gute Figur bei der Sache. Die gerissenen russischen Diplomaten regelten alles. Und die Regierung rührte keinen Finger. Sie wußte auch nichts. Keiner war jemals dort oben gewesen und hatte es sich angesehen.

Der Postmeister machte drei Verbeugungen vor dem Vogt, während er redete. Als ob er nicht genau wüßte, auf welcher Seite der Vogt stand, auf der Seite der Regierung oder der Seite der Finnmarkbewohner. Es war immer gut, höflich zu sein, auch wenn man seine Meinung sagte.

Der Kapitän war verlegen. Nicht so der Vogt. Er sah den Postmeister gutmütig an und sagte: »Es ist langgestreckt, dieses Land. Es ist schwierig, alles vollständig zu überwachen. Die Leute in Hålagoland*, besonders in der Finnmark, sind angewiesen auf ein gutes Verhältnis zu Rußland. Korn und Taue sind wichtige Waren von dort. Aber natürlich: Alles hat seine Grenzen. Man kann eine Invasion nicht dulden.«

Der Vogt wandte sich an Dina und fragte, wie es in ihrer Gegend aussehe. Und wie es ihrem Vater, dem Lehnsmann, gesundheitlich gehe.

Dina antwortete kurz.

»Der Lehnsmann ist noch keinen Tag krank gewesen, außer daß sein Herz gelegentlich mal aus dem Rhythmus kommt. Das Frühjahr war ein Alptraum mit Unwettern und Naßschnee. Aber das ist jetzt vorüber.«

Der Vogt schien sich zu amüsieren. Die nach oben gezogenen Falten standen ihm gut, und er bat sie, zu grüßen, falls sie den Lehnsmann vor ihm sah.

»Was ist mit den Piraten, die vor einiger Zeit im Raftsund ihr Unwesen getrieben haben?« fragte Dina.

»Die Sache soll im Herbst vors Thing kommen. Aber sie sind bereits in Trondhjem hinter Gittern.«

»Stimmt es, daß auch zwei Frauen dabei waren?« wollte sie wissen.

»Ja, zwei Frauen waren dabei. Sicher Zigeunerinnen.«

»Wie bringt ihr so gefährliche Gefangene nach Trondhjem?«

»Für einen solchen Transport braucht man kräftige Kerle und Handschellen«, sagte er und sah sie erstaunt an.

Mehr sagte sie nicht, und die Männer begannen, wie üblich, über das Wetter zu reden.

Abgesehen von zwei Serviermädchen und zwei jungen Schwestern, die in der dritten Klasse reisten, war Dina die einzige Frau an Bord.

Sie zog sich in die Damenkajüte der ersten Klasse zurück, die sie zum Glück noch für sich allein hatte. Sie öffnete ihre Reisetasche

---

* Nordland und Troms, die Nordländer, wurden früher zusammen mit der Finnmark »Hålagoland« genannt. (Anm. d. Übs.)

und wählte sorgfältig die Kleidung und den Schmuck aus. Sie steckte sogar die Haare auf und schnürte sich. Aber den Hut ließ sie weg. Sie drehte sich nach allen Seiten und war zufrieden.

Eine Fahrgelegenheit nach Osten würde sie wohl mit dem Vogt bekommen. Sie würde diesen Abend wie eine Schachpartie angehen.

Es waren zwei Lotsen an Bord. Aber nur der eine war nüchtern. Das genüge auch, meinte der Kapitän gutmütig. Der andere liege zur Ausnüchterung unter Deck. Mit einem Lotsen auf der Brücke und einem Lotsen unter Deck sei die Fahrt sicher.

Die Unterhaltungen waren verwirrend. Es wurde Deutsch, Englisch und Dänisch zusätzlich zum Norwegischen gesprochen.

In der dritten Klasse hatten die Passagiere sich um den schwarzen Schornstein versammelt. Dort saßen sie auf Kisten und Kasten. Einige nickten bei dem schönen Wetter ein. Andere hatten ihre Proviantschachteln zwischen sich stehen und aßen bedächtig von den mitgenommenen Vorräten.

Der Rauch aus dem Schornstein sank sachte herunter, aber die Leute nahmen kaum Notiz davon. Das eine Mädchen **strickte** sittsam an einem braunen Kleidungsstück. Es hatte verstrubbelte rote Haare, die unter dem Kopftuch hervorschauten.

Die Schwestern bewachten eine Kiste mit Topfpflanzen, die mit viel Gekreisch und Aufregung an Bord gehievt worden war. Buschnelken und Geranien. Die Blumen hingen über den Kistenrand und sahen erstaunlich kräftig aus. Giftgrün mit roten Blütenklecksen. Sie machten die dritte Klasse zu einer versteckten Fensterbank.

Dina stand auf der Brücke und sah eine Weile zu. Dann ging sie in den Speisesaal an den gedeckten Tisch. Es gab Fisch zum Abendessen. Kleine Gerichte aus Lachs und Hering. Außerdem Schinken, Käse, Brot und Butter. Kaffee, Tee und Bier.

Eine große Flasche Kornschnaps stand mitten auf dem Tisch. So etwas tranken sie in Reinsnes nicht. Dina hatte in Bergen einmal Kornschnaps vorgesetzt bekommen. Für ihren Geschmack war er zu süß.

Die Bedienung lief hin und her, füllte die Schüsseln auf und tauschte leere Flaschen gegen volle.

Dina zögerte an der Tür. Gerade lange genug. Der Kapitän stand auf und bat sie zu Tisch.

Sie ließ sich führen. Einen halben Kopf größer als die meisten anwesenden Männer. Sie erhoben sich, nahmen stramme Haltung an und blieben stehen, bis sie sich gesetzt hatte.

Sie ließ sich Zeit. Jacob war da und flüsterte ihr ins Ohr, wie sie auftreten sollte. Sie gab ihnen der Reihe nach die Hand und sah ihnen in die Augen.

Ein Däne mit vielen Falten im Gesicht stellte sich mit dem Grafentitel vor und wollte ihre Hand nicht loslassen. Er hatte bereits reichlich den Flaschen auf dem Tisch zugesprochen.

Sein Pelz lag wahrhaftig auf dem Stuhl daneben, und er hatte einen Diener bei sich.

Dina bemerkte, daß es für eine so umfangreiche Ausrüstung um diese Jahreszeit eigentlich zu warm war.

Aber der Däne meinte, daß man bei Schiffsreisen in den hohen Norden mit jedem Wetter rechnen mußte. In imponierend kurzer Zeit erzählte er, daß er Dr. phil. war und Mitglied der Kopenhagener Literarischen Gesellschaft. Er meinte, daß die Leute in den Nordländern freundlich waren und nicht so vulgär, wie er befürchtet hatte. Aber es gab nur wenige, mit denen man Englisch sprechen konnte.

Er gestikulierte eifrig, so daß man alle Ringe zu sehen bekam.

Dinas Stirn war ein frisch gepflügter Kartoffelacker, ohne daß der Mann, der ihre Hand krampfhaft festhielt, sich beeindrucken ließ.

Endlich kam sie frei, weil ein älterer Mann mit einer Gesichtsfarbe wie ein Junge, der den ganzen Tag draußen in der Kälte gespielt hatte, ihr die Hand reichte und sich verbeugte.

Er war klein und gedrungen und sprach Deutsch. Er stellte sich als Kammerherr und Künstler vor und deutete auf den Skizzenblock, der auf dem Stuhl neben ihm lag. Für den Rest des Abends war ein Auge ständig auf Dina gerichtet, egal mit wem er redete. Somit wurde er zum schielenden Kaufmann von Hamburg. Es stellte sich heraus, daß er allerlei über dieses und jenes wußte.

Ein englischer Lachsangler saß auch am Tisch. Eigentlich war er Grundstücks- und Häusermakler. Aber er erzählte, daß er viel reiste.

Dina sagte, daß es in England wohl üblich sei, viel zu reisen. Denn auf dem Schiffsweg entlang der Küste stoße man häufig auf Engländer.

Der Kapitän machte den Dolmetscher. Der Makler lachte gedämpft und nickte. Er hatte mit einem schiefen Lächeln dagesessen, während die anderen Herren nach allen Regeln der Kunst Dina den Hof machten.

Dann konnte die Mahlzeit beginnen.

Ich bin Dina. Ich spüre die Falten in den Kleidern. Alle Säume. Alle Hohlräume im Körper. Spüre die Stärke im Skelett und die Spannkraft in der Haut. Ich spüre die Länge jedes einzelnen Kopfhaares. Es ist lange her, daß ich von Reinsnes fortschwimmen konnte! Ich ziehe das Meer an mich heran. Ich trage Hjertrud durch den Wind und Rauch mit mir herum!

Alle Männer wandten sich während des größten Teils der Mahlzeit an sie. Das Gespräch war vielfarbig. Aber alle waren sehr bemüht, ihm zu folgen.

Der Däne mit dem Adelstitel fiel bald aus, einfach weil er einschlief. Der Vogt fragte, ob er den Mann von der Tafel entfernen lassen sollte.

»Männer, die schlafen, richten selten Unheil an«, meinte Dina.

Die Herren waren sichtlich erleichtert, daß die Dame so freie Ansichten über derlei Vorfälle hatte. Das Gespräch ging ungezwungen weiter.

Der Kapitän fing an, von Tromsø zu erzählen. Eine lebendige Stadt – und etwas für jedermanns Geschmack. Das Beste von der ganzen Schiffsroute, meinte er. »Herr Holst, der britische Vizekonsul, ist wirklich einen Besuch wert! Dieser Holst ist nicht unvermögend«, fügte er vertraulich hinzu. »Er besitzt das Tal auf der anderen Seite des Sundes...«

Alle hörten aufmerksam zu, denn es war wichtig zu wissen, bei wem sich ein Besuch lohnen konnte, wenn man nach Tromsø kam.

»Einige Kaufleute halten sich englische Zeitungen«, fuhr er zu dem englischen Makler gewandt fort. »Und Ludwigsens Hotel ist recht komfortabel. Es gibt dort auch ein Billardzimmer!« sagte er und nickte den anderen zu, die nicht damit rechnen konnten, in das Haus des britischen Vizekonsuls zu kommen.

»Ludwigsen ist Kapitän und spricht Englisch«, erzählte er weiter und bevorzugte wieder den Engländer.

Die anderen nahmen es höflich hin, aber begannen leise miteinander zu reden.

Der Däne wurde mit einem kleinen Knuff in den Arm geweckt. Er sah sich beschämt um und entschuldigte sich damit, daß er morgens so zeitig an Deck gewesen war. Weil die Mitternachtssonne ihn geweckt hatte.

Dina meinte, daß es vielleicht eine frühe Morgensonne gewesen war. Aber der Däne behauptete allen Ernstes, daß es die Mitternachtssonne war. Es war erst vier Uhr morgens und die Welt war ganz unwahrscheinlich gewesen mit dem glänzenden, ruhigen Meer und den Inseln, die sich im Wasser spiegelten. Prost!

Alle hoben das Glas und nickten.

Ich bin Dina. Heute nacht habe ich sie im Bett. Alle zusammen. Leo ist am nächsten. Aber Tomas schleicht sich unter meinen Arm und will die anderen wegstoßen. Ich liege mit gespreizten Schenkeln und vom Körper weggestreckten Armen. Ich berühre sie nicht. Sie sind aus Spinngewebe und Asche gemacht.

Jacob ist so feucht, daß ich anfange zu frieren. Anders liegt in einem Durcheinander und wärmt sich in meinen Haaren. Er liegt ganz ruhig. Trotzdem spüre ich den Druck seiner harten Hüften an meinem Ohr.

Johan hat mir den Rücken zugewandt, aber er rutscht ständig näher. Zuletzt haben wir eine gemeinsame Haut und gemeinsame Arme. Er versteckt seinen Kopf bei Leo und will mich nicht ansehen.

Während die anderen bei mir liegen, ist Anders ein Vogel, der ein Nest in meinen Haaren hat. Sein Atem ist ein schwaches Säuseln.

Leo ist so unruhig. Er will wieder fliehen. Ich greife nach ihm. Ein guter Griff in die Haare auf seiner Brust.

Da wälzt er die anderen weg und legt sich auf mich wie ein Deckel. Der Rhythmus seines Körpers kreist in meinen Adern. Überträgt sich auf das

Bett. So stark, daß Anders aus meinen Haaren fällt und die anderen ver-
welken wie Rosenblätter in einer Schale. Sie fallen lautlos herunter auf
den Boden.

Musik strömt aus Leo wie aus einer Orgel. Steigt und sinkt. Seine
Stimme schlägt sich auf meiner Haut als ein schwacher Wind nieder.
Gleitet durch die Poren und durch das Skelett. Ich vermag mich nicht zu
wehren.

Der Pfarrer steht vor dem Altar, und alle Holzfiguren und Gemälde
schließen mich ein – zusammen mit Leo. In der Orgel. Die ehernen
Glocken dröhnen.

Da erhebt sich die Sonne aus dem Meer. Rauhnebel treibt. Und wir
sind Blasentang am Strand. Er wächst über die Felsen und die Kirchen-
mauer. Quillt durch die hohen Fenster und durch alle Ritzen.

Noch schweben wir – und leben. Zuletzt sind wir nur eine Farbe.
Braunrot. Erde und Eisen.

Da sind wir in Hjertruds Schoß.

14. Kapitel

VIELE WASSER KÖNNEN DIE LIEBE NICHT AUSLÖSCHEN UND DIE
STRÖME SIE NICHT ERTRÄNKEN. WENN EINER ALLES GUT IN SEI-
NEM HAUS UM DIE LIEBE GEBEN WOLLTE, SO KÖNNTE DAS ALLES
NICHT GENÜGEN.
(Das Hohelied Salomos, Kapitel 8, Vers 7)

Dina steckte den Hut mit zwei Hutnadeln fest, denn der Wind
blies kräftig in den Tromsøsund hinein. Sie hatte sich nur so viel
geschnürt, daß sie noch mühelos atmen konnte, aber sie hatte die
Brüste gut hochgehoben, damit sie bei schwierigen Gesprächen
eventuell ablenken konnten.

Sie stand einen Augenblick vor dem kleinen Spiegel in der Kajüte.

Dann ging sie auf Deck und verabschiedete sich von der Reise-
gesellschaft und den Seeoffizieren.

Ein Matrose folgte ihr mit der großen Reisetasche an Land. Ein
paarmal drehte sie sich um und sah nach, ob sie dem schmächtigen
Matrosen helfen sollte, die Last zu tragen.

Nun kam es auf Zahlen, Manipulieren und Takt an. Ein Zahlen-
kopf auf einem Frauenkörper würde schachmatt für den bedeuten,
der so etwas nicht meisterte.

Die Tage in Bergen und Trondhjem waren keine verlorene Zeit
gewesen. Die Tricks blubberten an die Oberfläche wie ungezügelte
Noten. Man mußte sie nur sortieren und in einen Zusammenhang
bringen.

»Bei Verhandlungen sagt man nicht mehr, als man unbedingt
muß. Hat man nichts zu sagen, so überläßt man dem Gegner das
Wort. Früher oder später verspricht er sich.«

Das hatte Anders Dina zum Abschied mitgegeben.

Tromsø bestand aus vielen Gruppen weißer Häuser. Unzählige
glucksende Bäche kamen die Hänge herunter und bildeten eine
natürliche Grenze zwischen den einzelnen Häusergruppen. Oben

auf der Höhe war ein Birkenwald, grün und üppig, wie herausge-schnitten aus Gottvaters Paradies.

Aber das Paradies währte auch hier nur so lange, bis die Men-schen es übernahmen.

Dina mietete einen Wagen, um sich bei Sonnenschein zu orien-tieren. Im Süden an der Grenze zwischen Strand und Stadt lag der Tromsøstrand mit zwei, drei Reihen kleiner Katen.

Dina fragte, und der junge Kutscher, eine rote Strickmütze bis über die Ohren gezogen, erklärte.

Die Straße führte am Wasser entlang über Prostneset, um den Pfarrhof herum und zur Sjøgate. Die längste Straße der Stadt hieß Strandgate. Parallel zu ihr verlief die Grønnegate. Aber auf dem Marktplatz endete die Straße am Rathaus, das zwischen der Apo-theke und dem Holst-Hof lag.

Durch das Viertel südlich des Marktplatzes lief ein Bach von Vannsletta herunter, vorbei an L. J. Pettersens Hof und direkt in den Tromsøsund. Er hatte den prächtigen Namen »Pettersens Bach« bekommen.

Unterhalb der Apotheke war ein betrüblicher Graben. Der Kut-scher erzählte, wenn Pettersens einen Ball gaben, mußten die Ka-valiere hohe Stiefel anhaben, um die Damen über den Graben zu tragen. Trotzdem oder vielleicht gerade deshalb freute man sich, zu einem Ball bei Pettersens eingeladen zu werden.

Gutes Wetter und Wind hatten in diesem Sommer den Graben ausgetrocknet, so daß er befahren werden konnte.

Dina stieg in Ludwigsens Hotel du Nord oder Hotel de Bellevue ab. Es war offensichtlich den Privilegierten vorbehalten.

J. H. Ludwigsen trug einen Zylinder und ging mit einem Stock-schirm. Er sei immer im Dienst, sagte er und verbeugte sich. Er hatte ein breites, vertrauenerweckendes Gesicht mit einem dichten Backenbart. Von einem untadeligen Scheitel auf der linken Seite waren die Haare in einer hohen Welle sorgfältig nach rechts ge-bürstet.

Mehrmals machte er darauf aufmerksam, daß Frau Dina nur Be-scheid zu sagen brauche, falls sie einen Wunsch habe.

Dina schickte einen Boten mit einem Gruß zu zwei Kaufleuten und bat um eine Unterredung. Anders hatte ihr empfohlen, so vorzugehen.

Am nächsten Morgen erhielt sie auf einer Visitenkarte die Nachricht, daß sie in Pettersens Kontor erwartet wurde. Und ein kurzer Brief teilte ihr mit, daß sie bei Herrn Müller erwartet wurde.

Herr Pettersen empfing sie. Er erwies sich als sehr gut gelaunt. Er war gerade Vizekonsul in Mecklenburg geworden und war im Begriff abzureisen, um sein neues Amt wahrzunehmen. Er wollte seine Frau mitnehmen, aber er hatte auch daran gedacht, Geschäfte zu machen. Er besaß zusammen mit seinen Brüdern ein Schiff.

Dina kam mit allen möglichen Gratulationen und fragte ihn aus über sein neues Amt.

Hinter dem jovialen Ton des Mannes verbarg sich natürlich ein gerissener Geschäftsmann.

Endlich kam sie auf ihr Anliegen zu sprechen. Stellte Fragen nach Kapital und Ausrüstung, Mannschaft, Anteil. Prozenten für den Reeder. Mit welchem Mehlpreis er rechnete? Wieviel Kapazität er hatte, um die Waren trocken und ohne Schaden unter Deck zu transportieren?

Herr Pettersen schickte nach Madeira. Dina ließ es geschehen, machte aber eine abwehrende Bewegung, als das Mädchen ihr einschenken wollte. So zeitig am Tag mochte sie keinen Wein trinken.

Pettersen nahm sein Glas und bestellte für Dina Tee. Er war sichtlich interessiert. Aber zu schnell mit den Worten. Als ob er versuchte, sie zu beruhigen, bevor sie darum gebeten hatte. Außerdem konnte er keine Garantie für einen festen Mehlpreis geben.

Sie warf ihm einen Blick zu und bemerkte, es sei seltsam, daß er nicht mehr über Preise wisse, wo er doch Vizekonsul sei.

Er überhörte den Ton und fragte, wie lange sie in der Stadt bleibe. Denn er könne in einigen Tagen sicher besseren Bescheid geben. Die Russenlodje würde jeden Tag erwartet.

Sie balancierte seine Gastfreiheit auf einer Messerspitze, als er sie einlud, bei ihnen zu wohnen. Sagte, daß sie bereits ein Dach über dem Kopf habe, das sie nicht ausschlagen wolle. Danke! Er würde von ihr hören, ob sie das Angebot, ohne festen Preis Mehl zu kaufen und von Archangelsk zu holen, annehmen könne.

Hans Peter Müller stand als zweiter Name auf der Liste.

Dina kam am nächsten Tag zu einem herrschaftlichen Haus in der Skippergate. Es quoll über vor Wohlstand und Wohlleben. Mahagonimöbel und Porzellan.

Eine zarte, junge Hausfrau, die Trøndelag-Dialekt sprach, kam ins Kontor, um Dina zu begrüßen. Ihre Augen waren genauso traurig wie bei dem Kindergespenst in Helgeland. Sie schwebte durch die Räume. Als ob jemand sie auf einen Sockel mit Rädern montiert hätte und sie an unsichtbaren Drähten durch die Gegend zöge.

Das Frachtschiff »Haabet«, das am Müllerstrand lag, sollte mit Produkten aus der eigenen Tranbrennerei nach Murmansk fahren. Müller gab Dina einen festen Höchstpreis, den er garantierte. Aber er verhehlte nicht, daß er für sich selbst einen günstigeren Preis erzielen konnte.

Dina bekräftigte die Abmachung mit einem festen Händedruck. Daß er ihr überhaupt von seinen Berechnungen erzählte, war ein sicheres Zeichen, daß sie mit einem verhandelte, der sie als Partner anerkannte. Sie brauchte ihre weiblichen Reize nicht ins Spiel zu bringen. Mit einem Mann, der bereits einen Engel im Haus hatte, konnte man über Geschäfte sprechen. Dina stieß jetzt mit Herrn Müller auf die Abmachung an.

Die Luft in dem Haus konnte man gut atmen. Als man ihr anbot, ein paar Tage in einem der Gästezimmer zu wohnen, nahm sie die Gastfreundschaft gerne in Anspruch.

Sie erfuhr, daß dieser Herr Müller auch ein schwarzes Pferd besaß. Es glänzte ebenso wie die Mahagonimöbel in den Wohnzimmern. Als ob sie aus einem Holz geschnitzt wären, akzeptierte das Pferd Dinas Hüften und Schenkel.

Mit der jungen Frau Julie aus Stjørdal kam sie gut zurecht. Sie schwatzte nicht bei jeder passenden und unpassenden Gelegenheit und sah die Leute offen an. Aber sie sagte nicht, warum sie so traurige Augen hatte.

Dina blieb ein paar Tage länger, als sie geplant hatte.

Der Vogt war längst weitergereist, deshalb mußte sie sich nach einer anderen Fahrgelegenheit umsehen. Müller meinte, daß er ihr in einer Woche einen Schiffsplatz nach Osten verschaffen könnte.

Am ersten Tag, als Dina bei Müllers wohnte, saßen der Gastgeber und sie im Salon und rauchten, während Frau Julie ruhte.

Er erzählte von dem schwierigen Winter. Wie das Eis sich im Gisund festgesetzt und die »Prinds Gustav« an der Weiterfahrt gehindert hatte. Am 10. Mai hatten sie eine offene Fahrrinne von sechzig Ellen Länge in das Eis gesägt, so daß der Dampfer durchkommen konnte. Zum Glück hatte das Eis keine negativen Auswirkungen auf seine Segelschiffe gehabt.

Zwei Schiffe seien gerade wohlbehalten aus dem Eismeer zurückgekehrt. Er habe auch ein Schiff in südlicheren Gewässern, sagte er nebenbei. Als ob er es beinahe vergessen hätte.

Im vergangenen Jahr war es ein Problem gewesen, brauchbare Karten für die Fahrt nach Archangelsk zu bekommen. Und geeignete Ortskundige wuchsen auch nicht gerade auf den Bäumen...

Dina erzählte, wie glücklich sie war, Anders und Anton für die Frachtschifferei zu haben. Und ihre Schwierigkeiten, die sie mit der Fahrt nach Bergen hatten, waren ja Lappalien im Vergleich zu einer Fahrt nach Archangelsk.

Der Gastgeber taute auf. Berichtete ausführlich, wie der Dampfer am 17. Mai mit kaputten Schaufelrädern, außer einem, von Süden gekommen war. Er mußte auf der Schiffswerft repariert werden. Viele hatten geholfen, und insgesamt hatten sie noch Glück gehabt.

Er selbst hatte die Galeasse »Tordenskiold« mit zwölf Mann Besatzung und dem gesamten Fang an der Ostseite von Moffen verloren. Trotzdem hatte er durch den Eismeerfang einen Bruttoverdienst von 14500 Speziestalern gehabt.

Dina nickte nachdenklich und blies eine Rauchwolke, die sich wie ein Trichter um ihren Kopf legte.

Später begann er davon zu sprechen, daß sich nach dem Tode von Zar Nikolaus alles so günstig entwickelt hatte. Der Handel hatte einen Aufschwung genommen, den man sich nicht hätte träumen lassen.

Dina meinte, daß es wohl mehr mit dem Krieg als mit dem Zaren zusammenhing.

Müller erklärte liebenswürdig, daß das eine das andere bedingte.

Aber Dina fand, daß gerade die unnormale Situation, Krieg und Blockade, dem Handel die guten Zeiten bescherte.

Der Mann nickte bedächtig und pflichtete ihr bei. Aber an seiner Meinung, soweit sie den Zaren betraf, hielt er fest.

Indessen gingen des Gastfreundes beste Zigarren in Rauch auf.

Dina glitt in den Rhythmus des Hauses wie eine Katze, die plötzlich einen sonnenwarmen Stein gefunden hat. Seltsamerweise zeigte Frau Julie keinerlei Anzeichen von Eifersucht wegen dieses Geschöpfes, das mit seiner Art das Haus überfiel und die Gunst des Mannes in Beschlag nahm. Im Gegenteil, sie sagte ganz offen, daß Dina nicht so schnell nach Osten zu fahren brauchte. Wenn sie sich dort nur umsehen wollte.

Aber Dina erkundigte sich, welche Schiffe von Süden und von Norden kamen.

Herr Müller fragte, ob sie sich noch nicht entschlossen hätte, nach Vardø zu fahren, da sie sich ja über die Schiffe nach beiden Richtungen orientierte.

Aber Frau Julie wußte Bescheid. »Dina wartet auf jemanden«, sagte sie.

Dina starrte sie an. Ihre Blicke trafen sich in einem gewissen Einvernehmen.

Ich bin Dina. Julie ist geborgen. Der Tod wohnt in ihren Augen. Sie beginnt immer mit einer Frage, die sie nicht zu Ende führt. Dann sieht sie mich an, damit ich antworten soll. Sie will, daß ich ihr Hjertrud zeige. Aber es ist nicht die Zeit dafür. Noch nicht.

Dina ritt auf dem schwarzen Pferd aus der Stadt. In Herrn Müllers Lederhosen.

Julie hatte ihr erst ein elegantes Reitkostüm herausgesucht, bestehend aus einem schwarzen Kaschmirrock, einer weißen Bluse und weißen Pantalons mit einer Lasche für den Fuß. Aber es paßte nicht.

So fand sie sich damit ab, einen Rock über die Herrenhosen zu ziehen. Er war sehr weit und vorne und hinten offen. Nur um sich darin zu verstecken, wie Julie sagte.

Als Dina zurückkam, erwartete Julie sie mit einem Glas Madeira, ehe sie sich zum Mittagessen umzogen. Julie selbst trank Tee.

Frau Julie erzählte auf ihre verschmitzte Art von den Verhältnissen in Tromsø. Sie sah das alles klar von außen, weil sie nicht von hier stammte.

Dina brauche keine Angst zu haben, daß sie sie beleidigen würde, falls sie sich wundere oder über die Leute und ihre Sitten lache.

Dina fragte, was dieser Ludwigsen für ein Mann sei.

»Er ist vermögend und sieht aus wie einem Journal entsprungen«, sagte Julie nicht ohne Wärme und Interesse.

Dann kicherten sie beide wie kleine Mädchen. Inmitten vieler schöner, toter Dinge in einem allzu feierlichen Wohnzimmer.

In den feuchten vierziger Jahren, als die Trinkmoral ihren Tiefstpunkt erreichte, hatte der Stadtrat die Zahl der Schankstuben eingeschränkt, so daß es jetzt nur noch einen Höker und einen Branntweinhändler gab. Diese beiden machten ein ausgezeichnetes Geschäft.

»Die besseren Leute gehen zu Ludwigsen. Sie gehen in größter Ehrbarkeit dorthin, um sich zu zeigen«, erzählte Julie.

Sie glich einem Engel, wer auch immer sie war. Stets in hellen Satin, aus Baumwolle oder Seide, gekleidet. Die Engelslocken bei den Ohren standen dennoch im Kontrast zu den ironischen Mundwinkeln und den ernsten Augen.

Meistens erzählte sie von Bällen und Diners bei der Bürgerschaft und dem Beamtentum. Von lustigen Episoden, wenn Leute mit ungleichem Hintergrund zusammen speisten. Sie konnte aus dem vollen schöpfen, denn die Müllers waren überall gern gesehen.

Dina atmete all das Neue ein, als ob es ein unbekanntes Gewürz aus einer fremden Himmelsgegend wäre.

»Paß auf, daß du nicht zu schnell mit den Leuten vertraut wirst!« sagte Julie. »Sonst laufen sie dir nach wie Hunde. Es nützt gar nichts, sich zurückzuziehen oder zu glauben, daß man die Bekanntschaft rückgängig machen könnte, wenn man die Leute erst einmal kennt. Menschen, die an nichts anderem Freude haben, als gut zu essen und zu trinken, wird man nie los.«

Bereits am zweiten Tag während Dinas Aufenthalt bei den Müllers machte der Krankenhausarzt einen Besuch. Er leitete das Krankenhaus mit dem behelfsmäßigen Asyl. »Idiotenkäfig« oder »Tronkaen« nannten es die Leute.

Dina zeigte Interesse für das Haus und die Arbeit. Der Mann war begeistert. Er erzählte von den »Pflegern«, wie er sie bezeichnete. Von den ständigen Verbesserungen für die armen Irren, die so völlig außerhalb von allem waren.

Er erzählte von einem religiösen Fanatiker, den sie in Verwahrung hatten. Bei der Hinrichtung von Hætta und Somby 1852 hatte er den Verstand verloren. Der Schwaden von der Hinrichtung, dem Gesetz und der Kirche und dem Fanatismus der Laestadianer* lag noch in der Luft. Die Leute zogen sich voller Grauen und Schrecken zurück. Die Gesellschaft war zu klein für zwei Todesurteile.

»Einige sind sogar aus der Staatskirche ausgetreten«, sagte Julie.

»Jetzt haben wir einen neuen Bischof bekommen, er soll mit der Abtrünnigkeit Schluß machen. Die Gattin des Bischofs ist auch fromm und gut«, sagte der Doktor.

Die Grübchen neben Julies Mundwinkeln vertieften sich und zeigten nach oben. Sie und der Doktor hatten offensichtlich schon früher über die Sache gesprochen. Sie ergänzten sich.

Müller schwieg.

»Ist er gefährlich?« fragte Dina plötzlich.

»Wer?«

Der Doktor war verwirrt.

»Der religiöse Verrückte.«

»Ach so, der... Er ist sich selbst gefährlich. Er schlägt mit dem Kopf gegen die Wand, bis er bewußtlos wird. Ich weiß nicht, was ihn reitet. Gewalttätig würde ich ihn nennen. Er ruft Gott und den Teufel an, ohne einen besonderen Unterschied zu machen.«

---

* Die Laestadianer sind eine in Nordnorwegen verbreitete Sekte. (Anm. d. Übs.)

»Und warum ist er eingesperrt?«

»Er bedroht seine Familie und...«

»Kann ich das Asyl sehen?« bat sie.

Überrascht von einem solchen Wunsch, sagte er ja. Es wurde eine Verabredung getroffen.

Vier Zellen auf jeder Seite eines Ganges. Die gleichen Geräusche wie in Trondhjem, aber nicht so ohrenbetäubend.

Geisteskranke und gewöhnliche Gefangene waren hier eingesperrt. Es sei nichts für Damen, mit ihnen zu reden, meinte der Arzt. Einige riefen ihn an, als ob sie in Not wären. Er entschuldigte sich bei Dina. Dann klirrte er mit den Schlüsseln, schloß auf und verschwand.

Der Pfleger rief durch die Luke in einer Tür den Namen eines Menschen, der Jentoft hieß.

Ein grober, schmutziger Ärmel aus Sackleinen und ein glattrasierter Kopf kamen in der Öffnung zum Vorschein. Der Mann blinzelte gegen das Licht. Aber die Augen waren lebendiger, als man es bei einem Käfigmenschen erwartete.

Er griff nach der Luft in Dinas Nähe, weil er ihre Hand durch die Gitterstäbe nicht fassen konnte.

Als der Pfleger sagte, daß Dina Grønelv mit ihm sprechen wollte, obwohl er ein Verrückter war, segnete er sie und schlug ein Kreuz.

»Gott ist gut!« schrie er, so daß der Pfleger »pst« machte.

»Kennst du Gott?« fragte Dina schnell und sah zu dem Pfleger, der die Zeit nutzte, um die Regale an der Wand im Korridor aufzuräumen.

»Ja! Und alle Heiligen!«

»Kennst du Hjertrud?« fragte Dina eindringlich.

»Kenne Hjertrud! Gott ist gut! Gleicht sie dir? Kommt sie hierher?«

»Sie wohnt überall. Mal gleicht sie mir. Mal sind wir ganz ungleich. Solche Leute sind...«

»Alle sind gleich vor Gott!«

»Glaubst du das?«

»Die Bibel! Das steht in der Bibel!« lärmte der Mann.

»Ja. Sie ist Hjertruds Buch.«

»Sie ist aller Buch. Halleluja! Wir werden sie vor das Perlentor treiben, alle wie einen. Wir werden sie aus diesem Jammer und aus dieser Sünde mit Gewalt herausholen! Alle, die dagegen sind! Alle werden fallen durch das Schwert, wenn sie nicht umkehren!«

Der Pfleger schielte zu Dina hin und fragte, ob sie den Besuch nicht beenden sollten.

»Diese Dame ist gekommen, um mit dir zu reden, Jentoft«, sagte er und kam zu ihnen.

»Die Cherubim werden voranstürmen und sie in zwei Stücke spalten. Vom Scheitel bis zur Sohle! Alle wie einen! Schon ist den Bäumen die Axt an die Wurzel gelegt... Gott ist gut!« psalmodierte der Mann.

Der Pfleger sah Dina mit vielen Entschuldigungen an. Als ob der Mann sein persönliches Eigentum wäre, das ihr in den Weg gekommen war.

»Jentoft muß sich beruhigen«, sagte er bestimmt und schloß die Luke direkt vor dem Gesicht des erregten Mannes.

»Wer eingesperrt wird, braucht nicht immer nur mit sich allein eingesperrt zu sein«, sagte Dina ernst.

Der Pfleger sah sie erstaunt an.

»Möchte Sie auf den Doktor warten?« fragte er.

»Nein, grüß ihn und sage ihm meinen Dank!«

Müllers gaben eine Gesellschaft für Dina.

Sie wurde dem Buchhändler Urdal vorgestellt. Man konnte ihn kaum einen Salonlöwen nennen. Er war Hausangestellter bei Henrik Wergeland, dem großen norwegischen Dichter, gewesen und hatte eine Buchhandlung in Lillehammer betrieben, deshalb gehörte er in jeder Beziehung zur guten Gesellschaft.

Er befaßte sich mit dem Druck von alten, traurigen Liedern. Nahm die Fischer mit ins Hinterzimmer und brachte ihnen die Melodien bei. So wurden Urdals Lieder weithin bekannt. Dina kannte sie auch.

Während sie auf das Essen warteten, spielte Dina auf dem Tafelklavier, und der Buchhändler sang.

Der Bischof und seine Gattin waren ebenfalls eingeladen.

Wenn die Leute in die großen grauen Augen der Bischofsgattin sahen, war es, als ob sie sich daheim fühlten. Frau Henriette hatte eine ungewöhnlich breite Nasenwurzel und eine sehr starke Nase. Der Mund war wie ein Bogen, den niemand gespannt hatte. Die Vertiefung zwischen Nase und Mund war voller Wehmut. Die dunklen Haare unter dem weißen Kopftuch hatten einen untadeligen Mittelscheitel. Der Spitzenkragen war der einzige Schmuck, den sie trug, wenn man von dem Ehering absah.

Bei ihr hätten alle Frauen einen Zufluchtsort, ungeachtet der Familie und des Standes, erzählte Julie.

Die Frau des Bischofs streifte sie der Reihe nach mit einem Blick. Man hatte das Gefühl, daß eine kühle Hand sich auf eine fiebrige Stirn legte. Nichts in dem Wesen dieser Frau prunkte mit dem Bischofstitel. Trotzdem war ihre Gegenwart bei Tisch voller Würde.

»Dina Grønelv ist schon seit vielen Jahren Witwe, obwohl sie noch so jung ist?« fragte die Bischofsgattin und schenkte den Kaffee in Dinas Tasse, als ob sie die Dienerin aller wäre.

»Ja.«

»Und Sie hat einen Gästehof und die Frachtschiffahrt und viele Leute zu betreuen?«

»Ja«, flüsterte Dina. Diese Stimme, diese Augen!

»Es muß schwer sein?«

»Ja...«

»Hat Sie jemanden, auf den Sie sich stützen kann?«

»Doch.«

»Einen Bruder? Einen Vater?«

»Nein. Die Leute auf Reinsnes.«

»Aber keinen, der Ihr nahe steht?«

»Nein. Das heißt... Mutter Karen...«

»Ist das Dinas Mutter?«

»Nein, die Schwiegermutter.«

»Das ist wohl nicht das gleiche?«

»Nein.«

»Aber Dina hat Gott, das kann ich deutlich sehen!«

Frau Julie wandte sich an die Bischofsgattin wegen einer Frau in der Nachbarschaft, die gerne den Bischof besuchen wollte, es aber nicht wagte, unaufgefordert zu kommen.

Die alte Frau drehte sich langsam zu Julie um, während sie – wie zufällig – ihre Hand auf Dinas Hand legte. Leichte, kühle Finger.

Der Tag war ein Geschenk.

Das große, breite Gesicht des Bischofs wurde weich, und die Augen flossen fast über, wenn er seine Frau ansah. Unsichtbare Fäden spannen sich zwischen den beiden und legten sich auch wohlig auf die übrige Gesellschaft.

Dina ließ die Zigarre nach dem Essen ausfallen und provozierte niemanden.

Sie spürte auch den ganzen nächsten Tag keinen Trotz. Aber sie hätte nach Vardø fahren können! Statt dessen ritt sie des Gastgebers Pferd zuschanden. Hinauf auf die Höhe der Insel. Um einen See. Donnerte durch Gestrüpp und niedriges Gehölz. Es roch nach Sommer, daß es in allen Sinnen brannte.

15. Kapitel

ES FANDEN MICH DIE WÄCHTER, DIE IN DER STADT UMHERGEHEN:
»HABT IHR NICHT GESEHEN, DEN MEINE SEELE LIEBT?«
ALS ICH EIN WENIG AN IHNEN VORÜBER WAR, DA FAND ICH, DEN
MEINE SEELE LIEBT. ICH HIELT IHN UND LIESS IHN NICHT LOS, BIS
ICH IHN BRACHTE IN MEINER MUTTER HAUS, IN DIE KAMMER
DERER, DIE MICH GEBOREN HAT.
(Das Hohelied Salomos, Kapitel 3, Vers 3 und 4)

An dem Tag, für den Müller eine Fahrt nach Vardø vereinbart hatte, setzte ein schwerer Südweststurm ein. Das Meer kochte.

Schiffe, die eigentlich nicht nach Tromsø hatten kommen wollen, suchten den Nothafen auf. Eines nach dem anderen. Die Schiffe lagen so dicht im Hafen, daß man trockenen Fußes weit hätte hinausspringen können. Wenn der Regen nicht gewesen wäre.

An Bord einer Lodje, die nach Trondhjem wollte, war einer, der es gerne vermieden hätte, in Tromsø zu landen. Er hatte anderenorts etwas zu erledigen.

Er wohnte in Ludwigsens Hotel, um der Enge auf dem Schiff zu entgehen. Er hatte einen breitkrempigen Filzhut und Lederhosen an. Nachdem er sich in seinem Zimmer eingerichtet und Bescheid gesagt hatte, daß er es mit niemand anderem teilen wollte, ging er in die Apotheke, um sich etwas für einen vereiterten Finger geben zu lassen, den er sich auf der Fahrt von Vardø nach hier zugelegt hatte.

Er stand am Ladentisch und wartete darauf, bedient zu werden, als die Türglocke einen neuen Kunden meldete. Ohne sich umzudrehen, registrierte er, daß es ein Mensch mit Röcken war.

Es hatte aufgehört zu regnen, aber der Wind fuhr durch die offene Tür und fegte ihm den Hut vom Kopf.

Es war der 13. Juli 1855, drei Tage nachdem Dina an Müllers Eßtisch gesessen und die Liebe gesehen hatte.

Vielleicht war es der Segen der Bischofsgattin, der drei Tage gebraucht hatte, um sich zu erfüllen. Dina hob jedenfalls Leos Hut auf und wog ihn in der Hand, indes sie ihn verbissen betrachtete.

Der Apotheker eilte herbei und schloß die Tür hinter ihr mit einem Knall. Die Türglocke war außer sich vor Wut und schickte ein aufgeregtes Geläut in den Raum.

Leos Augen kletterten im Zickzack an Dinas Mantel und Körper hoch. Als ob er es nicht wagte, ihr sofort ins Gesicht zu sehen.

Sie atmeten die Luft gleichzeitig ein und stachen für einen Augenblick einander die Augen aus. Dann blieben sie zwei Schritte voneinander entfernt stehen.

Sie mit seinem Hut, wie zur Warnung. Er mit einem Ausdruck, als ob er ein Pferd in die Luft fliegen sähe. Erst als der Apotheker sagte: »Bitte!«, kam ein Laut von Dina. Sie lachte. Perlend und befreit.

»Hier ist der Hut. Bitteschön!«

Die Narbe war ein blasser Neumond in einem braunen Himmel. Er gab ihr die Hand. Dann waren sie außerhalb von allem. Seine Finger waren kalt. Aber sie strich mit dem Zeigefinger über sein Handgelenk.

Sie gingen hinaus in den Wind, ohne Tropfen für Mutter Karen und ohne Jod und Mullbinde für Leos Finger. Der freundliche Apotheker stand mit offenem Mund hinter dem Ladentisch und hörte die Türglocke ihnen zum Abschied läuten.

Sie wanderten an einigen schmutzigen Gräben entlang. Die Straßenarbeiter waren dabei, im unteren Teil der Straße Trottoirs zu legen.

Zuerst sagten sie nichts. Er nahm ihren Arm und steckte ihn fest unter seinen. Dann fing er endlich an zu reden. Mit der seltsamen, tiefen Stimme, die so gut trug. Die so klare Worte hatte. Aber die immer etwas zurückhielt.

Einmal glitt sie im Dreck aus. Er brauchte seine ganze Kraft, um einen Fall zu verhindern. Zog sie dicht an sich. Ihre Röcke schleiften im Schmutz, weil sie den Hut festhielt, anstatt die Röcke hochzunehmen.

Er bemerkte es nicht. Sah nur abwesend zu, wie der Schmutz sich an den Rocksäumen festsetzte, immer gieriger bei jedem Schritt.

Sie gingen langsam die Hänge hinauf. Bis die Stadt und der Schmutz sie losließen und die Wiesen und der Birkenwald sie aufnahmen. Sie gingen, und jeder hielt seinen Hut fest. Bis Dina ihren mit dem Wind fliegen ließ. Leo lief hinterher. Aber er mußte aufgeben. Sie sahen ihn mit wehenden Bändern gen Norden über die Insel fliegen. Welch ein Anblick!

Er stülpte seinen großen schwarzen Hut auf ihren Kopf und zog ihn herunter bis zu den Augen.

Die Stadt lag da unten, aber sie sah sie nicht. Denn Leos Mund war rötlich mit einem braunen, wunden Strich rundum. Die Sonne hatte ihn mißhandelt.

Sie blieb stehen und legte die Hand auf seinen Mund. Ließ die Finger langsam über die verletzte Stelle gleiten.

Er schloß die Augen, während er den Hut beharrlich auf ihrem Kopf mit beiden Händen festhielt.

»Ich muß Ihm noch für die Sendung danken, die die Russenlodje mir im vorigen Frühjahr gebracht hat!« sagte sie.

»Die Noten? Gefallen sie dir?« fragte er, noch immer mit geschlossenen Augen.

»Ja. Vielen, vielen Dank! Aber es war kein Gruß von dir dabei.«
Da öffnete er die Augen.

»Nein, es war schwierig...«

»Wo hast du die Sachen abgeschickt?«

»Tromsø.«

»Du warst in Tromsø und bist nicht nach Reinsnes gekommen?«

»Es war unmöglich. Ich mußte auf dem Landweg nach Finnland.«

»Was wolltest du da?«

»Abenteuerlust.«

»Die Abenteuerlust treibt dich nicht mehr nach Reinsnes?«

Er lachte leise, aber antwortete nicht. Die beiden Arme lagen noch auf ihren Schultern. Scheinbar, um den schwarzen Hut festzuhalten.

Nah und schwer. Er beugte sich zu ihr.

»Hattest du vielleicht vor, kurz in Reinsnes hereinzuschauen?«

»Ja.«

»Hast du es auch jetzt noch vor?«

Er sah sie lange an. Dann schlang er die Arme enger um sie und den Hut.

»Wäre ich noch immer willkommen?«

»Ich gehe davon aus.«

»Du bist nicht sicher?«

»Doch.«

»Warum bist du so hart, Dina?« flüsterte er und beugte sich tiefer. Als ob er fürchtete, daß der Wind mit der Antwort davonfliegen würde.

»Ich bin nicht härter, als ich sein muß. Du bist hart. Versprichst und lügst. Kommst nicht, wenn du sagst, daß du kommen wirst. Läßt einen in der Ungewißheit warten.«

»Ich habe dir Geschenke geschickt.«

»Ja sicher. Ohne einen einzigen Fetzen Papier, von wem sie kamen.«

»Es war gerade da unmöglich.«

»Na schön. Aber hart!«

»Verzeih!«

Er legte die Hand mit dem vereiterten Finger unter ihr Kinn. Schämte sich, daß die Hand so wenig appetitlich aussah und ließ sie wieder fallen.

»Ich bin im Zuchthaus in Trondhjem gewesen und habe nach dir gefragt. Sie haben dort einen Brief für dich.«

»Wann warst du da?« fragte er gegen den Wind.

»Vor einem Jahr. Ich war auch in Bergen... Du warst nicht da?«

»Nein, ich saß an der finnischen Küste fest und habe die Engländer mit Sprengstoff spielen sehen.«

»Da hattest du wohl genug mit deinen eigenen Schwierigkeiten zu kämpfen?«

»Ja«, antwortete er ehrlich.

»Denkst du manchmal?«

»Ich tue nichts anderes.«

»Woran denkst du?«

»An Dina zum Beispiel.«

»Aber du kommst nicht?«

»Nein.«

»Gibt es etwas Wichtigeres als das?«

»Ja.«

Sie kniff ihn wütend in die Backe, ließ ihn los und trat gegen einen Stein, der ihn am Schienbein traf.

Er verzog keine Miene, setzte nur den Fuß ein wenig zurück. Und er nahm plötzlich den Hut von ihrem Kopf und setzte ihn selber auf.

»Ich glaube, du treibst lichtscheue Dinge!«

Sie kreischte wie ein Thingmann bei einer Gerichtsverhandlung, wenn ein Angeklagter ihm mit Aufmüpfigkeit begegnete.

Er sah sie lange an. Forschend. Mit einem breiten Lächeln.

»Und was wird Dina damit anfangen?«

»Herausfinden, was es ist!« peitschte sie.

Da begann er ohne Umschweife ein Gedicht aufzusagen, das er in der letzten Nacht in Reinsnes für sie übersetzt hatte.

> Er springt und heult wie ein reißendes Tier
> Beim Anblick der Atzung durchs eiserne Gitter,
> Er tobt an das Ufer mit grimmem Geschütter
> Und leckt am Gestein mit gefräßiger Gier.
> Vergeblich! Denn Nahrung und Lust wird ihm keine;
> Es zwingen ihn schweigende Riesengesteine.*

Dina starrte ihn zornig an.

»Es ist die Beschreibung eines Flusses, erinnerst du dich?« sagte er. »Puschkin begleitete während des Feldzugs gegen die Türken eine russische Abteilung. Du erinnerst dich, daß ich dir davon erzählt habe?«

Sie schielte zu ihm hin, nickte aber.

»Du gleichst einem wilden Fluß, Dina!«

»Du verhöhnst mich«, sagte sie unwillig.

»Nein, ich versuche, Kontakt zu bekommen.«

Ich bin Dina. Puschkins Gedicht besteht aus Seifenblasen, die aus Leos Mund strömen. Seine Stimme hält sie schwebend in der Luft. Lange. Ich

---

* Aus »Der Kaukasus«, Gedicht von Alexander Puschkin, in der Übersetzung von Friedrich Fiedler (1895) aus: Puschkin, *Gesammelte Werke*, Berlin und Weimar 1949.

zähle langsam bis einundzwanzig. Da zerplatzen sie und fallen auf die
Erde. Währenddessen muß ich alle Gedanken aufs neue denken.

Erst als sie wieder hinuntergingen, fragte sie, wohin er jetzt fahre.

»Nach Trondhjem«, antwortete er.

»Ohne unterwegs haltzumachen?«

»Ohne unterwegs haltzumachen.«

»Da kannst du dir das Buch mit den Unterstreichungen in der
›Sklaverei‹ abholen«, sagte sie triumphierend. »Denn das hat mit
den lichtscheuen Dingen zu tun, von denen du mir nichts erzählen
willst. Daß du keinen Gruß und keinen Namen für mich hast, wenn
du mir Geschenke schickst, gehört auch dazu. Ebenso daß keiner
weiß, wer du bist, wenn ich frage.«

»Wen hast du gefragt... oder mit wem hast du gesprochen...
über mich?«

»Mit russischen Seeleuten. Kaufleuten in Bergen. Mit denen, die
das Zuchthaus und die ›Sklaverei‹ in Trondhjem leiten.«

Er starrte sie an.

»Warum?« flüsterte er.

»Weil ich ein Buch hatte, das ich dir gerne zurückgeben wollte.«

»Und deshalb hast du so viele Anstrengungen von Bergen bis
Trondhjem auf dich genommen?«

»Ja. Und deshalb kannst du dir das Buch selbst holen.«

»Das kann ich vielleicht«, sagte er, bebend ruhig. »Wem hast du
es gegeben?«

»Dem Direktor.«

Er runzelte einen Augenblick die Stirn.

»Warum?«

»Weil ich es nicht länger haben wollte.«

»Aber warum hast du es dem Direktor gegeben?«

»Wem sonst? Das Päckchen ist aber versiegelt«, grinste sie.

»Ich habe doch gesagt, daß du es behalten kannst.«

»Ich will es nicht haben. Außerdem bist du so ängstlich gerade
wegen dieses Buches...«

»Was veranlaßt dich, das zu glauben?«

»Daß du so gleichgültig tust.«

Es entstand eine Pause.

481

Er blieb stehen und starrte sie einen Augenblick an.

»Das hättest du nicht machen sollen«, sagte er ernst.

»Warum?«

»Das kann ich dir nicht sagen, Dina.«

»Verstehst du dich nicht gut mit dem Direktor?«

»Ich glaube nicht, daß er besonders viel Verständnis für Puschkin hat.«

»Kennst du ihn?«

»Nein. Aber kannst du jetzt endlich mit dieser Ausfragerei aufhören, Dina?«

Da drehte sie sich blitzschnell um, trat nah an ihn heran und gab ihm eine schallende Ohrfeige.

Er stand. Sie hatte ihn auf dem Weg festgenagelt.

»Dina sollte nicht schlagen. Weder Menschen noch Tiere sollten geschlagen werden.«

Langsam ging er den Hang weiter hinunter. Die rechte Hand auf dem Hut. Die linke wie ein totes Pendel an der Seite.

Sie blieb stehen. Er hörte die Stille. Wandte sich um und rief sie beim Namen.

»Du machst aus allem ein Geheimnis«, schrie sie ihm zu.

Sie streckte den Hals vor wie eine Gans, die sich dem Schlachten widersetzt. Die große Nase ragte wie ein Schnabel in die Luft. Die Sonne hatte die Wolken aufgerissen. Der Wind nahm zu.

»Du fährst überall in der Gegend herum und bindest Menschen an dich. Dann verschwindest du und gibst kein Lebenszeichen mehr von dir. Was für ein Mensch bist du? Was für ein Spiel treibst du? Kannst du mir das sagen?«

»Komm jetzt her, Dina! Ruf nicht von da oben!«

»Das mache ich, wie ich will! Komm du doch her!«

Und er kam. Als ob er sich einem Kind fügte, das den Tränen nahe war.

Sie gingen die Hänge hinunter. Dicht nebeneinander.

»Du weinst nicht oft, Dina?«

»Das geht dich nichts an!«

»Wann hast du zuletzt geweint?«

»Letzten Sommer im Foldmeer, als ich seekrank war.«

Er lächelte ein wenig.

»Wollen wir den Krieg jetzt beenden?«

»Nicht ehe du mir sagst, wer du bist und wohin du fährst.«

»Du siehst mich hier, Dina!«

»Das genügt nicht.«

Er drückte ihren Arm und sagte schlicht, als ob er sich über das Wetter äußerte: »Ich liebe dich, Dina Grønelv.«

Jemand hatte vor vielen Jahrzehnten einen Markierungsstein genau dort, wo sie sich gerade befanden, hingestellt. Sonst hätte sie sich in den Dreck gesetzt.

Dina saß auf dem Stein und zog an den Fingern, als ob sie sie nicht haben wollte.

»Was heißt das? Was heißt das? Was heißt das?« rief sie.

Er nahm ihre Hysterie hin. Scheinbar gelassen.

»Genügt das nicht, Dina?«

»Warum sagst du solche Worte? Warum kommst du nicht lieber öfter nach Reinsnes?«

»Die Wege sind weit«, sagte er nur. Er stand ratlos vor ihr.

»Dann erzähl mir davon!«

»Ein Mann hat manchmal seine Gründe zu schweigen.«

»Mehr als die Frauen?«

»Das weiß ich nicht. Ich bettle nicht darum, daß du mir alles erzählst.«

Die Spannung zwischen ihnen war zu groß.

»Glaubst du denn, daß du nach Reinsnes kommen kannst, als ob nichts…«

»Ich komme und gehe, wie ich will. Du mußt unbedingt damit aufhören, auf deinen Reisen nach mir zu fragen. Ich bin *niemand*. Denk daran!«

Er war böse.

Sie stand von dem Stein auf und nahm seinen Arm. Dann gingen sie wieder die Wege hinunter. Nur durch Wald und Wiesen. Noch waren da keine Häuser. Keine Menschen.

»Womit beschäftigst du dich eigentlich?« fragte sie und lehnte sich vertrauensvoll an ihn.

Er durchschaute die Taktik sofort. Trotzdem antwortete er nach einer Weile.

»Politik«, sagte er resigniert.

Sie zerpflückte mit ihren Blicken sein Gesicht langsam in kleine Stücke. Ein Teil nach dem anderen. Blieb zuletzt an seinen Augen hängen.

»Einige sind hinter dir her, und andere versuchen dich zu decken.«

»Du bist hinter mir her«, grinste er.

»Was hast du Schlimmes getan?«

»Nichts«, antwortete er, jetzt ernst.

»Nicht in deinen eigenen Augen, aber...«

»Auch nicht in deinen.«

»Laß mich selbst entscheiden. Sag es mir.«

Er hob mutlos die Arme und nahm endlich den Hut vom Kopf und klemmte ihn unter den Arm. Der Wind überfiel ihn.

Dann gab er sich einen Ruck und sagte: »Die Welt ist viel schrecklicher, als du glaubst. Blut. Galgen. Armut, Verrat und Erniedrigung.«

»Ist es gefährlich?« fragte sie.

»Nicht gefährlicher, als man erwartet. Aber grausamer, als man denkt. Und das macht mich zu einer Person, die nicht existiert.«

»Die nicht existiert?«

»Ja. Aber es werden auch mal wieder bessere Zeiten kommen.«

»Wie lange wird das dauern?«

»Das weiß ich nicht.«

»Kommst du dann nach Reinsnes?«

»Ja!« sagte er fest. »Willst du mich haben, auch wenn ich vorbeifahre und eine Person bin, die nicht existiert?«

»Ich kann keine Person heiraten, die nicht existiert.«

»Hast du die Absicht, mich zu heiraten?«

»Ja.«

»Hast du mich gefragt?«

»Wir haben uns den Segen selbst geholt. Das muß genügen.«

»Was sollte ich in Reinsnes anfangen?«

»Du sollst mit mir dort leben und mit anpacken, wenn es nötig ist.«

»Glaubst du, das genügt einem Mann?«

»Es hat Jacob genügt. Und mir genügt es auch.«

»Aber ich bin weder Dina noch Jacob.«

Da starrten sie einander an wie zwei Tiere, die ihr Revier markieren. Es lag nicht die geringste Spur von Verliebtheit in ihren Blicken.

Sie gab endlich nach. Senkte den Blick und sagte fügsam: »Du könntest Schiffer werden auf dem einen Schiff und damit weit herumfahren, wenn du Lust hast.«

»Ich tauge nicht zum Schiffer«, sagte er höflich. Er hatte immer noch den erbärmlich plattgedrückten Hut unter dem Arm.

»Ich kann nicht mit einem Mann verheiratet sein, der sich in Rußland und überall herumtreibt!« rief sie.

»Du mußt nicht verheiratet sein, Dina. Ich glaube nicht, daß du dazu taugst.«

»Und wen soll ich dann haben?«

»Du sollst mich haben!«

»Du bist doch nicht da!«

»Ich bin immer da. Verstehst du das nicht? Ich bin bei dir. Aber meine Wege dürfen nicht eingezäunt werden. Du darfst kein Zaun sein. Das würde nur zu Haß führen.«

»Haß?«

»Ja! Man darf Menschen nicht einsperren. Sonst werden sie gefährlich. Das hat man mit dem russischen Volk gemacht. Deswegen explodiert bald alles!«

Millionen von Grashalmen lagen bei dem Wind flach auf der Wiese. Ein paar verschreckte Glockenblumen schwankten hin und her.

»Man kann die Menschen nicht hinter einem Zaun einsperren ... Da werden sie gefährlich ...«, flüsterte sie. »Da werden sie gefährlich.«

Sie sagte es geistesabwesend, als ob es eine Wahrheit wäre, die sie bis zu diesem Augenblick ganz übersehen hatte.

Sie brauchten sich nicht anzufassen. Denn zwischen ihnen waren Fäden, stark wie die Taue, mit denen man Schiffe miteinander vertäut.

Am nächsten Tag kam ein Bote mit einem Paket zum Müllerschen Haus. Für Dina.

Es war ihr Hut. Er sah aus, als ob er den ganzen Winter draußen gelegen hätte. Im Hut fand sie eine Karte in einem zugeklebten Umschlag.

»Wie miserabel es auch aussieht, ich komme immer wieder zurück.«

Das war alles.

Sie nahm das nächste Dampfschiff nach Süden. Er hatte zwei Tage Vorsprung. Es lag keine Freude im Kielwasser. Aber sie war ruhiger geworden.

Die Frau des Bischofs hatte ihr gezeigt, daß es Liebe gab. Und Dina hatte die Tour nach Vardø gespart. Es war ein gottverlassener und windgepeitschter Ort mit einem Kerker und einer Festung innerhalb einer sternförmigen Mauer, hatte sie gehört.

»Man kann die Menschen nicht hinter einem Zaun einsperren. Da werden sie gefährlich!« murmelte Dina und hatte nicht viel anderes zu tun, als Bergspitzen und Fjordarme zu zählen.

Von den Menschen an Bord war nichts zu erwarten.

16. Kapitel

Während Dina auf dem Heimweg war, sank Mutter Karen in ihrem
Ohrensessel zusammen und verlor die Sprache.

Tomas wurde mit dem Pferd übers Gebirge zum Doktor geschickt. Und Anders sandte auf dem Seeweg eine Nachricht an Johan, der zu Besuch bei dem Pfarrer in Vågan weilte.

Der Doktor war nicht zu Hause, und auch wenn er gekommen
wäre, hätte er wenig ausrichten können.

Johan packte seine Reisetasche und begab sich auf den Weg zum
Sterbebett seiner Großmutter. Wie alle anderen hatte er es für
selbstverständlich gehalten, daß sie unsterblich war.

Oline war außer sich. Die Unruhe übertrug sich aufs Essen. Alles, was sie zubereitete, war ohne Geschmack und kaum genießbar.
Ihr Gesicht war hellrot und nackt wie das Hinterteil eines Affen.

Stine saß bei der Kranken. Kochte Kräutertee, den sie ihr löffel-
weise eingab. Sie wischte ab, was sich aus den Poren und Öffnungen der alten Frau absonderte. Sie wusch sie und puderte sie mit
Kartoffelmehl. Füllte Leinenbeutel mit getrockneten Kräutern und
mit Rosenblättern, um die Luft im Krankenzimmer zu verbessern.

Manchmal glaubte Mutter Karen, daß sie bereits in den Garten
Eden gekommen war und daß sie den langen Weg vergessen konnte, den sie bis dorthin noch zurücklegen mußte.

Stine wärmte Wollappen und legte sie um die schlaffen Glieder,
schüttelte Kissen und Decken auf und öffnete das Fenster. Nur
einen Spalt, damit ständig ein wenig frische Luft hereinsickerte.

Indessen brannte die Augustsonne. Die Blaubeeren wurden reif,
und das letzte Heu wurde eingefahren.

Von Benjamin und Hanna war auf Olines Befehl nichts zu sehen
und zu hören. Sie tummelten sich meistens am Strand und schau-

ten nach allen Schiffen aus, die Dina und ihre Geschenke bringen konnten.

Benjamin begriff wohl, daß die Großmutter krank war. Aber daß sie sterben würde, hielt er für eine von Olines vielen Übertreibungen. Hanna dagegen hatte Stines Gespür für das Unabwendbare geerbt. So stand sie eines Tages in der Hochwasserlinie, spießte einen umgekippten Krebs auf und sagte: »Mutter Karen stirbt noch vor Sonntag!«

»He? Was sagst du da?«

»Mama sieht so aus! Ja, und Mutter Karen sieht auch so aus! Alte Leute müssen sterben!«

Benjamin wurde wütend.

»Mutter Karen ist nicht alt! – Das glauben nur die Leute ...«, fügte er leise hinzu.

»Sie ist uralt!«

»Nein! Dumme Kuh!«

»Warum leugnest du das? Sie darf doch wohl sterben, ohne daß du tobst!«

»Ja, aber sie soll nicht sterben! Hörst du!«

Er packte ihre Zöpfe und drehte sie am Haaransatz um. Außer sich vor Wut und Schmerz setzte Hanna sich auf den überfluteten Strand und heulte herzzerreißend. Das Kleid und die Hosen waren bis zum Rücken hinauf naß. Sie blieb mit gespreizten Beinen und dem Hinterteil im Wasser sitzen. Ihre Schluchzer kamen stoßweise aus dem weit offenen Mund.

Benjamin vergaß, daß er böse auf sie war. Außerdem begriff er, daß er etwas tun mußte, wenn er nicht riskieren wollte, daß Stine angerannt kam, um zu sehen, was los war. Er starrte das Mädchen eine Weile entmutigt an, dann reichte er ihr beide Hände und half ihr auf, während er ihr gut zuredete.

Sie zogen gemeinsam Hannas nasse Kleider herunter, wrangen sie aus und legten sie auf die warmen Felsen zum Trocknen. Und als sie dann da saßen und nicht recht wußten, ob sie Freunde waren oder nicht, nahm Benjamin sich vor, sie zu untersuchen, wie er es gelegentlich tat, wenn niemand sie sehen konnte. Sie legte sich beleidigt auf den Felsen, fegte eine verirrte Ameise vom Schenkel und ließ ihn allergnädigst gewähren, indes sie Rotz und Tränen abwischte und sich bis zu einem gewissen Grad trösten ließ.

Beide hatten vergessen, daß Mutter Karen vor dem Sonntag sterben würde.

Am nächsten Tag kam Dina mit dem Dampfer. Sie nahm die Kinder mit in die Kammer zu Mutter Karen. Sie standen mit steifen Armen und gesenktem Kopf am Bett.

Benjamin zitterte in dem warmen Zimmer. Er schüttelte den Kopf, als Stine ihn bat, Großmutters Hand zu fassen.

Da beugte sich Dina über Mutter Karen und nahm erst die eine, dann die andere Hand in ihre Hände. Sie nickte Benjamin zu.

Der Junge ergriff Dinas Hand, und die Mutter führte ihn zu der Alten. Dann umfaßte sie beider Hände.

Mutter Karens Augen leuchteten kurz auf. Ihr Gesicht war teilweise gelähmt. Aber sie zog den linken Mundwinkel hoch zu einem unbeholfenen Lächeln. Und die Augen füllten sich langsam mit Tränen.

Stines Kräutersäckchen schwankte leicht über dem Bett. Die weiße Gardine strich über die Fensterbank. Da schlang Benjamin seine Arme ganz fest um Mutter Karens Hals, ohne daß ihn jemand dazu aufgefordert hatte.

Oline, Anders und die Leute standen bei der Tür. Sie waren der Reihe nach an Mutter Karens Bett gewesen.

Mutter Karen sprach nicht mehr mit ihnen. Aber sie durften ihre mageren Hände streicheln. Dicke blaue Adern, die sich wie kahle Herbstbäume über den Handrücken wanden. Wenn sie die Augen öffnete, beobachtete sie die Leute. Man sah deutlich, daß sie alles hörte und verstand.

Eine große Ruhe breitete sich in dem Raum aus. Die Menschen verschmolzen miteinander. Stumm. Wie Heidekrautbüschel, wenn der Schnee verschwunden war, richteten sie sich auf und glitten ineinander.

Johan traf Mutter Karen nicht mehr lebend an.

Das Leichenboot wurde mit Laub und Farnen geschmückt. Blumenkränze und Sträuße wurden dazwischengesteckt. Der Sarg war darunter verborgen.

Oline hatte die Verantwortung, daß die Trauergäste ein schmackhaftes Essen bekamen, damit sie nicht nach Hause fuhren und über die schlechte Küche auf Reinsnes redeten. Denn diesen Nachruf sollte Mutter Karen nicht haben.

Sie zauberte Essen und Getränke herbei, Tag und Nacht. Es sollte bei der Beerdigung an nichts fehlen. Und die ganze Zeit seufzte und weinte sie.

Benjamin glaubte nicht, daß es jemals ein Ende nehmen würde. Er mußte ihr zur Hand gehen und ihr das Gesicht abwischen, damit die Tränen nicht auf die Lefse, die Pasteten und die belegten Brote fielen.

Johan war in seiner Trauer gefangen. Was sich zwischen ihm und Dina abgespielt hatte, war zu Fäulnisflecken geworden. Und er hatte keine Vergebung dafür bekommen. Schon die Tatsache, daß Mutter Karen tot war, wurde zu einem furchtbaren Omen für ihn. Aber Dina existierte! Sie konnte ihn kränken und einschüchtern allein dadurch, daß sie durch den Raum ging, in dem er sich aufhielt. Er hatte mit Mutter Karen nicht über seine große Sünde sprechen können, und jetzt war sie tot! Und er konnte nie an den Vater denken, ohne daß die Angst ihn bedrängte.

Zu Gott hatte er schon lange keinen Kontakt mehr. Er war auf der windzerzausten Schäre zwischen seinen Pfarrkindern herumgelaufen und hatte versucht Buße zu tun. Auch wenn er auf seinen Lohn verzichtet hatte und alles den Armen im Kirchspiel zukommen ließ, es hatte wenig genützt.

Er haßte sich selbst so sehr, daß er seine eigene Nacktheit nicht ertragen konnte. Wenn er schlief, konnte er sich nicht ergießen, ohne daß er glaubte, in Dinas Haaren zu ertrinken. Ihre weißen Schenkel waren die Öffnung zur Hölle. Er sah, wie das Feuer nach ihm züngelte, wenn er aufwachte, und er erinnerte sich notgedrungen an alle Gebete, die er gelernt hatte.

Aber der Herr war offensichtlich der Meinung, daß es nicht genügte. Daß er seine Sünden dem Bischof in Nidaros oder Tromsø beichten sollte.

Nach der Beerdigung fuhr Johan wieder nach Helgeland zurück. Er hatte Dina gemieden, so wie man Eis mit einer offenen Fahrrinne meidet.

Dina befahl, den Stall sauberzumachen. Die Fußböden im Laden und im Bootsschuppen zu scheuern. Niemand verstand, was diese Putzerei bedeuten sollte. Aber sie verstanden, daß es ein Befehl war. Dina saß während langer Herbstabende im Kontor und verbrauchte kostbares Öl, um kostbare Zahlen zu überprüfen.

Sie zog nicht wieder in das Haupthaus und spielte nicht Cello. Das letztere beunruhigte alle.

Benjamin wußte am besten, wie gefährlich diese Dina war. Er versuchte sie mit dem gleichen Trick einzuholen, den sie selbst benutzte, wenn sie etwas wollte.

Aber Dina antwortete damit, daß sie einen Hauslehrer engagierte. Er brachte die Kinder weiter in Zucht und Weisheit, als ob sie zwei Dreschmaschinen wären, die man bis zur äußersten Leistungsfähigkeit antreiben konnte.

Anders war ständig unterwegs. Sie übersahen ihn, wenn er da war, weil sie wußten, daß er bald wieder fahren würde.

Mutter Karen lag in ihrem Grab ohne Verantwortung für die Dinge. Sie war unvergänglicher denn je.

Und ihr Nachruhm blühte ebenso weiß wie die Eisblumen an Dinas Fenster. Mutter Karen hielt sich raus. Sie kam nicht aus den Ecken zu Dina oder aus den schweren Wolkenbänken über dem Sund. Sie mischte sich nicht ein in das, was Dina tat oder nicht tat. Forderte nichts.

Sie schien ihren toten Zustand zu mögen und kein Bedürfnis nach irgendeiner Verbindung zu haben.

Als das Gerücht aufkam, daß jemand wieder den Bären auf der Hochebene gesehen hatte, wollte Dina mit Tomas auf die Jagd gehen. Aber er weigerte sich, hatte immer etwas anderes Wichtiges zu tun.

So verging der Herbst.

Der Winter kam plötzlich mit dichtem Schneetreiben und Kälte, schon im Oktober.

Dina fing wieder an zu spielen. Sie teilte ihre Zeit zwischen der Buchführung und dem Cello.

Die Töne. Schwarze Zeichen auf strengen Linien. Stumm, bis sie etwas tat – und ihnen Laut gab. Manchmal kamen die Töne aus dem Notenblatt oder aus Lorchs Cello, ohne daß sie spielte. Die Hände konnten auf dem Instrument ruhen, und trotzdem kam eine Melodie heraus.

Die Zahlen. Dunkelblau und verschnörkelt in Rubriken. Stumm, aber deutlich genug. Für Eingeweihte. Sie standen immer für das gleiche. Hatten ihren Jahresrhythmus und ihre verborgenen Schätze. Oder ihre offenkundigen Verluste.

17. Kapitel

(Amnon hat eine unkeusche Liebesbeziehung zu seiner Schwester Tamar, er kränkt sie, jagt sie fort und überläßt sie ihrem Jammer.)

UND AMNON WURDE IHRER ÜBERDRÜSSIG, SO DASS SEIN WIDERWILLE GRÖSSER WAR ALS VORHER SEINE LIEBE, UND AMNON SPRACH ZU IHR: AUF, GEH DEINER WEGE!
(Das zweite Buch Samuel, Kapitel 13, Vers 15)

Tomas lauerte Dina auf, sobald sie sich in den Nebengebäuden oder im Stall blicken ließ.

Sie bewegte sich unruhig, wenn er in der Nähe war. Als ob sie einem Insekt ausweichen wollte. Gelegentlich sah sie ihn forschend an. Besonders aus sicherem Abstand.

Eines Nachmittags kam er nahe an sie heran, als sie gerade ins Ausgedinge gehen wollte.

»Warum ist Tomas mir immer im Weg?« fragte sie böse.

Das blaue und das braune Auge blinzelten mehrmals. Es blitzte da drin.

»Wenn ich hier auf dem Hof arbeiten soll, muß ich ja wohl hin- und hergehen.«

»Und was tust du auf meiner Treppe?«

»Ich muß rund um die Treppe Schnee schippen. Wenn Sie nichts dagegen hat?«

»Dazu könntest du eigentlich eine Schaufel nehmen.«

Er drehte sich um und ging in den Schuppen, um eine Schaufel zu holen. Stundenlang quietschten seine Spatenstiche vor dem Haus.

Am nächsten Tag rief Dina Stine zu sich herein.

»Wie wäre es, wenn ihr, du und Tomas, heiraten würdet?« fragte sie ohne Einleitung.

Stine sank auf den nächsten Stuhl, sprang aber sogleich wieder auf.

»Wie kann Dina so etwas sagen?« rief sie aus.

»Es wäre eine gute Lösung.«

»Wofür?«

»Für alles.«

»Das glaubst du doch selbst nicht«, sagte sie scheu und sah Dina verzweifelt an.

»Ihr könnt hier im Ausgedinge wohnen, wie anständige Leute. Ich ziehe wieder ins Haupthaus«, sagte Dina freundlich.

Stine steckte die Hände unter die Schürze und senkte den Blick, ohne zu antworten.

»Und was sagst du dazu?«

»Er will nicht«, sagte sie ruhig.

»Warum sollte er nicht wollen?«

»Das weiß Dina doch.«

»Und was sollte das sein?«

»Er will eine andere haben.«

»Und wer sollte das sein?«

Stine wand sich. Der Kopf fiel noch tiefer auf die Brust.

»Dina ist wohl die einzige, die das nicht weiß. Man bekommt die Leute nur schwer dazu, daß sie ihr Herz einem anderen geben. Daraus erwächst selten ein Segen ...«

»Stine kann alles segnen!« unterbrach Dina.

Stine ging langsam, als sie das Dinahaus verließ. Ihre Augen waren fast schwarz und sahen zielbewußt geradeaus. Sie hatte das Umschlagtuch auf dem Stuhl vergessen. Aber ging deswegen nicht zurück, auch wenn sie fror.

Lange stand sie vor der Küchentreppe und betrachtete die Eiszapfen, die vom Dach herunterhingen. Oline arbeitete in der Küche, mit dem Rücken zum Fenster.

Dina ließ Tomas kommen und erzählte ihm von seiner Zukunft. Er erstarrte, als ob ihn jemand auf dem Boden festgenagelt hätte. Das Gesicht war völlig nackt.

»Das ist doch nicht dein Ernst«, flüsterte er.

»Warum nicht? Es ist eine gute Regelung. Ihr könnt hier im Altenteil wohnen und es wie die Fürsten haben!«

»Dina!« sagte er. Sein Blick tastete nach ihr. Völlig im Dunkeln.

»Es liegt ein Segen in allem, was Stine anpackt«, sagte sie.

»Nein!«

»Warum nicht?«

»Das weiß Sie. Ich kann nicht heiraten!«

»Willst du dein Leben lang hier auf dem Hof als armer Trottel herumlaufen?«

Er zuckte, als ob sie ihn geschlagen hätte. Aber er schwieg.

»Du träumst zuviel, Tomas! Ich biete dir eine Lösung an. Zum besten für alle.«

»Es stört dich, daß ich nach dir sehe«, sagte er hart.

»Das ist keine Zukunft, nach mir zu sehen.«

»Aber ich war gut genug... früher!«

»Niemand spricht von *früher!*« sagte sie schneidend.

»Du bist nicht gut!«

»Ein solches Angebot nennst du nicht gut?«

»Ja«, sagte er heiser, setzte seine Mütze auf und wollte gehen.

»Es ist schwierig für dich, auf Reinsnes zu leben und nicht verheiratet zu sein, verstehst du das?«

»Seit wann ist es schwierig?«

»Seit ich gemerkt habe, daß du mir überall auflauerst«, fauchte sie leise.

Er ging, ohne daß sie gesagt hatte, er solle gehen.

Dina lief den ganzen Nachmittag in ihrem Zimmer auf und ab, obwohl die Arbeit auf sie wartete.

Das Mädchen kam, um im Schlafzimmer zu heizen. Aber Dina warf sie hinaus.

Es wurde still und dunkel im Ausgedinge.

Tomas saß bei Oline in der Küche und aß seine Abendmahlzeit, als Stine hereinkam, um etwas zu holen.

Sie sah ihn kurz an und wurde rot. Dann schlüpfte sie hinaus.

Tomas brannte der Boden unter den Füßen, er starrte, als ob er noch nie gesehen hätte, wie sich eine Tür hinter jemandem schloß.

Er ließ die Schultern hängen und kaute umständlich an seinem Brei.

»Na?« sagte Oline. »Ist der Brei kalt?«

»Nein, überhaupt nicht, Gott sei Dank«, sagte Tomas verlegen.

»Du läßt den Kopf hängen?«

»Wirklich?«

»Und Stine läßt auch den Kopf hängen? Was ist denn los?«

»Dina will uns verheiraten!« Es fuhr ihm heraus, ehe er sich besonnen hatte.

Oline machte den Mund fest zu. So wie sie die Ofenzüge für die Nacht zuschraubte.

»Miteinander oder jeden für sich?« fragte sie mit unsicherer Stimme. Als ob es auch eine Neuigkeit für sie wäre.

»Miteinander.«

»Hast du mit ihr angebandelt...?«

»Nein!« sagte er wütend.

»Ach so...«

»Man kann doch die Leute nicht einfach verheiraten«, flüsterte er.

Oline schwieg und fing an, mit den Tassen auf dem Küchenschrank zu klappern. Dann kam es: »Sie gleicht immer mehr dem Lehnsmann.«

»Ja«, sagte Tomas nur. Und versank wieder in Gedanken.

»Will sie dich nicht haben? Die Stine?«

»Das kann ich mir nicht vorstellen«, sagte er verwirrt.

»Wäre es denn so schlimm?«

»Schlimm?«

»Ja, weißt du, es könnte doch eine gute Lösung sein.«

Er schob die Kaffeetasse weg, griff nach der Mütze und rannte hinaus.

»Ich scheiße auf die guten Lösungen hier in Reinsnes«, schrie er aus dem Windfang.

Am nächsten Morgen war Tomas weg. Keiner wußte, in welche Richtung er gegangen war.

Nach drei Tagen kam er vom Gebirge herunter, die Kleider in Fetzen und nach Alkohol stinkend.

Bediente sich in der Küche selbst mit Essen und Trinken, danach legte er sich ins Bett und schlief vierundzwanzig Stunden.

Er wachte davon auf, daß Dina ihn rüttelte. Erst glaubte er zu träumen. Dann bekam er Stielaugen und setzte sich auf.

In strammer Haltung vor Dina Grønelv, dachte er bitter, als ihm aufging, wer es war. Jahrelang hatte er demütig jeden Blick, jede Geste, jedes Wort von ihr gesammelt.

»Tomas nimmt sich wahrhaftig das Recht zu Sauferei und Spektakel! Und das kurz vor Weihnachten, wo so viel zu tun ist!« sagte sie ruhig.

Es dröhnte in seinem verkaterten Kopf.

»Hat Er keine Angst, daß Er vor die Tür gesetzt wird?«

»Nein«, sagte er fest.

Sie zwinkerte ein wenig bei der schroffen Antwort, faßte sich aber schnell wieder.

»Mach, daß du an die Arbeit kommst!«

»Was befiehlt die gnädige Frau von Reinsnes? Soll ich sie von vorne oder von hinten nehmen?«

Draußen wütete der Wind mit einem Blecheimer.

Sie schlug. Hart. Es dauerte ein paar Sekunden, bis die Nase anfing zu bluten. Er saß im Bett und sah sie an. Das Blut lief schneller. Bildete einen warmen roten Bach über Lippen und Kinn. Tropfte langsam auf seine offene Hemdbrust, nachdem es zunächst die blonden Haare auf seiner Brust rot gefärbt hatte.

Er wischte das Blut nicht weg. Saß nur ruhig mit einem häßlichen Grinsen da und ließ es laufen.

Sie räusperte sich. Trotzdem waren die Worte wie eine Steinlawine.

»Wisch das Blut ab und geh an deine Arbeit!«

»Wisch du es doch ab!« sagte er heiser und stand auf.

Er hatte etwas Drohendes an sich. Etwas vollständig Fremdes. Sie besaß seine Gedanken nicht mehr.

»Und warum soll ich es abwischen?«

»Weil du an dem Blut schuld bist!«

»Wie wahr«, sagte sie unerwartet sanft und sah sich in dem Raum um. Erblickte ein Handtuch, holte es und reichte es ihm mit einem schiefen Lächeln.

Er nahm es nicht. Da ging sie hin und wischte das Blut vorsichtig ab. Es nützte wenig. Es kam ständig neues, frisches Blut nach.

Plötzlich breitete sie sich zwischen ihnen aus. War wie Meeresleuchten in dem halbdunklen, spartanischen Raum. Eine rohe, scharfe Lust! Die Schwester von Haß und Rache.

Er roch nach altem Suff und Stall. Sie roch nach Tinte, Rosenwasser und frischem Schweiß.

Dina zog die Hand zurück, als ob sie sich verbrannt hätte. Dann ging sie rückwärts zur Tür hinaus, mit weit offenen Nasenlöchern.

»Du bist schuld an dem Blut!« schrie er ihr nach.

Am ersten Sonntag im neuen Jahr wurden Stine und Tomas aufgeboten.

»Träume, was soll man mit denen?« fragte Oline mehr als einmal. »Sie dauern nur kurz und enden traurig, oder man trägt sie ein ganzes Leben mit sich herum.«

Dina brachte das Cello wieder in den Saal. Das Intermezzo im Altenteil war zu Ende.

Ich bin Dina. Die Menschen existieren. Ich begegne ihnen. Früher oder später trennen sich die Wege. Das weiß ich.

Einmal sah ich etwas, das ich vorher nicht gesehen hatte. Bei zwei älteren Menschen, dem Bischof und seiner Frau. Die Liebe ist sicher eine Meereswelle, die nur für den Strand da ist, auf den sie aufprallt. Ich bin kein Strand. Ich bin Dina. Ich schaue mir solche Wellen an. Ich kann mich nicht überfluten lassen.

Benjamin hatte sich daran gewöhnt, immer in dem Haus zu wohnen, in dem Dina nicht war. Er entschied selbst, daß er mit ins Altenteil zog. Wollte Dina auf jeden Fall zuvorkommen.

Er war im letzten Jahr gewachsen. Aber sehr groß würde er nicht werden. Stumm und beobachtend ging er einher. Fragte und antwortete wie ein Orakel. Mit wenigen bündigen Worten. Er klammerte sich nicht mehr an Dina. Etwas hatte sich verändert, nachdem Dina nach Tromsø gefahren war. Oder war es nach Mutter Karens Tod?

Man konnte nicht deutlich sehen, daß er um sie trauerte oder sie vermißte. Aber er schlich sich oft, ohne Hanna, in Mutter Karens Kammer.

Dort war alles noch wie vorher. Das Bett war gemacht. Die Paradekissen standen gegen das Kopfteil gelehnt. Wie zwei reglose Flügel eines fortgeflogenen Engels.

Der Bücherschrank stand da, der Schlüssel steckte. Dorthin ging Benjamin und vergaß sich selbst, bis jemand nach ihm rief. Er ging nur noch ins Hauptgebäude, um mit gekreuzten Beinen auf dem Boden vor Mutter Karens Bücherschrank zu sitzen und zu lesen.

Er lernte leicht, drückte sich aber trotzdem, wenn er konnte. Gelegentlich holte er sich aus dem Haupthaus Bücher. Die philosophischen und religiösen Werke hatte Johan mitgenommen, aber die Romane standen noch da.

Benjamin las Hanna vor. Sie saßen stundenlang am weißen Kachelofen im Altenteil mit Mutter Karens Büchern.

Stine gehörte nicht zu denen, die auf ihnen herumhackten, wenn sie friedlich waren. Hie und da sagte sie: »Es ist nur noch wenig Holz da.« Oder: »Das Wasserfaß ist leer.« Und Benjamin wußte, daß es seine Aufgabe war, Knecht zu spielen, falls kein anderer in der Nähe war.

Es konnte passieren, daß er überrascht war, wenn er vom Laden oder vom Strand heraufkam und das große weiße Haus liegen sah. Da ließ er den Blick schnell zum Taubenschlag schweifen, der mitten auf dem Hofplatz stand, und dachte an etwas anderes.

Manchmal spürte er deutlich irgendwo einen Schmerz – den er nicht lokalisieren konnte.

Benjamin hatte manches wahrgenommen, ohne daß er groß darüber nachgedacht hatte. Daß Tomas immer Dina gehört hatte. Genauso wie der Schwarze und das Cello. Bis Stine und Tomas heirateten und ins Altenteil zogen.

Sie hatten noch nicht an vielen Winterabenden am Kachelofen gesessen, jeder mit seiner Arbeit, da begriff Benjamin, daß Tomas nicht mehr Dina gehörte. Daß Tomas auch nicht Stine gehörte, obwohl er bei ihr schlief. Tomas gehörte sich selbst.

Aber daß man sich selbst gehörte, wenn man im Altenteil wohnte, war eine Sache, die Benjamin erschreckte. Dina und das Cello waren ferne Geräusche aus dem Saal.

Benjamin war im Altenteil, um zu lernen, sich selbst zu besitzen.

18. Kapitel

WER EINE EHEFRAU GEFUNDEN HAT, DER HAT ETWAS GUTES GE-
FUNDEN UND WOHLGEFALLEN ERLANGT VOM HERRN.
(Die Sprüche Salomos, Kapitel 18, Vers 22)

Anders fuhr im Januar zu den Lofoten, um Fisch zu kaufen. Als er kaum zu Hause war, mußte er für die Bergen-Fahrt rüsten. Sein Leben war eine einzige lange Seefahrt. Aber wenn er ein paar Wochen an Land war und anfing unruhig zu werden, ärgerte er niemanden deswegen.

Manchmal kamen Reisende mit dem Dampfer an. Aber nicht mehr so oft wie in den vergangenen Jahren.

In den Laden dagegen kamen ständig viele Leute. Dinas Mehlbestellung in Archangelsk erwies sich als ein äußerst lichter Gedanke. Sie verdiente große Summen dadurch, daß sie das Mehl bis zum Frühjahr, als es knapp wurde, zurückgehalten hatte. Es sprach sich herum, daß man in Reinsnes Mehl, die Ausrüstung zum Fischfang und das Notwendigste im Tausch gegen Stockfisch bekommen konnte. Und Anders konnte solide Abmachungen treffen und den Fisch nach Bergen liefern.

Stine aß nicht mehr im Hauptgebäude. Sie bereitete für Mann und Kind selbst das Essen zu. Aber tat auf dem Hof die gleiche Arbeit, die sie immer getan hatte. Man merkte ihr wegen ihrer geschmeidigen, langsamen Bewegungen nicht an, daß sie vom frühen Morgen bis zum späten Abend ihrer Arbeit nachging.

Sie veränderte sich nur unmerklich über einen langen Zeitraum. Es begann an dem Tag, als sie ihre wenigen Habseligkeiten in das Altenteil brachte. Sie lächelte, während sie die Töpfe hinübertrug, in denen sie Salbe zu kochen pflegte. Sie sang leise in der eigenartigen Sprache, die sie selten benutzte, während sie die Kräuter aus dem Keller des Haupthauses in den Keller des Altenteils trug.

Zuerst hatte sie geschrubbt und geputzt. Staubgewischt und gefegt. Hanna und Benjamin hatten ihr geholfen, kunstvolle Bänder aus farbigem Papier auszuschneiden, die sie an den Kanten der Regalbretter befestigten. Stine hatte das Bettzeug gelüftet. Sie hatte alles, was Dina ihr an Aussteuer gegeben hatte, in den Schränken und Kommoden verstaut.

Stine hatte ein offenes Haus. Sie empfing alle, die kommen wollten. Ob sie nun aus Neugierde kamen oder sich Rat für Wunden und Krankheiten holten.

In mancher Hinsicht stach sie Oline aus. Viele wollten lieber etwas bei Stine erledigen, wenn sie schon im Laden waren, als daß sie in die blaue Küche gingen. Vor allem kamen sie wegen Kräutern und Salben. Aber auch aus Gründen, über die nicht laut gesprochen wurde.

Stines Hände waren bereitwillig und warm. Die Augen konnten in dunkler Freude leuchten. In diesem Frühjahr hatte sie mehr Eiderenten als je zuvor. Sie fütterte sie und rupfte Daunen. Baute einen Unterschlupf aus Brettern und Kisten, damit Regen und Wind ihnen nicht zusetzten, während sie zum Brüten verurteilt waren. Sie sammelte die Küken in der groben Schürze aus Sackleinen, wenn die Zeit gekommen war, und trug sie zum Meer.

Tomas war noch viele Wochen nach der Hochzeit ein halb bewußtlos geschlagener Bulle. Dann vermochte er sich nicht länger zu widersetzen. Das Gesicht glättete sich allmählich. Als ob Stine ihn morgens und abends mit Rosenwasser und einem Kräutersud gewaschen hätte. Oder Fähigkeiten benutzt hätte, die niemand sah.

Als Stines Bauch sich deutlich unter der Schürze rundete, fing Tomas an zu lächeln. Vorsichtig zuerst. Dann strahlte er mit der Sonne und mit den bronzefarbenen Armen um die Wette, wenn er pflügte.

Anfangs glaubte Tomas, daß es Zauberei wäre. Denn wie die Tage und Nächte dahingingen, war es ihm unmöglich, sich ihrem Einfluß zu entziehen. Sie strömte Wärme aus.

Sie machte zunächst keine Anstalten, ihn zu mögen. Sie hielt seine Kleider in Ordnung, setzte ihm das Essen vor. Sorgte dafür, daß er ausruhen konnte. Ging aufs Feld mit einer Kanne Sauermilch. Stellte sie mit einem freundlichen Gruß hin und ging wieder.

Sie hatte bestimmt noch nie etwas bekommen, ohne dafür zu bezahlen. In der Hochzeitsnacht hatte er sie schnell genommen, während er daran dachte, daß sie zwei uneheliche Kinder ausgetragen hatte.

Kurz vor dem Samenerguß lag er zwischen Dinas freigebigen Schenkeln. Danach hatte Stine ihn zugedeckt und ihm gute Nacht gewünscht. Aber Tomas hatte nicht schlafen können. Lag wach und sah ihr Gesicht in dem spärlichen Licht.

Es hatte gefroren und war bitterkalt gewesen. Plötzlich sah er, daß sie fröstelte. Er war aufgestanden und hatte den Ofen geheizt. Um ihr eine Freude zu machen. Weil ihm unversehens aufging, daß sie ein Mensch war. Und daß sie nicht darum gebeten hatte, ihn ins Bett zu bekommen.

Es dauerte nicht lange, bis ihm klar wurde, daß er den Zauber nicht mehr missen wollte, falls sie ihn mit einem Lappenzauber verhext hatte.

Mit verlegener Freude nahm er sie immer öfter. Erlebte das Wunder, daß er nie abgewiesen wurde.

Er lernte schnell, daß sie um so wärmer und williger war, je behutsamer er vorging. Und wenn auch die fremdartigen Augen ihr eigenes Leben lebten, so war sie doch bei ihm. Tag und Nacht.

Indessen wuchs das Kind in ihr. Ein eheliches Kind mit einem Vater im täglichen Leben und auf dem Papier. Sie hatte sich ursprünglich nicht gerade nach diesem Mann gesehnt, aber darüber ließ sie nie etwas verlauten. Und falls sie es wußte, daß sie ihn von ihrer Herrin geerbt hatte, so wie sie Unterwäsche und Kleider und ein paar gutriechende Seifenstücke geerbt hatte, so behielt sie auch das für sich.

An dem Tag, als Stine ihm erzählte, daß sie ein Kind erwartete, lehnte Tomas sich an sie und flüsterte unmännliche Worte. Ohne daß er glaubte, sich schämen zu müssen. Er hatte wenig Ahnung von Liebe. Bisher hatte sie nichts anderes bedeutet, als auf Dinas Worte, Dinas Nicken, Dinas Reitausflüge, Dinas gute Laune, Dinas allesfressende Lust zu warten. Diese Liebe hatte ihn unterjocht und ihn soweit gebracht, daß er sich während seiner ganzen Jugend versteckt hatte. Plötzlich war er frei.

Es konnten Tage vergehen, an denen er nicht daran dachte, wem Reinsnes gehörte. Tage draußen auf dem Feld. Im Stall. Im Wald. Denn er arbeitete für Stine und das Kind.

19. Kapitel

Eines Tages glitt das Kajütboot des Lehnsmanns unangemeldet an
die Anlegestelle. Er war ernst und grau und wollte mit Dina unter
vier Augen sprechen.

»Um was handelt es sich?« fragte sie.

»Sie haben in Trondhjem einen Russen verhaftet«, sagte er.

Dina schnellte hoch.

»Was für einen Russen?«

»Diesen Leo Zjukovskij, der ein paarmal Gast auf Reinsnes
war.«

»Warum denn?«

»Spionage! Und Majestätsbeleidigung.«

»Spionage?«

»Der Vogt meinte, daß sie ihn lange überwacht hätten. Er hat es
ihnen so einfach gemacht, daß sie ihn im Bereich des Zuchthauses
fassen konnten. Nachdem er in der ›Sklaverei‹ ein Päckchen abgeholt hatte. Der Direktor wußte, daß er früher oder später kommen
würde. Der Amtsrichter meint, daß der vorige Direktor sich als Ku-
rier für den politischen Aufruhr betätigt hat. Dieser Leo Zjukovskij
ist direkt in die Falle gegangen. Das Päckchen hatte lange dort gelegen... Es enthielt sicher Codes.«

Der Lehnsmann hatte mit leiser drohender Stimme gesprochen.

Jetzt ging die Stimme in ein Grollen über: »Der Direktor meint,
daß Dina Grønelv das Päckchen abgegeben hat!«

«Worum geht es eigentlich?«

»Darum, daß meine Tochter beschuldigt werden kann, in einen
schändlichen Spionagefall verwickelt zu sein. Daß sie mit diesem Spion auf vertraulichem Fuß gestanden hat. Und dieser Mann
hat sogar mit dem Lehnsmann zusammen gegessen und getrunken!«

Dinas Gesicht war der Zipfel eines alten Segels. Die Augen schauten angestrengt, mit einem nervösen Zucken. Vom Fenster zum Lehnsmann – und wieder zurück.

»Aber das Buch, lieber Lehnsmann. Das Buch, das ich abgegeben habe, enthält nur Gedichte von Puschkin! Leo und ich hatten Spaß daran, sie zusammen zu lesen. Er mußte sie natürlich übersetzen, weil ich kein Russisch kann.«

»Was für ein Einfall und was für ein Blödsinn!«

»Es ist die Wahrheit!«

»Du mußt sagen, daß du das Buch nicht abgegeben hast.«

»Ich habe es aber abgegeben!«

Der Lehnsmann seufzte und griff sich ans Herz.

»Warum machst du bloß solche verrückten Sachen, wenn ich fragen darf?« rief er aus.

»Die Stellen, die wir in dem Buch unterstrichen haben, sind keine Codes für Spionage. Es sind einfach Worte, die ich versucht habe zu lernen.«

»Es handelt sich um andere Striche, verstehst du. Der Code muß schon früher dagestanden haben.«

Der Lehnsmann ertrug es nicht, weder sein Herz noch er persönlich, daß seine Tochter in eine solche Sache verwickelt war. Er wollte in dem Rapport einfach nicht erwähnen, daß sie das Buch in Trondhjem abgeliefert hatte. Er starrte Dina an wie aus einer Gletscherspalte mit weißbuschigen Brauen darüber. Eiskalt. Als ob sie ihn höchstselbst beleidigt hätte durch die Bestätigung, daß sie das unselige Päckchen in der »Sklaverei« abgeliefert hatte. Er wollte seinen Namen nicht in diesen Skandal hineingezogen haben!

»Ich muß den Lehnsmann daran erinnern, daß ich Jacobs Namen trage! Und ich habe die Pflicht, den wahren Sachverhalt nicht zu unterschlagen. Das weißt du wohl!«

Er fiel plötzlich zusammen, als ob ihm jemand mit einem Fleischklopfer in den Nacken gehauen hätte. Man konnte den dumpfen Schlag fast hören, ehe der Kopf auf die Brust sackte. Er faßte gleichzeitig beide Schnurrbartenden und drückte sie über dem Mund mit einer demütigen Miene zusammen.

Es endete damit, daß er den Rückzug antrat und sich entschloß, die ganze Geschichte als ein Geschenk anzusehen. Sie würde ihn, als Vater und Lehnsmann, in den Augen des Vogtes sehr bedeutsam machen. Ja, in den Augen des ganzen norwegischen Rechtswesens.

Es würde ihm ein großes Vergnügen sein, in dieser Sache aufzuräumen und zu beweisen, daß das Ganze ein lächerlicher Irrtum war. Daß der Mann nur ein harmloser, arbeitsscheuer Vagabund war. Spion! Pah! Krieg und wirre Verhältnisse hatten die Menschen so mißtrauisch gegen alles gemacht, was von Osten kam. Während die Engländer und Franzosen ungeschoren blieben, obwohl sie eigentlich an dem ganzen Krach schuld waren. Sicherheitshalber schimpfte er auch über die Deutschen. Die Russen dagegen hatten nie etwas Schlimmeres getan, als sich zu besaufen, mehrstimmig zu singen und Getreide zu liefern.

Der Lehnsmann schrieb einen markigen Bericht. Dina unterschrieb seine Aussagen.

Aber der Krimkrieg setzte sich offensichtlich in Dinas Kopf fort. Die Cellotöne an diesem Abend taten kund, daß sie versuchte, bis nach Trondhjem zu reiten.

Der Lehnsmann meinte, daß ihr Zeugnis dazu beitragen würde, den Mann freizusprechen. Das war doch klar! Er hatte überdies mitgeholfen, einen bedrohlichen Scheunenbrand auf Reinsnes zu löschen. Dank seiner Klugheit und seines Mutes.

Dina wurde nach Ibestad vorgeladen, um vor dem Amtsrichter auszusagen. Über Puschkins unseligen Gedichtband und alle Striche, die ein Code sein sollten.

Der Amtsrichter empfing Dina und den Lehnsmann höflich. Ein Schreiber und zwei Zeugen saßen bereits auf ihrem Platz, als sie kamen. Nachdem Dina ihren Namen genannt und andere Angaben zur Person gemacht hatte, las der Amtsrichter zur Einleitung aus seinen Akten vor.

Eine Übersetzung der unterstrichenen Worte hatte ergeben, daß Leo Zjukovskij Oscar I. und den ehrenwerten Bürger und Theaterdirektor Knut Bonde beschuldigte, mit Napoleon III. gemeinsame Sache zu machen. Ferner hatte er versucht, namentlich nicht genannte Personen zur Unterstützung eines Komplotts gegen den schwedischen König zu gewinnen.

Dina lachte erstaunt. Der Amtsrichter müsse entschuldigen. Aber ihr Respekt vor dem schwedischen König gründe sich auf Mutter Karens Urteil. Und sie habe das Reinsnes-Schiff immer unter dem Danebrog segeln lassen!

Der Lehnsmann war beschämt. Aber als Vater war er Partei in dem Rechtsstreit und brauchte glücklicherweise nicht auszusagen. Und auch nicht zu unterbinden, daß Dina lachte!

»Ihre Aussage wird wörtlich niedergeschrieben und nach Trondhjem geschickt«, erklärte der Amtsrichter.

»Die Lehnsmannstochter weiß das.«

Ruhig fing er an sie auszufragen. Sie antwortete kurz und klar. Aber schloß fast jede Antwort mit einer Frage ab.

Der Amtsrichter zupfte an seinem Schnurrbart und trommelte mit den Fingern auf dem Tisch.

»Glaubt Sie, daß es sich bei dem Ganzen um eine Art private, gesellige Majestätsbeleidigung handelt?«

»Unbedingt!«

»Aber der Russe hat nicht in diesem Sinne ausgesagt. Er erwähnt Dina Grønelv nicht im Zusammenhang mit den Codes. Er räumt nur ein, daß sie das Buch wahrscheinlich aus freien Stücken und ohne sein Wissen abgegeben hat.«

»Ich kann mir denken, daß er mich aus der Sache heraushalten will.«

»Kennt Sie diesen Mann gut?«

»So gut wie man die meisten Gäste, die ein oder zwei Nächte bleiben, kennt. Es gehen viele in Reinsnes an Land.«

»Aber Sie verbürgt sich dafür, daß dieser Mann seine Striche in dem besagten Buch während eines sogenannten Gesellschaftsspiels gemacht hat?«

»Ja.«

»Gibt es dafür Zeugen?«

»Leider nein.«

»Wo ging das vor sich?«

»Auf Reinsnes.«

»Aber warum hat Sie das Buch ausgerechnet in der ›Sklaverei‹ abgegeben?«

»Weil ich mit meinem Schiff in Trondhjem war. Er hatte das Buch vergessen, und ich wußte, daß er dorthin kommen würde.«

»Wieso konnte Sie das wissen?«

»Ich erinnerte mich, daß er so etwas gesagt hatte.«

»Was wollte er da?«

»Darüber haben wir nicht gesprochen.«

»Für eine Frau ist es ein unbehaglicher Ort, um ein Buch abzugeben.«

»Der Ort ist auch für Männer nicht besonders behaglich!«

»Aber hat Sie eine Erklärung dafür, warum das Buch diesem Mann so wichtig ist?«

»Es ist sein Lieblingsbuch. Der Amtsrichter weiß wohl ebenso gut wie ich, daß Menschen, die Bücher lieben, sie mit sich herumschleppen. Mutter Karen hatte seinerzeit zwei große Bücherschränke nach Reinsnes mitgenommen. Leo Zjukovksij hat Puschkin gekannt. Er hat immer Bücher von ihm auf seinen Reisen bei sich. Das hat er mir selbst gesagt.«

Der Amtsrichter räusperte sich und schaute in seine Papiere. Dann nickte er.

»Wer ist dieser Puschkin?«

»Er hat diese Geschichte geschrieben, Amtsrichter. Das Buch!«

»Ja, natürlich! Leo Zjukovskij konnte nicht glaubhaft erklären, wo er herkam und wo er hinwollte. Weiß Dina Grønelv etwas darüber?«

Sie überlegte. Dann schüttelte sie den Kopf.

»War der Verdächtige auf Reinsnes, kurz bevor er nach Trondhjem kam?«

»Nein. Im Frühjahr 1854 war er das letzte Mal Gast auf Reinsnes.«

»Dieser... dieses Poesiealbum, hat es die ganze Zeit in der ›Sklaverei‹ gelegen?«

»Da muß der Amtsrichter den Direktor der ›Sklaverei‹ fragen, ob... Eines ist jedenfalls sicher, irgend jemand hat Dina Grønelvs Siegel auf einem privaten Päckchen aufgebrochen.«

»Hmm... m...«

»Ist das nicht unerhört, Herr Amtsrichter?«

»Es kommt darauf an.«

»Aber Herr Amtsrichter! Bevor sie mein Siegel aufbrachen, wußten sie ja nicht, was in dem Päckchen war. Und es ist doch gegen das Gesetz, in anderer Leute Eigentum einzubrechen?«

»Darauf kann ich nicht antworten, in diesem Fall.«

»Und der Brief? Wo ist der?«

»Der Brief?« fragte der Amtsrichter interessiert.

»Es war ein Brief in dem Päckchen. An Leo Zjukovskij. Von mir.«

»Fragen stellt der Amtsrichter. Dina Grønelv soll antworten.«

»Jawohl, Herr Amtsrichter!«

»Ich habe nichts von einem Brief gehört. Ich werde nachforschen. Was stand drin?«

»Es war privat.«

»Aber das hier... ist ein Verhör.«

»Es stand drin: ›Wenn der Prophet nicht zum Berg kommt, dann kommt der Berg zum Propheten.‹ Und: ›Barabbas darf nach Reinsnes kommen, wenn er nicht wieder ans Kreuz geschlagen wird.‹«

»Was soll das bedeuten? Ist das ein Code?«

»Jedenfalls hat es wenig mit dem schwedischen König zu tun.«

»Sie muß bedenken, daß Sie vom König von Norwegen und Schweden spricht.«

»Selbstverständlich.«

»Was sollen diese Worte bedeuten?«

»Sie sollen daran erinnern, daß wir auf Reinsnes immer noch gastfrei sind.«

»War das alles, was in dem Brief stand?«

»Ja. Und die Unterschrift.«

»Hatten dieser Leo Zjukovskij und Dina Grønelv etwas... eine Freundschaft, die über die gewöhnliche Gastfreundschaft hinausging?«

Dina sah den Amtsrichter an.

»Kann Er mir näher erklären, was Er meint?«

»Ich meine, waren Briefwechsel und Codes zwischen ihnen üblich?«

»Nein.«

»Ich habe mir sagen lassen, daß Dina Grønelv in den letzten beiden Sommern viel gereist ist. Sowohl nach Norden als auch nach Süden. Hat Sie auf diesen Reisen Leo Zjukovskij getroffen?«

Dina antwortete nicht sofort. Der Lehnsmann reckte den Hals in seiner Ecke. Ihm war übel.

»Nein!« sagte sie bestimmt.

»Glaubt Dina Grønelv, daß die Verdächtigungen unbegründet sind, deretwegen dieser Mann verhaftet wurde?«

»Ich weiß nicht, warum er verhaftet worden ist.«

»Weil er im Besitz eines russischen Buches ist, das auf Grund eines Verdachtes von Sachverständigen geprüft und entlarvt wurde. Die Codes zeigen eine feindliche Haltung gegen den König und ehrbare Bürger und unterstellen, daß sie ein Komplott geschmiedet haben, um die nordischen Länder in den Krimkrieg hineinzuziehen.«

»Auf welcher Seite?«

»Das gehört nicht zur Sache«, sagte der Amtsrichter verwirrt. »Aber Napoleon III. ist ja unser Verbündeter. Geruhe Sie im übrigen zu antworten und nicht zu fragen.«

»Hier im Norden sind wir schon lange in den Krieg hineingezogen worden. Die Codes, für die Leo Zjukovskij verhaftet worden ist, für die kann der Amtsrichter auch Dina Grønelv verhaften.«

»Was meint Sie mit hineinziehen?«

»Wir sind selbst nach Archangelsk gesegelt, um Korn zu holen, damit wir nicht verhungern. Ich habe nicht gehört, daß der König danach gefragt hat, wie es uns geht. Und nun sollen wir bei einem Krieg mitmachen, der dem Namen nach an einer ganz anderen Stelle stattfinden sollte als an der finnischen Küste!«

»Kann Sie bei der Sache bleiben?«

»Ja, Herr Amtsrichter, sobald ich weiß, was die Sache ist.«

»Dina Grønelv behauptet also, daß Sie dabei war, als die Codes erstellt wurden?«

»Es ist eine vergnügliche Art, russische Wörter zu lernen.«

»Was steht in diesen – diesen Codes?«

»Der Amtsrichter hat es vorgelesen, ich erinnere mich nicht wörtlich. Wir haben viel gesprochen, seit der Amtsrichter es gesagt hat. Und es ist viel Wasser ins Meer geflossen, seit Leo Zjukovskij in Reinsnes war und mir Russisch beigebracht hat.«

»Sie ist nicht sehr bereit zur Zusammenarbeit.«

»Ich finde, es ist Unsinn, einen Mann deshalb zu verhaften, weil er sich über den schwedischen König lustig gemacht hat, während man keinen Finger rührt, um die zurechtzuweisen, die Dina Grønelvs Siegel aufgebrochen haben! Und den Krimkrieg gewinnt keiner! Außer denen, die daran Geld verdienen.«

Der Amtsrichter kam zu der Überzeugung, daß er mit dem Verhör fertig war. Das Protokoll wurde vorgelesen. Sie billigte es. Und alles war vorüber.

»Bin ich angeklagt?«

»Nein«, antwortete der Amtsrichter. Er war sichtlich müde.

»Wie wird sich dieses Verhör auf Leo Zjukovskijs Anklage auswirken?«

»Das ist schwer zu sagen. Aber dieses Verhör bringt den Beweis mit dem Code ins Wanken, soweit ich es beurteilen kann.«

»Gut!«

»Sie sympathisiert mit diesem Russen?«

»Ich mag es nicht, daß meine Gäste dafür verhaftet werden, daß sie mir in aller Freundschaft russische Wörter beibringen. Es gibt keinen Grund für mich, das zu verheimlichen.«

Der Amtsrichter, der Lehnsmann und Dina trennten sich in bestem Einvernehmen.

Der Lehnsmann war zufrieden. Er hatte das Gefühl, als ob er persönlich alles in Ordnung gebracht hätte! Diesen und jenen bearbeitet hätte. Mit Informationen aus erster Hand zum Vogt und zu Dina gekommen wäre. So daß das Verhör schnell und geziemend vonstatten gehen konnte.

Heute war Dina sein einziges Kind.

Ein Regenbogen spannte sich über Reinsnes, als Dina von Ibestad kam. Während sich das Viermenboot allmählich näherte, verschwand ein Gebäude nach dem anderen im Dunst.

Zuletzt stand der farbige Bogen mit dem einen Bein auf dem Dach des Altenteils, während das andere im Sund versteckt war.

Sie schaute angestrengt zum Land. Sie segelte heute allein.

Dina stand im Saal am Fenster und sah Stine und Tomas über den Hof gehen. Dicht nebeneinander. Es war in den letzten Tagen des April.

Niemand ging so, wenn die Leute es sehen konnten. Niemand!

Sie blieben bei dem Taubenschlag stehen. Schauten sich an und lächelten. Stine sagte etwas, das Dina vom Fenster aus nicht verstehen konnte. Da legte Tomas den Kopf in den Nacken und lachte.

Hatte man Tomas jemals lachen gehört?

Er legte den Arm um Stines Taille. Dann gingen sie langsam über den Hof und in das Altenteil.

Die Frau hinter der Gardine zog die Luft durch die Zähne ein. Es fauchte.

Dann wandte sie sich ab. Wanderte durch das Zimmer. Zum Ofen, zum Cello, zurück zum Fenster.

Es wurde immer dunkler in dem Raum.

Die Zeitungen schrieben von dem Friedensschluß in Paris. Rußland leckte seine Wunden ohne besondere Ehre. England leckte seine Wunden ohne besonderen Gewinn. Und Schweden-Norwegen brauchte die Finnen nicht zu befreien. Napoleon III. war wohl der einzige, der triumphierte.

Eines Tages las Dina in der Zeitung, daß Julie Müller tot war. Sie schickte Herrn Müller einen Kondolenzbrief. Und bekam einen langen, traurigen Brief zurück, in dem er erzählte, daß er alles, was er besaß, verkaufen wollte, auch das Pferd, und nach Amerika fahren.

Dina ging auf den Fahnenhügel. Indessen kam der Sommer wie ein Segen über die Nordländer.

20. Kapitel

Dann sollst du erniedrigt werden und von der Erde her reden und aus dem Staube mit deiner Rede murmeln, dass deine Stimme sei wie die eines Totengeistes aus der Erde, und deine Rede wispert aus dem Staube.
(Der Prophet Jesaja, Kapitel 29, Vers 4)

Der Schwarze hatte sich eine Wunde unter dem Bauch zugezogen, die nicht heilen wollte. Keiner konnte sagen, wie es passiert war. Es sah so aus, als ob er im Stall stand und sich selbst zernagte.

Alles, was Tomas unternahm, um ihn daran zu hindern, daß er die Wunde immer wieder mit den eigensinnigen gelben Zähnen aufriß, nützte wenig.

Nur Tomas und Dina konnten sich dem verletzten Tier nähern. Es hatte gewiß Schmerzen, denn die Wunde war entzündet. Dina setzte ihm einen Maulkorb auf. Und jedesmal, wenn es fressen oder saufen sollte, stand sie daneben und paßte auf, daß es nicht an der Wunde riß.

Sie hörten das wilde, wütende Wiehern, Tag und Nacht. Und das Trampeln der Pferdehufe im Stall erregte Tiere und Menschen.

Stine kochte Salben. Und Oline kam mit ihrem Breiumschlag.

Aber nach einer Woche legte sich das Pferd nieder und wollte nicht mehr aufstehen. Es schnaubte Schleim auf Dina, wenn sie sich näherte, und fletschte die Zähne gegen alle.

Das Bein, das der Wunde am nächsten war, lag ausgestreckt unter dem Tier. Die Augen waren blutunterlaufen.

Hanna und Benjamin durften den Stall nicht betreten.

Ich bin Dina. Die Menschen sind so erbärmlich untätig. Die Natur ist gleichgültig. Verschwendet alles Leben. Übernimmt nie eine Verantwortung. Alles legt sich als Schlamm auf die Oberfläche. Wie kann neues Leben in diesem Schlamm entstehen? Schlamm erzeugt Schlamm bis ins Unendliche, ohne daß etwas von Bedeutung geschieht oder entsteht. Hätte nur ein einziger Mensch sich aus dem Schlamm erhoben und etwas aus seinem Leben gemacht! Ein einziger...

Die Zahlen und die Töne sind dem Schlamm nicht unterworfen. Sind nicht abhängig davon, daß die Menschen etwas wissen. Das Gesetz der Zahlen gibt es, auch wenn niemand sie aufschreibt. Die Töne werden immer dasein. Unabhängig davon, ob wir sie hören.

Aber die Natur ist Schlamm. Der Kirschbaum. Das Pferd. Die Menschen. Entstanden aus Schlamm. Sollen wieder zu Schlamm werden. Haben ihre Zeit. Dann ertrinken sie im Schlamm.

Ich bin Dina, die mit einem Eisenhammer und einem Messer allein ist. Und mit dem Pferd. Weiß ich, wo ich es treffen muß? Ja! Weil ich muß. Ich bin Dina, die mit dem Schwarzen redet. Ich bin Dina, die seinen Hals umfaßt. Die ihm in die wilden Augen sieht. Lange. Ich bin Dina, die zuschlägt. Und zusticht. Tief.

Das bin ich, die ich hier sitze in all dem Warmen und Roten und das Pferd entgegennehme. Ich! Die ich sehe, daß die Augen allmählich zu Glas und Nebel werden.

Tomas kam in den Stall, um nach dem Pferd zu sehen, weil es so still geworden war.

Im Halbdunkel und aus der Entfernung sah es aus, als ob Dina frische Rosenblätter über Gesicht und Kleider gestreut hätte. Sie saß auf dem Boden und hielt den Pferdekopf im Arm. Der große schwarze Tierkörper lag friedlich da, die schlanken, starken Beine paarweise ausgestreckt.

Das Blut war in heftigen Stößen herausgepumpt worden. Bis weit hinauf an die Wand und über das gelbe Stroh auf dem Boden.

»O Gott!« stöhnte Tomas. Dann riß er die Mütze ab und setzte sich zu ihr.

Sie schien seine Gegenwart nicht zu beachten. Trotzdem blieb er sitzen. Bis die letzten sickernden Blutstropfen in der tiefen Stichwunde erstarrten.

Da löste sie langsam den Griff, legte den Pferdekopf auf den Boden und deckte die Augen des Tieres mit der Mähne zu. Dann stand sie auf und strich sich über die Stirn. Wie eine Schlafwandlerin, die erwacht, während sie noch auf der Wanderung ist.

Tomas stand auch auf.

Dina machte eine abwehrende Geste. Sie ging durch den Stall und hinaus, ohne die Tür hinter sich zu schließen. Das Geräusch ihrer Sporen auf dem mit Stroh bedeckten Fußboden gab ein sanftes Echo im ganzen Stall.

Dann kam die Stille.

Hammer und Messer wurden wieder an ihren Platz gebracht. Der Stall wurde gesäubert. Die blutigen Arbeitskleider legte man in den Fluß unter dicke Steine. Er führte alles Gelöste zum Meer.

Dina ging ins Waschhaus und machte Feuer unter dem großen Kessel. Setzte sich auf einen Schemel neben dem Ofen, bis das Wasser heiß war, und der Dampf aufstieg.

Da erhob sie sich, ging durch den Raum und legte den Riegel vor. Holte die große Blechwanne, die an der Wand hing, und füllte sie. Dann zog sie sich aus. Mit Bewegungen, die an ein Ritual erinnerten.

Bei jedem Kleidungsstück faltete sie die blutigen Flecken nach innen, als ob sie dadurch entfernt würden, daß sie ihren Blicken entschwanden. Zuletzt stieg sie nackt in das dampfende Wasser.

Das Heulen begann irgendwo außerhalb ihrer. Setzte sich im Rachen fest. Brach sich los und schlug alles um sie herum in Stücke. Bis Hjertrud erschien und die einzelnen Teile zusammensuchte.

21. Kapitel

ICH BIN GEKOMMEN, MEINE SCHWESTER, LIEBE BRAUT, IN MEINEN GARTEN. ICH HABE MEINE MYRRHE SAMT MEINEN GEWÜRZEN GEPFLÜCKT; ICH HABE MEINE WABE SAMT MEINEM HONIG GEGESSEN; ICH HABE MEINEN WEIN SAMT MEINER MILCH GETRUNKEN. ESST, MEINE FREUNDE, UND TRINKT UND WERDET TRUNKEN VON LIEBE.
(Das Hohelied Salomos, Kapitel 5, Vers 1)

An dem Tag, als Dina in Kvæfjord war, um sich ein Pferd anzusehen, das man ihr angepriesen hatte, kam Leo Zjukovskij. Er hatte in Strandstedet eine Fahrgelegenheit gehabt. Viel Gepäck hatte er nicht bei sich, nur Seemannssack und Reisetasche. Peter, der Ladengehilfe, traf den fremden Mann an der Anlegestelle, er hatte den Laden gerade für den Abend geschlossen.

Als er merkte, daß es kein später Kunde war, sondern ein Übernachtungsgast, bat er ihn mit einer großzügigen Handbewegung, hinauf in den Hof zu gehen.

Leo blieb stehen und betrachtete die Ebereschenallee. Sie war schwanger mit dem ganzen Schoß voll blutroter Beeren. Die Blätter hatte der Wind bereits mitgenommen.

Dann ging er in die Allee hinein. Ein leises Singen in den nackten Kronen. Er blieb an der Haupttreppe stehen. Doch er schien es sich anders zu überlegen. Drehte um, ging um das Haus und zum Windfang hinein. Nachdem er den Seemannssack und die Reisetasche auf der Treppe abgestellt hatte, klopfte er an. Sogleich war er in der blauen Küche.

Oline erkannte den Mann an der Narbe. Erst war sie schüchtern und förmlich, als ob sie noch nie Gäste auf Reinsnes in Empfang genommen hätte. Sie bat ihn ins Wohnzimmer, aber er lehnte ab. Wenn er nicht störe, wolle er bei ihr sitzen.

Einen Augenblick versteckte sie die Hände unter der Schürze, dann stürzte sie auf den Mann zu und bearbeitete seine Brust mit beiden Fäusten. Vor Freude.

»Vielen, vielen Dank für die Sendung! Seit meiner Jugend habe ich kein so schönes Geschenk mehr bekommen! Gott segne dich...«

Sie war so gerührt, daß sie noch härter zuschlagen mußte.

Die Geste war unerwartet, aber er lachte und gab ihr auf jede Wange einen Kuß.

Verlegen drehte sie sich um sich selbst und fing an, im Ofen Feuer zu machen.

»Daß Er daran gedacht hat, mir einen so schönen Kragen zu schenken«, sagte sie, während sie sich über das Ofenloch beugte und das Anfeuerholz um ihr Gesicht knisterte.

»Kann Oline den Kragen gebrauchen?« fragte er und sah sie lächelnd an.

»O ja... das steht fest. Aber ich habe ja nicht so viele Gelegenheiten, ihn zu tragen. Und hier in der Küche schickt es sich nicht, so fein ausstaffiert zu sein.«

»Aber Sie kann sich doch zwischendurch mal feinmachen?«

»Ja«, sagte sie atemlos. Um zu einem Ende zu kommen.

»Wann hat Oline den Kragen zuletzt gebraucht?«

»Am Weihnachtsabend.«

»Das ist lange her.«

»Ja, aber es ist gut, wenn man noch etwas liegen hat, das nicht schlecht und abgetragen ist.«

Er warf ihrem Rücken einen gutmütigen Blick zu. Dann begann er zu fragen, wie es auf Reinsnes aussehe.

Die Mädchen steckten der Reihe nach den Kopf zur Tür herein. Leo grüßte mit der Hand. Oline befahl, die größte Gästekammer zu richten. Kurze Anordnungen. In Stichworten. Die zeigten, daß die Mädchen wußten, was sie zu tun hatten. Es ging Oline eigentlich nur darum, sie aus der Küche zu bekommen.

Dann servierte sie Kaffee auf dem Küchentisch. Leo ging hinaus zur Treppe und holte seine Reisetasche. Und er nötigte Oline, Rum zu trinken. Sie blühte auf. Bis er wieder fragte, wie es auf Reinsnes gehe.

»Mutter Karen ist nicht mehr...«, sagte Oline und fuhr mit der Hand über die Augen.

»Wann ist es passiert?«

»Im letzten Herbst. Als Dina von Tromsø zurückkam. Ja, sie ist in Tromsø gewesen und hat Mehl aus Archangelsk bestellt... Das weiß der Herr Leo ja nicht.«

Oline erzählte von Mutter Karens Tod. Daß Stine und Tomas geheiratet hatten und im Altenteil wohnten und etwas Kleines erwarteten.

»Ich komme wohl immer nach einem Todesfall«, murmelte er. »Aber daß Stine und Tomas... das ist ja erfreulich. Seltsam, daß ich nichts davon bemerkt habe, als ich das letzte Mal hier war. Daß etwas gärte.«

Oline sah verlegen aus. Aber dann kam es: »Das haben wir selber nicht gewußt. Aber Dina meinte, es wäre eine gute Lösung. Und da wurde es so gemacht. Und es sieht so aus, als ob es ein Segen für den ganzen Hof ist. Aber nicht alle Frauen auf dem Hof sind gesegnet...«

»Was meint Sie damit?«

»Die Herrin. Ich sollte wohl nichts sagen. Aber sie ist zu hart. Mit sich selbst. Sie hat irgendwo einen eisernen Knoten... Sie hat nicht viel Glück. Und das merkt man... Aber ich hätte es nicht sagen sollen...«

»Das macht nichts. Ich glaube, ich verstehe es.«

»Sie hat das Pferd selbst geschlachtet!«

»Warum?«

»Es war krank. Eine Wunde unter dem Bauch, die sich entzündet hat. Es war natürlich alt. Aber daß sie das geschafft hat...«

»Sie hat das Pferd geliebt?«

»Das ist klar. Aber daß sie es selbst geschlachtet hat...«

»Hat sie es erschossen?«

»Nein, sie hat es abgestochen. Schrecklich!«

»Aber ein Pferd läßt sich doch nicht abstechen!«

»Dinas Pferd schon.«

Olines Gesicht wurde plötzlich eine Wand ohne Türen und Fenster. Sie ging zum Herd, holte den Kaffeekessel und schenkte jedem noch einmal ein. Dann fing sie davon an, daß er dünner geworden sei und blaß aussehe.

Er lächelte breit und fragte nach den Kindern.

»Benjamin ist ausnahmsweise mit seiner Mutter fort. Sie braucht ihn jetzt wohl mehr, wo das Pferd tot ist.«

»Ausnahmsweise?«

»Ja, der Junge war noch nicht oft von Reinsnes weg... Es kommen natürlich eine Menge Leute her. Aber ein Junge, der einmal so viel übernehmen muß wie er, sollte mehr von der Welt gesehen haben.«

»Er ist ja noch jung«, lächelte Leo.

»Ja, ja... Und Stine bekommt im November ihr Kleines. Da wird es eng im Altenteil. Aber nicht im Hauptaus. Es ist verkehrt, daß Benjamin nicht standesgemäß erzogen wird. Mutter Karen hätte das mißfallen. Sie hätte ihn wieder ins Hauptaus geholt.«

»Wohnt Benjamin nicht zusammen mit seiner Mutter?« fragte Leo.

»Nein, er will nicht... allem Anschein nach.«

Leo betrachtete die Frau in der Schürze.

»Welche Fahrgelegenheit haben Dina und Benjamin?«

»Sie segeln mit dem kleinen Boot. Dina ist so stur mit dem, was sie will. Würde Mutter Karen noch leben, hätte sie den Jungen nicht mitnehmen dürfen, allein und ohne männliche Hilfe auf dem Meer.«

»Und das hätte Dina respektiert?«

»Respektiert hin, respektiert her. Ich weiß das nicht so genau. Aber sie hätte es wohl nicht gemacht.«

Oline wurde sich plötzlich dessen bewußt, daß sie mit dem fremden Mann über Dinge sprach, die sie sonst nicht in Worte fassen konnte. Sie blinzelte ein paarmal und wollte das Gespräch beenden.

Es lag wohl daran, daß er ihr den Spitzenkragen geschenkt hatte? Oder daß er soviel fragte? Oder an den Augen? Sie entschuldigte sich selbst, füllte eifrig die Kuchenschüssel und fegte die Krümel von der gestickten Decke.

»Und Johan? Wo lebt er?« fragte Leo.

»Er sitzt auf seiner kleinen Pfarrstelle in Helgeland. Ich weiß nicht recht, wie es ihm geht. Er schreibt nicht, seit Mutter Karen nicht mehr da ist. Er ist ganz fremd geworden. Auch mir. Aber mit der Gesundheit geht es besser, glaube ich... Eine Zeitlang ging es ihm schlecht.«

»Oline macht sich Sorgen?«

»Ach ja, ich habe ja nichts anderes zu tun.«

»Oline arbeitet schwer.«

»Nein, ich habe gute Hilfe...«

Es wurde still.

»Dina? Wann erwartet ihr sie zurück?« fragte er.

»Sie wird wohl nicht vor morgen kommen«, sagte sie und beobachtete den Mann aus den Augenwinkeln. »Aber Anders kommt heute abend von Strandstedet. Er freut sich bestimmt, wenn er Herrn Leo sieht! Anders rüstet das Frachtschiff und den Fembøring zum Lofot-Fischfang. Er will im Frühjahr beide Frachtschiffe nach Bergen zu schicken. Er ist sehr rührig, wenn ich das sagen darf. Nachdem er sich eine Kajüte auf dem Fembøring gebaut hat, liegt er da wie ein Graf, und er fischt selbst. Zwischendurch. Im vorigen Jahr hatte er Ausrüstung und Lebensmittel mitgenommen, die er den Fischern auf den Lofoten verkauft hat. Und er kam heim mit Fisch, Leber und Rogen. Er hatte den Fisch zum Teil gekauft, zum Teil selbst gefangen. Das Schiff war vollbeladen!«

Dina segelte selten allein. Diesmal aber doch. Sie hatte so hart dreingeblickt, daß keiner sie fragen mochte, ob er mitfahren könne, wenn sie von selber nichts sagte. Sie hatte nur Benjamin zur Gesellschaft.

Er hatte auf dem Fahnenhügel gesessen, als sie heraufkam, um nach dem Dampfer Ausschau zu halten. Er hatte sie gegrüßt, genauso wie er die Leute grüßte, die übernachteten oder vom Laden kamen, um bei Stine Kaffee zu trinken.

Seine blauen Augen ruhten auf ihr. Blinzelnd, als ob sie eine dünne Staubschicht in der Luft wäre.

Sein Gesicht bekam allmählich scharfe Züge. Die Wangen und das Kinn waren kantig geworden. Das Haar waren im letzten Jahr nachgedunkelt. Und die Gliedmaßen waren unbeholfen und immer im Weg. Er hatte eine schlechte Angewohnheit, er kniff den Mund zu einem Strich zusammen.

»Schaust du auch nach dem Schiff?« hatte sie gefragt.

»Ja.«

»Glaubst du, daß heute Reisende kommen?«

»Nein.«

»Warum schaust du dann?«

»Er ist so häßlich.«

»Schaut Benjamin nach dem Dampfer, weil er so häßlich ist?«

»Ja.«

Dina setzte sich auf den flachen Stein neben der Fahnenstange. Der Junge rutschte höflich ein gutes Stück zur Seite.

»Hier ist Platz für uns beide, Benjamin.«

Sie legte plötzlich den Arm um seinen Rücken, aber er entzog sich ihr. Unmerklich, als ob er sie nicht reizen wollte.

»Möchtest du mit nach Kvæfjord fahren und das neue Pferd ansehen?« fragte sie, indes der Dampfer tutete.

Er antwortete erst, als es still wurde.

»Das könnte interessant werden«, sagte er mit betont alltäglicher Stimme. Vielleicht aus Furcht, Dina könnte es sich anders überlegen, wenn er zuviel Freude zeigte.

»Dann ist es abgemacht. Wir fahren morgen.«

Sie blieben eine Weile sitzen und sahen zu, wie die Männer zu dem Dampfer hinausruderten.

»Warum hast du den Schwarzen erstochen?« fragte er unvermittelt.

»Er war krank.«

»Konnte er nicht wieder gesund werden?«

»Ja schon. Aber er wäre nie mehr der gleiche geworden «

»Hätte das was gemacht?«

»Ja.«

»Warum? Du hättest ja ein anderes Pferd reiten können.«

»Nein, ich kann nicht ein Pferd im Stall stehen haben und ein anderes reiten.«

»Aber warum hast du es selbst getan?«

»Weil es ernst war.«

»Er hätte dich tottreten können.«

»Ja.«

»Warum tut Dina so was?«

»Ich tue, was ich muß«, sagte sie und stand auf.

Dina hatte ihn bei dem Pferdekauf zu Rate gezogen. Sie waren sich einig, abzulehnen. Das Pferd sah nicht besonders gut aus. Es hatte tückische Augen und eine schmale Brust. Es nützte nichts, daß es sehr gefügig war, als Dina aufsaß. Aus dem Kauf wurde nichts.

»Da hätte ich auch jemanden haben müssen, der mit dir nach Hause gesegelt wäre«, sagte Dina nur. »Es sollte wohl so sein, daß wir beide zusammen nach Hause fahren.«

Sie übernachteten im Lehnsmannshof. In Ruhe und Frieden.

Der Lehnsmann hatte durch den Amtsrichter erfahren, daß Leo Zjukovskij vor kurzem freigelassen worden war.

Dina nahm die Neuigkeit mit halbgeschlossenen Augen auf. Dann begann sie mit Dagny darüber zu sprechen, daß sie die Bilder von Hjertrud, um deren Platz an der Wand sie und Dagny in all den Jahren gekämpft hatten, gerne mit nach Reinsnes nehmen würde.

Dagny rutschte unruhig hin und her. Aber war einverstanden. Das sei eine gute Lösung.

»Und die Brosche. Hjertruds Brosche. Die du immer benutzt, wenn du fein sein willst. Die möchte ich auch in Verwahrung nehmen«, fuhr Dina fort.

Die Jungen des Lehnsmanns saßen wie auf Nadeln. Aber Benjamin schien die gespannte Atmosphäre nichts auszumachen. Er betrachtete sie alle der Reihe nach, als ob er etwas Interessantes in einem Bilderbuch entdeckt hätte.

Es ging vorüber. Wie eine plötzliche Windböe, die ihre Richtung änderte.

Dina fuhr ab mit Brosche und Bildern.

Es war ein klarer Herbsttag. Mit günstigem Wind.

Der Junge war mächtig stolz. Er hatte über weite Strecken der Fahrt am Ruder gesessen. Bisher hatte er nicht viel geredet. Aber er wirkte zufrieden. Beinahe froh. Jetzt auf der Heimfahrt sprachen sie über mancherlei.

Dina sah ihn! Hörte auf das, was er zu sagen hatte. Antwortete mit großem Ernst auf alle seine Fragen. Nach Mutter Karen. Nach dem Pferd. Nach etwas Großem, das er werden wollte, wenn er alt genug war. Wer auf Reinsnes bestimmte. Warum Anders das Lastschiff bekam, falls Dina starb. Alles Dinge, die Benjamin aufgeschnappt hatte, wenn die Erwachsenen nicht glaubten, daß er

Ohren hatte wie andere Leute auch. Und bei denen sie auswichen, wenn er fragte.

Dina antwortete. Ein paarmal war er nicht klüger als vorher. Aber das machte nichts. Denn sie antwortete.

Nur ganz selten sagte sie, daß sie es nicht wisse. So, als er fragte, ob er das nächste Mal wieder mitfahren dürfe, wenn sie irgendwohin segle. Oder: Als er fragte, ob Johan jemals wieder nach Reinsnes komme.

»Mir ist es egal, ob Johan wieder heimkommt«, sagte er.

»Warum denn?«

»Ich weiß nicht.«

Sie ließ das Thema fallen und fragte nicht weiter.

Sie segelten bis fast an die Anlegestelle.

»Du bist genauso gut am Ruder wie Anders«, sagte Dina, als das Boot die ersten Steine berührte.

Benjamins Gesicht leuchtete für einen Augenblick auf. Dann sprang er wie ein Mann an Land und bugsierte das Boot zu einem großen Stein, damit Dina trockenen Fußes ans Ufer gelangen konnte.

»Dina segelt verdammt gut«, sagte er, indem er sich zu ihr umdrehte, um ihr die Reisetasche abzunehmen, die sie ihm vom Vordersteven aus reichte.

Sein Lächeln war ein seltenes Geschenk. Aber sie beachtete Benjamins Geschenke nicht länger. Ihre Augen waren irgendwo oben am Hang.

Ein Mann mit einem breitkrempigen Filzhut kam die Allee herunter. Er hob die Hand zum Gruß.

Sie ließ die Reisetasche in den Tang fallen. Dann wanderte sie langsam und zielbewußt über die Steine. Über die Hochwasserlinie. An den Kais vorbei. Auf dem Grusweg. Unter den Baumkronen der Allee, die den Weg zu den Häusern hinauf bewachte.

Das letzte Stück lief sie. Blieb einen Schritt vor ihm stehen. Er breitete seine Arme aus. Sie war da.

Der Junge am Ufer beugte den Kopf und zog das Boot hoch.

Es war schwer.

Sie waren beim Dessert angelangt. Die herbstliche Dunkelheit versteckte sich in den Ecken. Denn es wurde an diesem Abend nicht mit Licht gespart.

Der Lehrer und der Laden-Peter hielten sich aus dem Gespräch heraus. Meist redeten Leo und Anders. Dinas Augen waren Feuer.

Stine saß nicht mit bei Tisch. Sie hatte seit ihrer Heirat mit Tomas Schluß damit gemacht. Freiwillig hatte sie auf diesen Status verzichtet. Denn Tomas wurde nie zur Tafel im Eßzimmer eingeladen.

Jetzt bediente sie. Paßte auf, daß nichts fehlte. Wie eine würdige Kaltmamsell. Trotz des dicken Bauches bewegte sie sich schnell und geschmeidig wie ein Tier.

Leo hatte sie herzlich begrüßt, als ob sie ein Mitglied des Hauses wäre. Aber sie war höflich reserviert. Vielleicht, um irgendwelchen Fragen zu entgehen.

Niemand berührte das Thema Zuchthaus und Spionagetätigkeit. Aber der Krieg tauchte in den Gesprächen auf. Es war wohl unvermeidlich.

»Ist man in Rußland mit dem neuen Zaren zufrieden?« fragte Anders.

»Darüber gibt es geteilte Meinungen. Aber es ist lange her, daß ich etwas aus St. Petersburg gehört habe. Er macht sicher das Beste aus einer verlorenen Sache. Und er ist nicht einseitig fürs Militär ausgebildet wie sein Vater. Im Gegenteil, einer seiner Lehrer während seiner Kinder- und Jugendjahre war der Dichter Vasilij Zjukovskij.«

»Ist er aus Leos Familie?« fragte Dina schnell.

»Das kann schon sein«, lächelte er.

»Leo meint, daß es wichtig ist, welche Lehrer man hat?« sagte Dina und sah den Kandidaten Angell an.

»Das kann man sich doch denken.«

»Ich habe Lorch gehabt«, sagte sie nachdenklich.

»Der dir Cello- und Klavierspielen beigebracht hat?« fragte der Kandidat.

»Ja.«

»Wo ist er jetzt?«

»Mal hier, mal da.«

Stine war im Zimmer, um alles für den Kaffee nach dem Essen vorzubereiten. Sie richtete sich einen Augenblick auf, als Dina antwortete. Dann ging sie ruhig hinaus. Anders war sichtlich erstaunt. Aber sagte nichts.

»Es ist verständlich, daß einem Bedeutung beigemessen wird«, sagte der Kandidat.

»Zweifellos«, sagte Leo.

»Glaubt Er, daß der Krimkrieg von vornherein verloren war, weil keiner den Soldaten beigebracht hatte zu kämpfen?« fragte der Lehrer interessiert.

»Ein Krieg, in dem die Soldaten keinen Sinn sehen, ist immer von vornherein verloren. Krieg ist das letzte Mittel, wenn die Leute vor lauter Angst nicht mehr miteinander reden.«

»Das ist die ethische Seite der Sache«, sagte der Kandidat.

»Um die ethische Seite kommt man nicht herum«, meinte Leo.

»Der Friedensvertrag wurde wohl ein Abhängigkeitsvertrag für die Russen?« meinte Anders.

»Ein denkender Russe ist das unabhängigste Wesen der Welt«, sagte Leo gleichmütig. »Aber Rußland ist keine homogene Stimme. Es ist ein Chor!« fügte er hinzu.

Anders liebte Dessert, aber er legte für einen Augenblick den Löffel beiseite.

Dina war wie geistig weggetreten. Sie starrte vor sich hin und bemerkte die Blicke nicht, die man auf sie richtete. Endlich nahm sie die Serviette und wischte sich den Mund ab.

»Ja, aber es muß doch irgendwo ein Schlüssel zu der Tür sein«, sagte sie zu sich selbst. »Ich bin nicht imstande, ihn zu sehen ...«

»Was hält Leo von dem Vorschlag der Skandinavisten, die nordischen Länder unter einer Fahne zu sammeln?« fragte der Kandidat.

»Es fragt sich, was man unter den nordischen Ländern versteht«, antwortete Leo ausweichend.

»Etwas stimmt nicht auf der jetzigen Karte. Man kann Gold und Asche nicht miteinander verschmelzen. Sie scheiden sich wieder, sobald die Masse erkaltet«, sagte Anders trocken.

»Ich weiß nicht, ob du recht hast. Nationen müssen über sich hinausschauen. Menschen, die nichts anderes als nur sich selbst sehen, sind verloren«, sagte Leo langsam und sah auf seinen Teller.

Dina sah ihn erstaunt an, dann lachte sie. Die anderen senkten verlegen den Blick.

»Kann Frau Dina einem alten, geschlagenen Russen einen letzten Dienst erweisen?« fragte er liebenswürdig.

»Das kommt drauf an!«

»Spiel etwas von den Noten, die ich dir geschickt habe!«

»Ja, wenn du mit mir gehst und nach dem Bären schaust, der in der vorigen Woche oberhalb der Schlucht zwei Schafe gerissen hat«, sagte sie schnell.

»Abgemacht! Hast du Waffen?«

»Ja, Tomas hat welche!«

Dina stand auf, raffte die dunkelblauen Baumwollröcke über dem Korsett zusammen und setzte sich an das Instrument.

Leo folgte ihr dorthin, während die anderen sich bei offenen Türen ins Rauchzimmer setzten. Ihre Hände waren Glut und Dornen, wenn sie sich streiften.

»Nicht alle Noten waren leicht zu spielen«, sagte sie.

»Aber du hattest ja viel Zeit zum Üben...«

»Ja, ich beklage mich auch nicht«, sagte sie hart.

»Darf ich mir etwas wünschen?«

»Ja.«

»Dann möchte ich etwas für einen Mondsüchtigen hören. Die ›Mondscheinsonate‹ von Beethoven.«

»Die hast du vergessen zu schicken.«

»Nein, du hast sie bekommen. Es ist die Sonate Nr. 14«, sagte er.

»Du irrst, das ist nicht der Name der Sonate Nr. 14. Sie heißt ›Sonata quasi una fantasia‹«, sagte sie nachsichtig.

Er stellte sich zwischen die Männer im Rauchsalon und sie, damit er ihre Augen für sich hatte. Seine Narbe war sehr blaß an diesem Abend. Oder es lag daran, daß der ganze Mann so blaß geworden war?

»Wir haben beide recht. Ursprünglich hatte die Sonate den Namen, der auf dem Notenblatt steht. Aber ein Dichter taufte sie um in ›Mondscheinsonate‹. Den Namen mag ich... Denn es ist Musik für Mondsüchtige.«

»Möglich. Aber ich liebe die Sonate Nr. 23, die ›Appassionata‹, mehr.«

»Spiel zuerst für *mich*«, sagte er leise.

Sie antwortete nicht. Suchte nur die Noten heraus und setzte sich zurecht. Die ersten Anschläge waren ein mißtönender Protest. Dann flossen die Töne in den Raum wie Liebkosungen.

Wie gewöhnlich standen die Türen zur Küche und zur Anrichte auf, und alles Rumoren da draußen verstummte. Oline und die Mädchen glitten wie Schatten an den offenen Türen vorbei.

Dinas Gesicht war verschlossen. Aber die Finger waren anschmiegsame Wiesel im Winterkleid. Sie eilten mit großer Energie aus den Batistrüschen der Ärmel.

Anders hatte sich so gesetzt, daß er Dinas Profil sehen konnte. Der Russe stand hinter ihrem Stuhl. Schamlos hatte er die grünen Augen in ihr Haar gelegt und die Hände auf die Rückenlehne. Trotzdem zündete sich Anders mit sicherer Hand und ohne einen Laut eine Zigarre an. Das Gesicht leuchtete intensiv vor der dunklen Wand. Die Falte zwischen den Augenbrauen machte ihn uneinnehmbar. Dennoch sah er freundlich aus.

Einen Moment begegnete er Leos Blick. Weit offen. Dann nickte er dem Mann zu. Als ob sie gerade eine Partie Schach gespielt hätten, die Anders mit größter Friedfertigkeit verloren hatte.

Anders war immer ein Beobachter gewesen. Seines eigenen Lebens und des Lebens anderer Leute. Er rechnete im Kopf die Monate nach von Leos letztem Besuch in Reinsnes bis zu der Fahrt über das Foldmeer. Dann senkte er den Kopf und ließ die Gedanken mit dem Zigarrenrauch zur Decke steigen.

EPILOG

SEHT MICH AN, DASS ICH SO BRAUN BIN; DENN DIE SONNE HAT MICH
SO VERBRANNT. MEINER MUTTER SÖHNE ZÜRNTEN MIT MIR. SIE
HABEN MICH ZUR HÜTERIN DER WEINBERGE GESETZT; ABER MEI-
NEN EIGENEN WEINBERG HABE ICH NICHT GEHÜTET.

SAGE MIR AN, DU, DEN MEINE SEELE LIEBT, WO DU DIE HERDE
WEIDEST… DAMIT ICH NICHT HERUMLAUFEN MUSS BEI DEN HER-
DEN DEINER GESELLEN.
(Das Hohelied Salomos, Kapitel 1, Vers 6 und 7)

Die Lichter wurden gelöscht in den Häusern auf dem Hof. Eines
nach dem anderen. Zwei Kerzen in massiven schmiedeeisernen
Leuchtern flackerten schwach im Flur.

Dina und Leo machten noch einen Spaziergang, nachdem sich
alle zur Ruhe begeben hatten. Die beiden großen Espen am Gartenzaun ragten schon kahl gegen den violetten Himmel. Der Muschelsand um Mutter Karens Lieblingsbeet war ein Meer von kleinen toten Knochen im Mondschein. Es roch stark nach Herbst.

Sie lenkten ihre Schritte zum Gartenhaus, als ob sie sich verab-
redet hätten. Naßkalte Luft schlug ihnen entgegen, als sie die
schmale Tür öffneten. Die Fensterscheiben blitzten im Schein von
Dinas Lampe. Sie hatte Mantel und Umschlagtuch angelegt. Er
war nicht so warm angezogen. Aber warm genug für eine Weile.

Sobald sie die Lampe auf den Tisch gestellt hatte, umschlang er
sie mit zwei hungrigen Armen.

»Danke!« sagte er.

»Wofür bedankst du dich?«

»Daß du falsch ausgesagt hast!«

Ihre Körper waren Bäume im Sturm. Verurteilt, dicht beieinan-
derzustehen. Voneinander zu zehren, tiefer und tiefer bei jedem
Windstoß, ohne den Schmerz zugeben zu können.

»War das der Grund, daß sie dich rausgelassen haben?«

»Es hat dazu beigetragen. Und weil der Code ein ungefährlicher
Code war.«

»Der etwas ganz anderes bedeutete?«

»Der von Leuten gelesen werden sollte, die die Zweideutigkeit
der russischen Sprache verstehen.«

Er küßte sie, während er ihren Kopf in beiden Händen hielt.

Das Dach des Gartenhauses riß auf, und der Himmel kam über sie wie eine schwarzschillernde Taube. Rote Blitze schlugen in den bunten Glasscheiben ein. Und die Lampe ging von selbst aus. Eine Möwe war ein bewegliches rotes Gespenst vor dem Fenster, und der Mond trieb grün vorbei. Kugelrund und voll.

»Du bist gekommen!« sagte sie, als sie wieder atmen konnte.

»Hast du den Hut bekommen?«

»Ja.«

»Und du hast gezweifelt?«

»Ja.«

»Ich hatte Sehnsucht...«, flüsterte er und verbarg den Mund an ihrem Hals. »Habe in einem Käfig gesessen und mich gesehnt.«

»Wie war es dort?«

»Reden wir jetzt nicht davon.«

»War es das erste Mal?«

»Nein.«

»Wo vorher?«

»In Rußland.«

»Warum?«

»Dina! Muß man dich die ganze Zeit küssen, damit du den Mund hältst?«

»Ja! Warum bist du hergekommen, Leo?«

»Weil ich noch immer eine Schifferswitwe mit Namen Dina Grønelv liebe.«

Sie seufzte laut. Wie ein alter Tagelöhner, der endlich Feierabend hat nach einem langen Tag auf dem Feld. Dann biß sie ihn in die Wange.

»Was bedeutet das, wenn Leo Zjukovskij liebt?«

»Daß ich deine Seele kennenlernen möchte. Und daß ich den Segen von der Orgelempore in der Kirche wiederholen möchte bis in alle Ewigkeit.«

Als ob es ein Stichwort wäre, stand sie auf und nahm ihn mit.

Eine tote Lampe blieb auf dem Tisch zurück.

Sie gingen geradewegs hinein zu dem Segen.

Um drei Uhr nachts spielte Lorchs Cello im Saal. Anders drehte sich in seinem Bett um. Der Mond warf ein einsames Fensterkreuz auf ihn. Er beschloß, nach Namsos zu fahren, um vor dem Winter noch Holz zu holen. Aber er schlief erst gegen Morgen ein.

Auch Benjamin hörte Lorchs Cello. Die Töne flossen über den Hof und in das Obergeschoß des Ausgedinges.

Durch das Fenster hatte er die Gesellschaft beim Essen beobachtet. Der große Mann mit der häßlichen Narbe hatte Dina angesehen, als ob sie ihm gehörte.

Stine hatte ihn rechtzeitig hereingerufen, damit er sich umziehen sollte und dort drinnen dabeisein.

Aber Benjamin Grønelv war erst an diesem Tage von Fagernesset fortgesegelt. Und am Ufer verlassen worden.

Dina sollte ihn selbst zu Tisch holen.

Er wußte, daß sie das nicht tat.

Leo war mit ihr in den Saal gegangen. Wie ein Heerführer, der endlich in einem Triumphwagen fährt, nachdem er die größte Stadt des Landes eingenommen hat. Den Mantel und die Schuhe hatte er ihr schon unten im Flur ausgezogen.

Es summte leise in dem Etagenofen. Annette hatte bereits am frühen Abend aufgelegt.

Dina zündete den mehrarmigen Leuchter auf dem Spiegeltisch an und löschte die Lampe.

Er sah sie an, während sie anfing, sich auszuziehen. Als sie das Oberteil abgelegt hatte, seufzte er und beschrieb mit den Händen Kreise auf ihren Schultern.

Sie zog das Leibchen aus, so daß die Brüste herausfielen. Freigelassene Gefangene in seinen Händen. Leuchtend, jede Brust mit der dunklen, wachsenden Erhöhung unter seinen Fingern. Er beugte sich herunter und trank aus ihnen.

Sie nestelte an dem Rockbund. Rascheln von zartem Stoff. Eine ganze Ewigkeit von Stoff. Zuletzt stand sie in Hosen da.

Er legte die Hände auf ihre Hüften und seufzte wieder. Er fand alle Formen, nach denen er suchte. Warme Haut durch die feinste ostindische Baumwolle. Es machte ihn wild. Und noch standen beide auf ihren zwei Beinen.

Sie machte sich los und zog ihm die Weste aus, während sie ihm in die Augen sah. Knotete das Halstuch auf, zog ihm das Hemd aus.

Er stand mit halbgeschlossenen Augen da, und die Gesichtszüge verrieten den Genuß. Der breite Ledergürtel mit der Messingspange. Die Lederhosen. Sie beugte sich über ihn und um ihn. Die Finger waren ruhig und warm. Schließlich stand er nackt vor ihr.

Da sank sie auf die Knie und verbarg das Gesicht an seinem Glied. Sie besaß ihn und nahm ihn in Besitz. Mit Mund und Händen.

Er hob die große Frau hinauf zu seinen Hüften. Seine Arme zitterten vor Anstrengung. Zuerst bewegte er die Hüften nur leicht.

Eine ruhige, genießende Bewegung. Ein balzender Birkhahn vor der Paarung. Dann drang er langsam in sie ein. Zog sie über wie einen mächtigen Schild gegen alles Bedrohliche.

Sie antwortete, indem sie ihn mit Armen und Schenkeln umschlang. Und ihn festhielt. Bis er ruhig wurde. Dann hob sie ihre Brust zu seinem Mund und klammerte sich fest mit starken Armen.

Er war ein Kolben in einem gewaltigen Zylinder. Gleitend. Schwer. Tief.

Der Ritt kam in Gang. Durst und Hunger.

Lust!

Zuletzt legte er sie auf den Boden. Wartete und belauerte sie.

Er hatte so zarte Hüften. Einen aufreizenden Atem! Einen so gründlichen Speer! Er ritt sie bis zum Äußersten, lockte und zwang alle Töne zu einem Crescendo.

Als sie den Kopf zurückwarf und ins Unendliche fiel, umfaßte er ihre Hüften und ritt in sie hinein.

Sie nahm ihn an.

Dann waren sie eins mit ihren zitternden Flanken. Trugen die Schwere des anderen in einem gordischen Knoten vor dem schwarzen Ofen mit den züngelnden Flammen.

FANGT UNS DIE FÜCHSE, DIE KLEINEN FÜCHSE, DIE DIE WEIN-
BERGE VERDERBEN; DENN UNSERE WEINBERGE HABEN BLÜTEN
BEKOMMEN.

MEIN FREUND IST MEIN, UND ICH BIN SEIN, DER UNTER DEN
LILIEN WEIDET.
(Das Hohelied Salomos, Kapitel 2, Vers 15 und 16)

Als Annette kam, um zu heizen, war die Tür verschlossen. Sie
huschte in die Gästekammer und fand ein Bett vor, in dem niemand
gelegen hatte. Sie ging in die Küche zu Oline und stand verlegen
da, die Hände unter der groben Sackleinenschürze versteckt.

»Was stehst du da rum?« sagte Oline. »Wirst du heute überhaupt nicht mehr fertig mit dem Feuermachen?«

»Im Saal ist zugeschlossen.«

»Ja, dann mach doch in der Gästekammer Feuer und werd endlich fertig! Anders ist schon draußen, da brauchst du nicht...«

»Es ist niemand in der Gästekammer!«

Oline drehte sich um und sah das Mädchen an. Es arbeitete und
blitzte hinter den kugelrunden Augäpfeln.

»Da kannst du doch Feuer machen, wenn niemand drin ist! Hast
du am hellichten Morgen Angst vor Gespenstern?«

»Aber...«

»Kein Aber!« zischte Oline und gab dem Kessel auf dem Herd
einen Stoß, daß der Kaffeesatz aus der Tülle schwappte.

»Was soll ich mit dem Ofen im Saal machen?«

»Hast du schon mal gehört, daß man durch eine geschlossene
Tür heizen kann?«

»Nein.«

»Also gut. Steh nicht so dumm rum und gaffe. Und kein Wort!«
Oline ging zu dem Mädchen hin und fauchte: »Zu keiner Men-
schenseele ein Wort von dem leeren Bett! Hast du verstanden?«

»Ja...«

Benjamin paßte Dina ab, als sie hinaus auf den Hof kam.

»Werden wir heute irgendwohin segeln?«

»Nein, heute nicht, Benjamin.«

»Wirst du mit dem Russen segeln?«

»Nein.«

»Was willst du dann machen?«

»Ich gehe mit dem Russen. Auf die Jagd.«

»Frauen gehen nicht auf die Jagd.«

»Dina tut das.«

»Kann ich mitkommen?«

»Nein.«

»Warum nicht?«

»Ein Kind kann nicht im Gebüsch rumlaufen, wenn man einen Bären schießen will.«

»Ich bin kein Kind!«

»Was bist du denn?«

»Ich bin Benjamin auf Reinsnes.«

Dina lächelte und faßte ihn am Nacken.

»Das stimmt. Ich werde dir bald beibringen, mit der Finnen-büchse zu schießen.«

»Heute?«

»Nein, heute nicht.«

Er wandte sich jäh ab und lief hinunter zu den Bootshäusern.

Dina ging in den Stall zu Tomas und fragte, ob sie seine Finnen-büchse leihen könne.

Er sah sie lange an, lächelte bitter und nickte, ohne ein Wort zu sagen. Dann holte er Pulverhorn und Tasche und nahm die Flinte von der Wand.

»Der Russe kann damit nicht schießen, er ist ja nichts anderes als eine Pistole gewohnt.«

»Tomas weiß gut Bescheid, mit welchen Waffen Herr Leo ver-traut ist?«

»Nein, aber er ist kaum vertraut mit einer Finnenbüchse!«

»Aber Tomas ist es?«

»Ich kenne mich mit der Finnenbüchse hier auf dem Hof aus. Man kann gut damit zielen. Und bessere Treffer kann kein Mann erreichen...«

Dina wand sich wie eine Schlange.

»Es ist nicht sicher, daß die Flinte gebraucht wird«, sagte sie beiläufig.

»Nein, die Jagd an sich ist schon schön«, sagte er.

»Was meinst du damit?«

Sie trat nahe an ihn heran. Sie waren allein im Stall.

»Ich meine gar nichts. Nur, daß es Dina auch nicht so wichtig ist, ob Sie das trifft, was Sie eigentlich treffen wollte, wenn Sie auf die Jagd geht. – Hasenjagd«, fügte er hinzu und sah ihr in die Augen.

Dina nahm Waffe und Zubehör und verließ den Stall.

Sie gingen den Pfad durch den Erlenwald hinauf. Sie voran. Drehte sich immer wieder um und lächelte wie ein junges Mädchen. Im Lodenrock, der ihr bis zu den Knöcheln reichte, und mit kurzer Jacke. Die Haare waren mit einem Band im Nacken zusammengebunden. Das Gewehr trug sie ganz locker, als ob es eine Feder in ihrer Hand wäre.

Er betrachtete sie von hinten. Ihre Gestalt flimmerte im Sonnenschein.

Der erste Nachtfrost hatte seine Spuren hinterlassen. Die Preiselbeerbüsche hatten einen Farbton wie Eisen. Die roten Beeren lagen schwer zwischen den öligen Blättern.

Sie sahen beide nicht nach dem Bären. Sie sahen auch den Jungen nicht, der ihnen nachschlich. Gut verborgen, hinter Wacholder und niedrigem Gebüsch. Sie gingen hier, um allein zu sein.

Sie legte das Gewehr weg und wartete auf ihn hinter einem großen Stein. Sprang ihn an wie ein Luchs.

Er kam ihr entgegen. Die Umarmung war Pech über offenem Feuer. Er übernahm die Herrschaft hier draußen. Zähmte sie unter sich im Heidekraut, bis sie wimmerte und ihn in den Hals biß. Dann grub er sich bei ihr ein und machte sich schwer wie ein Troll. Schob die weiten Röcke zur Seite und fand sie.

»Ich liebe dich, Dina!« murmelte er aus einem tiefen Waldsee. Wo Wasserlilien zwischen dem Schilf schwammen. Kräftiger, frischer Erdgeruch stieg von dem schlammigen Wasser auf. Irgendwo am Ufer stöhnte ein großes Tier.

»Du drückst mich halbtot«, stöhnte sie satt.

»Ich nehme nur entgegen, was du in Gang gesetzt hast«, sagte er heiser.

»Hast du heute nacht nicht genug bekommen?«

»Nein.«

»Wirst du jemals genug bekommen?«

»Nein.«

»Was sollen wir da machen?«

»Ich muß wiederkommen. Und wieder... und wieder...«

Sie erstarrte unter ihm.

»Willst du wegfahren?«

»Nicht heute.«

Sie warf ihn ab in blinder Wut. Richtete sich auf. Eine große Katze, die sich auf die Vorderpfoten stützte und der Beute in die Augen sah.

»Wann?«

»Mit dem nächsten Dampfer.«

»Und das sagst du jetzt?«

»Ja.«

»Warum hast du es nicht gestern gesagt?« schrie sie.

»Gestern? Warum denn?«

»Und da fragst du noch?«

»Dina...«, er rief sie leise beim Namen und wollte sie umarmen. Sie schob ihn weg und erhob sich in dem Heidekraut auf die Knie.

»Du hast es gewußt, daß ich wieder fahren muß«, sagte er bittend.

»Nein!«

»Ich habe es dir bereits in Tromsø gesagt.«

»Du hast geschrieben, daß... daß du zu mir kommen würdest, wie miserabel es auch wäre. Du bist nach Reinsnes gekommen, um zu bleiben.«

»Nein, Dina, das kann ich nicht.«

»Warum bist du dann da?«

»Um dich zu sehen.«

»Glaubst du, daß es Dina von Reinsnes genügt, daß jemand kommt und sie sieht?«

Ihre Stimme war ein hungriger Wolf im tiefen Schnee.

»Glaubst du, daß du herkommen kannst und dich bedienen und dann wieder abreisen? Bist du so dumm?« fuhr sie fort.

Er starrte sie an.

»Habe ich dir etwas versprochen, Dina? Wir haben vom Heiraten geredet, erinnerst du dich? Habe ich etwas versprochen?«

»Man hält sich nicht immer an Worte«, warf sie ein.

»Ich hatte geglaubt, wir hätten einander verstanden.«

Sie antwortete nicht. Stand auf und bürstete den Rock mit den Fingern ab. Das Gesicht war weiß. Ihre Lippen waren mit Reif bedeckt. Die Augen bis auf den Grund gefroren.

Er stand auch auf. Sagte mehrmals ihren Namen, als ob er um Gnade bitte.

»Glaubst du, man kann von Reinsnes wegfahren, ohne daß ich es will? Glaubst du, man kann einfach nach Reinsnes kommen, um seinen Samen auszustreuen, und wieder verschwinden? Glaubst du, daß das so leicht geht?«

Er antwortete nicht. Drehte sich nur halbwegs um und setzte sich wieder ins Heidekraut. Als ob er sie dadurch besänftigen wollte, daß sie ihn überragte.

»Ich muß wieder nach Rußland... Du weißt, daß ich Dinge betreibe, die zu Ende geführt werden müssen.«

»Jacob wollte hierbleiben«, sagte sie geistesabwesend. »Aber er mußte gehen... Ich habe ihn hier. Immer!«

»Ich habe nicht die Absicht zu sterben, auch wenn dein Mann gestorben ist. Kommt ein Kind, dann werde ich...«

Sie lachte hart, griff nach dem Gewehr und ging zielstrebig in den Wald hinein.

Er erhob sich und folgte ihr. Nach einer Weile begriff er, daß sie angefangen hatte zu jagen. Sie war angespannt und auf der Hut. Als ob sie ihre Wut in die äußerste Konzentration legte, die eine Jagd erforderte. Lautlos schlich sie zwischen den Bäumen vorwärts.

Er lächelte.

Benjamin hatte sie von seinem Ausguck im Auge behalten. Von der großen Espe im Geröll. Eine Zeitlang saß er ganz still und beobachtete die Umarmungen der Menschen hinter dem Stein. Er hatte tiefe Falten auf der Stirn, und der Mund stand offen. Manchmal zuckte es in dem einen Mundwinkel.

Er konnte nicht hören, was gesprochen wurde. Und als sie sich fertig machten und weitergingen, verlor er sie aus den Augen.

Aber er schlich ihnen nach. Benjamin wollte alles sehen, ohne entdeckt zu werden.

Leo ging ruhig hinter Dina her und betrachtete ihren Körper.

Dieser zog die tiefstehende Herbstsonne an und suchte nach seinem Schatten auf den Baumstämmen und dem Heidekraut.

Dina drehte sich um und blieb stehen, als sie an den Rand einer Lichtung kamen.

»Jacob verschwand in dem Abgrund, denn er wußte nicht, wer ich war.«

»Was sagst du da?« fragte er. Erleichtert, daß sie mit ihm sprach.

»Er mußte hinunter, weil ich es wollte.«

»Wie?« flüsterte er.

Sie ging ein paar Schritte zurück. Langsam. Mit hängenden Armen.

»Ich ließ den Schlitten hinunterstürzen.«

Er schluckte und wollte ihr nachgehen.

»Bleib stehen!« sagte sie herrisch.

Er stand wie angewurzelt im Heidekraut.

»Niels hat es auch nicht verstanden. Aber er hat es selbst getan!«

»Dina!«

»Der Embryo, den ich auf dem Foldmeer ausgeblutet habe, der ist auch sicherer bei Hjertrud... Denn du bist nicht gekommen!«

»Dina, komm her! Erkläre mir, wovon du sprichst. Bitte!«

Sie drehte ihm wieder den Rücken zu und ging langsam über die Lichtung.

»Du willst nach Rußland fahren, du?« rief sie im Gehen.

»Ich komme wieder. Was hast du da von einem Embryo geredet, der...«

»Und wenn du nicht wiederkommst?«

»Dann warst du mein letzter Gedanke. Erzähl mir, was auf dem Foldmeer passiert ist, Dina!«

»Jacob und die anderen, sie bleiben bei mir. Sie brauchen mich.«

»Aber sie sind tot. Du kannst nicht die Schuld tragen für...«

»Was weißt du von Schuld?«

»Einiges. Ich habe mehrere Menschen getötet...«

Sie drehte sich blitzschnell um und starrte ihn an.

»Das sagst du nur so«, rief sie rasend.

»Nein, Dina. Sie waren Verräter, die anderen Tod und Verderben bringen konnten. Trotzdem... habe ich Schuldgefühle.«

»Verräter! Weißt du, wie sie aussehen?«

»Sie haben viele Gesichter. Sie können sein wie Dina Grønelv! Die einen Mann zwingen will, an ihrem Rockzipfel zu hängen.«

Ich bin Dina, die Leo aus dem Schatten kommen sieht. Er ist bärtig und verlaust und in Lumpen gekleidet. Er hält Puschkins Duellpistole vor sich, so daß ich glauben soll, es sei ein Gedichtband. Er will etwas von mir. Aber ich halte ihn auf ein paar Schritte Abstand. Ich habe die Finnenbüchse geladen, um zu jagen. Leo kennt sein eigenes Bestes nicht. Er will mir dies und jenes von dem neuen Zaren Alexander II. erzählen. Aber ich bin müde. Ich bin weit gegangen. Mir fehlt ein Pferd.

Ich bin Dina, die zu dem Räuber sagt: »Heute wirst du Hjertrud treffen. Sie befreit dich von allen angstvollen Gedanken, deshalb brauchst du nicht wie ein Verräter zu fliehen.«

Ich zeige auf Kain und mache ein Zeichen auf seine Stirn. Dann werde ich ihn wiedererkennen. Denn er wird auserwählt und behütet sein. Bis in alle Ewigkeit.

Ich lege ihn in das Heidekraut, damit er immer geborgen in Hjertruds Schoß ist. Ich sehe ihn an. Es zittert noch in den grünen Augen. Er spricht mit mir. Ein schöner Streifen rinnt von seinem Mund herunter auf seinen Arm. Ich nehme seinen Kopf in meine Hände, damit er nicht allein im Dunkeln liegen muß. Er hat Hjertrud gesehen.

Hörst du mich, Barabbas? Lorch wird Cello für dich spielen. Nein. Klavier! Die »Sonata quasi una fantasia« spielen. Siehst du, wer ich bin? Kennst du mich?

Bin ich immer dazu verurteilt?

Plötzlich stand der Junge oben am Abhang. Sein Schrei schnitt ein Loch in den Himmel. Sekunden kämpften in der flimmernden Sonne.

Ich bin Dina, die Benjamin aus dem Berg kommen sieht. Geboren aus Spinnweb und Eisen. Sein Gesicht ist zerrissen im Schmerz.

Ich bin Hjertruds Auge, das das Kind sieht, das mich sieht. Ich bin Dina – die sieht.

Herbjørg Wassmo

(60159)

(65051)

(60158)

(60157)

Frauen unterwegs

(60211)

(77070)

(60074)

(77002)

(77069)

(77116)